# ÉMILIE, ÉMILIE
# L'AMBITION FÉMININE AU XVIII^e SIÈCLE

*Professeur agrégé de philosophie, Elisabeth Badinter enseigne à l'Ecole polytechnique où elle dirige un séminaire sur l'histoire de la famille.*

Après *L'Amour en plus,* histoire de l'amour maternel, Elisabeth Badinter aborde dans cet essai le problème de l'ambition à travers le destin de deux grandes dames du XVIII^e siècle : Madame du Châtelet, qui fut la compagne de Voltaire, traduisit le grand œuvre de Newton et fut l'égale des savants de ce temps; Madame d'Epinay, amie de Grimm, qui imagina une nouvelle pédagogie, critique de Rousseau, et traça le destin des futures mères.
Ces deux ambitieuses, au sens le plus noble du terme, refusaient d'accepter les limites que la société leur assignait. Elles voulurent se donner toutes les chances dont elles se sentaient capables, en dépit de leur sexe.
Madame du Châtelet incarne à nos yeux l'ambition personnelle, Madame d'Epinay, l'ambition maternelle, deux figures entre lesquelles se partage la vie des femmes.
*Emilie, Emilie* n'est pas à proprement parler une double biographie, mais bien plutôt un essai qui nous conduit au cœur du XVIII^e siècle sans perdre de vue le présent le plus actuel.
On apprendra beaucoup à la lecture passionnante de ce texte. Mille et un détails sur la société du XVIII^e siècle et le milieu des Encyclopédistes, on découvrira aussi un Voltaire féministe... Le charme du livre tient à un équilibre mesuré entre l'analyse et le récit, et à un balancement très réussi dans le passage d'une héroïne à l'autre : Madame du Châtelet, impérieuse, conquérante des cœurs et amante insatiable, mais fidèle aussi à Voltaire, et à Newton dont sa traduction est une œuvre considérable. Madame d'Epinay, plus douce, flouée, même dans son amour pour Grimm, cherchant à la fin de sa vie comment assurer la revanche des femmes sans les frustrer des joies de la maternité.

*(Suite au verso.)*

Le titre s'explique aisément : Madame du Châtelet se prénommait Emilie (et Voltaire se proclamait le premier des Emiliens !), Madame d'Epinay adorait ce prénom qui fut celui de sa petite-fille pour qui elle écrivit les *Conversations avec Emilie*, où elle jette les bases d'une pédagogie neuve et révolutionnaire. Pédagogie tout entière opposée à Rousseau, qui dans *L'Emile* ne fait pas la part belle à la compagne qu'il donne à son héros, malgré le doux nom de Sophie...

## ŒUVRE D'ÉLISABETH BADINTER

*Dans Le Livre de Poche :*

L'AMOUR EN PLUS.

ELISABETH BADINTER

# *Émilie, Émilie*

## l'ambition féminine au XVIIIe siècle

FLAMMARION

AVANT-PROPOS

# L'AMBITION FÉMININE AU XVIIIe SIÈCLE

Si l'ambition est le propre de l'homme, elle a rarement eu valeur d'attribut féminin. Aujourd'hui seulement, on commence à la considérer comme une aspiration indépendante du sexe. Il y a, à cette longue méprise, une double explication. L'image millénaire qui est celle de la femme et de son rôle. Et une conception à la fois virile et négative de l'ambition. Les deux raisons renvoient à une vision judéo-chrétienne du monde, ce qui ne signifie pas qu'elle fut la seule à réprouver l'ambition féminine. Presque toutes les civilisations l'ont ignorée sinon condamnée.

## *Une passion négative ?*

Tous les dictionnaires, depuis Trévoux, insistent sur l'aspect « excessif[1] », « déréglé[2] », « immodéré[3] » de cette passion. La qualifier, comme le *Robert*, de « désir ardent » paraît encore la façon la plus neutre d'en parler. Et pourtant, avant même d'aborder le contenu d'un tel désir, le lecteur sait

1. *Dictionnaire de Trévoux*, 1704, tome I.
2. *Ibid.*
3. *Larousse du XXe siècle*, tome I, et *Dictionnaire encyclopédique Quillet*, tome I.

déjà que l'ambition ne révèle pas la meilleure part de l'être humain. Trois siècles avant l'ère chrétienne, les premiers stoïciens ont enseigné la méfiance à l'égard des passions, excessives et douloureuses par définition. La grandeur de l'homme ne réside pas dans cet état de soumission et d'aveuglement mais dans le détachement calme et lucide qui est le propre de la raison. Tous les stoïciens depuis Zénon ont dénoncé ce « pathos », cette tendance tyrannique, irrationnelle et antinaturelle. La théologie chrétienne, à cet égard, ne les démentira pas. Le désir est du côté du péché et de l'animalité. En lui accolant l'idee de démesure, redondance volontaire, on accuse encore son caractère péjoratif.

Pourtant, la condamnation traditionnelle de l'ambition ne tient pas tant à sa forme qu'à son contenu. L'ambition, dit-on, est un désir immodéré « de gloire, de fortune, d'honneurs et de puissance[1] ». Et certains dictionnaires insistent plus que d'autres sur l'orgueil répréhensible d'une telle démarche. Trévoux remarque que l'ambitieux « a une passion excessive de s'agrandir ». Quillet définit l'ambition comme une aspiration « à tout ce qui peut nous élever au-dessus des autres ». Et le *Robert* qui se veut plus clair cite parmi les antonymes de l'ambition : le désintéressement, l'humilité et la modestie. On ne peut mieux dire où est le vice et où est la vertu.

Cette poursuite de la gloire – surtout lorsqu'elle est immodérée – paraît d'autant plus méprisable qu'elle est accolée, à une virgule près, aux concepts de fortune, d'honneurs et de puissance. Tout ce qui donne la supériorité dans notre monde est par avance condamné depuis Platon. Les vraies valeurs sont ailleurs. L'âme vertueuse n'a que faire de tels trompe-l'œil. Elle ne cherche pas à dépasser ou à soumettre les autres. Cela n'est bon que pour les aveugles et les ignorants. Son seul désir est de faire son

1. *Larousse du XXe siècle.*

salut en imitant la Sagesse divine. Pour y parvenir, la modestie est préférable à l'orgueil. L'indifférence aux choses de ce monde trompeur plus recommandable que la course effrénée aux illusions terrestres. Nul ne peut emporter sa fortune ou sa gloire dans le monde éternel et divin. Enfin, la puissance acquise sur les autres ne fait pas figure d'atout pour entrer au paradis. Bien au contraire. Mieux vaut se la faire pardonner.

L'ambition, telle qu'elle est définie, n'est donc pas un avantage pour l'homme. Elle constitue plutôt un risque moral considérable. Elle choque la Raison et la Justice. Elle dénature le cœur. Et tous s'accordent pour dire que le mot « Ambition », quand il est seul, se prend ordinairement en mauvaise part. Il ne peut être pris dans un sens favorable que lorsqu'il est joint à quelque épithète qui le modifie. On parle alors d'une « noble », « généreuse » ou « louable » ambition. Il ne s'agit plus de viser la fortune, la gloire, les honneurs ou la puissance mais un objet collectif, un idéal qui transcende la personne de l'ambitieux.

L'ambitieux honorable n'a que faire de sa propre gloire. Il est prêt à se dévouer pour une cause d'intérêt général, à tout sacrifier pour elle, voire à lui offrir sa vie sans espérance de reconnaissance.

On voit donc que le tort majeur de l'ambitieux est de travailler pour son seul compte. Il est non seulement coupable d'indifférence au sort des autres, mais, pire encore, il veut s'échapper de la condition commune et s'élever au-dessus de ses semblables. Là aussi est le mal pour toutes les philosophies qui proclament que le Bien et la Vertu consistent justement à rester à sa place. Sortir de la condition dans laquelle Dieu nous a fait naître est une erreur fondamentale qui défie l'ordre établi.

L'idéologie de la Monarchie absolue allait dans le

même sens, En prônant une société strictement hiérarchisée où chacun tenait sa place de la grâce de Dieu, elle condamnait par avance toute tentative de mobilité sociale. Grâce à des écrous bien serrés, il était difficile pour tous, impossible pour une grande majorité, d'améliorer son statut originel. Ceux qui y parvenaient ne suscitaient pas l'admiration de leurs supérieurs « naturels », mais une sorte de moquerie condescendante. Le bourgeois gentilhomme est objet de mépris pour certains, d'envie pour d'autres. Il fallut des siècles pour que la noblesse d'épée reconnût les droits de la noblesse de robe, pour que les anciens aristocrates accueillissent en leur sein les bourgeois anoblis.

L'ambitieux, parce qu'il aspire à changer de condition, est généralement perçu comme un danger pour l'ordre social. Défiant la nature, le pouvoir, et Dieu, l'ambition s'apparente à la folie qui bouleverse l'ordre des valeurs et du réel.

Il est dommage que l'idée de défi qui lui est propre soit exclusivement marquée d'une signification sociale. L'ambition est aussi une affaire personnelle et métaphysique. Contrairement à ce qu'on laisse entendre, richesse, honneurs et gloire sont moins désirés pour eux-mêmes que parce qu'ils instaurent la distinction et symbolisent, chacun à leur façon, un premier pas hors du commun mortel.

Il n'y a pas de petites ambitions. Quels que soient les moyens et les buts, la terrible lutte pour dépasser sa condition initiale est toujours un défi lancé à soi-même, aux autres et au monde. Il s'agit de prouver qu'on peut sans cesse aller au-delà... La richesse, les honneurs ou la gloire ne sont que les étapes tangibles de cet interminable chemin. On peut toujours se moquer de ces misérables substituts de la transcendance vers laquelle on tend, ils restent bien souvent nos repères.

L'ambitieux lie son sort à une certaine maîtrise du monde. Il y a du Prométhée en celui qui s'assigne comme objectif la compréhension, l'action ou la création. L'intellectuel, le politique ou l'artiste sont mus par une même raison d'être : changer leur état naturel de soumission pour se mettre en situation de domination. A chacun d'entre nous le monde se donne dans son opacité et sa nécessité. Quelle présomption ne faut-il pas au misérable mortel pour décider de se confronter à lui ? Sans doute une mégalomanie de bon aloi sans laquelle rien ne serait possible, qui reste néanmoins une folie puisque la condition mortelle est toujours perdante devant l'éternité du monde.

L'ambitieux n'a pas une seconde à perdre pour commencer ce combat. La première bataille qu'il livre est contre lui-même. Contre sa force d'inertie et ses limites naturelles. Avant d'entreprendre, il lui faut exploiter ses potentialités jusqu'à la douleur. Un tel travail nécessite de l'ambitieux qu'il se concentre sur lui-même et fasse de sa propre personne son premier objet d'intérêt. De là vient l'impression d'égoïsme forcené, mais de solitude aussi, qu'il dégage lorsqu'on le rencontre.

Dans cette première phase, le monde lui paraît inexistant et les autres indifférents. Mais il ne faut pas s'y tromper : bientôt, rien ne sera plus important à ses yeux. La seule chance, en effet, de ne pas perdre son pari repose essentiellement sur les autres, Pour transcender sa condition mortelle, il faut être reconnu par les siens et ses descendants. On appelle cela la gloire. A défaut de l'éternité, on gagne quelque survie après la mort, ce qui, pour certains, constitue déjà une victoire considérable.

Il est probable que tout ambitieux est mû par une angoisse de mort plus aiguë que chez d'autres. Et peut-être l'ambition est-elle l'une des meilleures réponses à la question lancinante et universelle : Comment faire pour ne pas disparaître ?

Face à ce problème proprement humain et insupportable, les hommes ont inventé une autre solution. La croyance religieuse nous promet la survie de notre âme. L'exigence n'est plus de maîtriser le monde, mais de se soumettre docilement aux lois divines. L'éternité est à ce prix. Et même la Béatitude. Cette solution suggérée par la religion n'est pas moins difficile à atteindre que la première. Obéir ne va pas de soi. Et puis comment être sûr que l'on a convaincu Dieu de sa vertu ? Il faut s'abandonner à la foi et nous en remettre à toute sa miséricorde. Par ce biais, notre profond désir de transcendance se satisfait.

Mais peut-être est-il plus risqué encore de tout miser sur soi-même et de convaincre ses semblables de sa propre valeur. L'ambitieux ne court pas après la vertu morale, mais rêve de prouver sa capacité d'action.

Comme le croyant, l'ambitieux est intéressé par *l'être*. Mais deux différences le séparent de celui-là. L'homme religieux est presque indifférent au monde terrestre et considère cette vie comme une parenthèse, un accident. Tout au plus une épreuve à passer le moins mal possible pour accéder à l'éternité. Il n'a que faire de l'admiration de ses semblables. Son désir de solidarité l'emporte de loin sur la volonté de supériorité, car, au regard du Seigneur, tous sont égaux.

Ne serait-ce que par ce dernier trait, l'homme de foi est infiniment plus attachant que l'ambitieux concentré sur lui-même. Autrui est trop souvent perçu comme indifférent ou concurrent pour établir des liens de solidarité avec lui. De plus, l'ambitieux n'a pas besoin de l'autre, son frère de condition, mais des autres, masse diffuse et anonyme seule capable de le porter au-dessus de son état de mortel.

L'ambitieux doit séduire les hommes et les impressionner pour en être reconnu. Non les aimer. De sa puissance de séduction dépend la force de l'intérêt qu'il suscite. L'important pour lui n'est pas seulement de maîtriser le monde, mais aussi d'être regardé et admis comme tel. En ce sens, le *paraître* n'est jamais étranger à l'ambition non plus. Dans un monde désert l'ambition n'a plus de sens. Sans témoins pour dire sa grandeur, à quoi bon se torturer à être grand ? L'ambitieux, dans une telle situation, se sentirait déjà mort de son vivant.

Tous les hommes d'ailleurs ont besoin de se voir exister dans le regard de l'autre pour être sûrs qu'ils existent. Mais pour la plupart d'entre nous, les regards de l'entourage proche suffisent à nous rassurer. L'ambitieux, lui, cherche le regard de ceux qu'il ignore. Ceux qui témoigneraient « en toute objectivité » que d'une manière ou d'une autre il a laissé sa marque sur le monde, et peut-être sur eux-mêmes.

Les véritables ambitieux sont rares. La plupart de ceux qui se mettent sur la ligne de départ abandonnent en route, vaincus par le poids des nécessités extérieures. D'autres négocient avec leur ambition et rognent leurs aspirations. Restent ceux qui lui sacrifient tout sans jamais être sûrs d'être payés de retour. Contrairement au croyant qui peut toujours compter sur la bonté divine pour accéder au paradis éternel, l'ambitieux ne peut jamais parier sur la reconnaissance d'autrui pour relever le défi jeté à sa condition humaine.

En cette incertitude tragique réside sa grandeur propre. L'ambitieux joue sa vie sans filet avec toutes les chances de tomber. Et s'il échoue, non seulement il aura tout sacrifié pour rien – les plaisirs, la sérénité, le repos –, mais il apparaîtra aux yeux des autres comme une caricature de lui-même.

Quoi de pire, en effet, que l'ambitieux qui ne renonce pas et qui échoue ?

Mais rien de grand ne s'est jamais fait sans ambition. Les Romains, note Diderot dans *l'Encyclopédie*, lui avaient élevé un temple. Ils le lui devaient bien. Ils la représentaient avec des ailes et les pieds nus. Comment mieux exprimer qu'elle est source de progrès, et que l'ambitieux paie de sa propre personne ?

Passion négative pour les uns, elle est la seule chance de salut pour les autres. Une des grandeurs de l'homme.

## *L'ambition au XVIII^e siècle*

Dans la France du XVIII^e siècle, l'ambition n'est permise qu'à fort peu de monde. C'est un privilège de nanti. La lutte pour la survie, qui est le lot de la majorité, interdit la dispersion des efforts. Les bras des enfants sont vite requis pour le travail et de nombreux parents considèrent l'alphabétisation comme un luxe.

La prolifération des petites écoles au XVII^e et au XVIII^e siècle a notablement amélioré la situation globale des Français. Mais l'inégalité reste grande entre les villes et les campagnes, et l'alphabétisation des femmes très inférieure à celle des hommes malgré les progrès accomplis en deux siècles. Enfin, la différence la plus flagrante concerne les classes sociales [1]. Il faudra attendre la fin du XIX^e siècle pour que l'alphabétisation des classes défavorisées devienne un véritable objectif politique.

Dans de telles conditions économiques et culturelles, comment serait-il possible d'évoquer l'ambition personnelle ? En ce temps où le pouvoir politiquc, militaire et administratif appartient de droit à la caste des privilégiés, la culture et le savoir sont les seuls moyens d'accès à une certaine maîtrise du monde. Or ces moyens restent l'apanage des classes aisées. Ce n'est pas un hasard si les artistes, les savants et les lettrés appartiennent aux classes bourgeoises plus qu'à aucune autre. Rappelons – même si c'est un truisme – qu'une certaine disponibilité est nécessaire pour pouvoir créer et comprendre. Et que

1. R. Chartier, M.M. Compère, D. Julia, *L'Éducation en France du XVI^e siècle au XVIII^e siècle,* chap. III, p. 101, SEDES, 1976. Si respectivement 95% des hommes et 80% des femmes des classes aisées peuvent signer de leur nom dans le nord de la France, à la fin de l'Ancien Régime, on ne compte que 54% d'hommes et 19% de femmes manouvriers qui peuvent en faire autant. Ce qui fait dire à nos auteurs qu'« excepté les dernières décennies de l'Ancien Régime, les femmes de manouvriers restent totalement éloignées de l'écriture » !

celle-ci n'est rendue possible que par la résolution des problèmes vitaux.

Deux privilèges dont sont largement privés la majorité des hommes du XVIIIe siècle et plus encore les femmes.

Mais qui peut le plus ne peut pas forcément le mieux. L'ambition est un désir qui implique par définition une certaine insatisfaction. Si l'on n'a plus rien à désirer et que tous nos objectifs sont atteints, on n'est plus capable d'ambition. Les nantis souffrent fréquemment de ce mal, lorsque, saturés de biens, de plaisirs et d'honneurs, ils succombent à une torpeur qui bloque tout effort et interdit tout projet.

Satisfaits en tout, ces privilégiés connaissent souvent une cruelle frustration : l'absence de désir, que Marmontel nommait « la maladie de la satiété [1] ». Ce mal qui ronge l'âme des privilégiés apparaît dans toute sa netteté au XVIIIe siècle, bien avant l'ère romantique. R. Mauzi [2] a remarquablement fait le bilan de cette maladie de l'âme qui va de pair avec la découverte du vide et prend noms : ennui, mélancolie, vapeurs.

Contre l'ennui, point de remède. Car c'est l'état d'un homme heureux, « où le bonheur, dit Jankélévitch, vire en son contraire et se change en un fruit trop mûr, déjà presque pourri [3] ». Si l'ennui « empoisonne le bonheur naturel d'exister [4] », et dégoûte de la vie, a fortiori castre-t-il l'ambition.

Mme du Deffand, qui demeure le plus célèbre exemple de ces sortes de malades, a longuement décrit son mal qui la prive d'imagination et n'inspire aucune salutaire parade, aucune fuite [5]. Elle avoue

1. Marmontel, *Bélisaire*, 1767, pp. 88-89.
2. « Les maladies de l'âme au XVIIIe siècle », *Revue des sciences humaines*, oct.-déc. 1960.
3. Cité par Mauzi, *op. cit.*, p. 460.
4. Id., *ibid.*, p. 461.
5. Lettre à Walpole, 13 avril 1777, cité par Mauzi, *op. cit.*, p. 463.

« être honteuse de l'emploi qu'elle fait de sa vie [1] ». A l'opposé de l'ambitieux concentré sur lui-même, qui exploite ses propres forces pour mieux prendre possession de son être et du monde, Mme du Deffand se déteste et se fuit. « Elle éprouve sa propre existence, comme une chose opaque, étrangère, anarchique, que la conscience ne peut ni réduire, ni assumer [2]. »

N'ayant de son propre aveu « ni tempérament ni roman [3] », Mme du Deffand est incapable d'organiser le présent en fonction d'un objectif futur. Son imagination tarie ne lui représente rien d'enviable. Elle préfère « s'endormir dans cette connivence universelle des êtres sans conscience [4] ». Une sorte de sommeil existentiel qui menace constamment de se convertir en maladies psychiques : mélancolie ou vapeurs.

Les médecins du XVIII^e^ siècle [5] se sont attachés à définir les symptômes de ce qu'ils appelèrent « la maladie du siècle », inconnue des gens du peuple. Si la mélancolie rend l'âme profondément douloureuse et ramassée sur un seul objet, les vapeurs se définissent au contraire « par une léthargie absolue des aptitudes de l'âme [6] ». Les vapeurs féminines sont proches de notre hystérie et se reconnaissent aux spasmes et aux convulsions. Celles des hommes sont dites « mélancoliques » ou « hypocondriaques ».

On a donc eu tort d'associer trop vite, comme l'ont fait les Goncourt [7], l'idée de vapeurs à la fémi-

1. A la duchesse de Choiseul, 27 août 1772.
2. Mauzi, p. 463.
3. Au président Hénault, 14 juillet 1742.
4. *Ibid.*, Mauzi, p. 466.
5. Raulin, *Traité des affections vaporeuses du sexe* (1758) et Pomme fils, *Traité des affections vaporeuses des deux sexes* (1763) sont parmi les plus célèbres.
6. Cité par Mauzi, *op. cit.*, p. 470.
7. Les Goncourt, *La Femme au XVIII^e^ siècle*, 1862, chap. X, Flammarion, coll. Champs, n° 95.

nité. S'il est vrai que Mme d'Épinay, comme beaucoup de femmes de sa caste, en éprouva dans ses moments de découragements, et surtout lorsqu'elle ressentait l'inutilité de son existence, ce tourment ne fut pas l'apanage des femmes. Voltaire, Rousseau et Galiani, pour ne citer que ceux-là, furent sujets aux vapeurs. Et ni l'énergie ni la volonté ne leur faisaient défaut.

Contrairement à l'idée répandue que le manque d'ambition engendre l'ennui, Galiani inverse les facteurs. C'est l'ennui qui susciterait l'ambition[1], comme le mal son remède. Pour sortir de cet état de léthargie, rien de tel que de se fixer un but. La vie de Mme d'Épinay semble lui donner raison. Chaque fois qu'elle sombre dans la mélancolie, elle se soigne en se proposant de nouveaux idéaux. Mais la théorie de Galiani ne s'applique pas à tous puisque l'ennui existentiel empêche justement l'imagination de faire son office. Si Mme d'Épinay se relève à chaque fois de ses vapeurs, c'est parce que celles-ci n'entament pas profondément ses structures psychiques. L'ambition est sa véritable nature et les vapeurs qu'elle éprouve ne sont que l'expression d'un découragement passager.

L'ambition est bien l'antidote de l'angoisse existentielle du vide, à condition toutefois que celle-ci ne verse pas dans la pathologie la plus sombre. A supposer aussi que l'objectif que l'on s'est assigné ne rencontre pas d'obstacles insurmontables. Rien de pire, en effet, qu'une société qui permet le rêve et le désir tout en ôtant les moyens de les réaliser.

L'ambition a certainement été favorisée au XVIIIe siècle davantage qu'aux siècles précédents. L'esprit de religion n'est plus ce qu'il était ; la dévotion est souvent une politesse de la vieillesse plus qu'un

1. Lettre de Galiani à Mme Geoffrin, 19 oct. 1771. Édition Perey-Maugras, 1881, tome I, p. 469 : « L'ambition est la fille aînée de l'ennui. »

idéal de vie. L'enfer ne fait plus si peur et Voltaire l'a définitivement emporté sur Pascal.

A cela une raison essentielle : un changement radical d'objectif. La volonté de vivre heureux ici et maintenant s'est substituée au désir de Béatitude éternelle.

Tout concourt à la réalisation de cet objectif nécessaire à l'éclosion des ambitions. Le matérialisme moral venu d'Angleterre fait des ravages sur les esprits français. On commence à penser que la richesse, les plaisirs, le bien-être et la santé ne sont pas des biens aussi méprisables qu'on le disait. Ce n'est pas un hasard si Voltaire s'inspire de *La Fable des Abeilles* de Mandeville pour écrire *Le Mondain,* ni si Mme du Châtelet le traduit en français. L'heure est au primat des sens, de l'expérience et de la matière. Au rationalisme innéiste de Descartes on oppose l'empirisme de Locke, et toute femme du monde qui se veut au fait de la culture se doit de l'avoir lu [1].

La tendance se fait de plus en plus vive à reconstituer la vie psychologique et morale au moyen d'éléments simples tels que la sensation, le plaisir et l'intérêt. Autant de concepts qui prennent soudainement une consistance qu'on ne leur soupçonnait pas. Le plaisir et les passions deviennent des thèmes de réflexion à la mode qui n'appellent plus une critique sévère, mais une analyse positive.

Ainsi, on appréhende moins la passion comme un état de passivité de l'âme, une défaillance de la raison et de la volonté que comme un auxiliaire de l'action. Certes, la passion est source de risques et d'agitations, mais le XVIII^e^ siècle est convaincu par avance de l'aphorisme hégélien : « Rien de grand ne se fait jamais sans passion. » L'idéal de vie au siècle des Lumières a profondément changé. Le repos, la sérénité et l'indifférence aux aléas de la vie

1. C'est le cas de Mme d'Épinay dans les années 1750, *Pseudo-Mémoires,* tome II, p. 508.

ne sont plus perçus comme le modèle de la sagesse. Mais comme la caricature de la mort. Une vie ne saurait être réussie sans émotions ni passions. Mme du Châtelet, parmi beaucoup d'autres, défendra cette philosophie-là[1]. L'insensibilité pure lui fait horreur et l'idée d'un apaisement glacé de l'âme, acharnée à se vaincre, est pour elle synonyme d'apathie ennuyeuse[2].

Pour être heureux, dit Mme du Châtelet, « il faut commencer [...] par se bien convaincre que nous n'avons rien à faire dans ce monde qu'à nous y procurer des sensations et des sentiments agréables. Les moralistes qui disent aux hommes : « Réprimez vos passions et maîtrisez vos désirs, si vous voulez être heureux » ne connaissent pas le chemin du bonheur. On n'est heureux que par des goûts et des passions satisfaites [...]. Ce serait donc des passions qu'il faudrait demander à Dieu, si on osait lui demander quelque chose [3] ».

Mme du Châtelet prend soin d'ajouter qu'elle n'écrit pas pour tout le monde, mais « pour ce qu'on appelle les gens du monde, ceux qui sont nés avec une fortune toute faite [...]. Et ce ne sont peut-être pas les plus aisés à rendre heureux [4] ».

Elle admet toutes les passions et ne porte d'exclusive que sur celles qu'elle nomme des vices : la haine, la vengeance, la colère [5].

Curieusement, la seule passion sur laquelle Mme

1. Mme du Châtelet, *Réflexions sur le bonheur* ou *Discours sur le bonheur*, Éd. des Belles Lettres, 1961.
2. Voir la thèse de R. Mauzi, *L'Idée de bonheur au XVIIIe siècle*, A. Colin, 1969.
3. *Discours sur le bonheur, op. cit.*, pp. 4 et 5.
4. *Ibid.*, p.7.
5. *Ibid.*, p. 27. La gourmandise est recommandée si elle est tempérée par des diètes et Mme du Châtelet n'hésite pas à faire l'apologie de la passion du jeu, « jugée très déraisonnable aux yeux des philosophes et de la raison ». Il est heureux de la posséder, dit-elle, si on peut la modérer et la réserver pour le temps de la vieillesse. Elle remue notre âme d'espérance et de crainte et la rend heureuse en lui faisant sentir son existence.

du Châtelet émette quelques restrictions est « l'ambition » au statut ambigu. « Je crois qu'il faut [en] défendre son âme, si l'on veut être heureux ; ce n'est pas par la raison qu'elle n'a pas de jouissance, car je crois que cette passion peut en fournir ; ce n'est pas parce que l'ambition désire toujours, car c'est assurément un grand bien, mais c'est parce que de toutes les passions, c'est celle qui met le plus notre bonheur dans la dépendance des autres [1]. »

Cette passion, dont elle aurait dû défendre son âme, ne lui manqua pas. Et si elle a ignoré la haine et la vengeance, son tempérament de feu l'inclinait à des colères mémorables [2].

Il est vrai cependant que Mme du Châtelet tempérait sa condamnation de l'ambition par l'éloge de l'amour de la gloire qu'elle considérait comme une illusion bénéfique, source de plaisirs et d'efforts qui contribuent au bonheur, à l'instruction et à la société. « Il n'y a guère de héros, en quelque genre que ce soit, qui voulût se détacher entièrement des applaudissements de la postérité, dont on attend même plus de justice que de ses contemporains. On ne savoure pas toujours le désir vague de faire parler de soi quand on ne sera plus ; mais il reste toujours au fond de notre cœur. La philosophie en voudrait faire sentir la vanité ; mais le sentiment prend le dessus, et ce plaisir n'est point une illusion [3]. »

Mme du Châtelet a cumulé les deux passions, même si elle dénonçait l'illusion de la gloire et la dépendance dans laquelle nous place l'ambition. A ses yeux, rien n'était plus précieux que la jouissance intellectuelle et sensible de l'existence de soi.

Un grand nombre d'hommes et de femmes du XVIIIe siècle partageront sa philosophie. Plaisirs et passions ont une consistance que la Béatitude ne

1. *Ibid.*, pp. 19-20.
2. Mme de Graffigny, *Correspondance*, Éd. Eugène Asse, pp. 212-217.
3. *Discours sur le bonheur, op. cit.*, p. 22.

possède plus à leurs yeux. L'important est de bien vivre cette vie-là et non de la consumer en attendant une éternité dont on ne saura jamais rien. Tout ce qui donne du relief à ce passage sur la terre est bon à prendre, y compris la volupté que l'on condamnait jadis et dont Diderot se fait l'avocat [1].

L'éloge du libertinage n'est pas loin. N'est-ce pas Duclos qui confiait dans ses *Mémoires* : « J'ai été très libertin par force de tempérament et je n'ai commencé à m'occuper des lettres que rassasié de libertinage, à peu près comme ces femmes qui donnent à Dieu ce que le diable ne veut plus. » Le même Duclos conseillait à Mme d'Épinay de ne « pas faire la bêtise de lui [son fils] dire du mal des passions, ni du plaisir. J'aimerais autant qu'il fût mort que d'être condamné à n'en point avoir [2] ».

L'heure n'est plus à la craintive soumission au Dieu jaloux, ni aux peurs de l'enfer. Les hommes des Lumières parlent davantage de déisme et d'athéisme que de religion. Ils dénoncent les dogmes et la superstition qu'ils opposent à la raison et à la tolérance. Les femmes elles aussi osent rire des dévotes et prendre leurs distances avec les pratiques religieuses, Mmes d'Épinay et du Châtelet en sont l'illustration.

Mme du Châtelet, comme son compagnon Voltaire, se disait déiste [3]. Aux dires de R. Pomeau, la

1. A la princesse de Nassau, *Correspondance*, établie par Georges Roth, tome II, Sarrebruck, mai-juin 1758, Éd. de Minuit, 1956 : « Je me garderai bien de médire de la volupté et de vous décrier son attrait [...]. La nature serait en droit de répondre à celui qui en médirait [...] : Taisez-vous, insensé [...]. C'est le plaisir qui vous a tiré du néant. »

2. *Pseudo-Mémoires* de Mme d'Épinay, tome II, p. 311.

3. Le mot « déisme » fut créé au XVIe siècle par les Sociniens pour se distinguer des athées. Pascal l'opposait à la fois au christianisme et à l'athéisme mais concluait que déisme et athéisme « sont deux choses que la religion chrétienne abhorre presque également ». Le terme « déisme » a gardé de son origine une nuance péjorative. Il a été employé, avec réprobation, par les orthodoxes à l'égard de ceux qui se bornent à croire en Dieu, sans

prise de position était peu originale[1]. Au début du XVIIIe siècle, les déistes étaient relativement nombreux dans l'aristocratie et la grande bourgeoisie. A leurs yeux, le Dieu terrible et les prêtres cruels des religions révélées faisaient figure d'impostures. Seule la loi de la Nature était divine et universelle. Vers 1725, ils ne sont même plus, remarque R. Pomeau, à l'avant-garde du mouvement philosophique. Il y avait, à Paris, des cercles d'athées. Dans les cafés à la mode, fréquentés par les intellectuels, on daubait sur « M. de l'Être ».

Mme du Châtelet s'est toujours défendue, comme Voltaire, d'être athée. De fait, elle avait trop besoin de Dieu comme ultime principe pour consolider sa Physique. Non pas un Dieu qui parle au cœur de l'homme, mais un Dieu géométrique, universel et rationnel sur lequel fonder ses équations. « Son déisme géométrique exclut le sens du mystère et l'angoisse métaphysique [2]. » Comme Voltaire, Mme du Châtelet ne peut concevoir un Dieu humanisé aux passions jalouses qui suscitent superstitions et fanatisme. Les crimes et les barbaries dont regorgent les textes sacrés lui font horreur. Et lorsqu'elle entreprend l'*Examen de la Bible* [3], son esprit exact s'insurge contre l'incohérence des légendes, l'invraisemblance des croyances et des prodiges, l'inauthenticité des textes canoniques. Elle dénie toute valeur historique aux récits bibliques et se paie le luxe d'ironiser

accepter les dogmes et les pratiques d'une religion déterminée. En revanche, il était pris en bonne part chez les tenants de la religion naturelle. Ceux qui n'admettaient que l'existence de Dieu, l'immortalité de l'âme et la règle du devoir et rejetaient les dogmes révélés et le principe de l'autorité en matière religieuse.

1. René Pomeau, *La Religion de Voltaire,* Nizet, 1974, p. 114.

2. Id., *ibid.,* p. 127.

3. Texte publié sous le titre *Examen de la Genèse,* en 5 vol., rédigé dans les années 1735-1740. Voir aussi *Les Doutes sur les religions révélées* adressés à Voltaire. Ouvrage posthume publié en 1792.

sur ces textes saints. A ses yeux tout est faux dans l'*Écriture*.

Adeptes d'un Être suprême transcendantal, Mme du Châtelet et ses amis scientifiques ne se scandaliseront pas des propos sacrilèges de Voltaire. Lorsque celui-ci affirme qu'une hostie n'est qu'un morceau de pain, Mme du Châtelet souligne avec plaisir les extravagances de l'anthropomorphisme du divin. Cela n'apparaît blasphématoire qu'aux tenants de la doctrine officielle, dont, il est vrai, on peut toujours craindre le pouvoir d'embastiller.

Le milieu fréquenté par Mme d'Épinay n'est pas plus dévot. Même si cette dernière eut un instant la tentation de se consacrer à Dieu, après la découverte de la trahison de son premier amant, elle s'en dissuada aussi vite qu'elle s'en était convaincue. Elle rapporta d'ailleurs l'incident[1] comme la conséquence d'un moment d'aberration mentale. Une fois repris ses esprits, Mme d'Épinay se sentit très à l'aise dans un milieu athée, ou presque.

C'est sans la moindre émotion qu'elle rapporte les propos de sa belle-sœur La Live de Jully déclarant au cercle des familiers « qu'elle ne croit en rien [...] pas même en Dieu [2] ». Et elle ajoute pour comble d'indécence : « C'est à son amant qu'il ne faut jamais dire qu'on ne croit pas en Dieu [...] parce qu'avec un amant on ne sait jamais ce qui peut arriver et qu'il faut se réserver une porte de dégagement. La dévotion, les scrupules coupent court à tout. »

Mme d'Épinay participe joyeusement aux conversations très libres lors des petits dîners philosophiques de Mlle Quinault[3]. On s'y moque du culte religieux, et, si l'on regrette l'apparat des cérémonies de

1. *Pseudo-Mémoires*, tome II, p. 374.
2. *Ibid.*, tome II, p. 284.
3. Actrice de la Comédie-Française (1700-1783) qui donnait des conseils fort utiles aux écrivains les plus célèbres. Voltaire respectait scrupuleusement ses avis. Elle fut l'amphitryonne des soupers philosophiques au XVIIIe siècle et rassemblait à sa table, sous le nom de *Société du bout du banc*, tout ce que Paris et la Cour

jadis, c'est parce que « cela était gai [...] et que rien n'est si triste que notre catéchisme[1] ». Mme d'Épinay fait mine de se choquer du propos de Saint-Lambert. Mais c'est pour mieux relancer la conversation. On enchaîne en rappelant la parole du Christ selon laquelle il était venu apporter le fer et le feu. Et Mlle Quinault réplique que « cela valait bien la peine de venir de si loin. Le beau présent à faire aux hommes[2] ! »

Mme d'Épinay fut seule ce soir-là à défendre le bien-fondé de la religion naturelle aux côtés de Rousseau. Elle se dit fâchée que Saint-Lambert ne crût pas en Dieu mais admira cependant la manière dont il soutenait son opinion. L'assemblée passa, sans transition, à la lecture d'une nouvelle pièce...

Pas plus que Mme du Châtelet, Mme d'Épinay n'aurait défié les règles de bienséance en affichant publiquement le moindre anticléricalisme. Mais chez toutes deux, comme chez beaucoup d'autres, la foi avait déserté le cœur. Dans tous leurs écrits, on ne trouvera pas une ligne qui témoigne de la moindre inquiétude religieuse. Le destin de leur âme après la mort n'était pas leur affaire.

## *L'ambition féminine*

Rares sont les moments de l'histoire où l'alliance des deux mots « ambition » et « féminine » n'a pas choqué. Le rejet presque constant de l'idée d'ambition féminine tient à la fois à l'importance accordée à la différenciation des sexes et à la connotation virile de l'ambition.

comptaient d'intéressant. D'Alembert, Duclos, Diderot, d'Argenson, J.-J. Rousseau, Destouches, Marivaux, etc., étaient ses familiers.

1. *Pseudo-Mémoires*, tome II, p. 405.
2. *Ibid.*, p. 409.

On s'est toujours efforcé de définir l'homme et la femme en les opposant. Non pour en faire des ennemis, mais au contraire pour mieux les unir dans la complémentarité. A l'homme, la puissance physique, le pouvoir de la raison et la maîtrise du monde. A la femme, la sensibilité, le dévouement aux siens et la soumission. La différence des sexes entraîne une irréductible différence de fonctions dont la transgression est toujours perçue comme une menace. Une femme qui imite l'homme en s'emparant de son rôle, et inversement, apparaît vite comme un danger pour l'ordre du monde et une source de malheur humain. La nature, pense-t-on, ne pardonne pas ces sortes de défis.

La « nature de la femme », et la génialité qu'elle implique, est plus facilement appréhendée que celle de l'homme, à cause de son organisation physique. Les seins et l'utérus déterminent son destin. Sa finalité apparaît d'un coup : enfanter et materner. Le corps de l'homme est moins éloquent, moins prédéterminé à une seule fonction. L'homme est donc pluridimensionnel, plus libre aussi de ses choix. Si la reproduction lui échappe, en revanche la création lui appartient. En raisonnant ainsi en termes de « nature » et de « finalité », on parvient sans effort à une vision radicalement dualiste de l'univers humain. Système propre à enfermer les femmes dans leur spécificité qui leur ôte tout espoir d'en sortir sans dommage. On répliquera peut-être qu'il en est de même pour les hommes. Mais reconnaissons honnêtement que peu d'hommes dans notre civilisation judéo-chrétienne ont été tentés d'échanger leur condition pour celle des femmes.

Sur ce point, Rousseau n'a pas innové, contrairement à ce que croyaient ses contemporaines. Il s'est contenté de remettre à la mode, dans les classes qui l'avaient presque abandonné, le modèle millénaire des rapports hommes/femmes. En reprenant à son compte « la logique de la nature », Rousseau affirme « que la féminité retentit dans l'être profond ; qu'elle modèle la vie tout entière de la femme [...] non pas seulement sa conduite, mais sa vie organique, ses maladies, sa santé [1] ». L'existence de la femme est vouée à la maternité. Elle ne saurait s'y soustraire sans commettre une erreur fatale à son bonheur. Comme le dira un peu plus tard Cabanis, Rousseau pense que le bonheur féminin réside dans l'amour, lequel trouve sa qualité ultime dans la reproduction. L'amour dont il est question ne se rapporte pas à la passion, par définition égoïste et délirante, mais à un sentiment profondément oblatif. La destination de la femme est de donner son corps, ses soins, sa tendresse. Celle de l'homme est de prendre tout cela pour acquérir les forces nécessaires à la domination du monde.

Aux yeux de Rousseau, la revendication d'égalité prononcée par la femme à l'égard de l'homme est dénuée de sens. Pis, le signe d'une dépravation. La différence des sexes est un fait qui rend vaine toute comparaison. De plus, elle est signe de richesse alors que la similitude serait un appauvrissement [2].

L'éducation rousseauiste se donne pour objectif d'accuser les différences entre les sexes. Tout autre objet au nom d'un prétendu principe d'égalité est au sens propre une aberration. Loin de faire bénéficier la femme des qualités de l'homme, une telle éducation lui ferait perdre les siennes. De plus, il est presque certain qu'elle attrape « le ton des petits maîtres plutôt que la culture de l'honnête homme. Car l'initiation est le principe d'une dégradation [3] ».

1. Paul Hoffmann, dans son admirable thèse, *La Femme dans la pensée des Lumières,* p. 388, Éd. Ophrys, fascicule 158, 1977.

2. Rousseau, l'*Émile,* livre V, p. 693 de l'éd. de la Pléiade, 1969. « Comme si chacun des deux [sexes] allant aux fins de la nature selon sa destination particulière, n'était pas plus parfait en cela que s'il ressemblait davantage à l'autre ! »

3. P. Hoffmann, *op. cit.,* p. 390.

Rousseau s'insurge donc contre la prétention des femmes de la société parisienne à la culture et au savoir. Parce qu'elles ne peuvent jouer ce rôle qu'au détriment de leurs devoirs et qu'elles le tiennent mal. La timidité, la faiblesse et la pudeur de Sophie lui interdisent toute concurrence sérieuse avec Émile, sous peine d'abîmer ses vertus naturelles. Arrière la femme bel esprit qui trahit sa destination ! Elle court le risque de perdre le charme et la grâce qui accompagnent la spontanéité de son instinct. Cabanis, comme Rousseau, redoute que « la sèche raison détourne sa sensibilité au détriment de sa beauté et de son bonheur ». Ce serait un spectacle déplaisant de voir une femme plaider, enseigner, ou se livrer aux exercices du gymnase [1].

Dans cette optique, l'ambition ne sied pas aux femmes. Rien dans la définition de celles-ci ne s'accorde avec l'idée de celle-là. Tout ce qui se rapporte à l'ambition est symbole de virilité. « Combattre », « maîtriser », « conquérir » appartiennent au vocabulaire guerrier peu compatible avec l'image de la femme. L'ambitieux veut défier la nécessité et s'élever au-dessus de la nature, alors que la femme est immergée dans celle-ci avec ordre d'y rester. Son intuition et sa sensibilité sont des armes pour étudier les hommes et percevoir leurs besoins, non pour soumettre la nature.

Une femme ambitieuse est donc une femme dénaturée. C'est un être entre deux eaux que l'on ne sait plus bien définir. On la condamne parce qu'elle est gênante et qu'elle remet en cause – en même temps que la nature féminine – la spécificité de l'homme. Pour des raisons différentes mais complémentaires, on remarque que les femmes n'aiment guère non plus les ambitieuses. « Machisme » et jalousie se rejoignent dans la même condamnation. A fortiori

1. Id., *ibid.*, p. 165.

lorsque la femme ambitieuse, comme Mme du Châtelet, ne dissimule pas l'emprise de sa volonté [1].

Peut-être est-ce la raison pour laquelle les ambitieuses, soucieuses d'échapper aux critiques, dissimulent leur véritable tempérament sous un excès d'apparat féminin. A moins que ce ne soit pour se rassurer elles-mêmes sur leur identité, comme ces homosexuels qui se travestissent exagérément au point de paraître plus féminins que les femmes elles-mêmes. Mme du Châtelet ruisselait de diamants et se couvrait de pompons, comme si elle voulait se donner à elle-même le change en endossant les signes extérieurs de la féminité. Mais l'ambitieuse n'est pas « une femme qui veut faire l'homme ». C'est bien une femme, qui refuse les limites assignées à son sexe et souhaite la même liberté.

Objectif bien audacieux en ce XVIIIe siècle pourtant plus favorable que d'autres à l'ambition féminine. Les préjugés y furent moins tenaces qu'au XVIIe siècle. Il régnait aussi un certain air de liberté auquel les révolutionnaires rousseauistes mettront fin pour longtemps. Entre l'autoritarisme de Louis XIV et celui de Napoléon, il y eut une période presque faste pour les femmes des classes dominantes. Un moment béni où les hommes se sont rapprochés d'elles. « L'existence des femmes se fait moins retranchée, cependant que l'homme réduit au profit des devoirs et des plaisirs mondains les aspects proprement « virils » (la guerre, la chasse, etc.) de son emploi du temps [...]. Ainsi clercs et gens du monde se trouvent ensemble pris à la glu des occupations où la femme est souveraine : il en résulte nécessairement, avec une réappréciation du rôle social de la

1. L'éminent René Pomeau a noté à son propos : « *Cette femme qui veut faire l'homme* est incapable de l'abandon sympathique qui permet seul une intelligence des textes sacrés », *op. cit.*, p. 175. Souligné par nous. Mais il n'a jamais songé à en faire grief à Voltaire !

femme, une attention plus grande à ce sexe, et la mise en question des stéréotypes dont la littérature s'était jusqu'à présent contentée à ce sujet [1]. »

## *Un moment privilégié*

Entre les Précieuses aussi remarquables que Mlle de Scudéry [2] et les ambitieuses du XVIIIe siècle, la filiation est évidente. C'est grâce au combat acharné des premières pour promouvoir une autre image de la femme que les secondes ont pu faire leur chemin sans trop d'encombre.

Il est vrai que, à part quelques brillantes exceptions, les Précieuses n'ont pas réellement bénéficié du changement qu'elles voulaient imposer. Il fallut beaucoup de temps, et, comme le montre Fauchery, que les hommes modifient leurs intérêts et leurs valeurs pour que les femmes du XVIIIe siècle tirent quelque peu leurs marrons du feu.

Certains philosophes du XVIIe siècle ont contribué, peu ou prou, au changement idéologique en révélant la commune identité de l'homme et de la femme. Descartes, qu'on ne peut soupçonner de féminisme, en fut le lointain précurseur. En affirmant l'entière autonomie de la pensée à l'égard du corps, il rendait possible l'égalité intellectuelle de la femme.

Le cartésien Poullain de la Barre profita de la brèche ouverte par son maître pour soutenir l'idée nouvelle de l'égalité de l'homme et de la femme [3]. Puisqu'ils participent également à la raison, homme et femme partagent une identité essentielle, « non seulement *quant à l'âme* en vertu de son entière autonomie substantielle, mais aussi *quant au corps,*

1. Pierre Fauchery, *La Destinée féminine dans le roman européen du XVIIIe siècle*, A. Colin, 1972, p. 9.
2. 1607-1701.
3. Poullain de la Barre, Paris, *De l'égalité des deux sexes*, 1693.

dont la substance demeure semblable, quels que soient les modes qui la diversifient [...]. Les fonctions biologiques ont beau relever de lois mécaniques, nous pouvons nous affranchir de ce déterminisme par l'entendement qui, par sa seule décision, interdit au corps d'influer de façon décisive sur notre comportement [1] ». L'esprit est libre à l'égard du corps par les raisons de son antériorité ontologique, et cela est vrai pour tout humain quel que soit son sexe.

L'infériorité de la femme n'est donc qu'un préjugé hérité des Anciens. Pas plus que l'homme, la femme ne doit être définie par ses fonctions : maternité et soins domestiques. Etre de raison avant tout, elle n'est pas destinée à subir l'autorité de son compagnon. Domination et dépendance doivent être abolies entre eux.

Poullain de la Barre pousse très loin les conséquences de son analyse. Puisqu'il n'y a pas d'essence de la féminité et que celle-ci n'est qu'un « état extérieur », il faut modifier l'éducation traditionnelle des femmes qui encourage en elles un esprit « factice » de subordination. Il faut dénoncer les rapports de force entre les sexes qui n'ont ni vérité ni justice, revoir la convention du mariage qui ne doit plus être fondée sur la crainte mais sur l'amour. « Le mariage est un acte de liberté et non de contrainte qui relève de la juridiction de la raison [2]. »

Poullain ouvre donc la porte non seulement à la libération psychologique et morale de la femme, mais aussi a sa libération intellectuelle. En proclamant l'indépendance totale de la pensée à l'égard des conditions physiques de la sexualité, il affirme l'égale aptitude de la femme et de l'homme à toutes les œuvres de l'entendement [3]. D'où cette formule

1. Paul Hoffmann, *op. cit.*, p. 299.
2. Id., *ibid.*, p. 296.
3. Id., *ibid.*, p. 300.

révolutionnaire que ne démentiront pas les plus féministes : « L'esprit n'a pas de sexe [1]. »

En conséquence, les femmes sont aussi aptes aux sciences que les hommes, leur étude aussi nécessaire à leur bonheur qu'à celui de leurs compagnons. Elles peuvent prétendre à tous les emplois y compris toutes les fonctions publiques. Il serait donc justice de leur en ouvrir l'accès. Mais Poullain va plus loin, en restaurant, à l'intérieur de sa démonstration de l'égalité des sexes, l'idée de singularité de la femme. La maternité est à ses yeux une supériorité qui « rend comme naturelle en elle et aisée la vertu, dont la compassion et la bienfaisance sont les formes les plus hautes. L'idée d'une supériorité morale de la femme prend chez Poullain la relève de l'égalité qui était au principe de son discours [2]. »

La femme incarne donc les plus hautes valeurs de l'humanité : la raison, la paix, le repos et l'amour. Valeurs que Poullain de la Barre oppose aux titres dont se pare l'héroïsme guerrier. C'est l'amour et non la force, par définition violente, qui est le signe de notre filiation divine. Par une sorte de pied de nez à tous les Pères de l'Église, et notamment à saint Augustin, Poullain conclut que la femme est la créature qui reflète le mieux son créateur : « L'amour est le commencement, la fin, le bonheur et la perfection de l'homme [...]. Cet amour fait agir les femmes d'une manière plus approchante de celle de Dieu [...]. Ce sont elles qui nous donnent l'être, l'accroissement, la perfection, la vie [3] . »

Cette plaidoirie sans précédent pour la condition féminine n'eut pas les échos qu'elle méritait. A la même époque, on écoutait plus volontiers les propos réactionnaires du Chrysale de Molière [4]. On admi-

1. Poullain de la Barre, *op. cit.*, p. 109.
2. Paul Hoffmann, *op. cit.*, p. 306.
3. Poullain de la Barre, *De l'excellence des hommes contre l'égalité des sexes*, Paris, 1675, p. 308.
4. *Les Femmes savantes*, 1672, acte II, scène VII.

rait sans réserve l'idéal féminin exposé par Fénelon, qui affirmait avec autorité que « les femmes ont d'ordinaire l'esprit encore plus faible et curieux [1] que les hommes. Aussi n'est-il point à propos de les engager dans des études dont elles pourraient s'entêter. Elles ne doivent ni gouverner l'État, ni faire la guerre, ni entrer dans le ministère des choses sacrées. La plupart des arts mécaniques ne leur conviennent pas [...]. En revanche la Nature leur a donné en partage [...] la propreté et l'économie pour les occuper tranquillement dans leurs maisons [2] ».

Il est juste d'ajouter que les propos de Fénelon, aussi appréciés fussent-ils, ne changèrent pas grand-chose à la condition des femmes. Dans la brèche ouverte par les Précieuses, s'engouffrèrent pendant près d'un siècle toutes celles qui avaient les moyens et la volonté de savoir. L'idéal précieux de la courtoisie entre hommes et femmes survécut à ses initiatrices ainsi que la dévalorisation de la mère et de la ménagère.

Entre les Précieuses, appuyées par Poullain de la Barre, et Rousseau [3], dont l'influence ne se fait sentir que dans la seconde partie du XVIII^e siècle, les femmes ont bénéficié d'une période faste à l'expression de leurs ambitions. Non qu'on leur reconnût officiellement ce droit. Mais il y avait une sorte de vide idéologique qui, tout en leur interdisant les fonctions traditionnellement masculines, rendait possible une grande liberté. Les femmes des classes dominantes furent respectées et eurent souvent une influence décisive et sans précédent sur le cours des choses. On prit l'habitude de les consulter et de les écouter comme des égales. Mme de Pompadour, la plus célèbre, ne fut pas la seule à imposer ses vues dans le domaine de l'action ou de la création.

Ce serait cependant une erreur de laisser croire

1. La curiosité est considérée ici comme un vilain défaut.
2. Fénelon, *De l'Éducation des Filles*, 1687, p. 2.
3. *La Nouvelle Héloïse* date de 1761 et l'*Émile* de 1762.

que le XVIIIe siècle est une période aussi bénéfique aux femmes que le XXe siècle. Outre les contraintes économiques et sociales qui pesaient tout aussi lourd que jadis sur l'immense majorité d'entre elles [1], la plupart des femmes qui auraient pu jouir de ce libéralisme furent gênées par ce vide idéologique. Les unes ne surent pas profiter des permissions tacitement accordées. D'autres se sentirent perdues devant l'absence d'idéaux proprement féminins.

Le moins que l'on puisse dire est que l'idéal maternel et ménager n'était pas à la mode [2]. Même les bourgeoises aisées rechignaient à s'occuper de leurs enfants et à remplir leur devoir de ménagères. C'était le triomphe des nourrices mercenaires, des couvents pour les filles et des collèges avec internat pour les garçons. Libérées de toutes entraves, beaucoup de femmes ne savaient à quoi utiliser leur énergie, ni à quel idéal consacrer leur temps. Certaines éprouvaient une sorte de vertige devant ce vide qu'elles ne savaient combler.

Mal préparées aux activités intellectuelles à cause de la déplorable éducation qu'elles avaient reçue petites filles, peu enclines aux efforts que nul ne songeait à encourager, nombre d'entre elles ressentaient leur existence comme inutile et sombraient dans la mélancolie évoquée plus haut. D'autres furent prises d'une agitation extrême à la recherche incessante de divertissements toujours neufs. Les frères Goncourt ont décrit avec talent la façon dissipée dont elles vivaient [3]. Courant d'une curiosité à une autre, sans jamais s'attacher à aucune, du bal à l'Opéra, d'une promenade à un cours de chimie, ces

1. Les femmes « libérées » ne concernent qu'un microcosme parisien et versaillais.

2. Voir É. Badinter, *L'Amour en plus*, Flammarion, 1980, 1re partie.

3. *La Femme au XVIIIe siècle*, chap. III, Flammarion, coll. Champs, 1982.

femmes s'étourdissaient volontairement pour échapper à leur futilité.

Comme le libertinage s'était substitué à la passion devenue démodée, que l'amour conjugal n'était pas encore de mise, ces insatisfaites n'avaient aucune compensation affective pour combler le vide de leur existence. Sans devoir et sans but, il n'est pas certain que, pourtant plus libres que leurs aïeules, elles aient été plus heureuses. La seule consolation, si cela en est une, est que nombre d'hommes partageaient leur condition et leur sentiment d'inutilité. Le malaise n'était pas propre aux femmes.

Les plus intelligentes et les plus riches profitèrent de leur liberté pour attirer à elles la meilleure société et les esprits les plus intéressants. L'ambition mondaine des femmes se donna libre cours et connut des sommets rarement atteints depuis.

## *L'ambition mondaine*

Tenir salon fut l'activité le plus communément recherchée par les femmes. Signe de leur liberté puisqu'elles pouvaient recevoir qui elles voulaient, c'était aussi l'occasion de vérifier leur pouvoir et l'intérêt de leur personne.

La Cour n'étant plus, depuis la fin du règne de Louis XIV, le lieu exclusif de la mondanité, certaines femmes tentèrent de recréer autour d'elles des cours minuscules. A la manière du Roi-Soleil, ces petits astres cherchaient à attirer dans leur orbite le maximum de gens en vue. La qualité des invités témoignait de leur pouvoir d'attraction.

Des plus glorieux, comme ceux de Mmes du Deffand ou Geoffrin, aux plus modestes salons provinciaux, les tentatives se multiplièrent de la part des femmes de faire ainsi l'essai de leurs pouvoirs.

Reste à savoir si elles ne se sont pas leurrées et si

leur ambition était bien à la hauteur de leurs secrètes espérances.

Quels que fussent le talent et l'intérêt de Mmes de Tencin, de Lambert ou Geoffrin, leurs habitués Fontenelle, Marivaux, Montesquieu ou d'Alembert venaient d'abord y retrouver leurs pairs. Afficher leur soumission à la maîtresse de maison qui faisait mine de les régenter n'était qu'une marque de politesse et un jeu. Les hommes les plus éminents se laissaient volontiers traiter de « bêtes » ou de « ménagerie » par Mme de Tencin, comme les familiers de la jeune Mme d'Épinay se dénommaient ses « ours ».

Mettre en valeur chacun des invités, relancer la conversation, la rendre drôle, piquante et intéressante, donner l'impression aux convives qu'ils participent à quelque chose d'exceptionnel n'est après tout que l'art de la maîtresse de maison, poussé à sa perfection dans ces salons restés célèbres. Mais tout ceci pouvait-il suffire à satisfaire les âmes impérieuses ?

Il faut une certaine modestie pour se contenter de n'être que le lieu géométrique des intelligences et des talents. Même si, pour y parvenir, une grande connaissance de la chimie humaine est nécessaire...

Nombreuses furent celles qui y cherchèrent la gloire. Mais n'ont-elles pas été flouées, ces quelques dizaines de femmes qui ont tenu salon et dont seuls les historiens de la littérature ont retenu le nom ? Leur ambition, après tout, ne restait-elle pas dans les limites que leur assignaient les hommes ? On peut imaginer que les plus lucides d'entre elles ressentaient l'insatisfaction de n'être que cela. Est-ce la raison pour laquelle Mme du Deffand redoutait tellement la solitude au point de retenir ses invités jusqu'au petit matin ?

L'authentique ambitieuse sait que son salut ne tient qu'à elle seule. Réunir l'élite autour de soi ne signifie pas nécessairement qu'on en fasse partie. Même si l'on veut garder l'illusion qu'on y participe, l'instant vient toujours où l'on réalise que l'on triche.

Certes, ces femmes-là « ont fait » la carrière des plus grands. Voltaire[1] ou Galiani [2] ne sont pas les derniers à leur rendre hommage, Voltaire suggère même qu'aucune élection à l'Académie française ne peut faire l'économie de leur suffrage. Mais travailler à la gloire des hommes arrangeait-il celle des femmes ? Les grandes ambitieuses se contentent mal de n'être que des intermédiaires. Elles veulent jouer leur propre partie. Mme de Tencin se démena avec énergie et talent pour faire la carrière de son frère, le cardinal, mais qu'a-t-elle réussi, sinon jouir de ses intrigues et de son pouvoir de manipulation ?

Il fallut une singulière audace aux femmes qui décidèrent d'imposer leurs propres règles du jeu. De manière spectaculaire comme Mlle de Scudéry[3] Mmes Dacier[4], du Châtelet ou Genlis[5], de façon plus discrète, mais non moins réelle, comme Mlle de la Chaux[6], Mmes du Boccage[7], de Lambert[8] ou d'Épi-

1. Voltaire, lettre du 24 juillet 1760.

2. Galiani, lettre du 13 avril 1771.

3. Romancière, mère spirituelle de toutes les Précieuses, auteur du Grand *Cyrus* (1648-1653) et de *Clélie, Histoire romaine* (1654-1661), qui connurent un succès considérable.

4. 1647-1720. Immense érudite qui traduisit les auteurs grecs et latins et fut à l'origine de la seconde querelle des Anciens et des Modernes.

5. 1746-1830. Auteur de nombreux ouvrages pédagogiques, dont on aura l'occasion de reparler.

6. Remarquable linguiste, amie de Condillac, de d'Alembert et de Diderot. Elle aurait traduit une partie des *Essais sur l'entendement humain* de Hume (1767). Certains disent que Diderot inventa ce personnage qui cache en réalité Mlle Ferrand.

7. 1710-1802. Femme poète, admise au sein des académies de Rome, Bologne, Padoue, Lyon et Rouen. La plupart de ses ouvrages furent traduits en anglais, en espagnol, en allemand et en italien.

8. 1647-1733. Elle fut célèbre par son salon et ses réflexions sur

nay. En œuvrant pour elles-mêmes et non pour les autres, elles ont inversé les données traditionnelles. Moins soucieuses du *paraître* que certaines de leurs sœurs, elles ont jugé que leur *être* valait bien que l'on s'y consacrât.

Contrairement à leurs ancêtres frondeuses, aux féministes des siècles suivants ou aux révolutionnaires communardes, les femmes du XVIIIe siècle eurent peu accès à l'action politique. La Pompadour, Olympe de Gouges, Théroigne de Méricourt, Mme de Staël, et quelques autres ne furent que des exceptions peu probantes. La première n'eut le pouvoir que par délégation. Les autres ont payé vite et cher leurs ambitions politiques. La mort, la folie et l'exil furent leur lot.

Au XVIIIe siècle, l'ambition féminine passe nécessairement par l'écriture. Mais, à la différence des Précieuses, la plupart des femmes écrivains surent ne pas encourir le reproche de pédanterie. Elles eurent à cœur de faire reconnaître leur intelligence et leur maîtrise.

Mmes du Châtelet et d'Épinay furent de celles-là.

l'éducation des enfants. Les *Avis d'une mère à sa fille*, et à *son fils* ont été réédités à de nombreuses reprises.

## LA MESURE DE L'AMBITION

MAI 1749. Ce sont déjà les premières lueurs de l'aube à Paris. Mme du Châtelet lève les yeux de sa feuille de papier couverte d'équations, de petits a et de petits b.

Bien qu'habituée depuis longtemps à ne dormir que trois ou quatre heures par nuit, ce matin-là elle se sent si lasse qu'elle songe à abandonner ce qu'elle considère pourtant comme son œuvre essentielle.

A cet instant d'extrême lucidité, Émilie fait les comptes de sa vie. Voltaire, à ses dépens, a fait œuvre de prestidigitation. Subrepticement, sans l'avertir, il a transformé leur passion réciproque, forte d'une dizaine d'années exceptionnelles, en une liaison presque banale. L'habitude et l'amitié se sont substituées à l'amour. Pour éviter le constat d'échec, et par lâcheté aussi, Voltaire n'a pas osé rompre.

Mais à cette heure, ce n'est plus tant la trahison de Voltaire qui la préoccupe que celle de Saint-Lambert, son cadet de dix années pour lequel elle éprouve un douloureux sentiment qui tient à la fois du premier amour de la jeune fille et de la passion sénile du vieillard.

A quarante-trois ans, Émilie est folle de ce jeune officier de la cour de Lorraine dont elle est enceinte de quatre mois. A la maladresse, il ajoute la muflerie et l'égoïsme. Voilà déjà plusieurs jours qu'il ne répond plus à ses lettres quotidiennes aussi passionnées qu'exaspérantes.

Émilie est tout à fait seule avec ce bébé dans le ventre qui commence à peine à bouger. Ce n'est pas l'émotion qui l'étreint, mais la honte d'éclabousser le nom de son fils légitime et de lui retirer une part de son héritage en faveur d'un bâtard. La honte d'être engrossée à son âge, pour la plus grande joie haineuse de ses amies de la Cour. L'angoisse de mort enfin ne la quitte plus depuis qu'elle sait qu'elle devra mettre bas cet intrus qu'elle n'a pas désiré.

La tentation est forte d'aller dormir pour oublier le ridicule et l'horreur de la situation. La tentation est plus forte encore de faire atteler sa voiture pour retrouver son amant à Lunéville. Un mot, un geste de Saint-Lambert, qu'elle n'a pas vu depuis trois longs mois, auraient seuls le pouvoir de l'apaiser.

Le regard de Mme du Châtelet se pose à nouveau sur ses équations. Elle a beau jurer le contraire à son amant, les théories de Newton sur lesquelles elle a tant travaillé depuis quinze ans l'emportent sur Saint-Lambert. Entre l'amour et l'amour-propre, Émilie a fait un choix et s'y tient. La raison et l'ambition prévalent sur la passion et l'angoisse.

Elle s'est promis, voici trois ans, de traduire et de commenter l'œuvre majeure du grand Newton. Des *Principia mathematica*, qui ont modifié la compréhension de l'univers, elle veut être le modeste héraut en France. Ce livre est attendu et promis à l'élite scientifique. A plusieurs reprises, elle a confié que « son Newton est une affaire très précieuse et très essentielle pour elle [1] », dont sa réputation dépend.

Au moment où sa fin lui paraît si proche, il est presque naturel à une femme de cette trempe de ne plus penser qu'à sa réputation future. Ultime espoir de survivre, peut-être, après sa mort. « Il est donc

1. A Saint-Lambert, 5 juin et 16 juin 1748

indispensable de finir ce travail et de le bien faire [1]. »

Émilie reprend sa plume et recommence ses calculs. Il n'y a plus une seconde à perdre pour achever la dernière partie du *Commentaire*. La plus difficile. Saint-Lambert attendra, son plaisir aussi. Mais y a-t-il plus grand réconfort, pour lutter contre l'angoisse de mort, que l'espérance de laisser une trace ? De n'avoir pas été tout à fait inutile.

1779. Louise d'Épinay repose sur un divan de sa chambre. Aujourd'hui encore, cette femme de cinquante-trois ans dont tout le monde loue la coquetterie discrète et la « propreté rigoureuse [2] » a fait l'effort de quitter son lit pour procéder aux ablutions matinales. Mais un malaise l'envahit. Elle a dû renoncer à s'habiller. Rongée depuis de longues années par un cancer à l'estomac qui accuse sa maigreur naturelle et les traits anguleux de son visage, Mme d'Épinay sent naître, dans les reins, les prémices d'une autre torture : une nouvelle crise de coliques néphrétiques. Elle voudrait bien éviter, cette fois-ci, de prendre de l'opium. Car, en dépit des propos rassurants du petit abbé Galiani, l'usage répété de ce calmant lui paraît dangereux.

La douleur se fait plus vive à chaque seconde. Une fois encore, elle cède et réclame une dose du précieux remède. Le soulagement rapide qu'elle éprouve lui donne une sensation de bien-être. L'esprit libéré de ce corps douloureux revient aux intérêts de la veille.

Mme d'Épinay s'en veut de n'avoir pas répondu, depuis de nombreuses semaines, aux lettres de Galiani, son ami si cher. Durant presque vingt ans, elle a entretenu ce Parisien de cœur, cet exilé dans son propre pays de Naples, dans l'illusion de la vie

1. *Ibid.*

2. *Correspondance littéraire, philosophique et critique* par Grimm, Diderot, Raynal, Meister, etc. Éd. Maurice Tourneux, 1877-1881, Garnier Frères, nov. 1783, p. 396.

parisienne. Chaque semaine, elle lui a narré en détail la vie intellectuelle, mondaine, politique et artistique de la capitale. Mais depuis quelques mois, elle ne se sent plus le courage de tenir cette chronique hebdomadaire et garde toutes ses forces pour elle. Plus exactement pour Émilie, sa petite-fille qu'elle élève à sa guise. Et surtout pour consigner leurs conversations qui illustreront – elle l'espère secrètement – un nouveau modèle d'éducation des filles.

Émilie est un prénom cher au cœur de Mme d'Épinay. C'est ainsi qu'elle s'est personnellement dénommée dans ses *Pseudo-Mémoires* [1], et c'est celui de cette petite-fille adorée qu'elle a reçue à l'âge de deux ans et qu'elle n'a plus quittée.

Émilie, le féminin d'Émile. Elle repense à Rousseau, le confident des jeunes années, l'ami qu'elle a materné, puis l'irréductible ennemi, mort il y a tout juste un an. Elle sait bien qu'il est parti en laissant un document explosif [2], une menace pour sa réputation et son honneur. Mais pour le moment, Mme d'Épinay n'en a cure.

Elle pense intensément à cette douzième Conversation d'Émilie qu'elle souhaite récrire. L'opium qui anesthésie la douleur lui donne, par instants, une incontrôlable envie de rire [3].

C'est dans ce curieux état de gaieté et de souffrance que Mme d'Épinay, assise à son bureau, rédige d'une traite plusieurs feuillets de cette Conversation. L'une des meilleures, dira Galiani, pourtant avare de compliments. Si la petite Émilie était alors entrée dans la chambre, elle aurait été

1. La première édition posthume (1818) fut publiée sous le titre « Mémoires de Madame d'Épinay ». C'est une édition tronquée et retouchée par l'éditeur. On doit la seule édition complète des *Pseudo-Mémoires,* ou *Histoire de Madame de Montbrillant* à G. Roth en 1951, Gallimard.

2. Les *Confessions* qui paraîtront en 1781 et 1788.

3. Lettre à Galiani du 12 novembre 1781.

bien étonnée de voir sa grand-mère transcrire leurs propos en éclatant de rire.

Il n'y avait là apparemment rien de tellement drôle. Comment pourrait-elle soupçonner que cette aïeule qui s'est fait appeler Émilie [1], comme elle, est en train de défier les mânes de Rousseau. Non que Mme d'Épinay ait jamais eu l'audace de penser qu'elle égalerait son Maître en pédagogie, le père d'Émile. Mais ce dont elle est sûre à présent, c'est que son Émilie à elle sera infiniment supérieure à la Sophie de Rousseau.

Qu'importe les médisances de Jean-Jacques, si Mme d'Épinay a réussi son entreprise : offrir à ses descendantes et à ses contemporaines une pédagogie des femmes qui ne les condamne plus à la soumission, mais assure leur autonomie.

Que les Émile futurs ne se fassent pas trop d'illusions. Les Sophie dont ils rêvent pour épouses risquent bien d'être en réalité des Émilie. C'est la plus douce revanche de Mme d'Épinay.

Mme d'Épinay n'a jamais rencontré Mme du Châtelet. Pas même aperçu. Elles appartenaient toutes deux à la classe des privilégiées, mais la haute aristocratie ne frayait pas si volontiers – du moins dans la première partie du XVIIIe siècle – avec la bourgeoisie financière.

A la mort de Mme du Châtelet, en 1749, Mme d'Épinay n'avait que vingt-trois ans. Elle n'était pas lancée dans le monde, ne fréquentait pas la Cour et ne portait, à cette époque, aucun intérêt aux sciences.

Mme du Châtelet était morte depuis plusieurs

1. Il est fréquent au XVIIIe siècle que des femmes se choisissent un prénom d'emprunt pour les intimes. Ainsi Élisabeth d'Houdetot, belle-sœur de Mme d'Épinay, se fit appeler Sophie, de même que Louise Henriette Volland, l'amie de Diderot. Rien ne nous permet d'affirmer que Louise d'Épinay se fit appeler Émilie. Mais ce fut à coup sûr le prénom de son cœur.

années lorsque Mme d'Épinay devint l'amie de Saint-Lambert et plus tard celle de Voltaire. Il est très probable qu'elle entendit parler de cette aînée prestigieuse par les deux passions de sa vie. Mais elle n'y a jamais fait la moindre allusion dans ses écrits.

Peu de chose, en définitive, lie ces deux femmes. Issues de milieux différents, elles ne furent pas soumises à la même idéologie. Elles n'eurent pas les mêmes goûts, ni le même caractère. Pas même un itinéraire semblable. Pourtant, ce que ces deux Émilie ont en commun semble l'emporter sur les différences.

Femmes dans un monde qui réserve la gloire aux seuls hommes, elles sont animées d'une même ambition. L'une et l'autre ont assigné un but précis à leur vie, développé toute l'énergie dont elles étaient capables, usé jusqu'à leurs dernières forces. Même si les résultats n'ont pas toujours été à la mesure de leurs espérances, elles n'ont jamais cédé au découragement ni rendu les armes. Sinon le temps nécessaire à tout être humain pour se ressaisir.

Si le sacrifice, la volonté et la persévérance sont bien les signes de l'ambition, alors Mme du Châtelet et Mme d'Épinay furent d'authentiques ambitieuses. Et presque des sœurs.

## CHAPITRE PREMIER

# COMMENT L'AMBITION VIENT AUX FEMMES

Parlant de lui, Freud avait coutume de dire :

« *Quand on a été sans conteste l'enfant de prédilection de sa mère, on garde pour la vie ce sentiment conquérant, cette assurance du succès qui, en réalité, reste rarement sans l'amener*[1]. »

Les « Émilie » ont montré que la proposition s'applique aussi aux femmes. Il suffit de substituer le père à la mère.

## *Cendrillon et la Princesse*

Gabrielle Émilie du Châtelet connut une enfance heureuse. Fille de Louis Nicolas Le Tonnelier de Breteuil et de Gabrielle Anne de Froulay qu'il avait épousée en secondes noces [2], elle bénéficia de tous les privilèges qui sont le propre d'une famille unie, riche et noble. Née le 17 décembre 1706 à Paris, elle fut la cinquième des six enfants portés par sa mère.

1. « Un souvenir d'enfance de Goethe », *Essais de psychanalyse appliquée*, p. 116, Gallimard, coll. Idées, n° 243.
2. 1697.

A part elle, deux frères seulement survivront. L'un sera le père du ministre de Louis XVI. L'autre, son préféré, un abbé bon vivant qu'elle hébergera souvent à Cirey lors de ses amours voltairiennes. Pour ce petit frère affectueux, elle éprouvera toujours une tendresse presque maternelle. Elle n'hésitera jamais à user de ses relations et de son crédit pour améliorer la situation de cet homme qui la fait rire et la comprend.

Les Breteuil, dès le XVe siècle, furent des robins très riches. Ils faisaient carrière dans la magistrature et les finances. L'aïeul d'Émilie, Louis de Breteuil, devint même contrôleur général des finances.

Son père, né en 1648, fut un grand séducteur aux aventures multiples. Beau, courtois, doué d'esprit, il fit la conquête de Louis XIV qui non seulement lui pardonna ses fredaines mais lui confia des charges et des missions dont il s'acquitta fort bien. Lorsqu'il se remaria, en 1697, le roi lui permit d'acquérir la charge d'introducteur des Ambassadeurs où il brilla par sa perspicacité et son sens de la diplomatie [1].

La mère d'Émilie, Anne de Froulay, était issue d'une famille de militaires à laquelle appartenait le maréchal de Tessé. Celui-ci, par ses talents et ses dignités dans l'ordre de Malte, contribua à illustrer le Bailli de Froulay dont il sera tellement question dans les lettres de Mme du Châtelet.

Lorsque naît Émilie en 1706, son père a déjà cinquante-huit ans. Il s'est assagi. La dignité de sa charge le met fréquemment en rapport avec le roi, et Louis Nicolas ne pense plus guère à séduire le cœur des belles. Tout entier à sa fonction et à sa famille, l'ultime cœur qu'il veut s'attacher est celui de son

1. Saint-Simon ne l'a pas épargné dans ses *Mémoires* : « C'était un homme qui ne manquait d'esprit, mais qui avait la rage de la Cour, des ministres, des gens en place ou à la mode, et surtout de gagner de l'argent dans les parties, en promettant sa protection. On le souffrait et on s'en moquait. » Voir tomes I et VIII des *Mémoires*, Hachette, 1871.

unique petite fille [1]. Pour elle il a toutes les faiblesses d'un grand-père et les tendresses d'un père. Ce n'est pas le cas de son épouse qui est la rigidité et la sévérité faites femme. Elle est si imposante qu'on ne l'a jamais vue sourire que « par condescendance et par tendresse ».

Malgré cette mère austère, Émilie coule des jours heureux dans le grand hôtel de la paroisse Saint-Roch, le quartier élégant de Paris. Grâce à la cousine de Froulay, future marquise de Créqui, on connaît la description de la maison familiale [2]. C'est une belle demeure de quatre étages qui donne sur le jardin des Tuileries, adossée à la rue Saint-Honoré. Chaque étage comprend huit ou neuf pièces qui sont toutes « décorées et dorées avec un luxe miraculeux ».

L'hôtel abrite toute la famille Breteuil et une foule de domestiques. Tout le premier étage est occupé par les parents d'Émilie. Le second est réservé à la sœur aînée de la baronne de Breteuil, la comtesse douairière de Breteuil-Charmeaux, tante commune d'Émilie et de sa cousine de Froulay. Le troisième étage héberge deux Breteuil avec leurs laquais, « le commandeur » de Breteuil-Chanteclerc et l'évêque de Rennes, Augustin de Breteuil-Conti.

Le quatrième étage est l'appartement des enfants. Contrairement aux usages de l'époque, ce ne sont pas les enfants qui descendent voir leurs parents à heures fixes, mais les parents qui montent leur rendre visite quand ils le désirent. Et le père d'Émilie n'est pas en reste pour monter les quatre étages afin de venir voir sa progéniture. En particulier sa petite

1. Le père d'Émilie eut une autre fille, Michelle, née de sa tapageuse liaison avec Anne Bellinzani, une vingtaine d'années auparavant. Cette bâtarde, que Louis Nicolas n'a jamais vue, finira au couvent. Mais quand elle intentera en 1736 un retentissant procès à sa mère en reconnaissance et droits d'héritage, elle sera soutenue par sa demi-sœur Émilie.

2. Maurice Cousin, *Souvenirs de la marquise de Créqui*, 1834-1837, tome I, p. 107.

fille dans laquelle il se reconnaît déjà. Elle est gaie et fantasque comme lui. Elle s'intéresse à tout et manifestement elle l'impressionne par son intelligence.

Ce père libéral et aimant lui fera confiance et lui laissera la bride sur le cou. Bien que sa mère lui ait enseigné le goût de l'effort, de la rigueur et de la discipline, Émilie gardera toute sa vie l'amour de la liberté et du non-conformisme. Comme son père, elle sera peu sensible au qu'en-dira-t-on. Comme lui, elle sera passionnée et capable de commettre les pires folies.

On possède malheureusement peu de détails sur la petite enfance d'Émilie, Mais tout laisse à penser qu'elle fut heureuse, entourée par ses deux frères et surtout de parents beaucoup plus attentifs qu'on ne l'était habituellement à cette époque. Contrairement à l'usage, elle passa l'essentiel de sa jeunesse sous le toit familial. C'est à peine si elle connut l'exil du couvent quelques mois en Lorraine. Mlle de Breteuil eut donc l'immense privilège d'être élevée par les siens et, comme on le verra, d'une manière tout à fait remarquable, digne d'une princesse.

Louise avait dix ans lorsqu'elle perdit son père. Son développement, son éducation et son équilibre en souffrirent cruellement. De longues années et même deux décennies furent nécessaires pour annuler ou compenser les ravages de cette absence. Ce ne fut possible que parce que la petite fille vécut sa première enfance entourée d'amour et de respect.

Son père, le baron Tardieu d'Esclavelles, épousa sa mère, une demoiselle Prouveur de Preux, à l'âge de cinquante-huit ans. Elle en avait trente. Appartenant à une ancienne famille de Normandie, le baron fit toute sa carrière dans l'armée. Brigadier d'infanterie, il avait été nommé gouverneur de la citadelle de Valenciennes. C'est là, le 11 mars 1726, que Louise vit le jour et connut les douceurs de l'enfance.

Fille unique, la future Mme d'Épinay bénéficia

des plus grandes attentions de la part de ses parents. Entourée par une mère dévote mais chaleureuse et par un père sexagénaire, elle a acquis pendant cette première période de la vie les armes qui lui permettront de ne jamais désespérer d'elle-même.

Les premiers chapitres de ses *Pseudo-Mémoires*, qui débutent avec la mort du père, prouvent que cette petite orpheline de neuf ans et demi avait déjà une solide personnalité. Bien que ses mémoires se présentent comme un roman, et que certains passages – notamment la fin – soient l'œuvre de l'imagination[1], il est indéniable que les deux premiers tomes qui couvrent l'essentiel de sa vie sont très proches de la vérité. Particulièrement les chapitres qui concernent son enfance, truffés de détails et de sentiments qui ne s'inventent pas. En outre, à l'époque où Mme d'Épinay commence d'écrire ses propres confessions, non seulement elle n'a aucune raison de tricher, mais au contraire un profond désir de remonter à l'origine de tout.

A la mort de son père, Louise est confiée pour quelques mois à la sœur de sa mère, Mme de La Live de Bellegarde. C'est la femme d'un riche fermier général [2] qui habite un hôtel somptueux de la rue Saint-Honoré. Mariée avec un homme bon et faible, mère de six enfants, cette femme est aussi autoritaire et dure que la mère de Louise est douce et soumise. L'arrivée de la fillette à Paris dans cette famille qu'elle connaît à peine est marquée par les chagrins et les humiliations.

En conflits répétés avec sa tante, qui manifestement ne l'aime pas, la petite d'Esclavelles montre le tempérament qu'elle avait à cette époque, et d'une

1. Nous laisserons de côté toute la polémique avec Rousseau. Il est prouvé, depuis les travaux de Mme Mac Donald, MM. Guillemin et Roth, que Mme d'Épinay a parfois menti dans la façon de relater les événements de l'Ermitage. Rousseau non plus n'a pas été aussi scrupuleux qu'il le prétendra dans la version des mêmes événements relatés dans le livre IX des *Confessions*.

2. M. de Bellegarde reçut la charge de fermier général en 1721.

certaine façon l'éducation reçue sous le toit paternel. Cette petite fille est pleine d'orgueil. Sûre d'elle-même, elle sait qu'elle a de l'esprit et réclame d'être instruite. Cet orgueil est la principale source de mésentente avec sa tante. On lui répète à satiété qu'elle doit « changer de ton, car elle n'est plus rien qu'une fille de condition pauvre [1] ». On n'hésite pas à traiter son père de « gueux » en lui intimant l'ordre de « ne pas être fière et haute comme lui [2] ».

La petite fille se révolte contre les propos cruels d'une tante qu'elle juge parvenue. Si elle reconnaît mieux manger chez sa tante que chez son père, preuve de sa condition modeste, la future Émilie n'admet pas les conseils de soumission que lui prodigue l'entourage. A dix ans, Louise a déjà une haute idée d'elle-même et de ses capacités. « Fière », mais point haute [3] », elle refuse de plier et de subir l'injustice [4].

Il faudra toute l'influence de sa mère pour que Louise se soumette et toute la volonté de celle-ci pour retrouver, beaucoup plus tard, la fierté de ses dix ans. Il reste que c'est grâce à ses premières années que Mme d'Épinay gardera toujours l'espoir d'être « un grand sujet [5] », et la force de se mobiliser pour cet idéal.

On ne peut manquer d'opposer les enfances respectives de Louise et d'Émilie. La plénitude continue de celle-ci à la brisure et aux frustrations de celle-là. Émilie de Breteuil n'a jamais cessé d'être considérée par les siens comme un personnage important, alors que Louise d'Esclavelles s'est vue précipitée d'un jour à l'autre de l'état de petite fille adulée par ses parents à la condition de pauvresse

1. *Pseudo-Mémoires,* tome I, pp. 13 et 31 : « On ne saurait lui dire un mot sans l'offenser. »
2. *Ibid.,* p. 19.
3. Témoignage de sa tante, la marquise de Roncherolles, *ibid.,* p. 38.
4. *Ibid.,* p. 32.
5. *Ibid.,* p. 10.

sans avenir. Cette image valorisée d'elle-même qu'Émilie pouvait lire dans le regard de son entourage a fait naître chez elle le sentiment de sa puissance et une assurance fort rare chez une femme de cette époque. A ses yeux, rien ne lui sera jamais impossible. Malgré ses plaintes, c'est une des femmes qui aura le moins ressenti les limites que le temps imposait à son sexe.

Les frustrations que connut la jeune Louise n'eurent pas moins d'influence sur son parcours d'adulte. Son éducation, après dix ans, eut raison de son sentiment de supériorité. Mais elle n'empêcha pas que se perpétue secrètement un éclatant désir de revanche. Ce sont bien les dix premières années de sa vie qui lui ont permis de ne pas s'avouer vaincue. Elles lui ont donné la force de convertir humiliations et échecs en tremplins de son ambition.

Les deux femmes ont bénéficié d'un même atout pour la réalisation de leur ambition : l'amour et le respect d'un homme qui était leur père. Le fait que dans les deux cas ce père ait été nettement plus âgé que la moyenne, et qu'elles fussent l'une et l'autre fille unique dans leur foyer n'a certainement pas été sans influence sur leur destin. Un père qui a l'âge d'être grand-père est un homme moins narcissique, moins capté par lui-même. Il a davantage de disponibilité et de recul pour s'intéresser à sa progéniture. De plus, que cet enfant soit de sexe féminin annule l'esprit de rivalité qui règne habituellement entre père et fils.

Il semble que les pères des deux Émilie aient investi une part de leur puissance dans leur enfant. Ce qui était relativement inhabituel en ce temps où la fille avait un statut inférieur à celui du garçon. De là vient la fierté de la petite d'Esclavelles qui veut être un « grand sujet » et l'assurance tranquille de la future « Divine Émilie [1] » que rien ne saurait arrêter sur le chemin du savoir.

1. C'est ainsi que Voltaire l'appellera.

Les relations qu'elles eurent avec leur mère sont très différentes. L'une et l'autre eurent des mères austères et même sévères, bien que non dépourvues de tendresse. Mais là s'arrêtent les similitudes.

Une fois mariée, Mme du Châtelet ne marquera point d'autres empressements auprès de sa mère que ceux que le devoir commande. Lorsque son père meurt le 24 mars 1728, Émilie, très touchée, se sent presque totalement orpheline. Sa mère quitte l'hôtel familial des Tuileries pour se retirer dans une maison de campagne située à Créteil. Sa fille lui rend des visites de courtoisie et prend soin de sa santé. Mais les rares lettres où elle la mentionne ne donnent pas l'impression d'un attachement profond.

En septembre 1735, Mme du Châtelet, alors à Cirey avec Voltaire, apprend que sa mère est gravement malade et court à son chevet. Une fois arrivée à Créteil, elle écrit à Maupertuis : « Le devoir m'a fait faire cinquante lieues en poste sans me coucher [...]. Elle est heureusement hors d'affaire. Je m'en retournerai de même dès que le quatorzième jour de la maladie sera passé [1]. » Mais avant de repartir pour Cirey, Émilie préférerait passer quelques heures avec Maupertuis plutôt que de rester auprès de sa mère. Le danger passé, et son devoir accompli, elle ne voit aucune nécessité de prolonger son séjour alors que rien d'urgent ne l'appelle à Cirey. On verra que Mme du Châtelet était beaucoup moins avare de son temps lorsqu'il s'agissait de tenir compagnie à une amie qui faisait ses couches.

Une autre fois encore, elle mentionne sa mère dans une lettre, mais sans excès de tendresse. Au cher d'Argental, elle confie son angoisse que le cousin de Breteuil [2] ne nuise à sa liaison avec Voltaire en dévoilant tout au marquis du Châtelet. Elle

1. *Correspondance* de Mme du Châtelet, 15 sept. 1735, Éd. Besterman, tome I, 1958, Genève.

2. Ce cousin, le marquis de Breteuil, était le fils du frère de son père.

affirme à son correspondant : « Il s'est raccommodé avec ma mère, avec qui il était brouillé, pour être à portée d'animer ma mère contre moi. Il lui a fait écrire une lettre à M. du ... contre moi [...] cette lettre de ma mère eût brouillé tout autre ménage, mais heureusement je suis sûre des bontés de M. du ...[1] » Cette confidence en dit long sur leurs rapports. Ni franchise, ni confiance, ni tendresse réciproques ne les unissent. La fille croit sa mère toute prête à la trahir et ne cherchera pas à s'en expliquer avec elle. On est fort loin des relations étroites et complexes qui lient Mme d'Épinay à sa propre mère.

Mis à part l'épisode de la mort du père et les années passées au couvent, Mme d'Esclavelles ne quittera pas sa fille jusqu'au décès du beau-père de celle-ci, en juillet 1751. Pendant près de vingt-cinq ans, mère et fille vivront sous le même toit, dans une réelle symbiose. Cette mère aura une influence déterminante sur sa fille même après son mariage, et même lorsqu'elles ne vivront plus côte à côte. On peut légitimement se demander si l'influence maternelle a été aussi bénéfique qu'elle le pensait, mais on ne peut douter de la tendresse et de la bonté de cette mère.

Traditionnelle et dévote, Mme d'Esclavelles avait un esprit étroit, et guère intelligent. Elle n'eut jamais d'autres ambitions pour sa fille que de la modeler à son image : être une épouse et une mère vertueuse. Toute déviation par rapport à cette norme lui semblait condamnable. Femme de devoirs, mais aussi de préjugés, Mme d'Esclavelles ressentit douloureusement toutes les tentatives de sa fille pour échapper à son carcan. Avec une habileté consommée, elle sut faire naître la culpabilité dans le cœur de Louise, chaque fois que celle-ci prenait des libertés avec le modèle maternel. Jusqu'à l'arrivée de Grimm dans l'existence de sa fille, en 1756, elle réussit à mainte-

1. A d'Argental, 30 déc. 1736. M. du ... est, bien entendu, M. du Châtelet, son époux.

nir vivant le cordon ombilical. A l'âge de trente ans encore, Mme d'Épinay est restée l'enfant craintive et obéissante d'une mère qui l'a aimée, mais aussi « castrée ». Il n'est pas exagéré de dire que la petite fille de dix ans, recueillie telle Cendrillon par la « méchante tante », a une plus grande volonté de puissance et une plus haute idée d'elle-même que la femme qu'elle sera vingt ans plus tard. Mais c'est aussi grâce à cette petite fille que Mme d'Épinay pourra un jour trouver la volonté de se libérer de la toute-puissance maternelle. Et enfin d'accoucher d'elle-même.

## *Le milieu socioculturel*

N'appartenant pas au même milieu, les deux femmes sont toutefois issues de la noblesse. Leurs pères sont l'un et l'autre barons. Cela n'est certes pas grand-chose au regard de la hiérarchie aristocratique, mais suffit à les distinguer du reste du monde. L'appartenance à l'aristocratie implique une certaine idée de soi-même propice au développement des ambitions. La conscience de faire partie de l'élite d'une société favorise à la fois un sentiment de supériorité et de distance par rapport aux autres. D'emblée au-dessus du vulgaire, l'élite se donne le droit de négliger les règles auxquelles est soumis le commun des mortels.

La constatation vaut aussi pour les femmes. Alors que l'immense majorité des Françaises devaient se plier au modèle féminin dominant, sans autres possibilités que le travail et la soumission, les femmes de l'aristocratie eurent le privilège d'échapper à cette double nécessité. La plupart d'entre elles, n'ayant pas à se soucier de leur survie, ne connaissaient pas l'entrave des contingences matérielles. En outre, les plus favorisées, profitant d'un certain relâchement idéologique, surent se libérer du carcan moral qui continuait d'étreindre leurs sœurs.

Seule ne comptait plus que l'apparence de la vertu, moins contraignante que la réalité, avec laquelle on s'arrangeait toujours. D'ailleurs on évoquait de moins en moins le « Bien » et davantage la « bienséance[1] ». Le code moral et religieux, rigoureux par définition, cédait le pas au code social propre à sa classe.

Mme du Châtelet, peu préoccupée par la morale, avait en revanche un respect scrupuleux pour les règles de bienséance qu'elle distinguait radicalement des préjugés.

« Les préjugés n'ont aucune vérité et ne peuvent être utiles qu'aux âmes mal faites [...]. Les bienséances ont une vérité de convention et c'est assez pour que toute personne de bien ne se permette jamais de s'en écarter [2]. »

Mais ne nous y trompons pas, si les bienséances revêtent une telle importance aux yeux de Mme du Châtelet, c'est moins parce qu'elles constituent le premier degré de la vertu que parce que leur manquement est cause de soucis et de malheur [3].

Sous l'influence de sa mère, Mme d'Épinay s'efforcera d'observer de son mieux les règles de la bienséance et de ne pas heurter les préjugés de mise dans son milieu. Mais lorsqu'elle se libérera de la tutelle maternelle, elle prendra nettement ses distances avec le code social et mondain. Elle n'hésitera pas à dire haut et fort ce qu'elle pense de ces conventions qui ne reposent pas sur la morale. Contrairement à Mme du Châtelet, elle n'identifie

1. Le *Robert* : « Caractère de ce qui convient, va bien. Par extension, conduite sociale en accord avec les usages, respect de certaines formes. Voir correction, décence, savoir-vivre. »

2. *Discours sur le bonheur, op. cit.*, p. 11.

3. *Ibid.*, pp. 12-13. « Quiconque prétend au bonheur, ne doit jamais s'en écarter ; mais l'exacte observation des bienséances est une vertu [...]. J'entends par vertu tout ce qui contribue au bonheur de la société et par conséquence aux nôtres. »

pas vertu et bienséance. Très inquiète de la seule morale universelle, anxieuse d'être bonne et vertueuse, Mme d'Épinay eut à cœur d'en faire un idéal librement recherché, indépendamment de toutes pressions sociales. Mais chacune, dans une optique différente, eut le loisir de se jouer des normes et d'afficher une indépendance d'esprit sans laquelle rien n'aurait été possible.

Cette indépendance salutaire à l'expression de leur personnalité et de leur ambition, elles le devaient d'abord – on ne le rappellera jamais assez – à leur statut social privilégié.

Cependant, la noblesse n'est pas une caste homogène. Elle est traversée de multiples inégalités, comme les autres ordres de la société. Un fossé sépare le nobliau de province de la noblesse de cour, car richesse et pouvoir sont concentrés dans un petit nombre de mains.

Les privilèges de ceux qui vivent près du roi sont sans commune mesure avec ceux qui en sont éloignés. Leur mode de vie également. La petite noblesse de province, même si elle maintient les distances avec la bourgeoisie locale et répugne aux mariages « mixtes », adopte de plus en plus ses valeurs et son style de vie. Rien de tel dans la haute aristocratie parisienne ou versaillaise qui a horreur de la manière de vivre des bourgeois. Tout est mis en œuvre pour ne pas leur ressembler et l'on prend le contre-pied systématique de leurs habitudes. Tant et si bien que la grande bourgeoisie qui n'aspire qu'à se confondre avec l'aristocratie fera souvent de la surenchère pour mieux lui ressembler. C'est le cas d'une partie de la bourgeoisie financière qui déploiera un luxe ostentatoire pour mieux se démarquer de la petite bourgeoisie.

Quoique appartenant au même ordre, Mmes du Châtelet et d'Épinay ont constamment navigué dans des milieux différents. Dans leur jeunesse, mais aussi durant leur vie d'adulte.

Par la famille de son père et les charges que celui-ci exerce à Versailles, Émilie de Breteuil est une fille de l'aristocratie au pouvoir, celle qui a le privilège d'approcher le roi et de le servir directement. Les Breteuil ont donné deux ministres à la France et non des moindres.

Le premier était le fils du frère aîné de son père. Il se nommait François Victor Le Tonnelier et portait le titre de marquis de Breteuil. Il fut deux fois ministre de la Guerre sous Louis XV [1]. C'est ce cousin-là que Mme du Châtelet accusait de dresser sa mère contre elle, dans la lettre à d'Argental citée plus haut [2].

Le second était son neveu, fils de son frère aîné. Le baron de Breteuil, Louis Auguste Le Tonnelier (1730-1807), appartenait, comme le précédent, à la classe hautaine des grands serviteurs de la Monarchie. Il fit d'abord une carrière diplomatique éclatante [3]. En 1783, Louis XVI le nomma Secrétaire d'État à la maison du roi, et il garda sa charge jusqu'en 1788. Protégé de la reine, il fut au centre de la résistance aristocratique et absolutiste, et il joua un grand rôle dans l'émigration comme agent secret de la Cour.

Par son mariage, Émilie de Breteuil dora un peu plus son blason. Elle entra dans une très ancienne famille de Lorraine et devint « quasiment Princesse du Saint-Empire, grâce à un héritage Rhénan de son mari [4] ». Ayant encore deux fils à sa charge, M. de Breteuil ne pouvait ou ne voulait doter richement sa fille. Il ne lui donna que cent cinquante mille livres de dot, beaucoup moins, notera Émilie, que ce que Voltaire assurera à sa nièce, Mme Denis. Connais-

1. Une première fois de 1723 à 1726 et à nouveau de 1740 à 1743, en pleine guerre de succession d'Autriche.

2. Cf. note 1, p. 53.

3. G. Faniez, « La politique de Vergennes et la diplomatie de Breteuil, 1774-1787 », *Revue historique*, 1922, tome 140, p. 71.

4. René Pomeau dans sa préface à la biographie de René Vaillot sur Mme du Châtelet, p. 14, Albin Michel, 1978.

sant bien tout le gotha français, le père d'Émilie jette son dévolu sur une famille de grande noblesse, peu fortunée, mais qui assure à sa fille le titre de marquise et un tabouret à la Cour. Les du Chastellet [1] descendent de Charlemagne, et Dom Calmet, qui fit l'histoire généalogique de la maison du Châtelet [2], signale aussi des ancêtres ducs de Lorraine.

Comme son père et ses frères, le futur mari d'Émilie, Florent Claude, marquis du Châtelet, fait carrière dans l'armée. Il est l'aîné de la famille et son père lui cédera le gouvernement de Semur, avec un régiment. Peu de chose au regard de la notoriété qu'apportera Émilie au nom des Châtelet. Mais suffisamment pour qu'elle puisse avoir ses entrées à la Cour et y tenir une place importante. Grâce à son père, mais aussi à son mari, elle fréquente le cercle de la reine, la cour de la duchesse du Maine et celle de Stanislas Leczinsky. Ses meilleures amies – si tant est qu'elles le fussent ! – se nomment la duchesse de Saint-Pierre, la duchesse de Richelieu ou la duchesse de Boufflers. Émilie ne fraie pas avec n'importe qui et n'a pas le même comportement avec tous. Douée d'un sens aigu des hiérarchies, elle adopte aisément un air de protection, voire de supériorité ou de mépris à l'égard de ceux qu'elle considère comme ses inférieurs.

Mme de Graffigny [3], femme sans fortune, eut l'occasion de se plaindre de la hauteur de sa lointaine cousine. Durant les trois mois qu'elle passa à Cirey [4] auprès du célèbre couple, Françoise de Graffigny essuya quelques humiliations [5] de la part d'Émilie

1. Voltaire, le premier, écrira « Châtelet » ; cf. René Vaillot, *op. cit.*, p. 38.

2. 1741.

3. Après son séjour à Cirey, elle deviendra une femme de lettres renommée grâce à ses *Lettres d'une Péruvienne* (1747) qui connurent un grand succès (rééd. Flammarion, coll. G.F., nº 379).

4. Déc. 1738-fév. 1739.

5. *Correspondance* de Mme de Graffigny, plusieurs fois rééditée. Cf. Éd. Eugène Asse, 1879.

qu'elle ne lui pardonnera jamais. Moins encore lui pardonnera-t-elle l'incident très révélateur qui eut lieu à Paris, le 9 novembre 1739 [1], à la répétition de *Dardanus.* Dans la loge de l'Opéra, Mme de Graffigny avait voulu s'asseoir au premier rang à côté de la duchesse de Richelieu et de Mme du Châtelet. Celle-ci ordonna à Mme de Graffigny de se placer derrière pour que le duc pût avoir la place devant. Elle fut mortifiée d'être ainsi traitée en femme de chambre. Mais quand elle tenta quelques plaintes auprès de la duchesse de Richelieu, elle ne suscita que son exaspération.

Anecdote significative qui montre bien à quel point la supériorité sociale s'affichait sans concession. Mme de Graffigny avait beau descendre d'une très ancienne et illustre famille d'Allemagne, la maison d'Issembourg qui avait produit les princes souverains d'Issembourg-Birstein, elle n'était plus qu'une femme dans le besoin auquel on faisait sentir son état d'infériorité.

Les preuves de la hauteur de Mme du Châtelet sont multiples. Entre les gens de son rang et les autres il y a à ses yeux un fossé infranchissable, une sorte de différence ontologique. Le précepteur de son fils, l'abbé Linant, qui se dit l'ami de Voltaire et que Voltaire protège, en fait la dure expérience. Elle le considère comme un subalterne, presque un domestique, auquel « elle interdit de s'asseoir devant elle avant qu'elle ne lui eût nommément ordonné [2] ». Le petit abbé, qui se prend pour un futur Voltaire, ajoute avec rage : « En vérité si cela ne fait pas rire, cela doit révolter. »

Comme Mme de Graffigny, Linant est outré par tant de condescendance. Mais Mme du Châtelet n'a que faire de la haine de ses inférieurs. Seule la considération de ses pairs lui importe. Inutile d'ajouter

1. Cf. *Studies on Voltaire,* vol. 139, pp. 31 et 32, Genève.
2. Voltaire, *Correspondance,* éd. définitive de Besterman. Lettre de Linant à Cideville, 25 mars 1736.

qu'un simple domestique fait à peine figure d'homme à ses yeux. Et Longchamp qui la sert quelques mois comme valet avant de passer au service de Voltaire n'en revient pas de l'impudeur d'Émilie qui se met nue devant lui pour changer de chemise, ou prendre un bain, comme s'il n'existait pas [1]. Effectivement, il n'existait pas pour elle en tant qu'homme. Un laquais n'a pas de sexe, pas de désir.

Cette attitude n'était pas propre à Mme du Châtelet et ne choquait pas ses semblables. Ceux-ci avaient tacitement le droit de s'élever au-dessus des préjugés et des contraintes communes. Ils ne s'en privaient pas.

Rien de tel dans le milieu originel de Mme d'Épinay. Ni dans son milieu d'élection.

Issus de la petite noblesse de province, les parents de Louise d'Esclavelles ont toujours vécu éloignés de la Cour. Les privilèges et les faveurs ne sont pas pour eux. A la mort du baron d'Esclavelles, la mère de Louise se trouva sans ressources ni appuis. Sa cousine, la marquise douairière de Roncherolles, lui reprocha ses négligences de courtisane. « Elle n'a cultivé personne. Qu'est-ce qu'un nom à la Cour sans fortune et sans protection [2] ? »

Malgré cela, rien ne sera omis pour obtenir une petite pension. On va jusqu'à mener la petite Louise à Versailles pour supplier le ministre. Mme d'Épinay relatera plus tard cette scène dans ses *Pseudo-Mémoires* : « Hier on m'a frisée, on m'a parée de ce que j'ai de plus beau, on m'a mis un peu de rouge [...]. Ma mère, le matin, m'a présentée à Monsieur le Prince de S., à Monsieur le Maréchal de P. [...]. Il nous a menées à Versailles et nous a présentées au ministre [...] [3]. On m'avait dit en chemin de me jeter

1. *Mémoires de Longchamp sur Voltaire*, p. 120, 1826.
2. *Pseudo-Mémoires*, tome I, p. 10.
3. Probablement le ministre de la Guerre dont son père, officier, dépendait.

à ses genoux et de lui dire que je venais lui demander du pain [...]. Nous avons été très bien reçues de lui. Il m'a dit qu'il me marierait et qu'alors il aurait soin de moi [...]. Malgré tout cela, ma mère dit que nous n'aurons rien ; et M. le Maréchal ajoute que nous nous y sommes prises bien tard [1]. »

Situation moins humiliante qu'il n'y paraît d'abord. Les courtisans sont habitués à « faire antichambre » chez les puissants pour y demander des grâces. Mme du Châtelet, pourtant très introduite à la Cour, passera beaucoup de temps à quémander tel ou tel avantage pour Voltaire ou les siens. C'est le processus normal dans une monarchie absolutiste où tout dépend du bon plaisir du roi et de ceux qui parlent en son nom.

La pauvreté ne semble pas non plus avoir réellement accablé la petite Louise. Habituée à une existence modeste du vivant de son père, elle n'a pas souffert du changement de condition. La nourriture simple et les vieilles robes éternellement raccommodées n'entament pas sa bonne humeur, ni surtout la certitude d'appartenir à une élite.

Si Louise ne supporte pas les humiliations de sa riche tante, c'est moins parce qu'elle lui fait sentir qu'elle est pauvre et dépendante que parce qu'elle essaie de lui faire entendre que sa pauvreté la rabaisse au niveau du commun. Les révoltes successives de la petite fille témoignent de la conscience aiguë qu'elle a déjà de sa supériorité naturelle. Elle comprend très bien qu'en identifiant richesse et valeur personnelle, la femme du fermier général cherche à rabattre son orgueil d'aristocrate.

Il y a comme une sorte de conspiration familiale pour l'amener à changer de comportement et l'habituer à l'humilité et la soumission. Un frère de sa mère lui écrit à titre de condoléances : « Il faut changer de ton à présent. Ton père n'était riche que des bienfaits du roi [...]. Tu as été un peu gâtée par

1. *Pseudo-Mémoires*, tome I, p. 46.

toutes les adulations de ceux qui avaient besoin de ton père. La fille d'un gouverneur [de la citadelle de Valenciennes], c'était bien là en effet jouer un rôle, toute petite que tu étais. Mais à présent tu n'es plus qu'une enfant de dix ans qui n'a rien [...]. Il faut se défaire de cette hauteur, et prendre comme grâce tout ce qu'on fera pour toi [...]. C'est un avantage sûrement que d'être fille de condition, mais il ne faut pas pour cela marcher sur le corps de ceux qui ne le sont pas [1]. »

A lire ces témoignages rapportés par Mme d'Épinay, on pourrait croire que Mlle d'Esclavelles était condescendante et capricieuse. Mais c'est la description de la tante douairière qui semble le plus proche de la vérité : « Elle n'est ni fière, ni haute ; elle n'a dans l'âme que l'élévation qui convient à une fille de condition. Elle n'est que trop souple sur toutes les choses qui ne l'humilient pas, et cette souplesse [...] tient de la timidité [2]. »

On revient toujours à cette constatation que Mlle d'Esclavelles avait une haute idée d'elle-même et de ses origines. On mesure donc bien la terrible mortification qu'elle dut subir à plusieurs reprises de la part de sa tante qui ne manquait pas une occasion de lui dénier ce privilège.

A l'occasion des fêtes du Nouvel An 1736, les Bellegarde distribuent des cadeaux aux enfants de la maison. Louise reçoit une belle robe de Damas qui la comble de joie. Sa tante en profite pour lui lancer : « Je crois, ma nièce, que sans moi vous n'auriez jamais porté une si belle robe ; avant de remercier, pensez à tout ce que je fais pour vous et voyez ce que vous deviendriez sans moi. *Malgré la noblesse de votre père, il n'était qu'un gueux ;* ne soyez pas fière et haute comme lui, si vous voulez conserver mes bontés [3]. »

1. *Ibid.*, p. 13.
2. *Ibid.*, p. 38.
3. *Ibid.*, p. 19.

Cette gifle morale et quelques autres n'auront pas raison de la future Mme d'Épinay. La revanche qu'elle prendra tardivement sur la seconde partie de son enfance n'aura strictement rien à voir avec le désir d'argent et de luxe. Sa première éducation lui a appris à considérer comme sans importance les choses de l'argent et les avantages qu'il procure. Peut-être est-ce aussi un moyen de défense contre sa tante que se moquer de sa supériorité financière et de la vanité sociale qu'elle en tire.

Mme d'Épinay gardera toute sa vie un certain dédain pour les dépenses ostentatoires et une méfiance à l'égard de l'argent. Elle croit volontiers que l'argent corrompt les cœurs. A plusieurs reprises, elle note en parlant d'une personne : « Si elle n'était pas si riche, elle en vaudrait mieux [1]. »

Par cette attitude, Mme d'Épinay se distingue de ses égales et adopte un point de vue très en avance sur son temps. Rares étaient les riches qui dénonçaient la corruption des sentiments par l'argent et trouvaient vulgaires les dépenses inutiles et ostentatoires. Ce fut pourtant son cas, lorsqu'elle épousa son cousin, le futile M. d'Épinay qui dépensait à des folies plus de richesses qu'il n'en avait. Et pourtant il en avait beaucoup.

Elle trouvait inutile cette armada de domestiques dont s'entourait son mari, grotesque le cérémonial qu'il avait instauré de se faire annoncer dans sa propre maison, et amoral cet étalage de luxe nécessaire à son bonheur. Devant ce comportement de nouveau riche prodigue, Mme d'Épinay réagissait à la fois en femme de l'ancienne noblesse qui méprisait ces fausses valeurs, et en bourgeoise vertueuse qui n'admettait pas qu'on jetât l'argent par les fenêtres.

Contrairement à Mme du Châtelet, Mme d'Épinay était sensible à l'humanisme philanthropique qui commençait à poindre dans la seconde partie du siècle. Sans aller jusqu'à considérer que ses domesti-

1. *Ibid.*, pp. 22, 23, 49.

ques étaient ses égaux, elle était attentive à leur condition et à leurs besoins. Elle les protégeait contre les injustices et l'arbitraire de son mari, et trouvait important de s'en faire aimer. Sentiment qui n'a jamais effleuré Mme du Châtelet. Il est vrai qu'en dépit de leur contemporanéité les deux femmes ont été élevées avec des systèmes de valeurs très différents.

*L'éducation*

Dès leur plus tendre enfance, les deux femmes affichèrent le désir de devenir savantes. Elles étaient l'une et l'autre prêtes à faire les efforts nécessaires pour réaliser leur projet. Mais seule la première y fut engagée par ses parents. L'autre en fut volontairement empêchée.

Mme du Châtelet bénéficia d'un environnement exceptionnel et d'une éducation tout à fait atypique pour l'époque. Ses parents avaient un vrai respect pour les choses de l'esprit et faisaient vivre leurs enfants dans une atmosphère qu'on qualifierait aujourd'hui d'intellectuelle. La marquise de Créqui s'étonnait de l'avidité de savoir qui était le propre des parents. Ils avaient même sacrifié trois pièces de la maison à l'établissement d'une bibliothèque bien remplie. Très jeunes, les enfants eurent le droit d'y prendre des livres avec une liberté fort rare en ce temps-là.

Dans ses souvenirs, Mme de Créqui, qui n'aimait pas Émilie, rapporte que sa jeune cousine avait même le droit d'avoir la Bible dans sa chambre. Curieuse de tout, la petite fille voulait tout comprendre. Elle ne manquait pas de demander des explications à sa mère quand les mystères du Livre saint s'avéraient trop épais. Sa mère s'efforçait de lui répondre en faisant appel à la raison, comme le montre l'anecdote rapportée par Mme de Créqui :

« Un jour, Émilie s'en vient auprès de sa mère et lui dit :

« – Lequel faut-il tenir pour assuré, ou que Nabuchodonosor a été changé en bœuf ou qu'il s'est métamorphosé en oiseau ?

« – Ni l'un ni l'autre, dit la mère.

« – Pourtant je l'ai vu dans la Bible...

« – Vous n'avez rien vu de pareil à cela dans la Bible... Allez me chercher la Bible où vous avez trouvé de si belles choses. « La raison du roi s'aliéna ; il s'enfuit dans les champs où il paissait l'herbe à la manière des brutes ; ses cheveux s'allongèrent comme des plumes d'aigle et ses ongles devinrent crochus comme ceux des vautours. » Où donc voyez-vous que le roi Nabuchodonosor ait été changé en bête ? Je vois bien qu'il était devenu fou, mais il n'est pas question qu'il fût devenu bœuf. Souvenez-vous que c'est là une imagination de sœur tourière ou de femme de chambre [1]. »

A l'hôtel de Breteuil, ses parents tenaient salon. Tous les jours ils recevaient une vingtaine de personnes et parmi elles les meilleurs esprits de l'époque. Fontenelle, l'écrivain le plus célèbre et le plus recherché en ce début de siècle, y venait très fréquemment. Il y soupait tous les jeudis pour s'enquérir des potins de la Cour et rencontrer d'autres hommes célèbres. Le duc de Saint-Simon, qui sera si méprisant pour Breteuil dans ses *Mémoires,* ne se privait pas d'y venir bavarder. On y rencontrait aussi de jeunes poètes et de futurs génies. Avant d'être banni, Jean-Baptiste Rousseau était reçu à dîner par les Breteuil et le père d'Émilie lui faisait une pension de six cents livres. Le jeune poète qui sera l'ennemi irréductible de Voltaire, et par contrecoup d'Émilie aussi, remerciait son bienfaiteur en rédigeant quelques odes flatteuses.

Lorsque le baron de Breteuil fit la connaissance

1. Maurice Cousin, *Souvenirs de la marquise de Créqui, op. cit.*, tome I, pp. 115, 180.

du jeune Voltaire en 1714 chez son cousin de Caumartin au château de Saint-Ange, il fut tout de suite séduit par celui qui venait de publier *Le Bourbier.* Il l'invita chez lui dans son hôtel des Tuileries et, l'année suivante[1], dans son château de Preuilly-sur-Claise, près de Loches.

A cette époque, Émilie avait un peu plus de dix ans et son père l'autorisait à rester au salon quand on recevait. Très tôt elle eut le droit d'intervenir dans la conversation. Fontenelle ne dédaignait pas de lui expliquer certains morceaux de son chef-d'œuvre, les *Entretiens sur la pluralité des mondes* [2], qu'elle avait déjà lus. Avec elle, il s'entretenait de physique et d'astronomie et lui procurait certaines communications de l'Académie des sciences, comme celles du célèbre Cassini [3].

Bien qu'elle ait beaucoup moins fréquenté Voltaire, celui-ci garda en mémoire le souvenir d'une petite fille studieuse et d'un père aimant. C'est grâce aux confidences du baron de Breteuil à Voltaire qu'on est le mieux informé de l'éducation d'Émilie. De son côté, M. de Breteuil, qui parlait très librement avec sa fille, aimait évoquer devant elle le génie du poète et son admiration pour lui. Après le succès scandaleux d'*Œdipe* [4], réquisitoire terrible contre les Dieux, le baron, qui adhère aux idées de Voltaire, n'hésite pas à confier à sa fille sa répugnance pour le Dieu de la Bible qui inflige à l'homme de si cruelles épreuves. Émilie retiendra la leçon paternelle et voltairienne.

Impressionnés par l'austérité, la précocité et l'amour de l'étude de leur fille, ses parents voulurent encourager le développement de son intelligence.

1. 1716.
2. 1686. Ouvrage de vulgarisation scientifique qui connut un très grand succès.
3. Astronome (1625-1712) qui découvrit deux satellites de Saturne.
4. De Voltaire. 1718.

Forts de leur mépris des préjugés régnants, ils cherchèrent à lui donner la meilleure éducation, celle que l'on donnait aux fils de famille.

Aucune connaissance ne lui fut interdite, aucune contrainte ne pesa sur elle à cause de son sexe. En ce temps où l'éducation des filles était si négligée, et se limitait la plupart du temps à un peu d'écriture, de lecture, quelques bribes d'histoire et aux arts d'agrément, Émilie fit des études approfondies dont beaucoup d'hommes du monde ne pouvaient même pas se targuer. Contrairement à ses contemporaines exilées pour de longues années dans un couvent, elle connut les douceurs de l'enseignement à domicile sous la haute surveillance de ses parents qui avaient pris personnellement la direction de ses études. Son père lui-même intervint pour donner à sa fille un savoir et une culture aussi diversifiés que possible.

Tout ce que l'on sait de son éducation nous est venu par l'entremise de Voltaire. A deux reprises, il mentionne l'étonnante instruction que l'on donna à cette petite fille.

Dans l'*Éloge historique de la Marquise du Châtelet* [1], Voltaire salue le travail de la traductrice de Newton. A cette occasion, il rappelle son intérêt précoce pour les langues :

« Dès sa tendre jeunesse elle avait nourri son esprit de la lecture des bons auteurs en plus d'une langue. Elle avait commencé une traduction de *L'Énéide*, dont j'ai vu plusieurs morceaux remplis de son auteur ; elle apprit depuis l'italien et l'anglais. Le Tasse et Milton lui étaient familiers comme Virgile. Elle fit moins de progrès dans l'espagnol parce qu'on lui dit qu'il n'y a guère dans cette langue qu'un livre célèbre et que ce livre était frivole. »

Dans ses *Mémoires*, Voltaire donne quelques détails supplémentaires, qui laissent supposer qu'il

1. Publié en 1752, en introduction à la traduction de Newton par Mme du Châtelet.

tenait ses informations, non pas d'Émilie, mais des confidences de son père.

« Son père lui avait fait apprendre le latin, qu'elle possédait comme Madame Dacier [1]. »

Il est très possible que le père ambitieux pour sa fille lui ait proposé de prendre Mme Dacier pour modèle, la célèbre traductrice des poètes grecs et latins qui avait soulevé tant de polémique au début du siècle et qui était unanimement respectée comme l'une des plus grandes érudites du temps.

« Elle savait par cœur les plus beaux morceaux d'Horace, de Virgile et de Lucrèce ; tous les ouvrages de Cicéron lui étaient familiers [2]. »

A dix-sept ans, Émilie connaît suffisamment d'anglais pour lire Locke dans le texte et se passionner pour la philosophie anglaise. Très jeune, elle montre « un goût dominant pour les mathématiques et pour la métaphysique [3] ». Fait rarissime dans l'histoire de l'éducation des filles, son père lui fait donner des leçons dans ces deux disciplines. La petite Émilie prend le goût des courbes et des équations qui ne la quittera plus jamais. A la fin de son adolescence, elle est encore fort loin d'égaler les grands mathématiciens avec lesquels elle correspondra plus tard, mais elle a déjà atteint un niveau suffisant pour prendre des leçons avec un Maupertuis. Son éducation philosophique n'est pas moins importante. Elle apprend la métaphysique cartésienne qui dominait alors tout système de pensée. Grâce à Descartes, elle comprend les liens étroits qui unissent science et métaphysique. Elle gardera toute sa vie l'exigence d'une pensée claire et méthodique, et d'une physique qui s'achève dans la métaphysique. C'est probable-

1. *Mémoires pour servir à la vie de Monsieur de Voltaire, in : Œuvres complètes* de Voltaire, éd. Beuchot, 1883, tome I, Garnier Frères, p. 7.

2. *Ibid.*, p. 7.

3. *Ibid.*, p. 7.

ment grâce à ses lectures de jeunesse que Mme du Châtelet ne pourra plus se passer des hypothèses métaphysiques, contrairement à ses amis newtoniens.

Cette cartésienne d'origine et de tempérament ne cessera jamais de vouloir concilier la liberté humaine avec le déterminisme de la nature. Deux exigences contradictoires héritées de son enfance, qui furent rarement l'apanage des femmes...

A la mort de son père, Louise d'Esclavelles ressemble singulièrement à Émilie de Breteuil au même âge. A peine vieilles de dix ans, ces deux petites filles sont animées de la même volonté de savoir, et font preuve de la même application. Mme d'Esclavelles, contrairement aux parents de Breteuil, n'a pas fait grand-chose pour l'éducation de sa fille. L'apprentissage de la lecture et de l'écriture lui a paru un bagage suffisant pour une enfant de neuf ans. C'est à peine si on avait commencé un enseignement un peu plus diversifié quand survint la disparition du père. Et pourtant cette femme qui n'a jamais attaché grande importance à l'instruction des filles ne peut s'empêcher de remarquer les dons de Louise : « Elle a un trop bon commencement pour ne pas la laisser se perfectionner [1]. »

Lorsqu'elle est confiée à sa tante, Louise remarque que sa petite cousine Élisabeth [2] apprend le Blason, l'histoire de France et la géographie, toutes choses qu'elle ignore mais qui lui paraissent « bien beau ». Elle priera la gouvernante de l'en instruire aussi. Lorsque celle-ci accepte de lui donner des leçons, la petite fille pleure de joie et fait cette réflexion révélatrice : « Oh ! Comme je vais être savante ! [...] J'ai entendu dire quelques fois à mon père tout bas [...] que j'avais de l'esprit ; si cela est, je ferai bien des

1. *Pseudo-Mémoires*, tome I, p. 17.
2. Future Mme d'Houdetot.

progrès, et si je ne suis pas riche, j'aurai bien d'autres avantages [1]. »

Louise apprend si bien qu'elle progresse très vite. Sa tante, irritée, interdit à la gouvernante de lui donner des leçons. Elle est réduite à s'instruire en écoutant l'enseignement dispensé à sa cousine, mais continue d'apprendre ce qui ne lui est pas destiné.

Au demeurant, entre une mère indifférente à son développement intellectuel et une tante qui veut à tout prix l'empêcher, la petite fille va progressivement être dépossédée du savoir qu'elle pourrait acquérir.

C'est d'abord sa tante qui refuse qu'on l'instruise, sous prétexte que sa sœur, la mère de Louise, « n'en a ni la volonté, ni le moyen. Elle vous aura bien de l'obligation de faire une *savante* de sa fille ! Allez, allez, elle sera assez *bégueule* [2] sans cela ». Le grand mot est lâché : il n'y a point de savante qui ne soit pédante. Cela fait horreur à la bourgeoisie, héritière pour de longs siècles des idées de Molière.

Du XVII^e^ siècle jusqu'à la fin du XIX^e^, la femme savante est constamment ridiculisée et l'on fait tout pour qu'elle n'existe pas. Lorsque les femmes acquièrent progressivement, à la fin du XIX^e^ siècle, le droit d'accès aux universités, elles sont priées d'utiliser leur savoir à des fins altruistes et non égoïstes. Pour l'agrément de leur mari, pour être de meilleures institutrices de leurs enfants, mais certainement pas à des fins personnelles.

Une femme qui aime les études pour elles-mêmes est une hérésie.

Depuis Molière, le qualificatif de « savante » est doublement péjoratif. Il renvoie à l'idée de dédain et de vanité. De plus, lorsque le mot est accolé au nom « femme », il signifie tout le contraire de ce qu'il exprime lorsqu'il est utilisé au masculin. Entre « un

1. *Pseudo-Mémoires,* tome I, pp. 23-24.

2. *Ibid.*, p. 28. Bégueule est pris au sens de pédante. Souligné par nous.

savant » et « une femme savante », il y a un monde de différences. Le premier est un être admiré que l'on écoute avec respect. Si tel homme mérite le titre de savant, personne ne songera à en discuter le bien-fondé. A l'inverse, le titre de femme savante est une dérision. On entend par là qu'elle croit savoir alors qu'elle ne sait rien, et qu'elle fait bâiller le monde en étalant sa fausse science. En outre, une telle femme est considérée comme une vaniteuse mal élevée, à la limite de la mégalomanie.

La tante de Louise ne voulait pas d'une telle nièce. Sa mère non plus d'ailleurs, qui ne fera aucun effort pour conserver à sa fille les professeurs qu'elle avait avant la mort de son père. Mme d'Esclavelles ne pense pas que les leçons soient « des dépenses nécessaires et essentielles[1] ». C'est sans regret qu'elle décide, comme première mesure d'économie, de « borner les maîtres [...] à celui d'écriture [...] retranchons les [autres] jusqu'à mon retour ; je crains que ce ne soit même pour toujours [2] ».

Très vite, Mme d'Esclavelles, qui supportait mal l'autorité de sa sœur, prit un petit appartement. Elle y vécut un an avec Louise avant de l'envoyer dans un couvent proche de chez elle pendant deux ans. Selon Adrien Legros [3], Louise y aurait été élevée « par charité », en bénéficiant d'une bourse de six cents florins fondée par un parent de sa mère, Nicolas de Prouveur.

Du 15 juin 1737 au 15 juillet 1739, Louise resta dans ce couvent où vivaient déjà la marquise de Roncherolles et sa petite-fille Thérèse, future présidente de Maupeou. On ne sait pas grand-chose de l'éducation qu'elle y reçut, sinon qu'elle en ressortit

1. *Ibid.*, p. 17. Elle pense même que ce sont des « fantaisies ».
2. *Ibid.*
3. *Études inédites « autour de Madame d'Épinay »*, 1920, déposées en 1948 au cabinet des Manuscrits de la Bibliothèque nationale.

complètement dévote et soumise à son directeur de conscience.

Il n'est pas impossible pourtant d'avoir une idée de cette éducation conventuelle. A plus de treize ans, Louise redemande un maître d'écriture à sa mère, ce qui prouve qu'elle n'a pas encore assimilé cette discipline élémentaire. De plus, elle a confié à son tuteur qu'elle s'applique beaucoup au dessin avec un professeur particulier [1]. Peu de chose au regard des études de Mme du Châtelet au même âge.

Au XVIIIe siècle, l'instruction dispensée par les religieuses est toujours très modeste, la finalité première des couvents est davantage l'éducation morale des filles plutôt que leur instruction proprement dite. On passe l'essentiel du temps d'étude à enseigner le catéchisme et les actes quotidiens de la vie chrétienne pour préparer l'enfant à la communion. En priorité, il faut leur apprendre « ce qu'il faut qu'elles sachent pour se sauver [2] ».

Toute l'éducation des filles est imprégnée de christianisme. On apprend à lire dans le catéchisme et à écrire en recopiant la Bible. Certains couvents comme les Ursulines élargissent un peu les programmes au XVIIIe siècle et y ajoutent l'enseignement de l'histoire de France et de l'Église, ainsi que la géographie. Sous la pression des familles, les maîtres de danse, de dessin et de musique viennent y donner des leçons particulières. C'est l'époque où les couvents se tournent de plus en plus vers le monde.

En décrivant les couvents du XVIIIe siècle, les Goncourt ont beaucoup insisté sur les nouvelles gaietés de la vie conventuelle qui s'applique à former des femmes pour la vie de société.

« La continuation des études commencées à la

1. *Pseudo-Mémoires*, tome I, p. 88.

2. *Annales de la Congrégation :* « Les Sœurs de Saint-Charles de Lyon, 1680-1874 », Lyon, E. Vitte, 1915, p. 503. Cité par F. Mayeur, *in : L'Éducation des Filles en France au XIXe siècle*, Hachette, 1979.

maison, la venue des maîtres, des leçons de danse, de chant, de musique, c'était le travail de ces journées de couvent [...] dont tant d'espiègleries abrégeaient la longueur. L'on brodait, l'on tricotait même, ou bien l'on jouait à quelque ouvrage de ménage, l'on mettait les mains à une friandise... [1]. »

Apparemment Mme d'Épinay n'a pas reçu beaucoup plus. De la petite fille tout feu tout flamme à l'adolescente confite en dévotion, il y a même eu une sorte de régression intellectuelle. Sa curiosité s'est endormie.

Mais le pire n'est pas là. Louise n'a pas seulement été amputée de sa puissance intellectuelle, elle a surtout été privée de sa volonté de conquête et d'autonomie. Toute l'éducation qu'elle a reçue a tendu à lui ôter son orgueil et à lui donner une idée d'elle-même dévalorisée. La tante, la mère et le confesseur lui ont sans cesse renvoyé l'image d'une coupable que seule une soumission totale peut racheter.

Sa tante a commencé ce travail destructeur en humiliant la petite fille de toutes les façons.

Mais cette hargne, aussi pénible fût-elle, ne l'a pas entamée. Aux humiliations, elle a toujours répondu par la révolte. Même si elle ne l'exprime pas par des mots, son corps parle pour elle, lorsqu'elle tombe malade[2]. Bien plus grave et profonde sera l'influence négative de sa mère qu'elle aime profondément. Dès les premières pages des *Pseudo-Mémoires,* Mme d'Épinay met dans la bouche de la marquise de Roncherolles une mise en garde contre l'éducation maternelle : « Il faut nous emparer de ma petite nièce [...] ou je me trompe fort, ou l'enfant

1. Les Goncourt, *La Femme au XVIIIe siècle, op. cit.*, p. 59. Ils citent les *Lettres de d'Aguesseau*, 1823, vol. II et les *Lettres inédites de la marquise de Créqui à Sénac de Meilhan*, publiées par Édouard Fournier, Potier, 1856 : « La Marquise résuma en une phrase l'éducation des filles dans les couvents : « De l'instruction religieuse, des talents analogues à l'état de femme qui doit être dans le monde, y tenir un état, fût-ce même un ménage. »

2. *Pseudo-Mémoires*, tome I, p. 28.

est heureusement née. Il faut lui inspirer des sentiments dignes de sa naissance ; la *douceur et la faiblesse du caractère de sa mère* ne lui feront que trop rabattre de nos avis [1]. »

La tante de Roncherolles avait raison de se méfier de l'influence de la mère, mais elle n'en mesurait pas toutes les conséquences. La « douceur » et la « faiblesse » maternelles transformeront une petite fille volontaire et conquérante en une jeune fille peureuse et dissimulée.

Mme d'Esclavelles est une terrible dévote, incapable d'exprimer simplement ses opinions. « Elle se contentait dans les cas graves de marquer son mécontentement ou son approbation par sa contenance. Le premier moment passé, elle prêchait mais ne causait point [2]. » A l'affût du moindre manquement à la règle morale et aux convenances, elle transmit à sa fille la crainte du blâme qui devait engendrer, chez elle, un sentiment permanent de culpabilité et d'infériorité. Cette « âme droite et douce » allait souvent au-devant du mal qu'elle craignait pour sa fille. A la moindre faute – même vénielle – de sa fille, la mère ne cherchait ni à comprendre ni à excuser. Elle condamnait fermement sans autres explications et transformait l'infraction en affront personnel. Ce qui mettait sa fille au désespoir.

Ainsi, lorsque la pudique romance entre Louise et son cousin Bellegarde [3] est brutalement découverte par la mère de celui-ci, l'événement pourtant bénin tourne à la tragédie. Non seulement la tante laisse exploser sa haine pour cette jeune fille pauvre qu'elle accuse de détourner son fils, mais sa propre mère prend fait et cause contre elle.

Après la lecture publique de la lettre d'amour du cousin, « ma mère me regarda avec des yeux terri-

1. *Ibid.*, p. 10. Souligné par nous.
2. *Ibid.*, p. 94.
3. Futur M. d'Épinay, époux de Louise.

bles et garda le silence [...]. Je me jetai aux genoux de ma mère et je lui dis que si elle avait la bonté de m'écouter, je prouverais bien que je n'étais pas coupable [...]. On ne daigna pas m'écouter [...]. Et ma tante cria à ma mère : « Ma sœur, amenez-moi demain cette péronnelle à Paris, et qu'elle ne remette pas les pieds chez moi. Voilà un bel exemple pour mes filles [...]. » Je me jetai dans les bras de ma mère, qui me repoussa rudement [1] ».

Les deux femmes furent renvoyées à Paris comme deux coupables. Sa mère la traite en criminelle, saisit toute sa correspondance et affiche une douleur insoutenable. Elle refuse d'entendre les explications de sa fille et garde un silence accusateur pendant de longs jours. Louise avoue à sa cousine : « Je voudrais me cacher ; je n'ose plus regarder personne [...]. Il me semble que tout le monde me condamne [2]. » Mais son sentiment de culpabilité atteindra son apogée lorsque sa mère lui déclarera qu'elle « fait le malheur de sa vie [3] ».

Les années passées au couvent sous la férule d'un sévère directeur de conscience et la perte de la confiance maternelle eurent deux conséquences fâcheuses sur le caractère de Louise. Elle prendra l'habitude de mentir à ceux dont elle dépend plutôt que de leur faire la moindre peine. Plus grave encore, ces épreuves lui auront fait perdre son identité. Elle sera, au sens propre du terme, aliénée. Son tuteur remarque, à plusieurs reprises, qu'elle n'est plus elle-même parce qu'elle essaie sans cesse de se plier à un modèle imposé de l'extérieur. L'opinion des autres est l'aune à laquelle elle se mesure elle-même.

Élevée pour plaire à tout le monde, de façon

1. *Pseudo-Mémoires*, tome I, p. 77.
2. *Ibid.*, p. 80.
3. *Ibid.*, p. 78.

contradictoire, Louise a toujours peur de ne plaire à personne.

Ballottée entre la marquise de Roncherolles qui l'incite à un peu plus de caractère et sa mère qui lui apprend la soumission, Louise confie à une amie : « Quand je réfléchis sur toutes les contradictions que je trouve en moi, je suis réduite à avoir une bien petite idée de moi-même [1]. »

État d'esprit contraire à tout sentiment d'ambition. Son tuteur a beau l'exhorter : « Soyez vous, et vous serez bien [2] », la constante méfiance de sa mère, ses mensonges et son obsession de lui faire de la peine transforment Louise en caméléon sans personnalité.

Le mal durera longtemps. Mariée et mère de famille, elle continuera encore à virevolter de tous côtés à la recherche d'elle-même. Une de ses meilleures amies a tracé ainsi le bilan de son éducation : « Elle est légère, elle est vive, elle est obsédée de parents que j'ose dire imbéciles. Ils lui ont farci la tête de toutes sortes d'idées fausses et puériles. Son esprit voudrait quelquefois se faire jour, mais sa légèreté et sa timidité l'empêcheront toujours de se conduire par elle-même. Elle se laisse mener comme une enfant, et croit que tout le monde, excepté elle, a toujours raison [3]. »

Si l'on ajoute à cela qu'aux yeux de Mme d'Esclavelles toute preuve d'esprit donnait mauvaise opinion d'une femme, cataloguée intrigante, on aura une idée de l'état d'abêtissement dans lequel Louise fut tenue.

Mais la petite fille qu'elle fut n'avait pas dit son dernier mot. La frustration qu'elle éprouva si longtemps devint le moteur d'une première ambition, la plus « essentielle » : se retrouver elle-même. Ce travail difficile qui mobilisa ses forces une grande

1. *Ibid.*, p. 86.
2. *Ibid.*, p. 103.
3. *Ibid.*, p. 498.

partie de son existence fut la condition de tout le reste.

## *Leur personnalité*

### *Un physique intéressant*

Elles ne furent ni des beautés, ni des laiderons, bien que les témoins se contredisent beaucoup sur ce sujet. Selon qu'elles furent aimées ou détestées, on les a décrites belles ou disgracieuses. On ne peut non plus se fier aux peintures qui les reproduisent de façon très différente à chaque fois.

Voltaire, qui les a connues toutes les deux, figure parmi les plus élogieux. Mais son témoignage est suspect. Amoureux fou de la « *Divine* » Émilie, il l'a décrite avec les yeux de la passion. Et lorsqu'il évoque à plusieurs reprises « sa *belle* philosophe », Mme d'Épinay, n'est-il pas influencé par sa réelle affection pour elle ?

A l'opposé, les témoignages des ennemies intimes de Mme du Châtelet ne sont pas plus crédibles. A en croire sa cousine de Créqui, « c'était un colosse en toutes proportions [...] elle avait des pieds terribles et des mains formidables ; elle avait la peau comme une râpe à muscade ; enfin la belle Émilie n'était qu'un vilain cent-suisse [1] ». Portrait peu aimable, mais qui n'a pas la hargne exemplaire de celui de Mme du Deffand, autre cousine lointaine d'Émilie, qui la détestait cordialement : « Représentez-vous une femme grande et sèche, sans cul, sans hanches, la poitrine étroite, deux petits tétons arrivant de fort loin, de gros bras, de grosses jambes, des pieds énormes, une très petite tête, le visage aigu, le nez pointu, deux petits yeux vert-de-mer, le teint noir,

1. M. Cousin, *Souvenirs de la marquise de Créqui*, *op. cit.*

rouge, échauffé, la bouche plate, les dents clairsemées et extrêmement gâtées. Voilà la figure de la belle Émilie, figure dont elle est si contente qu'elle n'épargne rien pour la faire valoir : frisures, pompons, pierreries, verreries, tout est à profusion [1]. »

Mis à part un détail similaire concernant la grandeur d'Émilie (et de ses pieds en particulier), les deux portraits des cousines ne brillent pas par la sérénité, ni l'esprit de famille ! Le parti pris de démolition de la concurrente est si criant qu'on ne doit pas attacher trop de crédit à ces descriptions.

Plus intéressants sont les témoignages mesurés de femmes qui n'avaient aucune raison d'aimer ou de flatter Mme du Châtelet. Le premier est celui de Mme Denis, la nièce de Voltaire, et la future rivale d'Émilie. De passage à Cirey pour quelques semaines en mai 1738, elle écrit ses impressions sur la châtelaine à Thieriot : « Madame du Châtelet est fort engraissée, d'une figure aimable [...]. C'est une femme de beaucoup d'esprit et fort jolie qui emploie tout l'art imaginable pour le séduire [2]. » Lorsqu'elle ajoute qu'Émilie enchaîne Voltaire à Cirey et le tient dans une solitude effrayante, on n'a plus de raison de soupçonner Mme Denis de sympathie excessive pour la maîtresse de son oncle. Or sans dire qu'elle est une beauté, elle la trouve « fort jolie ».

De son côté, Mme de Graffigny a laissé un portrait agréable d'Émilie, dans sa correspondance avec Devaux. « Elle a une robe d'indienne et un grand tablier de taffetas noir : ses cheveux noirs sont très longs, ils sont relevés par-derrière jusqu'au haut de sa tête, et bouclés comme ceux des petits enfants ; cela lui sied fort bien [3]. »

1. « Portrait de feu Madame la marquise du Châtelet par Madame la marquise du Deffand », publié en mars 1777 dans la *Correspondance littéraire*, tome II, p. 436. Voir annexe.

2. *Correspondance*, éd. définitive Besterman, lettre n° 1.498, 10 mai 1738.

3. *Op. cit.*, p. 4 (Éd. Eugène Asse), lettre du 4 déc. 1738.

Il est vrai que Mme de Graffigny venait seulement d'arriver à Cirey et n'avait pas encore eu le temps de tâter du caractère et des emportements de Mme du Châtelet...

Mme d'Épinay fut jugée laide par George Sand qui se fonde sur un portrait d'une collection privée : « Elle était positivement laide ; mais elle était fort bien faite [...] elle avait beaucoup de physionomie [1]. » Ce témoignage sur portrait est moins convaincant que ceux des contemporains, amis ou ennemis de Mme d'Épinay.

Diderot nous a laissé d'elle un portrait très vivant qui en dit plus long que d'autres. Il ne tranche pas sur sa beauté ou sa laideur, mais nous la rend vivante. « Le portrait de Mme d'Épinay est achevé ; elle est représentée la poitrine à demi nue. Quelques boucles éparses sur sa gorge et sur ses épaules ; les autres retenues avec un cordon bleu qui serre son front ; la bouche entrouverte ; elle respire, et ses yeux sont chargés de langueur. C'est l'image de la tendresse et de la volupté [2]. »

Elle est d'ailleurs si vivante, Mme d'Épinay, qu'on se demande comment Sophie Volland, à laquelle cette description était destinée, n'a pas éprouvé un pincement de jalousie. Si elle est « l'image de la volupté [3] », il est impossible qu'elle ait été « positivement laide » comme le pensait George Sand.

En revanche, à en croire Rousseau [4] : « Elle était fort maigre, fort blanche, de la gorge comme sur ma

1. George Sand, *Histoire de ma vie*, tome I. George Sand descendait de M. de Francueil, premier amant de Mme d'Épinay.

2. *Correspondance*, éd. Roth, Éd. de Minuit, vol. III, 20 sept. 1760, lettre à Sophie.

3. Son ami genevois Lubière dit, dans le portrait qu'il lui consacre : « Ses yeux sont si beaux, si tendres, ils peignent si bien son âme que l'on ne voit autre chose sur sa physionomie », *in :* Perey et Maugras, *La Vie intime de Voltaire*, 1885, p. 156.

4. Grimm a laissé entendre que Rousseau avait éprouvé des sentiments pour Mme d'Épinay.

main. Ce défaut seul eût suffi pour me glacer [1]. » Il peut lui donner de petits baisers bien fraternels sans ressentir la moindre émotion. Mais, il l'avoue, les « femmes sans tétons » n'ont aucune chance d'éveiller ses sens.

Tout ce que l'on sait de l'apparence physique de Mmes du Châtelet et d'Épinay nous permet seulement d'affirmer qu'elle ne leur posa pas de grands problèmes. Ni l'une ni l'autre n'avaient à prendre des revanches de femmes laides. Leur ambition n'a pas pour origine la volonté de racheter une disgrâce physique. Elles ont été suffisamment aimées et désirées pour être rassurées sur elles-mêmes.

L'autoportrait de Mme d'Épinay en témoigne : « Je ne suis point jolie ; je ne suis cependant pas laide. Je suis petite, maigre, très bien faite. J'ai l'air jeune, sans fraîcheur ; noble, doux, vif, spirituel et intéressant [2]. » Dans l'ensemble, elle n'est pas mécontente d'elle sur le chapitre des apparences. Son inquiétude, comme celle de Mme du Châtelet, porte sur ses facultés intellectuelles, son pouvoir de compréhension et de création.

### *Des tempéraments bien différents*

A première vue, on est tenté d'opposer leur esprit comme Pascal le faisait de l'esprit de finesse et de l'esprit géométrique. Émilie est une pure intellectuelle cartésienne, qui ne connaît que la déduction comme mode de pensée. Les analogies ne la séduisent pas et l'induction ne la satisfait pas complètement. Elle est toute de rigueur et de méthode.

Louise est plus sensible et plus fine. D'elle, on ne dirait pas que c'est une intellectuelle, mais une femme d'esprit [3]. Elle ignore tout des courbes, mais

1. Les *Confessions*, Éd. de la Pléiade, livre IX, p. 412.
2. *Mes moments heureux*, 1758.
3. Rousseau, *Confessions*, livre IX.

excellera, le moment venu, dans l'analyse du cœur humain. Qu'elle soit critique de théâtre, romancière ou pédagogue, ce sont les êtres de chair et de sang qui l'intéressent, non les équations sans âme. Plus intuitive qu'Émilie, Louise est d'une intelligence qu'on qualifierait de « féminine », par opposition à celle plus « virile » de son aînée.

Dans les portraits qu'il a laissés d'Émilie, Voltaire insiste sur son style analytique, dépourvu de fioritures, plus caractéristique des hommes que des femmes.

« Née avec une éloquence singulière, cette éloquence ne se déployait que quand elle avait des objets dignes d'elle. Ces lettres où il ne s'agit que de montrer de l'esprit, les petites finesses, ces tours délicats que l'on donne à des choses ordinaires, n'entraient point dans l'immensité de ses talents [1]. »

Aimable façon de dire qu'elle n'avait guère de qualités littéraires ! Curieusement, de la part du plus grand homme de lettres du siècle, Voltaire explique que « l'afféterie n'entrait point dans son caractère mâle et vrai [2] ». Voulait-il dire que la préciosité littéraire était le propre des femmes et le rationalisme scientifique celui des hommes ?

« Le mot propre, la précision, la justesse et la force étaient le caractère de son éloquence ; elle eût plutôt écrit comme Pascal et Nicole que comme Madame de Sévigné [3]. »

Mme du Châtelet est remarquable aux yeux de Voltaire, par la « fermeté sévère » et la « trempe vigoureuse de son esprit [4] », c'est-à-dire des vertus que l'on associe davantage à la virilité qu'à la féminité.

1. *Préface historique* sur Mme du Châtelet, p. XI, *in : Principes mathématiques de la philosophie naturelle* [traduit de l'anglais de Newton] *de feu Madame la marquise du Châtelet*, 1759.

2. *Mémoires pour servir à la vie de Monsieur de Voltaire, op. cit.*, p. 8.

3. *Préface historique..., op. cit.*, p. XI.

4. *Ibid.*

Rien de tel chez Mme d'Épinay, qui brille par l'élégance et la légèreté de son style, sans que nul songe à lui reprocher minauderie ou préciosité. Pur produit de son siècle, elle écrit avec simplicité et bonheur d'expression. Les œuvres qu'elle nous a laissées en témoignent. Mais y a-t-il meilleur témoignage que ceux de ses contemporains qui lui demandent de bien vouloir les corriger ?

En juillet 1760, Diderot a terminé l'adaptation du *Joueur*, d'après la pièce d'Edward Moore, *The Gamester*. Il écrit à Mme d'Épinay : « Vous devriez bien relire, simplifier, mettre au naturel, de la douceur, de l'élégance, de la vérité, en un mot rendre cela [son adaptation] bien lisse, bien unie et bien douce. Car je sens que je suis inégal, diffus, obscur, barbare, raboteux. Prenez votre lime et passez-la un peu là-dessus [1]. »

A plusieurs reprises, l'abbé Galiani lui demande le même service. C'est elle qui corrige, de concert avec Diderot, ses *Dialogues sur le Commerce du Blé*. C'est à elle qu'il s'adresse pour revoir sa pièce sur les Français du Levant. « Je veux retoucher au style et aux scènes de cette pièce. Ennoblissez-moi le rôle du consul, rendez-moi le valet plaisant, la précieuse ridicule, voilà ce que je vous demande. Quelques scènes mériteraient d'être allongées. Si vous ne voulez pas vous donner tant de peine, au moins marquez-moi les fautes de langue, la bassesse de style et ce qui vous choque le plus [2]. »

C'est toujours vers elle qu'il se tourna à chaque fois qu'il eut besoin de conseils littéraires.

Pourtant Mme d'Épinay, dont on sollicitait l'avis en matière d'écriture, montrait moins de dons dans l'art de la conversation mondaine. Dans le portrait laissé par son admirateur Lubière, on peut lire :

« Elle ne se distinguera pas par des épigrammes, ni par les feux séduisants d'une conversation bril-

1. Lettre du 20 juillet 1760.
2. Lettre de Galiani du 2 fév. 1765 (Éd. Perey-Maugras).

lante ; peut-être que dans le commerce du monde, on ne dira pas d'elle qu'elle a beaucoup d'esprit. Soit habitude d'une vie retirée, soit timidité, on remarque une sorte de gêne [...]. Elle se réserve pour sa société, c'est là qu'elle montre ce qu'elle a d'esprit ; alors sa conversation est agréable, vive, enjouée et toujours juste, ses expressions sont heureuses et claires. Elle n'écrit pas moins bien, peut-être mieux qu'elle ne parle. Son style est varié, agréable, élégant [1]. »

Dans les *Confessions,* Rousseau fait aussi mention d'une sorte de gêne dans la conversation. La notice nécrologique de la *Correspondance littéraire* est encore plus explicite : « Sa conversation [...] avait une sorte de réserve et de sécheresse, mais qui ne pouvait éloigner ni l'intérêt ni la confiance. Jamais on ne posséda si bien peut-être l'art de faire dire aux autres, sans effort, sans indiscrétion ce qu'il importe [...] et souvent il lui suffisait d'un seul mot pour donner à la conversation le tour qui pouvait l'intéresser davantage [2]. »

Si Mme d'Épinay était médiocre orateur, elle possédait l'art, si commun aux femmes de qualité, de faire parler les autres et de savoir les écouter. Il n'est pas sûr que l'on puisse en dire autant de Mme du Châtelet, qui n'a jamais montré un intérêt passionné pour ses semblables.

En revanche, les deux femmes se rejoignent dans une égale absence d'imagination. Mme d'Épinay le déplorait. Mme du Châtelet y était plus qu'indifférente. Par tempérament et éducation, elle montrait une attirance presque exclusive pour les choses de la raison. Voltaire aura beau dire que les charmes de la poésie et de l'éloquence la pénétraient [3], qu'elle savait par cœur les meilleurs vers, Émilie s'émouvait plus d'un raisonnement rigoureux que de vers bien

1. Perey et Maugras, *La Vie intime de Voltaire, op. cit.*, p. 157.
2. *Correspondance littéraire,* nov. 1783, p. 396.
3. *Préface historique* sur Mme du Châtelet, *op. cit.*, p. 11.

tournés. Elle soutenait même devant Mme de Graffigny et Voltaire « qu'on ne pouvait être touché sans raisonner [1] ».

Malgré les odes que Voltaire lui consacrait, Émilie n'aimait pas la poésie [2]. Elle n'écrivit qu'un seul vers dans sa vie, en latin, qui fut gravé sur la tombe de Voltaire. Sa traduction est la suivante : « Un jour il sera cher à tous les hommes autant qu'il l'est aujourd'hui à ses amis. »

Un tel vers ne brille pas par son originalité et on féliciterait volontiers Mme du Châtelet de s'en être tenue à ce seul essai, ce qui prouve une grande lucidité sur ses talents poétiques... Mais elle avait tort d'empêcher Voltaire de se livrer à cet art. A plusieurs reprises, elle se plaignit qu'il perdît ainsi son temps à faire « de petits ouvrages [3] ».

Elle n'aimait pas davantage l'histoire qui, selon elle, manquait singulièrement de rigueur. Voltaire, qui adorait cette discipline, avait du mal à admettre que sa compagne « traite Tacite comme une bégueule qui dit des nouvelles de son quartier [4] ».

Son mépris pour les productions de l'imagination allait jusqu'à l'ignorance la plus complète des fables.

Mme d'Épinay se décrivait « l'imagination tranquille [5] », ce qui impliquait un regret et non une satisfaction. Au demeurant, elle non plus n'aimait pas les fables qui sont du domaine du chimérique et du fantastique. « La fable a été inventée pour déguiser la vérité [6] », confia-t-elle un jour à sa petite-fille. En revanche, elle attachait une grande valeur pédagogique aux contes [7].

Elle regrettait son manque d'imagination, parce

1. *Lettres* de Mme de Graffigny, Éd. E. Asse, p. 40.
2. *Ibid.*, p. 9. « Pour moi, je ne saurais souffrir les odes. »
3. Lettre à d'Argental, 5 oct. 1738.
4. Lettre de Voltaire au duc de Richelieu, 30 juin 1735.
5. « Autoportrait », *in : Mes moments heureux*, 1756, p. 3.
6. 13e conversation avec Émilie, *in : Les Conversations d'Émilie*, 1822, tome II, p. 33.
7. *Ibid.*, p. 35.

qu'elle y voyait un défaut du pouvoir créateur. Incapable d'écrire un roman inventé de toutes pièces, elle raconte sa propre histoire. Et même si elle l'embellit ici ou là pour les besoins de sa cause, l'essentiel de la trame est la transcription de son vécu.

C'est parce qu'elle comprend ce qu'elle observe – et non parce qu'elle crée un autre réel – que Mme d'Épinay fut à la fois critique, sociologue et psychologue avant la lettre et non une artiste.

En rapportant que « son imagination ne l'emporte pas, l'esprit juste qui saisit les rapports, l'esprit de réflexion, l'esprit d'ordre y décide [1] », Lubière conclut, comme Voltaire, que c'est là un véritable esprit philosophique.

Mais si les deux femmes peuvent être qualifiées de « philosophes », elles le sont dans un sens bien différent l'une de l'autre. Mme du Châtelet est philosophe au sens traditionnel du terme. Elle est essentiellement une femme spéculative, une métaphysicienne. Ce n'est pas le cas de Mme d'Épinay qui est philosophe au sens nouveau donné à ce terme. Au XVIII<sup>e</sup> siècle, le philosophe français est plus préoccupé des choses de la cité et du bonheur des hommes que son ancêtre du XVII<sup>e</sup> siècle. Mme d'Épinay aspire à un certain « art de vivre » et s'intéresse davantage au monde qui l'entoure qu'aux abstractions métaphysiques. Voltaire dira d'elle : « Elle a trouvé le grand secret de tirer de sa manière d'être le meilleur parti possible [2]. »

Du côté du cœur et du caractère, elles ne diffèrent pas moins que par l'esprit. Mme du Châtelet est aussi passionnée et frénétique que Mme d'Épinay est sentimentale et délicate.

Émilie du Châtelet passe pour avoir un tempérament de feu. Nul doute qu'elle aime jouir de tous les plaisirs. Douée d'une extrême énergie, elle n'est pas femme à être aisément satisfaite. Faisant tout avec

1. Perey et Maugras, *op. cit.*, p. 157.
2. Lettre à Tronchin.

excès, elle ne montre jamais le visage de la lassitude ou de l'assouvissement. Ses amants en ont peut-être été agacés. Mais cela explique son comportement à leur égard, demandant sans cesse plus qu'ils ne pouvaient donner. Il a fallu qu'elle aime profondément Voltaire, dont la sensualité était plutôt pauvre, pour vivre avec lui dans un état de semi-frustration. Belle occasion sans doute de sublimer ses pulsions en se jetant à « corps perdu » dans la spéculation intellectuelle la plus difficile.

Douée de cette énergie peu commune et d'une volonté exacerbée, Mme du Châtelet avait les meilleurs atouts pour se surpasser. Lorsqu'elle se donnait un but, elle mettait tout en œuvre pour l'atteindre. Elle considérait même que c'était là un des grands secrets du bonheur [1].

Cette immense volonté ne s'exerçait pas seulement sur sa propre personne. Émilie était impérieuse et dominatrice. Elle aimait soumettre son entourage à ses désirs et à ses raisons. Cet imperium la rend facilement tyrannique et égoïste. Lorsqu'elle décide que Voltaire perd son temps à faire des vers, et qu'il ferait bien mieux de se consacrer à la physique de Newton, celui-ci obtempère sagement. Elle se fâche et elle boude lorsqu'elle n'est pas écoutée et n'hésite pas à employer les grands moyens. Les ouvrages qui ne lui plaisent pas sont tenus sous clef, et Voltaire en est dépossédé. Il en est ainsi de l'*Essai sur le siècle de Louis XIV* qu'Émilie juge indigne du grand homme, et Mme de Graffigny sublime. Elle raconte :

« Nous chantons pouilles à Mme du Châtelet, qui tient cet ouvrage sous clef pour qu'il ne s'achève

1. *Discours sur le bonheur, op. cit.*, p. 16. « Etre bien décidé à ce qu'on veut être et à ce qu'on veut faire, et c'est ce qui manque à presque tous les hommes ; c'est pourtant la condition sans laquelle il n'y a point de bonheur. Sans elle, on nage perpétuellement dans une mer d'incertitudes ; on détruit le matin ce qu'on fait le soir ; on passe la vie à faire des sottises, à les réparer, à s'en repentir. »

pas. Il [Voltaire] en meurt d'envie et dit « que c'est l'ouvrage dont il est le plus content ». Elle ne donne d'autre raison pour se justifier que celle du peu de plaisir qu'il y a de faire un ouvrage qu'on ne saurait imprimer [...]. Il me disait hier « que sûrement il l'achèverait, mais ce ne serait certainement pas tant qu'il sera ici ». Elle lui tourne la tête avec sa géométrie ; « elle n'aime que cela » [1]. »

Mme du Châtelet n'est pas moins tyrannique sur le chapitre de ses divertissements. Adorant jouer des pièces de théâtre et chanter de l'opéra, elle force tout le monde à en faire autant sur un rythme d'enfer. Puisqu'elle dort peu, elle présume que tout le monde est comme elle, et impose une cadence infernale à ses invités. Mme de Graffigny est exténuée par une activité aussi débordante et on le serait à moins :

« On ne respire point ici [...]. Nous jouons aujourd'hui *L'Enfant prodigue* et une autre pièce en trois actes, dont il faut faire les répétitions. Nous avons répété *Zaïre* jusqu'à trois heures du matin ; nous la jouons demain avec La *Sérénade* [2]. Il faut se friser, se chausser, s'ajuster, entendre chanter l'opéra ; oh ! quelle galère [...]. Nous avons compté hier au soir que, dans les vingt-quatre heures, nous avons répété et joué trente-trois actes, tant tragédies, opéras que comédies [3]. » Mme du Châtelet, inépuisable, terminera cette célèbre journée en chantant un opéra entier, au plus grand désespoir de ses invités forcés de l'écouter...

Lorsqu'elle ne se livre pas au divertissement artistique, elle met la même frénésie au service de son travail intellectuel.

« Elle passe toutes les nuits, presque sans exception jusqu'à cinq et sept heures du matin à travailler [...]. Vous croyez, vous autres, qu'elle doit dormir jusqu'à trois heures de l'après-midi, point du tout ;

1. *Lettres* de Mme de Graffigny, Éd. E. Asse, p. 37.
2. Comédie de Régnard.
3. *Lettres*..., p. 207.

elle se lève à neuf heures ou à dix heures du matin ; et à six heures quand elle s'est couchée à quatre heures. Bref elle ne dort que deux heures par jour, et ne quitte son secrétaire dans les vingt-quatre heures que le temps du café, qui dure une heure, et le temps du souper et une heure après. Quelquefois elle mange un morceau à cinq heures du soir, mais sur son secrétaire et encore bien rarement [1]. »

Longchamp, son valet de chambre, confirmera le témoignage de Mme de Graffigny. Déranger Émilie pendant qu'elle travaille est s'exposer à sa plus mauvaise humeur. Mais, dit-il, lorsqu'elle a terminé, elle semble apaisée et redevient la femme la plus gaie du monde.

On ne s'étonnera pas que ce tempérament volcanique, ordinairement canalisé par un travail presque inhumain, se laisse aller par moments à des colères terribles. Voltaire ne les a pas ignorées, bien qu'elle se retienne de lui faire des scènes trop violentes. Elle le titille plus qu'elle ne l'agresse. Elle tient trop à lui pour se laisser aller à son naturel.

C'est aux autres, et particulièrement à ses inférieurs, que Mme du Châtelet peut montrer un visage terrifiant. La pauvre Graffigny, coupable d'une indiscrétion [2] dangereuse pour la sécurité de Voltaire, en a fait la dure expérience.

« Elle arriva comme une furie, jetant les hauts cris et me disant à peu près les mêmes choses [3]. » Mais perdant tout sang-froid, Émilie pique une terrible colère et va bien au-delà des reproches de Voltaire. Elle traite Mme de Graffigny de voleuse, de menteuse, d'infâme, de monstre. Elle l'humilie en lui disant qu'elle l'a accueillie chez elle non par amitié, mais par pitié pour son dénuement. « Sans Voltaire, elle m'eût souffletée [...]. Voltaire la prit de suite à travers le corps et l'arracha d'auprès de moi, car elle

1. *Ibid.*, p. 229.
2. Elle avait recopié et diffusé des passages de *La Pucelle*.
3. *Lettres...*, p. 213.

me disait tout cela dans le nez et avec des gestes dont j'attendais les coups à chaque instant. Quand elle fut arrachée d'auprès de moi, elle allait et venait dans la chambre, en criant et en faisant toujours des exclamations sur mon infamie [1]. »

La pauvre Mme de Graffigny, profondément bouleversée par cette scène d'une violence incroyable, en resta plus morte que vive. Elle fut saisie de tremblements, convulsions et vomissements pendant plus de douze heures. Le lendemain, Voltaire, le premier, reconnut sa méprise et vint s'excuser chaleureusement. « Sur les huit heures, la Mégère [Émilie] vint avec toute sa suite ; et après une courte révérence et d'un ton fort sec, me dit : « Madame, je suis fâchée de ce qu'il s'est passé cette nuit »; et elle parla d'autre chose [2]. »

Mme de Graffigny resta encore un mois à Cirey, malade et humiliée, sans que Mme du Châtelet songeât à réparer son injuste outrage.

De façon plus générale, Mme du Châtelet est une femme dure et sèche. Elle n'a jamais été préoccupée du bien d'autrui. Elle prend plus qu'elle ne donne. Lorsqu'on lit sa *Correspondance*, on est frappé du nombre de fois où elle demande quelques faveurs. Lorsque la réponse attendue n'est pas assez rapide, elle redemande avec insistance, autant de fois que nécessaire, jusqu'à ce qu'elle obtienne satisfaction. Il est peu question en revanche des services qu'elle pourrait rendre.

Mme du Châtelet n'est pas généreuse, ni de son argent, ni de son temps, ni de son cœur. Elle n'a donné d'elle-même, et sans compter, qu'à Voltaire qui le lui a bien rendu. Mais elle a gardé tout le reste pour elle, et particulièrement son énergie, son temps et son intelligence.

En cela, Émilie est d'une nature plus traditionnellement virile que féminine. Ce que n'ont pas man-

1. *Ibid.*, p. 214.
2. *Ibid.*, p. 217.

qué de remarquer ses proches. Voltaire, le premier, la compare sans cesse à un grand homme. Elle lui apparaît comme un être androgyne qui réunit les vertus des deux sexes. Femme d'apparence, homme par l'esprit. A plusieurs reprises il la qualifie gentiment de « Madame Pompon-Newton », voulant dire qu'elle restait femme par son amour des fanfreluches et homme par son goût non moins immodéré de la physique et de la géométrie.

Cideville, qui ne rate jamais une occasion de lui adresser ses galanteries en vers, évoque constamment le thème de l'androgynat. Elle est à la fois un grand homme et la plus aimable des femmes. Il s'émerveille de cette double nature et ne cesse de s'en étonner. Pour la remercier de l'envoi de son livre, les *Institutions de la Physique,* il se croit obligé d'insister sur ce thème : « Quoi, l'auteur sublime de ce livre grave et dogmatique est la femme adorable que je vis dans son lit, il y a trois mois, avec de grands yeux si beaux et si doux, cette philosophe noble, ingénieuse et piquante [...] nous donnait en vérité à tous à penser à autre chose qu'à la philosophie. »

Au cas où elle n'aurait pas compris, il lui dédie ces quelques vers :

« Lecteur, ouvrez ce docte écrit ;
La physique, pour nous, a quitté son air sauvage,
et vous devinerez à son charmant langage
que c'est Vénus qui nous instruit.
Oui, Vénus-Uranie, elle en a le corsage,
et de l'autre elle a tout l'esprit.
Le vrai philosophe la lit ;
Qui la voit, je le sais, est bien loin d'être sage [1]. »

On a l'impression qu'il veut la rassurer sur sa féminité et son pouvoir de séduction. Mais peut-être ne manque-t-il pas d'intuition. Mme du Châtelet

1. Lettre de Cideville du 19 fév. 1741.

nous paraît à la fois fière de ses pouvoirs masculins et inquiète de sa féminité. Il semble que son attachement légendaire aux pompons, aux nœuds, aux rubans et aux pierreries soit à rapprocher de cette inquiétude. A défaut d'être vraiment féminine, elle voulait le paraître. Lorsqu'elle se montrait en public, elle était si couverte de fanfreluches et de diamants que Voltaire lui-même ne pouvait se retenir d'en rire amicalement. Il y voyait là une faiblesse attendrissante, mais ses impitoyables ennemies, comme Mmes de Staal-Delaunay, dame de compagnie de la duchesse du Maine, ou du Deffand, se gaussaient méchamment de ce ridicule.

En revanche, lorsqu'elle restait chez elle pour travailler, elle abandonnait toute coquetterie. Elle se présentait à son amant sans être coiffée et fort mal habillée [1]. Cette négligence choquait même Mme de Graffigny, pourtant peu exigeante sur ce point. A cet instant, elle n'était plus que l'associée de Voltaire en physique et métaphysique, activités pour lesquelles les pompons sont plutôt des obstacles que des auxiliaires...

Mme du Châtelet vivait sa féminité et sa virilité de façon alternative. Elle était tout l'un ou tout l'autre selon les moments. Mais elle ne parvint jamais à concilier les deux. Janus bifrons, elle était virile pour elle-même et féminine pour les autres, non sans une grande affectation. Voltaire fut le seul témoin de sa difficulté à vivre dans cette double peau. Mais il n'a jamais trahi son secret.

A côté d'elle, Mme d'Épinay est l'image même de la féminité. Non pas par force ni emprunt, mais selon les grâces naturelles, telle que l'aimait Rousseau, et ses contemporains. A la différence de Mme du Châtelet, elle a un vrai sens de l'élégance, celle qui ne se remarque pas. La notice nécrologique,

1. *Lettres* de Mme de Graffigny, Éd. E. Asse, p. 78.

inspirée par Grimm, qui figure dans la *Correspondance littéraire,* insiste sur cet aspect de sa personnalité. Bien que malade, à la fin de sa vie, « on la voyait assez attentive à ne pas manquer, un seul jour, de faire une toilette aussi soignée que son âge et l'état de sa santé pouvaient le permettre [...] et mettre la robe du jour [1] ». Mme d'Épinay aurait détesté se distinguer par un excès d'ornement ou de fioritures. Ne pas se faire remarquer était à ses yeux la première des politesses. Mais la féminité de Mme d'Épinay n'est pas seulement une coquetterie de bon aloi. Elle est d'abord intériorisée.

« Je suis née tendre et sensible, confiante et point coquette [2]. »

Louise est plus sentimentale que sensuelle et passionnée. Elle ressemble davantage à la « Julie » de Rousseau qu'à la bouillante Mme du Châtelet. Ce que l'on sait d'elle nous incline à penser qu'elle n'a pas les mêmes exigences sexuelles. Elle aime d'abord avec son cœur. Telle la Nouvelle Héloïse, c'est la transparence des sentiments qui lui importe le plus. De son mari, puis de ses amants, Francueil et Grimm, c'est la vérité qu'elle exige avant tout. Elle peut pardonner les fautes avouées, non les mensonges révélés. Son bonheur dépend du degré d'intimité et d'harmonie qu'elle peut établir avec l'homme qu'elle aime. Comme les héros de Rousseau, Mme d'Épinay jouit des longues promenades et des silences où seuls les cœurs se parlent.

« Émilie » est comme « Julie », une héroïne douée de la nouvelle sensibilité. Non parce qu'elle verse des larmes à la moindre émotion, mais par cette profonde tendresse qui la rend vulnérable.

Contrairement à Mme du Châtelet, elle est douce et chaleureuse avec ceux qu'elle aime. D'une

1. *Correspondance littéraire,* nov. 1783, pp. 396-397.
2. « Autoportrait », *op. cit.,* mars 1756, p. 4. Ici le mot « coquette » est synonyme d'aguicheuse, celle qui recherche les hommages masculins.

patience exemplaire pour répondre à leurs moindres désirs. Mme d'Épinay donne plus qu'elle ne demande, parce qu'elle « aime ses amis pour eux [1] », et non pour elle. Ils auront tendance à en abuser, Grimm aussi d'ailleurs.

Quels qu'aient été les dessous et les suites de l'affaire de l'Ermitage, il reste indéniable que Mme d'Épinay croyait rendre service à Rousseau en lui prêtant cette petite maison. Ne supportant plus Paris, et ne sachant pas comment vivre à Genève, Rousseau se sentait égaré et démuni. Mme d'Épinay pensait l'aider à sortir de ce dilemme en proposant l'Ermitage qu'elle avait pris le soin d'arranger exprès pour lui et les dames Le Vasseur. En ce temps-là, Rousseau, qu'elle connaissait depuis presque dix ans, n'était pas avare de déclarations d'amitié.

Le 13 février 1756, un mois avant qu'il ne s'installe chez elle, il lui écrit : « Si vous connaissiez l'état de mon âme, vous verriez que vous n'êtes pas de nous deux celle qui a le plus besoin de voir l'autre [2]. » Trois jours plus tard : « Le *plaisir de vivre avec vous* me manque, voilà mon plus grand mal et mon seul besoin [...]. Je ne peux vous dire combien de consolation je trouve dans nos dernières conversations [3]. »

Ces propos laissent percevoir suffisamment d'affection pour faire croire que leurs sentiments étaient réciproques. Mme d'Épinay ne pouvait pas imaginer, à cet instant-là, que son amitié deviendrait insupportable à Rousseau. Prête à rendre tous les services, tantôt elle se fait durement rabrouer, tantôt Rousseau l'utilise comme un intendant. Lorsqu'elle lui propose un petit secours pécuniaire, il lui répond sèchement : « Que vous entendez mal vos intérêts

1. *Ibid.*, p. 7.
2. *Correspondance* de Rousseau, Éd. Besterman, lettre n⁰ 380, 13 fév. 1756.
3. *Ibid.*, lettre n⁰ 384, 16 fév. 1756. Souligné par nous.

de vouloir faire un valet d'un ami [1]. » En revanche, il lui demande mille services pour Mme Le Vasseur et lui-même. C'est elle qui prendra soin de son déménagement, de ses courses, de vendre sa musique, ses livres, etc. Mais quand elle lui demandera de lui tenir compagnie à la Chevrette, Rousseau y verra une atteinte trop pesante à son indépendance.

Les quiproquos et les mensonges réciproques qui mettront fin à cette amitié ont donné lieu à l'une des polémiques les plus célèbres de l'histoire de la littérature. Il ne faudrait pas oublier pour autant qu'avant d'échanger ces cris de haine par Confessions [2] interposées, Mme d'Épinay a beaucoup aimé Rousseau et a tout fait pour le lui prouver. S'il est vrai qu'elle sut tirer profit de cette liaison amicale, il est certain qu'il ne lui a jamais porté des sentiments aussi tendres qu'elle en éprouvait pour lui.

A un degré bien moindre, on pourrait en dire autant de son amitié pour Diderot. Durant quelques années, après son retour de Genève, ils semblent partager une grande affection réciproque, cimentée par leur amour commun pour Grimm. Diderot est un familier de la Chevrette dont il vante les douceurs à Sophie Volland. Il lui confie son entente avec Mme d'Épinay : « Après-demain je suis établi au Granval [chez les d'Holbach] pour six semaines. Madame d'Épinay a eu le cœur un peu serré et moi aussi. Nous étions *faits l'un pour l'autre.* Nous nous comprenions sans mot dire. Nous blâmions, nous approuvions du coin de l'œil [3]. »

Mme d'Épinay l'a pris comme confident de ses amours avec Grimm, comme jadis elle confiait à Rousseau ses sentiments pour Francueil. Dans les

1. *Ibid.*, lettre n° 389, 10 mars 1756.

2. Mme Dominique Aury a fait remarquer à juste titre que les *Pseudo-Mémoires* de Mme d'Épinay constituent son plaidoyer *pro domo*, ses propres confessions contre celles de Rousseau, *in :* « Les dangers de la vertu », *Nouvelle N.R.F.*, fév. 1953.

3. Lettre du 30 sept. 1760. Souligné par nous.

deux cas, Rousseau et Diderot étaient intimement liés avec ses amants. Mais la confiance qu'elle leur a accordée n'a pas toujours été payée de retour. Bien que Diderot ne l'ait jamais trahie, sa correspondance dévoile sans ambiguïté un moindre attachement pour elle, qu'elle pour lui. Il n'hésite pas à se moquer d'elle et de son chien Pouf [1] sur un ton dénué de gentillesse. Lorsque Mme d'Holbach se brouille avec Mme d'Épinay, ou se livre à des commérages malvenus sur elle et Saurin, Diderot se tait pour ne se brouiller avec aucune de ses hôtesses préférées.

A partir de 1767, lorsque les relations entre Grimm et Diderot sont devenues plus difficiles, c'est à Mme d'Épinay que Diderot fait des doléances qu'il n'ose pas adresser à Grimm. C'est elle qui devient le bouc émissaire de l'agressivité de Diderot. Et lorsqu'ils corrigent ensemble les dialogues de Galiani sur le commerce des blés, il ne cache pas son agacement à l'égard de « cette petite femme tracassière qui brouille tout [2] ».

Le charme est rompu entre eux. Désormais, Diderot et Mme d'Épinay se verront beaucoup moins, par courtoisie comme on le fait pour d'anciens amis auxquels on n'a plus grand-chose à dire. Il ira la voir à la veille de son départ pour la Russie, en 1773, alors qu'elle est déjà très malade. Il lui recommandera de veiller sur sa fille Angélique, mais sa correspondance ne signale aucune émotion, ou inquiétude, à l'idée de quitter cette amie dont il avouera plus tard qu'il la voyait déjà morte [3].

Si Mme d'Épinay eut un seul et véritable ami qui l'aima toujours, c'est bien l'abbé Galiani avec lequel elle correspondit jusqu'à ce que ses forces l'abandonnent. Mais s'ils se sont aimés de la plus pro-

1. Lettre du 28 oct. 1760.
2. Lettre du 25 nov. 1769.
3. Lettre à Mme d'Épinay du 9 avril 1774 : « Lorsque j'allai vous dire adieu, je ne vous accordais pas huit jours de vie... »

fonde amitié, leur correspondance hebdomadaire témoigne que celui des deux qui rend constamment service à l'autre est encore une fois Mme d'Épinay. Pas une course dont il ne la charge avec autorité. Malade et alitée, c'est elle qui doit veiller à son confort à lui. Les lettres de Galiani sont remplies de requêtes diverses, réitérées les semaines suivantes si satisfaction n'a pas été donnée. Il la charge des intérêts de ses *Dialogues,* de chercher l'encre dont il a besoin, du tissu pour ses chemises et ses mouchoirs, de faire des recherches pour ses travaux, etc. Mme d'Épinay répond à toutes ces demandes avec une douceur et une patience qui ne manquent pas d'étonner le lecteur ! Elle demande humblement pardon des retards, comme si elle était fautive de l'insatisfaction de son ami.

Son autre ami Lubière la désignait du surnom de « Souveraine », en prenant soin d'ajouter que cette désignation lui avait été donnée « plus par le désir que l'on a de dépendre d'elle, que par aucun trait de son caractère relatif au despotisme [1] ». Il y a une part de vérité dans le propos, mais il n'en est pas moins paradoxal. Drôle de souveraine, en effet, que celle qui se laisse tyranniser par les autres, même au nom de l'amitié ou de la tendresse ! Mme d'Épinay a rendu compte de ce trait de caractère dans son « Autoportrait » : « Ma timidité ayant souvent fait de mes amis des tyrans [2] », mais elle l'a fait imparfaitement. Outre son « excessive timidité » qui la prive du pouvoir de dire non, Mme d'Épinay, passé l'époque de la première naïveté, gardera jusqu'à la fin un penchant au dévouement.

Elle est douée d'une attention aux autres que l'on a toujours présentée comme une caractéristique essentiellement féminine, particulièrement depuis les triomphes de l'idéologie rousseauiste.

Généreuse avec ses domestiques, patiente avec ses

1. Perey et Maugras, *op. cit.*, p. 156.
2. *Op. cit.*, p. 4.

amis, elle reçoit chaleureusement ceux qu'on lui recommande. Lorsque Piccinni arrive avec sa femme à Paris [1], elle l'invite chez elle, prend soin de lui à la demande de Galiani, lui trouve un appartement, puis s'éclipse lorsqu'il est devenu célèbre. De même avec Mozart en 1778. Lorsque sa mère meurt en juillet et qu'il se retrouve seul, abandonné par le milieu parisien qui le considère comme dépassé par son compatriote Gluck, Mme d'Épinay le recueille avec chaleur. Mozart, qui n'a pas un sou, confiera dans une de ses lettres que c'est grâce à elle qu'il peut vivre. Contrairement à Grimm qui est devenu hautain avec son ex-protégé, Mme d'Épinay le maternera pendant les deux mois qu'il séjournera chez elle, jusqu'à son départ pour l'Autriche.

Certains ont usé et abusé de sa générosité et de sa confiance [2]. A part Rousseau qui a toujours protesté du contraire, le seul qu'elle ait nommément désigné est Duclos. Les historiens de cette époque contestent ou approuvent ses propos selon qu'ils sont « pro » ou « anti » Mme d'Épinay. Sans avoir la prétention de trancher ce débat qui dure depuis deux siècles, on se contentera de remarquer que Mme d'Épinay n'a jamais dénigré que ceux qui l'avaient blessée. Rousseau fut publiquement de ceux-là. Pourquoi aurait-elle tant noirci Duclos si celui-ci s'était conduit amicalement à son égard ?

S'il est vrai que Mme d'Épinay a pu être prise en flagrant délit de dissimulation [3], on ne lui connaît, contrairement à Mme du Châtelet, aucune scène de violence, aucun trait de méchanceté.

Timidité, naïveté, intérêt pour les autres ne paraissent pas être les caractéristiques typiques de l'ambi-

1. Piccinni arrive à Paris en janvier 1777.

2. « Autoportrait », *op. cit.*, p. 5 : « Je croyais toutes les âmes honnêtes, je me livrais à la confiance, à l'amitié, et je ne concevais pas qu'on pût abuser de ma bonne foi. »

3. *Ibid.*, p. 4 : « Je suis vraie sans être franche. »

tieuse. On reconnaît mieux celle-ci dans le portrait de Mme du Châtelet, dure, égoïste et volontaire. Et pourtant, Mme d'Épinay, sous son apparence légère et fragile, ne manque ni de courage ni de fermeté. Voltaire, qui s'y connaît, a tout de suite remarqué qu'il avait affaire à une femme de caractère. A son ami intime d'Argental, il dit en parlant d'elle : « Il n'y a pas là de salmigondis. Cela est philosophe, bien net, bien décidé, bien ferme [1]. » Et, dans une formule plus brillante encore, il résume la personnalité de son amie en ces termes : « Un aigle dans une cage de gaze [2]. »

La référence à l'aigle ne vaut pas seulement pour la beauté et l'expression de son regard. C'est son véritable caractère qui est ainsi décrit. La douceur de Mme d'Épinay voile une authentique volonté. Ce qu'elle exprimera en ces termes doucereux : « J'ai de la finesse pour arriver à mon but et pour écarter les obstacles [3]. »

Une fois encore on revient au mot qui la définit le mieux, « la finesse », par opposition au caractère plus « carré » et tranché de Mme du Châtelet. Mais, en dépit de tempéraments si différents, elles ont en commun trois caractéristiques.

Elles partagent un égal amour du théâtre et furent toutes deux de remarquables actrices. Dufort de Cheverny a rapporté que Mme d'Épinay jouait divinement les amoureuses et les jeunes premières sur la scène de la Chevrette. Elle était, paraît-il, d'un naturel rare, capable de susciter une véritable émotion dans le public.

Mme du Châtelet a un répertoire plus étendu. Elle a joué maintes pièces de Voltaire [4] sur la scène de Cirey, mais aussi des pièces de Charles Collé, Mon-

1. A d'Argental, lettre du 17 déc. 1757.
2. A Tronchin.
3. « Autoportrait », *op. cit.*, p. 4.
4. *Alzire, L'Enfant prodigue, La femme qui a raison, Les Originaux*, etc.

crif ou La Motte. Elle triomphe dans le rôle d'Issé, aux cours de Sceaux et Lunéville. Même la méchante de Staal doit convenir qu'elle est admirable. Émilie ayant joué dans *Boursoufle* pour les invités de la duchesse du Maine, Mme de Staal-Delaunay écrira à sa complice du Deffand : « Mademoiselle de la cochonnière [Émilie] a si parfaitement exécuté l'extravagance de son rôle, que j'y ai pris un vrai plaisir [1]. » Pour jouer, elle ne recule devant rien. Enceinte jusqu'au cou, elle continue d'interpréter Issé à Lunéville et ne refuse aucun rôle grotesque [2]. Son goût immodéré du théâtre l'emporte chaque fois.

Pour comprendre cet attrait commun pour tout ce qui touche le théâtre, il faut se rappeler que c'est là une des distractions le plus en vogue au XVIIIe siècle. Les Goncourt en ont peut-être exagéré l'importance lorsqu'ils affirment que ce goût gagne toutes les classes de la société. Mais ils ont raison de dire « qu'il va des petits appartements de Versailles aux sociétés dramatiques de la rue des Marais et de la rue Popincourt. La mimomanie règne dans le grand monde [...] éclate dans tous les coins de Paris. Elle se répand dans les campagnes aux environs de Paris [...]. Toute la société rêve théâtre d'un bout de la France à l'autre et il n'est pas de procureur qui dans sa bastide ne veuille avoir de tréteaux et une troupe [3] ».

On peut aimer le théâtre sans être bon acteur pour autant. Contrairement à Émilie du Châtelet, sa cousine du Deffand ne brille pas par des dons de comédienne. « Cette excellente actrice dans son fauteuil, au coin du feu, cette déjà grande comédienne de conversation était médiocre, froide, distraite,

1. Lettre à Mme du Deffand, 27 août 1747, *in* : *Correspondance de Madame du Deffand*, introduction de Lescure, 1865.

2. Longchamp confirme : « Elle se chargeait souvent de représenter les personnages les plus grotesques [...] et réussissait toujours », pp. 150-151.

3. Les Goncourt, *op. cit.*, p. 131.

ennuyée sur scène [1]. » Une lettre de M. du Chatel nous révèle cette infériorité dramatique : « Etes-vous enfin devenue, Madame, aussi bonne actrice que la Beauval et la Champmeslé ? [...] Vos talents tardent un peu à se développer [2]. »

Pendant ce temps, sa cousine triomphe dans de multiples rôles. De quoi rendre plus haineuse encore la terrible du Deffand !

A côté de cet engouement général de la bonne société pour la scène, les talents particuliers de nos héroïnes révèlent aussi un trait de leur caractère : le narcissisme. Elles aimaient à être vues et admirées. Même la timide Mme d'Épinay osait monter sur les planches pour y être applaudie. Ce comportement commun n'étonnera pas venant d'ambitieuses qui se refusent à n'être que « des femmes ordinaires ».

Le deuxième trait de ressemblance est le mépris pour la médisance. L'une et l'autre ont été détestées et calomniées. Particulièrement par les autres femmes. A quoi elles ont opposé une indifférence réelle ou feinte, et elles ont refusé toute polémique avec leurs sœurs.

Voltaire témoigne pour Mme du Châtelet : « Jamais on ne l'entendit relever un ridicule, elle n'avait ni le temps, ni la volonté de s'en apercevoir ; et quand on lui disait que quelques personnes ne lui avaient pas rendu justice, elle répondait qu'elle voulait l'ignorer. On lui montra un jour je ne sais quelle misérable brochure dans laquelle un auteur, qui n'était pas à la portée de la connaître, avait osé mal parler d'elle. Elle dit que si l'auteur avait perdu son temps à écrire ces inutilités, elle ne voulait pas perdre le sien à les lire [3]. »

Voltaire ne dit pas que Mme du Châtelet appa-

1. Introduction de Lescure à la *Correspondance de Madame du Deffand*, 1865, p. LXXIV.

2. *Ibid.*, lettre n° 35, p. 81 (mai 1746).

3. *Préface historique*, p. XII (aux *Principia Mathematica...* de Newton), *op. cit.*

remment si sereine, lorsqu'on médisait d'elle, devenait une véritable furie lorsqu'on s'en prenait à lui. Quand l'abbé Desfontaines publia sa *Voltairomanie*, Émilie fut la première à répondre par une lettre qui d'ailleurs ne fut jamais publiée [1]. Elle accabla Thieriot, le correspondant de Voltaire, de missives enflammées, l'accusant de complicité avec l'infâme Desfontaines.

Mme d'Épinay afficha la même impassibilité.

« Je suis beaucoup plus affectée du bien que du mal. Ceux qui m'ont donné le plus sujet de les haïr ne m'occupent point. Leur présence me gêne, mais je ne leur veux point de mal [...]. Je ne médis de personne, pas même pour ma défense. Mais je n'ai pas toujours eu le courage de faire taire les médisants [2]. »

On pourrait rétorquer que Mme d'Épinay s'est démentie en réglant de méchants comptes avec Rousseau dans ses *Pseudo-Mémoires.* Mais on doit à la justice de rappeler qu'elle n'a jamais voulu faire publier ce texte de son vivant. Il ne le fut effectivement que près d'un demi-siècle après sa mort [3]. Mme d'Épinay avait volontairement choisi de garder pour elle ses ressentiments, et cette polémique peu ragoûtante.

De plus, les propos de son « Autoportrait » ont été confirmés par Lubière qui l'a beaucoup fréquentée. Il mentionne, dans la description qu'il a donnée d'elle : « Souveraine a été exposée à l'envie et à la médisance, le public a voulu parier et Souveraine, contente de ce qu'il parlait en l'air, s'est bornée à la justice que pouvait lui rendre un cercle d'amis dont l'approbation seule peut la flatter [4]. »

1. *Cf. Mémoires anecdotiques, très curieux et inconnus jusqu'à ce jour sur Voltaire*, Paris, 1838, vol. II, pp. 423-431.

2. « Autoportrait », *op. cit.*, pp. 6-7.

3. Il ne fut publié qu'en 1818, non pas sous le titre originel *Histoire de Madame de Montbrillant*, mais avec un titre choisi par l'éditeur Boiteau : *Les Mémoires de Madame d'Épinay.*

4. Perey et Maugras, *op. cit.*, p. 155.

Le trait devait être assez juste si l'on s'en rapporte à l'attitude de Mme d'Épinay à l'égard de Diderot ou du baron d'Holbach. Ils l'ont beaucoup dénigrée avant de la connaître et jamais elle ne montra la moindre agressivité à leur égard. Elle se contentait d'espérer qu'ils changeraient d'avis le jour où ils accepteraient de la fréquenter. Ce qui fut effectivement le cas.

Sans doute peut-on voir dans cette indifférence à la médisance un autre aspect du caractère de nos ambitieuses. Elles devaient être suffisamment sûres d'elles pour négliger l'opinion des autres. La haute idée qu'elles se faisaient de leur petite personne lorsqu'elles étaient enfants persista, en dépit de tout, à l'âge adulte. Elles étaient donc psychologiquement préparées à dédaigner ceux qui ne les appréciaient pas à leur juste valeur, sans renoncer pour autant à l'admiration de ceux qu'elles estimaient.

Enfin un dernier trait les unissait, qui se rattache au précédent. Elles étaient l'une et l'autre ennemies des préjugés, assez fortes pour avoir leur propre philosophie de l'existence et s'y tenir. Si elles ont toutes deux respecté les règles élémentaires de la bienséance, elles n'ont jamais cédé au parti pris de leur milieu quand il s'opposait à leurs principes. Et chez l'une comme chez l'autre, les principes étaient solidement établis par la raison. Physicienne ou pédagogue, elles eurent à lutter contre de multiples préjugés scientifiques ou sociaux. Ne serait-ce même que parce qu'elles étaient femmes.

Il n'est pas impossible que l'opposition diffuse à laquelle elles furent toujours en butte les ait stimulées dans leur détermination. Elles ont ainsi fait la preuve que l'ambition n'a pas de sexe.

CHAPITRE II

# MOI D'ABORD

COMME les autres femmes, Mmes du Châtelet et d'Épinay sont passées par toutes les étapes qui scandent le destin féminin. Épouse, mère et maîtresse de maison étaient, plus encore qu'aujourd'hui, les trois attributs essentiels de la substance féminine.

Cependant, le XVIIIe siècle constitue une sorte de paradoxe dans l'histoire des femmes privilégiées. Tout en maintenant à celles-ci l'obligation de se marier et d'avoir des enfants, l'idéologie dominante leur accordait le droit à la négligence. L'inconstance conjugale n'était pas un vice – on peut même dire que la fidélité était considérée comme une valeur désuète, presque ridicule – et les soins du maternage n'étaient pas jugés dignes des préoccupations d'une femme du monde.

Cette contradiction des valeurs engendra plusieurs sortes de réactions. Pour parer à l'insignifiance de la vie féminine, une grande majorité de femmes surévaluèrent la vie sociale et mondaine. D'autres, surtout après 1750, tentèrent de redonner vie et intérêt aux préoccupations familiales. Quelques-unes en profitèrent pour se consacrer à leur esprit. Mme du Châtelet appartient à cette dernière catégorie. C'est apparemment sans chagrin ni vapeurs qu'elle substitua son intérêt personnel à celui de la famille. Mme d'Épinay, au contraire, appartenait spontanément à la seconde catégorie. Elle aurait bien voulu être une épouse et une mère exemplaires. Mais l'entourage proche en décida autrement. De la pratique, elle passa à la théorie qui la mettait à l'abri des déconvenues.

Les deux femmes firent l'expérience du danger de construire une vie sur l'amour et le dévouement. Mari, enfants, amants peuvent décevoir et ne pas assurer la satisfaction intime.

Mais cette vérité, mille fois induite de leurs expériences, les femmes l'ont rarement prise en compte. Depuis des temps lointains, elles misent toute leur vie et leur bonheur sur l'épanouissement et le contentement de leurs proches. Certes, les modèles traditionnels ont pesé très lourd sur cet idéal de vie. Et peut-être est-il abusif de parler en termes de décision et de choix. Il n'est pas moins surprenant de constater que, connaissant d'avance les aléas et les limites d'un tel idéal, les femmes aient été si nombreuses à prendre de tels risques. Même si elles ne pouvaient les refuser, n'auraient-elles pu se ménager des portes de sortie lorsqu'elles appartenaient aux classes privilégiées ?

La grande majorité d'entre elles ne l'ont pas fait. Elles ont préféré s'en remettre à Dieu ou à la fatalité. Solution de facilité, penseront certains. Conséquence d'une extrême aliénation, diront les autres.

En tout état de cause, Émilie et Louise - « Émilie » ne furent pas de celles-là. Elles apprirent plus ou moins vite à ne compter que sur elles-mêmes, non sans d'abord verser beaucoup de larmes. Elles avaient compris que leur épanouissement passait par l'utilisation de leurs ressources propres, par la mise au jour de leur ambition personnelle, alors que le bonheur, quand il n'est pas inaccessible, nous jette dans la dépendance d'autrui.

Il est toujours possible de supposer qu'une situation différente aurait changé leur destin. Si elles avaient connu une vie affective plus satisfaisante, elles n'auraient peut-être pas déployé tant d'énergie pour laisser trace d'elles-mêmes. L'hypothèse vaut davantage pour Mme d'Épinay qui connut beaucoup de déceptions et d'échecs avant de se « ressaisir ». Elle se rendit compte plus tardivement que Mme du Châtelet que peu d'êtres humains méritent que l'on vive exclusivement pour eux.

Ce que les hommes savent, ces deux femmes, avec quelques autres, le découvrirent à leurs dépens : le sort de chacun – hommes ou femmes – repose sur cette simple prise de conscience : moi d'abord.

S'il y eut dans l'histoire de nombreuses femmes pour réaliser leur bonheur dans le don d'elles-mêmes, qui ont réussi à identifier égoïsme et altruisme, beaucoup d'autres en revanche ont échoué. Avec plus ou moins de culpabilité, plus ou moins de ressentiments, selon les époques. Il faut aujourd'hui encore une amère lucidité, un certain orgueil et un réel égoïsme pour arriver à conclure : de moi seule je peux être sûre.

Si cette estimation n'apporte pas nécessairement le bonheur, elle est en revanche une condition de son propre accouchement, celui de son talent, de son intelligence et de son pouvoir de création.

Pour peindre, écrire ou faire des équations, il faut être tout à soi-même, recroquevillé sur soi, en soi, et fermé au monde extérieur. Égocentrisme révoltant, qui devient presque obscène, lorsqu'il s'agit d'une femme. En contradiction absolue avec l'image inconsciente de la femme que nous portons tous en nous : celle qui prodigue soins et attentions à ceux qu'elle aime, celle qui justement est aux aguets du moindre incident pour venir plus vite en aide, celle enfin qui trouve là sa raison d'être.

Les Émilie connurent toutes les étapes de la vie « féminine ». Elles n'y trouvèrent pas le bonheur, mais en tirèrent la leçon et firent retour sur elles-mêmes.

## *Un mariage raté*

Le moins que l'on puisse dire est qu'elles n'eurent ni l'une ni l'autre une vie conjugale exaltante. Mais un monde sépare leurs deux expériences. Entre le malheur de l'une et l'indifférence de l'autre, il y a une considérable différence.

Mme du Châtelet fit un mariage de convenance, conformément aux règles de son milieu. Mme d'Épinay fit un mariage d'amour avec son cousin germain. La plus satisfaite des deux fut pourtant la première. M. du Châtelet se révéla être fort gentil mari, discret, courtois et amical, alors que M. d'Épinay fut une caricature d'époux exécrable. Mais, dans les deux cas, ils ne purent, ou ne voulurent, satisfaire le cœur de leur épouse.

Émilie a dix-neuf ans lorsqu'elle épouse le marquis du Châtelet, de onze ans son aîné. Jusque-là, elle n'a pas levé le nez de ses livres et ne connaît rien des plaisirs de la vie mondaine. Mais loin d'être une prude et un bas-bleu, elle découvre avec enthousiasme l'amour et le monde. Tout laisse à penser que son mari fut un bon amant qui sut éveiller sa sensualité.

M. du Châtelet découvre vite qu'il a épousé une femme qui lui est fort supérieure du point de vue intellectuel. Doué d'une culture très sommaire, et n'aimant que la guerre, il est ébloui par les connaissances et l'intelligence d'Émilie. Loin d'en éprouver la moindre jalousie, il se dit fier qu'une telle femme illustre son nom [1]. Jamais il ne se démentira et, quoi que fasse Émilie, il la soutiendra toujours envers et contre tout. Il lui a même accordé une confiance que certains qualifieraient de complaisante ou de naïve. Jusqu'à la mort d'Émilie, il est resté son ami fidèle.

Dès les premiers mois de leur mariage, le marquis comprend qu'elle a besoin de liberté. Elle n'est pas femme à se contenter longtemps d'être l'épouse du

1. Cf. R. Vaillot, *op. cit.*, p. 41.

gouverneur de Semur. Il est vrai qu'elle avait pris plaisir à l'installation officielle de son mari dans ses nouvelles fonctions. Quelques mois après leur mariage, le 27 septembre 1725, ils avaient quitté Paris pour recevoir un accueil triomphal dans la bonne ville de Semur [1]. Émilie était heureuse.

Le couple s'installe dans le château de famille et commence pour elle la vie de châtelaine d'une petite ville de province. Émilie, qui avait déjà pris la mesure des limites de son époux, s'était munie de plusieurs malles bourrées de livres pour faire échec à l'ennui. Passé les premiers mois, la jeune femme se lasse des manifestations officielles et du protocole. Elle s'en retourne à ses études avec la bénédiction d'une belle-famille compréhensive et de son tolérant mari.

Dès l'automne 1725, elle a la chance de rencontrer un de ses voisins, M. de Mézières, qui accepte de lui prêter des livres de géométrie et de lui donner des leçons de mathématiques. Mme du Châtelet serait aux anges, si elle n'était déjà enceinte en novembre 1725. Apparemment, c'est sans grande émotion qu'elle se prépare à être mère. A ses yeux la procréation est davantage un devoir qu'un plaisir.

La fin de sa grossesse est douloureuse. Au lieu de rester près de son mari, fou de joie à l'idée d'être père, elle préfère rentrer à Paris. Elle accouchera d'une fille le 30 juin 1726 chez une parente, Marie-Catherine Armande de Richelieu, sœur aînée du duc. Peu pressée de regagner le domicile conjugal et provincial, elle passe l'hiver à Paris où elle découvre les plaisirs de la vie mondaine et le jeu. C'est son mari qui fera le voyage pour la rejoindre.

De retour dans ses terres, elle constate vers mars 1727 qu'elle est à nouveau enceinte. Elle se remet à la géométrie et à la lecture de Locke en attendant d'accoucher le 20 novembre 1727. Cette fois, c'est un fils. Elle se sent quitte avec ses devoirs d'épouse.

1. J. Ledeuil, *La Marquise du Châtelet à Semur*, Semur, 1791.

Apparemment lassée des charmes du marquis, et d'une activité intellectuelle solitaire, Émilie décide de rentrer vivre à Paris. Son mari la laisse faire sans manifester de réticence. Lui-même s'éloigne de Semur avec son régiment pendant qu'elle fait ses malles pour retourner à son véritable bercail.

La séparation est consommée sans le moindre drame. Les époux resteront amis jusqu'à la mort, même s'ils ne vivent plus qu'épisodiquement sous le même toit. La marquise ne reviendra à Semur que pour assister aux événements familiaux qui exigent sa présence officielle. A peine une demi-douzaine de séjours en quatre ans. Il est vrai qu'elle n'avait pas complètement interdit l'accès de son lit à son militaire de mari puisqu'elle est enceinte une troisième fois en 1732. Dernière complaisance qu'elle ne renouvellera pas avant très longtemps et pour un autre motif... [1]. En janvier 1733, le marquis du Châtelet est appelé aux armées pour participer à la guerre de succession de Pologne. Il laisse à Paris une jeune femme de vingt-huit ans avide de savoir et de jouir. Peu satisfaite par la vie conjugale, et ne pensant qu'à se divertir, elle se plonge sans complexe dans le tourbillon parisien. Pendant près de deux ans, elle mènera une vie désordonnée de célibataire, sans crainte de faire parler d'elle. Mme du Châtelet se considère déjà comme une femme libre que rien ne saurait contraindre. Et certainement pas l'opinion que l'on a d'elle.

Le 23 décembre 1745, Louise d'Esclavelles épouse son cousin germain La Live d'Épinay, fils aîné de M. de Bellegarde, après des années d'une amourette

1. Enceinte de Saint-Lambert en 1749, elle réussit, avec l'aide de Voltaire, à convaincre son mari de la rejoindre à Cirey. Les deux époux n'avaient pas passé de nuits ensemble depuis quinze ans. Le marquis fut surpris, mais ravi. Quinze jours plus tard, la marquise lui annonça une prochaine naissance. Voltaire fit donner une grande fête.

partagée. De son vivant, la tante de Bellegarde s'y était opposée avec violence, ne voulant pour rien au monde que son fils chéri promis à un grand avenir épouse cette pauvresse qu'elle qualifiait d'intrigante. Mais, à force de caprices et de mensonges, le fils chéri, ayant perdu sa mère, obtient de son père qu'il consente à ce mariage.

En épousant le jeune d'Épinay, à peine plus âgé qu'elle, Louise est transformée d'un coup en jeune femme riche [1] et heureuse. Pendant quelque temps, elle connaîtra le bonheur absolu.

Contrairement à Mme du Châtelet, Mme d'Épinay est enivrée par la vie conjugale. Une semaine après ses noces, elles écrit à sa cousine, sa confidente : « Quels délices, quelle félicité que celle d'être l'épouse chérie d'un homme que l'on aime [2]. » Elle raffole de la solitude à deux, et la présence de sa mère et de son beau-père sous le même toit lui pèse un peu. On continue à la traiter comme une enfant alors qu'elle découvre émerveillée la passion physique pour l'homme qu'elle aime. La lune de miel durera trois mois, durant lesquels Mme d'Épinay n'a d'autres ambitions que de rendre son mari heureux et d'être une épouse accomplie. Même quand elle découvrira ses trahisons et ses mensonges, elle ne renoncera pas à ce projet. Élevée par sa mère pour n'être que cela, elle espéra pendant de longues années pouvoir remplir le seul rôle qui lui semblât digne d'une femme de bien.

A peine mariée, la voilà enceinte. A peine le temps d'être heureuse, elle s'aperçoit que son mari la trompe. Il lui dérobe ses économies pour séduire des actrices et jouer au libertin parisien. Très vite il fait chambre à part et rentre tôt le matin, sans souci de sa femme qui attend son retour des nuits entières

1. *Pseudo-Mémoires*, tome I, p. 226 : la veille du mariage M. d'Épinay est nommé fermier général et son père lui donne 300 000 livres.

2. *Pseudo-Mémoires*, tome I, p. 237.

sans dormir. M. et Mme d'Épinay découvriront trop tard qu'ils n'ont pas la même conception du mariage. Lui y voit un lien de convention qui n'implique aucune obligation affective. Et certainement pas la fidélité. Elle a des vues tout à fait opposées qui anticipent sur son temps. M. d'Épinay adopte l'idéologie libertine du XVIII^e siècle. Louise adhère à la conception bourgeoise du mariage fondé sur l'amour et la fidélité réciproque. On imagine sa déception quand son jeune beau-frère lui révèle les règles du jeu de son époux : « A quoi sert, ma pauvre sœur, l'état où vous vous mettez ? [...] Eh bien ! mettez les choses au pire : quand il aurait une passade, une maîtresse, que cela signifie-t-il [1] ? »

M. d'Épinay aurait mieux convenu à la volage Mme du Châtelet qui avait si peu investi dans la vie conjugale et pour qui le mot « fidélité » n'avait pas grand sens. Ce n'est pas elle qui se serait couchée avec de la fièvre en apprenant que son mari la trompait ! Elle ne se serait pas non plus offusquée, comme Mme d'Épinay, que son époux lui conseille froidement de se consoler ailleurs. Il est vrai que l'époux de cœur de Mme du Châtelet ne fut pas son mari, et qu'elle souffrira mille morts lorsque Voltaire la trompera. Mais, contrairement à Louise d'Épinay, Mme du Châtelet est femme à rendre coup pour coup...

Ayant perdu toutes ses illusions, la malheureuse Louise n'en continue pas moins à croire pendant longtemps que le salut d'une femme passe nécessairement par la fidélité conjugale. Même si cette fidélité n'est pas réciproque. Non seulement sa mère l'entretient dans cette idée, mais elle va jusqu'à prendre le parti de son gendre lors des premières scènes. Louise se révolte d'une telle injustice, s'élève contre l'inégalité qui frappe les femmes... et se soumet.

Son mari est fautif et elle se sent coupable. C'est

1. *Ibid.*, p. 260.

elle qui demande pardon de ne pas être la femme souhaitée par son époux, tout en rêvant de le rallier à son idéal à elle. Parce qu'elle est incapable d'en concevoir un autre. Déchirée entre un mari qui la pousse vers la dissipation mondaine et une mère prêcheuse pour laquelle rouge à joue [1] et opéras sont les marques du dévoiement, Louise se réfugie dans le mensonge à l'égard de sa mère, et les vapeurs. Devant l'incompréhension de son entourage, elle se demande : « N'y a-t-il donc que moi dans le monde qui sache aimer [2] ? »

Sans beaucoup espérer transformer le volage d'Épinay en bon mari bourgeois, Louise a continué de l'aimer pendant un assez long moment. La rupture définitive est intervenue après une scène digne de Duclos [3] et de Laclos [4] réunis, deux ans après son mariage .

Un soir qu'elle était couchée, son mari rentre d'une orgie accompagné d'un complice, s'introduit dans la chambre de sa femme et offre celle-ci au bon plaisir de son ami, aussi ivre que lui. Elle ne dut son salut qu'à la menace d'ameuter toute la maisonnée. Là, c'en fut trop pour une femme qui rêve d'un bonheur conjugal. Elle se vit obligée de renoncer définitivement à convaincre Valmont de ne pas être libertin. Entre elle et lui, il y a une radicale hétérogénéité de valeurs et de principes. Mais cette constatation qui s'impose à Mme d'Épinay ne lui donne aucune solution de rechange.

Sans culture, sans autonomie, sans autre ambition au départ que d'être une bonne épouse, Louise, désespérée, qui n'est pas encore l'écrivain Émilie, sombre dans la maladie du siècle. Elle s'ennuie, pleure et convertit son malheur en malaise physique. Rien de

1. *Ibid.*, p. 241.
2. *Ibid.*, p. 260.
3. *Confessions du Comte de* *** (1741), qui fut un grand succès dès sa parution.
4. *Les Liaisons dangereuses* (1782).

tel pour éloigner un peu plus un mari qui ne songe qu'au plaisir.

Pendant ces années, Louise hésitera entre la solitude campagnarde et les mondanités parisiennes, sans pouvoir trouver la voie d'apaisement à ses angoisses, une raison de vivre pour pallier le néant de son existence.

Si Mme d'Épinay eut tant de mal à se remettre de l'échec de son mariage, c'est qu'elle en attendait tout. En cela elle diffère grandement de Mme du Châtelet qui n'a jamais pensé borner son existence aux limites du foyer. C'est elle qui prit le large alors que tout laisse supposer que son mari l'aurait volontiers gardée à demeure.

## *Les éternels remèdes*

### *Le maternage*

La démarche est classique : quand l'épouse est frustrée, la mère apparaît. Surtout lorsque la femme, sans projet personnel, n'envisage sa vie que sous le signe exclusif du dévouement.

Mais si la loi est constante dans la petite et moyenne bourgeoisie, elle est bien moins observée dans l'entourage de Mme d'Épinay. Lorsqu'on prétend appartenir à la classe dominante, on ne joue pas les nounous bêtifiantes. Louise va donc se heurter à un mur d'incompréhension lorsqu'elle émettra l'idée saugrenue de s'occuper personnellement de ses enfants.

Cette idée lui survient lors de sa première grossesse, pendant que son mari est au loin en tournée d'inspection pour six mois. Au début, elle a maudit cette grossesse qui l'a empêchée de le suivre. Mais les lettres de son mari s'espacent de plus en plus tandis qu'elle règle les dettes qu'il lui a laissées et qui s'accumulent chaque jour davantage. Lorsqu'elle découvre par hasard, chez un horloger, que son mari a une maîtresse alors qu'ils sont mariés depuis quelques mois à peine, Émilie tombe dans la plus grande mélancolie. Sans argent personnel, et n'osant demander à son époux ce qu'il lui devait, sans pouvoir se confier à sa mère pour ne pas faire tort à M. d'Épinay, elle prend prétexte de sa grossesse pour se retirer à la campagne dans la solitude.

Au lieu d'y trouver la paix intérieure, la jeune femme est torturée par la peur de mourir en couches, comme ce fut le cas, à cette époque, pour plusieurs de ses connaissances [1]. On la surprend, des larmes aux yeux, « s'occupant de tout ranger pour laisser à ses amies des marques de son souvenir et à son mari des preuves de tout ce que son indifférence lui a fait souffrir [2] ». Celles qui viennent la visiter s'unissent pour la secouer et ne lui font grâce d'aucune raillerie : « Vous voilà livrée à la solitude la plus déplorable [...]. Pour un mari qui court les champs [...]. Prenez-y garde ; je vous assure que vous allez vous couvrir de ridicule. Il est assurément bien d'aimer son mari [...]. Mais il y a des bornes à tout [3]. »

Entrant dans le cinquième mois de sa grossesse, elle commence à ressentir l'existence de son bébé. Elle réagit exactement comme l'héroïne de Balzac, Renée Mauperin [4] : elle est bouleversée d'émotion. Sentiment moins communément partagé par les femmes de son temps et de sa classe qui avaient tendance à considérer les périodes de grossesse comme des temps morts et ennuyeux.

Mme d'Épinay se découvre la fibre maternelle et pressent tout l'usage qu'elle fera de ce nouveau sen-

1. La vicomtesse d'Allard rapporte que, parmi les amies de Mme d'Épinay, douze moururent des suites de la fièvre puerpérale avant vingt-cinq ans.

2. *Pseudo-Mémoires*, tome I, p. 286.

3. *Ibid.*, p. 287.

4. *Mémoires de deux jeunes mariées*, Flammarion, coll. G.F. n⁰ 313.

timent. Lorsqu'une bonne âme de la famille lui conseille d'allaiter son bébé, cette idée l'enchante. La suite est révélatrice de la mentalité de l'époque.

« Elle voulut en parler tout de suite à sa mère et à Monsieur de Bellegarde [son beau-père] ; mais la crainte qu'ils ne la détournassent de ce projet la tint en suspens. Elle craignait qu'ils n'y trouvassent une singularité qui ne le leur fît rejeter, et enfin, n'osant prendre sur elle de leur en parler, elle m'en chargea [...]. Monsieur de Bellegarde dit qu'il y consentirait si le médecin l'approuvait et si son mari ne s'y opposait pas. Quant à sa mère, il n'y eut aucune sorte de crainte que ce projet ne lui fît concevoir. La singularité dont il pouvait paraître, les ridicules que cela donnerait à sa fille, si ce projet ne réussissait pas, les inquiétudes pour sa santé, chaque mot était une objection [1]. »

Elle écrit donc à son mari pour lui demander l'autorisation d'allaiter leur enfant. Elle n'omet pas un argument pour l'amener à ses vues : « Je pense qu'il ne faut négliger aucun des moyens qui peuvent me le [l'enfant] rendre plus cher et qui peuvent l'attacher plus fortement à moi [...]. Il y en a un [...]. Peut-être te paraîtra-t-il bizarre... ? Cependant il a tant de douceur ! Ce serait de nourrir moi-même mon enfant [...]. Ma santé s'en trouverait peut-être mieux. Au moins est-ce un remède sûr pour éviter les suites dont nous avons récemment de si funestes exemples ; et quand il n'y aurait que ce motif, il vaut la peine de passer par-dessus le petit ridicule très momentané qu'on voudrait jeter sur une action si naturelle... [2]. »

La réponse du mari ne se fait pas attendre. Elle

1. *Pseudo-Mémoires*, tome I, p. 288 : pour les besoins de la clarté, j'ai rétabli les noms des personnes réelles de l'entourage de Mme d'Épinay auxquelles elle avait donné un nom d'emprunt pour écrire l'histoire de Mme de Montbrilland qui sont ses *Pseudo-Mémoires*.

2. *Ibid.*, p. 290.

est cinglante : « Que voilà bien une des folles idées qui passent quelquefois dans la tête de ma pauvre petite femme ! Vous [sous-entendu une femme de votre milieu], nourrir votre enfant ? J'en ai pensé mourir de rire. Quand bien même vous seriez assez forte pour cela, croyez-vous que je consentisse à un semblable ridicule ? [...] Ma chère amie, quel que puisse être l'avis de Messieurs les Accoucheurs et Médecins, perdez ce projet de vue absolument. Il n'y a pas le sens commun. Quelle diable de satisfaction peut-on trouver à nourrir un enfant ? Quelles sont les caillettes qui vous ont donné cette idée [1] ? »

Les trois réactions à la question de l'allaitement maternel sont significatives. L'ancienne génération est peu enthousiaste, mais prête à se laisser convaincre. La « singularité », plus que tout autre argument, fait peur à Mme d'Esclavelles. Ce qui prouve bien qu'une telle pratique n'est plus de mise depuis longtemps. La réaction de M. d'Épinay est tout à fait typique du mari égoïste et mondain de l'époque. Allaiter est ridicule et indigne d'une femme de condition. C'est bon pour une petite bourgeoise, pas pour une Mme d'Épinay, femme de fermier général. Peu importe la santé de l'enfant et de la mère, le plaisir qu'elle en éprouverait, l'amour maternel qui pourrait en résulter. M. d'Épinay n'en a que faire. Que représente tout cela à côté d'une épouse qui rabaisserait son statut social et mondain en se livrant à cette activité digne d'une femme de chambre ? De toute façon, on notera que ce n'est pas à la future mère d'en décider, mais à l'époux. Lui seul sait ce qui est bon pour la famille. Ou plutôt pour lui. Dans cette affaire qui concerne la mère et l'enfant, le mari s'insinue entre les deux et tranche en fonction de ses intérêts d'homme. La suite montrera qu'on peut à peine parler de père.

Face au manque d'enthousiasme des anciens et au refus aristocratique de son époux, Mme d'Épinay

1. *Ibid.*, p. 295.

incarne la nouvelle mère, celle qu'exaltera Rousseau quinze ans plus tard dans l'*Emile* [1]. Mais les jeunes femmes de la première moitié du XVIIIe siècle n'ont pas attendu Rousseau pour être alertées sur les bienfaits de l'allaitement. Le discours du retour à la nature a déjà bien des défenseurs chez les médecins et les pédagogues. Ce qui ne signifie pas qu'ils aient déjà convaincu ces femmes de passer à l'action. En son genre, Mme d'Épinay est une exception. Les femmes de la haute société, son milieu, sont aussi réticentes que M. d'Épinay et ne trouvent ni chic ni plaisant d'allaiter et de pouponner. Jamais l'industrie des nourrices mercenaires n'a été aussi florissante.

Le 25 septembre 1746, elle accouche de son fils, qui est baptisé dès le lendemain sous le nom de Louis-Joseph. Son mari est toujours absent de Paris, comme il le sera à chaque fois qu'elle accouchera. Le bébé est aussitôt confié à une nourrice qui l'emmène chez elle à la campagne. La jeune accouchée n'a même pas pu le retenir près d'elle. Pour mieux comprendre à quel point elle tranche sur ses contemporaines, il suffit de rapporter les sarcasmes de sa cousine Maupeou venue lui rendre visite après l'accouchement. Chargée d'écrire pour elle à M. d'Épinay, elle se moque de ses préoccupations maternelles :

« – *Madame de Maupeou :* Je vois bien que vous n'avez rien à lui dire que des choses que vous avez déjà répétées cent fois, si ce n'est que le marmot se porte bien, qu'il crie comme un sourd, qu'il est en campagne avec sa nourrice...

« – *Madame d'Épinay* : Pardonnez-moi, ma cousine ; je suis accoutumée à lui rendre compte de tout ce que je fais...

« – *Madame de Maupeou* : Ah ! c'est une chose bien intéressante que la vie d'une femme en couches ! Ne voulez-vous pas écrire quatre pages sur un

1. L'*Émile* paraît en 1762.

sujet aussi piquant ? [...] Je m'en vais lui dire tout cela en quatre mots. »

Suit l'emploi du temps de l'accouchée avec cette remarque ironique : « Quand ses parents l'ennuient, elle brode ou fait semblant de dormir. Alors on lui parle de son petit ; on lui dit qu'il est charmant, qu'il a la colique, qu'il tète avec une grâce singulière. Cela la fait rire ou pleurer, suivant que sa tête est montée [1]. »

Mme de Maupeou avec son mépris pour le nourrisson est plus caractéristique de l'attitude commune des aristocrates que la tendresse maternelle frustrée de Mme d'Épinay. Quant au père, lorsqu'il sera de retour, il laissera passer plusieurs semaines avant d'avoir la curiosité d'aller voir son fils chez la nourrice. C'est tout dire du sentiment paternel...

Mme d'Épinay va vite considérer ce bébé comme le meilleur substitut au manque d'amour de son mari. Lorsqu'elle confie à sa tante de Roncherolles : « Si je perdais mon amour pour mon mari, il ne me resterait rien », cette dernière lui donne l'éternelle recette : « Tirez de votre passion le seul parti que vous en puissiez tirer. Portez-la tout entière sur votre enfant ; soignez-le ; occupez-vous-en ; faites des projets sur ce marmot [2]. »

Mme d'Épinay ne désirerait que cela, mais sa mère et son beau-père ont la haute main sur ce bébé qui ne lui appartient plus. Ils ont jugé « qu'il n'y a pas de place pour lui dans la maison [3] », ce qui est stupéfiant lorsqu'on connaît l'immensité des hôtels du XVIIIe siècle. Au lieu de placer l'enfant chez une nourrice proche de Paris, ce qui aurait permis à la mère de la visiter tous les jours, ils ont choisi une nourrice qui demeure à près de dix lieues... Plusieurs fois Mme d'Épinay reviendra à la charge pour obte-

1. *Pseudo-Mémoires*, tome I, pp. 330-331.
2. *Ibid.*, pp. 343-344.
3. *Ibid.*, p. 344.

nir qu'il vive sous son toit. En vain. Il lui faudra attendre de nombreux mois avant de connaître les joies du maternage.

C'est en juillet 1747, neuf mois après sa naissance, qu'elle récupère son fils et qu'elle est enfin mère.

« Je ne suis occupée du matin au soir que de cette petite créature [...]. Une manie de m'avoir toujours auprès de lui. Il pleure dès que je m'éloigne. Je ne m'éloigne guère, car je veux qu'il soit heureux [...]. Je pense quelquefois, lorsqu'il sourit en me regardant, et qu'il marque, en frappant ses petites mains, la joie qu'il a de me voir, qu'il n'y a point de satisfaction pareille à celle de rendre son semblable heureux...[1]. »

Cela ne signifie pas qu'elle soit enfin devenue maîtresse des décisions maternelles. Si on la laisse « jouer » à la maman avec son bébé-poupée, c'est sa mère qui prendra les décisions importantes pour l'éducation de ses petits-enfants, sans même la consulter : « Je voudrais bien savoir ce que ma mère a décidé pour mes enfants. Retire-t-elle la petite [de chez la nourrice] ? Prend-elle une gouvernante [2] ? »

C'est le père qui tranchera pour le fils.

Mme d'Épinay eut quatre enfants. A part son fils aîné, elle eut une petite fille nommée Suzanne-Thérèse le 24 août 1747 qui mourut le 2 juin de l'année suivante. Puis deux autres : une fille, Angélique, née le 1er août 1749, ainsi qu'un fils dont elle ne parlera jamais, tous deux œuvres de son amant Francueil. Ce dernier fils nous est connu par George Sand qui fut « sa nièce par bâtardise [3] ». Elle affirme : « Né au Blanc, nourri et élevé au village ou à la ferme de Beaulieu, l'enfant reçut ces deux noms et fut mis dans les ordres dès sa jeunesse [...]. Il n'était rien

1. *Ibid.*, p. 434.
2. *Ibid.*, p. 570.
3. *Ibid.*, tome II, p. 465. L'expression est de Georges Roth, note 11.

moins que dévot alors. Il est étrange que le fils de deux êtres remarquablement intelligents fût à peu près stupide. Ce bon Evêque était le portrait frappant de sa mère [1]. »

Monseigneur le Blanc de Beaulieu, nommé évêque de Soissons le 9 avril 1802, mourut en 1825. Il était né le 29 mai 1753 et avait donc été conçu peu de temps avant la rupture définitive entre sa mère et son amant.

Toute maternelle qu'elle fût, on ne peut s'empêcher de remarquer que Mme d'Épinay fit preuve d'un amour sélectif pour ses enfants. Dans son roman biographique, elle n'évoque que l'aîné et sa fille Angélique. Pas un mot de sa seule fille légitime morte à dix mois. Elle triche volontairement sur les dates pour faire croire qu'Angélique est son second enfant. Comme beaucoup de femmes de cette époque, elle a fait l'expérience des affres des grossesses illégitimes. Mais elle a toujours gardé le silence sur ce sujet. Et on n'a jamais rien su de sa douleur ou de ses remords d'avoir été obligée d'abandonner son dernier enfant.

Il reste pour la postérité qu'elle eut deux enfants qui furent les seules satisfactions de sa jeunesse désœuvrée. Comme le dit plus cruellement Auguste Rey : « Ils furent la consolation, l'occupation d'une femme embarrassée de ses loisirs [2]. »

Dans l'impossibilité de satisfaire son premier objectif, trouver le bonheur en assurant celui de son mari, Mme d'Épinay change d'ambition. Elle reporte sur ses enfants tous ses espoirs antérieurs. Dans le petit livre très personnel qu'elle rédige en 1756, elle avoue que son orgueil est avant tout maternel : « J'aime mes amis pour eux et mes enfants pour moi. La boussole de mes sentiments à

1. George Sand, *Histoire de ma vie*, tome XIV.
2. A. Rey, *Jean-Jacques Rousseau dans la vallée de Montmorency*, 1909, pp. 32-33.

l'égard des derniers est jusqu'à présent la satisfaction qu'ils me donnent [1]. »

Mme d'Épinay appartient à cette race de mères modernes qui mettent toute leur gloire dans la personne de leurs enfants. Leurs vertus, leurs qualités sont autant de preuves de la valeur de la mère. A l'affût de la moindre nouveauté, ou de quelques progrès, elle interprète faits et gestes des enfants comme des signes d'une intelligence supérieure qui les distingue des autres. Ainsi lorsque sa petite fille est encore chez la sevreuse, elle déclare : « Elle a une certaine fierté dans le regard qui me plaît tout à fait [...]. La façon dont elle regardait [un oncle] : on eût dit qu'elle y entendait finesse [2]. » Avant d'être cruellement déçue par son fils, elle sera la première à vanter ses qualités auprès de tous. Elle ne craint pas d'affirmer que son fils de huit ans a beaucoup d'esprit et que sa fille, dès l'âge de quatre ans, fait preuve d'une « intelligence singulière [3] ». Elle acceptera même de livrer ses enfants à des exhibitions ridicules devant ses amis pour qu'ils jugent eux-mêmes de leur savoir [4].

Quels qu'en soient les résultats ultérieurs, le maternage fut pour Mme d'Épinay le premier remède à ses échecs conjugaux, le moyen le plus honorable de donner un but à son existence. En cela, elle n'a pas agi autrement que les mères du XIXe et du XXe siècle.

Mais, contrairement au siècle suivant qui verra se développer une éducation presque exclusivement maternelle, avec l'encouragement de toute la société, l'aristocratie d'Ancien Régime n'avait pas encore adopté ce point de vue moral et pédagogique. A l'heure où le nourrissage mercenaire durait plusieurs années, où les garçons faisaient leurs études comme

1. *Mes moments heureux, op. cit.*, p. 7.
2. *Pseudo-Mémoires*, tome II, p. 275.
3. *Ibid.*, p. 78.
4. *Ibid.*, pp. 557-559.

internes, et les fillettes attendaient l'âge de se marier enfermées dans des couvents, Mme d'Épinay fait figure de précurseur.

En revanche, Mme du Châtelet a complètement ignoré les joies du pouponnage. Dans son milieu, le contraire eût été inconcevable. En outre, Émilie fut mère dans le premier tiers du XVIIIe siècle, c'est-à-dire à une époque où l'engouement pédagogique n'a pas encore eu lieu et le retour à la nature a été peu célébré. C'est même l'apogée de l'indifférence maternelle. Mme du Châtelet a suivi la mode sans regrets ni remords. Et l'on est frappé aujourd'hui du peu de place que ses enfants ont tenu dans sa vie. Trois fois mère dans la légalité, elle est restée presque muette sur cet aspect-là de son existence. Sa correspondance, pourtant riche en détails sur ses joies et ses peines, ne mentionne que très rarement l'un ou l'autre de ses enfants ; au détour d'une lettre, et davantage pour annoncer un événement ou évoquer un souci que pour exprimer un sentiment.

Une seule fois, Mme du Châtelet mentionne son état de mère avec émotion. A l'occasion d'un événement qui bouleverserait bien davantage une mère contemporaine. Lorsqu'elle perd son enfant, un fils, âgé de seize mois. Elle mentionne ce décès à deux reprises dans sa correspondance. Une première fois dans une lettre à son amant Maupertuis, qui mérite d'être citée *in extenso :* « Mon fils est mort cette nuit, Monsieur, j'en suis je l'avoue très affligée. Je ne sortirai point comme vous croyez bien. Si vous voulez venir me consoler, vous me trouverez seule. J'ai fait défendre ma porte, mais je sens qu'il n'y a point de temps où je ne *trouve un plaisir* extrême à vous voir [1]. »

Quelque temps plus tard, elle évoque à nouveau cette mort dans une lettre à son ami Aldonce de

1. Lettre du dimanche (août 1734), n° 20, Éd. Besterman. Souligné par Mme du Châtelet.

Sade : « J'ai éprouvé un malheur attaché à l'état de mère ; j'ai perdu le plus jeune de mes fils. J'en ai été *plus fâchée que je ne l'aurais cru* et j'ai senti que les sentiments de la nature existaient en nous sans que nous nous en doutassions. Sa maladie m'a fort occupée... » Et sans transition, la lettre continue ainsi : « J'apprends la géométrie et l'algèbre[1]... », et autres nouvelles de son château de Cirey et des pièces de théâtre qu'elle a jouées.

Le passage sur la surprise d'avoir eu du chagrin vaut bien la célèbre remarque de Montaigne sur le même sujet [2], presque deux siècles auparavant. Il est révélateur de l'attitude commune à l'égard de la petite enfance. Si Mme du Châtelet éprouva quelque chagrin, c'est peut-être parce qu'elle a veillé sur son enfant lors de sa maladie et qu'elle eut ainsi l'occasion de faire sa connaissance... Mais cela ne l'a pas empêchée le soir du décès d'appeler son amant du moment pour venir la consoler. Ni de se consacrer aux mathématiques ou aux plaisirs du théâtre.

De ses autres enfants, il ne sera que rarement question. Tout au plus peut-on noter qu'elle évoque presque exclusivement son fils, qu'il s'agisse de son éducation, de ses intérêts ou de son mariage. Sans aucun doute, il a plus compté pour elle que sa fille dont elle mentionne pour la première fois l'existence... à l'occasion de son futur mariage [3]. Elle semble ravie de marier Françoise-Gabrielle Pauline, âgée de seize ans, au duc de Montenero-Caraffa, disgracieux et beaucoup plus vieux qu'elle, et parfaitement indifférente à l'idée de la voir partir pour toujours en Italie. Les larmes de sa fille ne l'émeuvent pas davantage [4], et la nouvelle qu'elle est grand-mère la laissera d'une parfaite froideur.

1. Lettre du 6 sept. 1734. Souligné par nous.
2. *Essais*, II, 8 : « J'ai perdu deux ou trois enfants en nourrice, non sans regrets mais sans fâcherie. »
3. Lettre à d'Argental, 3 oct. 1742.
4. Lettre à Cideville, 28 juil. 1743.

Il faut bien dire qu'elle a peu vu sa fille, élevée toute sa jeunesse dans un couvent. Ce que nous savons d'elle nous vient de Mme de Graffigny qui l'a rencontrée durant son séjour à Cirey. Sa mère l'a sortie de son couvent, proche du château, parce qu'elle avait besoin d'elle pour jouer le rôle de la servante, dans *L'Enfant prodigue.* Elle a douze ans quand elle arrive à Cirey le 14 décembre 1738. Elle y restera une petite semaine, c'est-à-dire jusqu'au jour où l'on joue la pièce. Aussitôt fait, aussitôt elle est renvoyée dans son couvent, sans considération des fêtes de Noël qui approchent... A deux jours près, elle aurait pu passer ce moment solennel avec sa famille.

Mme de Graffigny la décrit ainsi :

« Elle est grande comme Minette était quand je l'ai mise au couvent. Elle n'est pas jolie, mais elle parle comme sa mère, avec tout l'esprit possible : elle apprend le latin, elle aime à lire, elle ne démentira pas son sang. Elle a appris Marthe [son rôle] dans la chaise de poste, en venant de Joinville ici : il n'y a que quatre lieues [1]. »

Cette petite fille, apparemment plus intelligente et mieux douée que son frère, ne connut pas le privilège d'être élevée comme lui sous le toit familial.

Le jeune Louis-Marie Florent vit à Cirey entouré de Voltaire, de sa mère et quelquefois de son père. Mme du Châtelet ne mentionne son jeune fils que dans les quelques lettres qu'elle envoie tous azimuts pour lui trouver un précepteur. Voltaire qui pense d'abord à caser ses protégés impose le jeune abbé Linant à Émilie pour remplir ce rôle difficile. « La seule ressource de Linant c'est de se faire précepteur, ce qui est encore assez difficile, attendu son bégaiement, sa vue basse et même le peu d'usage qu'il a de la langue latine. J'espère cependant le mettre auprès du fils de Mme du Châtelet, mais il faudra qu'il se

1. *Correspondance* de Mme de Graffigny, Éd. Eugène Asse, p. 73.

conduise un peu mieux dans cette maison qu'il n'a fait dans mon bouge... [1]. »

Apparemment Voltaire est plus préoccupé des aises du jeune poète que de l'instruction du fils de sa maîtresse. En attendant l'accord de M. du Châtelet, Linant « apprend à écrire [...] à savoir former ses lettres [2] ». C'est vraiment le minimum que l'on est en droit d'exiger d'un précepteur !

« Ce serait un grand avantage d'être pendant une année au moins à la campagne avec Madame du Châtelet, auprès d'un enfant qui ne demande pas une grande assiduité [...]. La mère sait mieux le latin que Linant et serait le régent du précepteur [3]. »

Cédant aux prières de Voltaire, Mme du Châtelet embauche Linant et trouve normal d'enseigner le latin au précepteur plutôt qu'à son fils. Elle s'apercevra rapidement que Linant est un paresseux qui n'a pas la fibre pédagogique. Il écrit à son protecteur rouennais Cideville : « J'ai un petit garçon pendu tout le jour à ma ceinture [...]. Il faut lui faire apprendre des choses qu'il n'entend point et qu'il ne veut point entendre...[4]. »

Deux ans plus tard, Mme du Châtelet se débarrasse de Linant, non parce qu'il remplit mal son office, mais parce qu'il est insolent avec elle, et qu'elle ne le supporte pas. Elle écrit alors à plusieurs connaissances pour qu'elles lui trouvent un nouveau précepteur. Dans ses lettres, elle évoque le style de vie à Cirey, les honoraires, mais jamais ce qu'elle attend d'un tel mentor. Le seul sentiment qu'elle manifeste est sa fierté à l'égard de son fils. Elle le décrit comme un « très bon sujet [5] », « une assez jolie petite âme [6] ». Est-ce à dire que Mme du Châ-

1. Lettre de Voltaire à Cideville, 12 avril 1735. Le fils d'Émilie a sept ans et demi.
2. Lettre de Voltaire à Cideville, 29 avril 1735
3. *Ibid.*
4. Lettre de Linant à Cideville, mai 1736, p. 446, Éd. Besterman.
5. Lettre à Thieriot, 12 déc. 1737.
6. Lettre à Thieriot, 23 déc. 1737.

telet ait elle-même participé à l'éducation de cet enfant qu'elle a gardé près d'elle ? Rien ne nous permet de l'affirmer. Au contraire, nous savons, par exemple, qu'elle ne partage jamais la table de son fils, contrairement à M. du Châtelet qui prend toujours ses repas avec lui et le précepteur. Émilie préfère festoyer seule avec Voltaire aux heures fantaisistes qui lui conviennent. Rien, dans son emploi du temps, ne semble réservé au maternage et à l'éducation de son fils. Elle a des journées surchargées entièrement consacrées à son travail, à Voltaire et aux plaisirs du théâtre ou de l'opéra. Pour mener à bien toutes ces activités, Mme du Châtelet rogne sur son sommeil. Mais apparemment il ne lui reste plus une seconde pour s'occuper de son enfant ou lui transmettre un peu de l'immense savoir qu'elle accumule chaque jour.

En 1741, alors qu'elle vient de rédiger les *Institutions de Physique*, destinées officiellement à l'éducation de son fils, elle écrit à Ch. Wolff [1] pour lui demander de trouver un professeur de mathématiques à celui-ci. Elle est prête à payer fort cher pour ne pas se charger de ce qu'elle serait le mieux à même de faire. Instruire son fils équivaudrait à une perte de temps pour elle-même. Quel avantage trouverait-elle à transmettre ce qu'elle sait déjà au regard de son propre enrichissement ? Elle veut bien payer pour l'éducation de ses enfants, mais pas de sa personne et de son temps. Plus que toute autre, Mme du Châtelet a songé à satisfaire son « moi » qui passait avant les soins de ses enfants. Veiller à leur intérêt matériel, leur trouver les meilleures places dans la société, tels étaient à ses yeux les devoirs d'une mère.

Des plaisirs de la maternité, il ne sera jamais question. Pour elle, être mère est une lourde charge, source d'ennuis et de soucis. Sentiment bien compréhensible lorsqu'elle est enceinte à quarante-trois ans

1. Lettre à Wolff, 22 sept. 1741.

de son quatrième enfant, le bâtard de Saint-Lambert. Quand elle accouchera, la petite fille disparaîtra sur l'heure pour être baptisée et remise à une nourrice. Elle mourra peu de temps après sa mère. Mais ce sentiment est plus difficile à saisir lorsqu'il s'agit de ses deux enfants légitimes. L'ultime preuve de son indifférence maternelle réside dans son petit traité sur le bonheur, rédigé aux alentours de 1747 [1], alors que ses enfants volent de leurs propres ailes.

Lorsque Émilie rédige ces pages qui ne sont destinées qu'à elle-même, et qu'elle recense toutes les conditions du bonheur, elle n'a pas un seul mot pour l'état de mère. Lorsqu'elle évoque l'importance de l'amour dans le bonheur humain, elle illustre cette passion nécessaire par l'attachement qu'on éprouve pour un amant, jamais par le sentiment maternel.

Assurément les enfants n'ont jamais fait figure, pour Mme du Châtelet, de compensation à une vie conjugale sans intérêt. Au contraire, ils ont été ressentis comme une charge qui rendait plus lourde encore sa condition de femme. Un obstacle supplémentaire à la satisfaction de son égoïsme.

### *La dissipation mondaine*

M. du Châtelet l'ayant laissée très libre de ses mouvements et de ses relations, Émilie en profite pour s'échapper de Semur et goûter aux plaisirs parisiens. Pendant quelques années, la jeune femme studieuse, qui faisait l'admiration de son père, délaisse ses livres pour la vie mondaine. Elle fréquente avec assiduité un groupe de joyeux jeunes gens qui appartiennent au grand monde. Préférant l'atmosphère plus intime et plus libre des salons à la Cour, elle devient une habituée de la maison du

1. Date proposée par Robert Mauzi dans son introduction au *Discours sur le bonheur*, Les Belles Lettres, 1961, p. LXXXIII.

marquis Louis de Brancas et de sa femme. Ils ont deux jeunes fils pleins d'esprit qui amusent beaucoup Émilie. Le marquis de Cereste et le comte de Forcalquier se relaient pour l'escorter au bal, à l'Opéra ou à la comédie.

Lorsque son père meurt en 1728, Émilie, très touchée, tâche d'oublier son chagrin en se dissipant plus encore. Installée dans la maison de son mari, presque toujours absent, elle a peu de chances d'être vue chez elle. Amie « des Princesses et des pompons [1] », elle mène la vie la plus désordonnée qui soit. Chez les Brancas, elle rencontre la duchesse de Saint-Pierre qui devient sa meilleure amie. Cette nièce de Colbert, riche, dépourvue de préjugés, beaucoup plus âgée qu'Émilie, la chaperonne dans le meilleur monde. Mais, au lieu de freiner la dissipation de la jeune femme, la duchesse de Saint-Pierre se fait la complice de ses débordements. « C'est peut-être à cause de son âge et aussi parce qu'elle a été longtemps contrainte par la vie conjugale et la vie de Cour que l'appétit de vivre de la Duchesse est le plus libre et le plus fort. Aussi se conduit-elle sans autre retenue que le souci de conserver la grâce de son maintien et sa parfaite politesse [2]. »

Au printemps 1733, lorsque après quinze ans de séparation Voltaire revoit Mme du Châtelet, elle est accompagnée de la duchesse et du comte de Forcalquier, avec lesquels elle mène joyeuse vie. « Un trio bizarre de bons vivants, spirituels, un peu fous qui s'encanaillent dans les petites auberges en conservant les plus nobles manières [3]. » Mme du Châtelet n'a plus rien de commun avec la petite fille sérieuse que Voltaire avait aperçue dans le salon paternel.

Cette existence désordonnée, dont Émilie ressent la vanité dans ses moments de lucidité, va durer

1. Lettre à Sade, déc. 1733.
2. René Vaillot, *op. cit.*, p. 68.
3. Id., *ibid.*, p. 70.

jusqu'en 1735, alors même qu'elle a pris la décision de vivre avec Voltaire. Dans l'année 1734-1735, elle fait de brefs séjours à Cirey, près de lui, et revient à Paris qui l'attire par ses divertissements. Comme Mme du Châtelet fait tout ce qu'elle aime avec frénésie, elle ne rate pas une occasion de s'amuser dans la capitale. Pas un bal où elle ne soit, pas un nouvel opéra ou une comédie auquel elle n'assiste. Tant et si bien que ses amis désespèrent de souper tranquillement avec elle.

Le 3 janvier 1735, Formont écrit à Cideville (tous deux sont amis de Voltaire) : « L'extrême dissipation où elle vit m'empêche que nous ne nous soyons encore beaucoup rencontrés [1]. » Dix jours plus tard, Formont renouvelle ses doléances : « Émilie est toujours avec Mme de Richelieu qui est en couches et on ne la saurait attraper. Elle m'a fait dire par plusieurs personnes qu'elle me donnera à souper un de ces jours [2]. » C'est seulement le 5 février qu'il put enfin passer la soirée avec elle. Pour la voir, il faut prendre rendez-vous plus d'un mois à l'avance.

Mme du Châtelet finira par se lasser d'une vie aussi agitée que stérile. Progressivement elle prendra conscience qu'elle ne se dissipe que pour n'être pas confrontée à elle-même. Elle redoute la solitude qu'elle ne sait plus utiliser à son profit et qui ne délivre que l'ennui.

Dès le mois de décembre 1735, elle reconnaît :

« Je me livre au monde sans l'aimer beaucoup. Des enchaînements insensibles font passer des jours entiers sans souvent que l'on s'aperçoive qu'on a vécu [3]. »

Un mois plus tard, son existence n'a pas changé mais elle en ressent une sorte d'écœurement. Elle appelle Maupertuis à son secours :

« J'ai mené une vie désordonnée ces jours-ci, je

1. Lettre du 3 janv. 1735, édition définitive de Besterman.
2. Lettre du 13 janv. 1735.
3. Lettre à Sade, déc. 1735.

me meurs, mon âme a besoin de vous voir autant que mon cœur a besoin de repos [1]. »

Un an et demi plus tard, elle a définitivement choisi de vivre avec Voltaire à Cirey. Elle a non seulement opté pour un amant de cœur, mais aussi pour sa propre gloire. Le cœur et l'esprit apaisés, elle trouve son bonheur de vivre à la campagne. Sa solitude à deux est enrichissante. Elle écrit à son complice, le duc de Richelieu : « La vie de la ville est insupportable [2]. »

Paris n'est plus que le miroir aux alouettes.

Malheureusement pour elle, durant cette période d'agitation forcenée, Émilie s'est prise d'une passion ravageuse pour les jeux de hasard. Elle est folle de la cavagnole que l'on joue à la Cour et dans tous les salons. Hors de Cirey où elle est seule avec Voltaire, Mme du Châtelet ne résistera pas à cette passion qui remue son âme. A chaque fois qu'elle se sentira insatisfaite, entre l'ennui et l'inquiétude, elle s'abandonnera au jeu pour se donner un peu d'ivresse.

Sa célèbre radinerie ne pourra jamais la retenir de jouer gros, plus que ses finances ne le permettent. A plusieurs reprises, elle frôle le gouffre sans chagrin ni regret.

En revanche, sa pingrerie lui a toujours interdit de recevoir dignement chez elle. Durant sa période de parisianisme et avant que Voltaire ne prenne en charge la plus grande partie des frais de la maison, les hôtes d'Émilie se gaussent de la frugalité des repas qu'elle leur offre. La bonne chère l'intéresse peu et elle ne fait aucun effort pour gâter ses invités. Mme de Graffigny est formelle : « Le souper n'est pas abondant [3] », et c'est pourtant le seul repas du jour. Les invités sont à la portion congrue.

Ce n'est pas Longchamp, le valet, qui la démentira. Pendant qu'il est à son service, il note : « Dans

1. A Maupertuis, janv. 1734, à 6 heures du matin.
2. Lettre du 21 mai 1735.
3. *Correspondance*, Éd. E. Asse, p. 8.

cet espace de temps, je ne crois pas qu'elle ait donné plus de dix à douze fois à souper, et quand cela arrivait, c'était toujours à peu de personnes, avec peu de plats et encore moins de vin. Sa cave n'était point garnie ; son marchand de vin lui en envoyait deux douzaines de bouteilles à la fois, dont la moitié de rouge, qu'il appelait du Bourgogne, et qui était du cru de Paris ; et l'autre moitié de blanc, qualifié de champagne, et aussi véridique que l'autre [1]. »

Une telle inaptitude à recevoir lui interdisait toute ambition mondaine. Mais plus encore que de ses sous, Émilie était avare de son temps. Pour être une maîtresse de maison accomplie, il faut savoir donner aux autres de sa personne et de son intérêt. Toutes choses qu'Émilie gardait précieusement pour elle et Voltaire, avec lequel elle n'eut jamais l'impression de perdre son temps, mais au contraire de s'enrichir. La seule ambition sociale qu'elle eût jamais était d'ordre intellectuel. Elle aurait aimé réunir autour d'elle et Voltaire, à Cirey, une sorte de petite Académie des sciences. Connaissant l'élite de la pensée scientifique européenne, il n'aurait pas été impossible de réaliser ce rêve. Nombreux furent ceux qui firent halte à Cirey, mais elle ne parvint jamais à les réunir tous ensemble. Déception toute légère comparée à sa suprême ambition : être la première femme de science de son temps. Ses amis mathématiciens pouvaient à coup sûr l'aider dans ce projet, mais non se substituer à elle. Elle sut fort bien exploiter leurs compétences, sans jamais perdre de vue sa propre réussite.

A côté de Mme du Châtelet, Mme d'Épinay fait figure de rosière. Sa vie mondaine semble bien modérée par rapport aux excès de son aînée. Et cela ne vaudrait pas la peine d'en parler si ce n'était la signification de ces dissipations.

1. *Mémoires pour servir à la vie de Monsieur de Voltaire*, Longchamp et Wagnière, 1826, tome II, p. 121.

Pendant la courte période heureuse qui suit son mariage, Mme d'Épinay, contrairement à son mari, n'a aucun besoin du monde. De plus, elle redoute la désapprobation de sa dévote de mère. Elle irait bien à la comédie pour suivre son mari, et par curiosité aussi. Mais sans plus.

Quand vient le temps des déceptions conjugales, Mme d'Épinay ne trouve d'autres moyens pour pallier ses frustrations que les divertissements mondains. Elle misait aussi sur cette nouvelle existence pour fixer son mari auprès d'elle. « Je sens bien qu'alors il n'aura pas de prétexte pour n'être pas toujours avec moi [1]. »

Sa mère lui conseille au contraire de mener une vie plus sédentaire encore qu'elle ne l'a fait depuis son mariage. « Il faudrait donc ne plus sortir du tout et me résoudre à ne plus voir mon mari jusqu'à ce que, las du monde, il vînt mener ici la même vie que moi [2]. »

Écartelée entre sa mère, à laquelle elle demande la permission pour la moindre sortie, son ennui et le désir de récupérer son mari, Louise accumule mensonges et dissimulations. Elle redoute sa mère chaque jour davantage et la confiance fait place à l'aigreur et à la défiance. Pour aller à un simple bal, « elle en recommande le secret à tout ce qui l'approche et se met ainsi sous la dépendance et la protection de tout le monde et surtout de son mari, qui en abusera tôt ou tard [3] ».

Les résultats d'une conduite aussi infantile ne se feront pas attendre. Ses mensonges maladroits lui vaudront une réputation de légèreté et son mari ne lui aura pas la moindre reconnaissance d'avoir tenté d'aligner son mode de vie sur le sien. Elle-même se lassera de mener une vie aussi opposée à ses principes et sa morale. Son milieu, plus proche de la bour-

1. *Pseudo-Mémoires*, tome I, p. 267.
2. *Ibid.*
3. *Ibid.*, p. 275.

geoisie que celui de Mme du Châtelet, ne voit pas d'un si bon œil les libertés mondaines des femmes. Très vite on leur attribue des amants réels ou imaginaires, ce qui entame leur crédit et compromet leur réputation.

Mme d'Épinay ne goûtait pas suffisamment ce genre de divertissements pour persévérer longtemps dans cette voie. Ayant pris conscience de l'aspect très superficiel de ces plaisirs, elle les abandonna pour d'autres moins compromettants. Grâce à son riche beau-père, chez lequel elle vivait, Mme d'Épinay prit l'habitude de recevoir chez elle. L'imposant château de la Chevrette, tout proche de Paris, que M. de Bellegarde avait racheté au prince de Broglie, devint un lieu de retrouvailles pour Louise et ses amis. M. de Bellegarde, grand amateur de comédie, y avait fait construire un ravissant théâtre dans une orangerie.

Les amis proches de Mme d'Épinay, ses belles-sœurs et des voisins s'y retrouvaient régulièrement pour y monter des pièces et les jouer devant des intimes. Dans ses *Mémoires,* Dufort de Cheverny évoquera avec ravissement « cette société charmante remplie de talents [1] » à laquelle il participait. Par le biais de cette innocente activité, Mme d'Épinay élargit son groupe de fidèles à quelques jeunes gens épris de poésie et de littérature. Francueil, Duclos, Chastellux, Gauffecourt, Rousseau et Saint-Lambert devinrent, à un titre ou à un autre, des habitués de la Chevrette.

Bien que son mari fréquentât peu le château familial, préférant vivre au domicile des sœurs Verrières, et en dépit de la silencieuse réprobation maternelle, Mme d'Épinay vivait là des heures agréables qui trompaient son ennui et masquaient son absence de projet.

1. J.-N. Dufort de Cheverny, *Mémoires sur les règnes de Louis XV et Louis XVI et sur la Révolution (1731-1802)*, Paris, 1886, tome I, p. 87.

Certains historiens [1] ont classé Mme d'Épinay parmi les principales animatrices de salon au XVIIIe siècle. On ne fait pas la différence entre elle et Mmes Geoffrin, de Lespinasse ou Necker. S'il est vrai que Mme d'Épinay fut au centre de la vie littéraire, artistique et philosophique de son temps, elle n'a pas, à proprement parler, tenu un salon. Ses amis se retrouvaient auprès d'elle en toute liberté. Elle n'a jamais imposé un jour de réception avec un ordre du jour fixé à l'avance. Si les Lundis de Mme Geoffrin étaient aussi strictement réglementés que les Vendredis de Mme Necker, Mme d'Épinay recevait sans aucun protocole les gens qu'elle aimait.

Elle n'avait ni l'autorité, ni le goût nécessaire pour être « femme de salon ». Elle recherchait simplement l'intelligence et la chaleur humaine dont elle se sentait cruellement lésée par ses proches.

### *Les amants*

En dépit de tous ses efforts, Mme d'Épinay n'a jamais pu ramener son mari libertin à la raison ou à la tendresse... Après deux ans de vaines tentatives, elle abandonna la partie, dégoûtée des mensonges, du cynisme, et de l'incroyable légèreté de son époux. En attendant paisiblement la mort de son père pour toucher son héritage, il accumulait les dettes dans la plus parfaite indifférence.

Bien qu'elle eût récupéré son fils sous son toit, et qu'elle ne fût pas dépourvue de ressources amicales, le cœur de Mme d'Épinay dépérissait. N'ayant aucun but dans l'existence, elle éprouva à nouveau tous les symptômes de la maladie du siècle : la mélancolie. Le théâtre que fit construire son beau-père pour la distraire ne suffit pas à l'en guérir.

1. Entre autres : Georges Mongrédien, *La Vie de société au XVIIe siècle et XVIIIe siècle*, Hachette, 1950 ; Roger Picard, *Les Salons littéraires et la Société française* (1610-1789), New York, 1943.

Dans la même situation, les femmes du XIXe siècle, dont Mme d'Épinay est la lointaine ancêtre, réagissaient par la prise en charge effective de l'éducation de leurs enfants. Tout les y encourageait. L'idéologie dominante célébrait la noblesse du dévouement maternel et les pères de famille étaient trop contents d'occuper leur épouse à cette sainte tâche. Nourrice, éducatrice et institutrice, une femme honorable du XIXe siècle qui se sentait utile à son enfant et valorisée par la société ne sortait guère de son foyer. Elle n'en n'avait ni le temps, ni le goût. Si l'époux décevait, on avait toujours le recours d'être mère à temps complet.

La situation de Mme d'Épinay était bien différente. Il est certain qu'elle a un moment songé à cette solution, et à refouler la femme sous le personnage de la mère. Mais son milieu social et ses proches le lui interdirent. Ce sont ses parents et non elle qui prirent la direction de l'éducation des enfants. Ce sont les gouvernantes et les précepteurs qui les élevèrent pratiquement.

Femme de son temps, elle eut recours aux remèdes bien connus du XVIIIe siècle. Le plus aisé, qui ne froissait pas les exigences morales de ces dames, était le choix d'une amie de cœur. Une fois formé, le couple de femmes ne se quittait plus, se racontait tout et vivait dans une grande intimité.

Dans un style un peu léger, les Goncourt ont bien décrit ces relations exceptionnelles entre femmes qui ne nous paraissent pas dépourvues de penchant homosexuel.

« Un cœur inoccupé croyait se défendre et se remplir en allant à quelque femme, à une amie [...]. Encouragée par l'exemple et le bon ton du temps [...]. Elle y apportait l'engouement, la frénésie, l'excès d'emportement de son sexe. C'était là pour elle un premier pas vers l'amour et comme son essai enfantin et son jeu innocent. Car dans ces liaisons, il y avait plus que des soins, exclusivement réservés à la famille, plus qu'un intérêt, banale politesse de cœur qu'une femme laisse tomber sur une douzaine de personnes ; il y avait un sentiment, une illusion vive, une sorte de passion. On se jurait une amitié qui devait durer toute la vie ; et que de mines, que d'embrassades, que de tendresses, que de transports mignards, que de chuchotages[1] ! »

Mme d'Épinay établit un lien de la sorte avec Mlle d'Ette, jeune femme émancipée, intrigante et maligne. Peu de temps après leur rencontre, elle sait se rendre nécessaire à Louise qui ne peut plus se passer de sa présence. Dans un passage des *Pseudo-Mémoires,* Mme d'Épinay met sous la plume de son double, Mme de Montbrillant, cette remarque pour l'amie absente : « Il n'en est point comme vous et, en vérité, je suis malheureuse depuis que vous avez quitté la campagne. *Si vous étiez un homme, je serais effrayée du vide que je trouve en moi depuis votre départ*[2]. »

Mlle d'Ette voulait bien profiter de l'amitié de Mme d'Épinay, mais entendait garder sa liberté. Maîtresse du chevalier de Valory, elle était toute prête à établir d'autres liens si l'occasion s'en présentait. C'est elle qui sut convaincre Mme d'Épinay que le seul remède à sa mélancolie était de prendre un amant. Louise protesta contre l'immoralité d'une telle suggestion, résista quelque temps et se résigna à mettre son mouchoir sur ses principes. La jeune femme « convenable » s'émancipa à son tour.

Elle accepta de recevoir les hommages d'un habitué de la Chevrette qui lui faisait une cour discrète. C'était M. Dupin de Francueil, fils du riche fermier général, Claude Dupin, dont la seconde femme fut la première protectrice de Rousseau à Paris ; lui-même était receveur général des finances. Plus intéressé par le dessin, la musique ou le théâtre que par sa charge, M. de Francueil était un homme délicat et aimable, bien que faible et léger.

1. Les Goncourt, *op. cit.*, p. 139.
2. *Pseudo-Mémoires*, tome I, p. 453. Souligné par nous.

Pour lui, elle se fit appeler Émilie.

Cédant à ses désirs, tout en affichant les réticences de bon ton, Mme d'Épinay connut tous les plaisirs et les affres d'une passion interdite. Pour la première fois son amour était payé de retour. « Quel bonheur, pensa-t-elle, serait comparable au mien, s'il pouvait être avoué [1] ? »

Elle ne l'avoua jamais à sa famille, mais son secret devint rapidement celui de Polichinelle. Son mari et un de ses beaux-frères en profitèrent pour tenter de la faire chanter, et sa mère afficha un air plus sévère que d'habitude. Mme d'Épinay souffrit tout cela sans jamais céder aux pressions dont elle était l'objet, jusqu'au jour où le léger monsieur alla papillonner ailleurs.

Mme d'Épinay souffrit le calvaire de la jalousie la plus violente. Non seulement Francueil l'avait trahie, mais il l'avait trompée avec plusieurs femmes à la fois et parmi elles sa meilleure amie, Mlle d'Ette. Pendant plusieurs mois, cette femme qui aimait à s'occuper de ses enfants et passer pour une mère exemplaire n'eut plus la moindre envie de prendre soin d'eux et les laissa à la campagne pour vivre seule à Paris. Elle pensa successivement à se suicider, à se cloîtrer, jusqu'à ce que progressivement elle reprît ses esprits et se détachât de Francueil, lequel l'aurait volontiers gardée au nombre de ses maîtresses.

Après trois ans de bonheur et un an de déchirements, Mme d'Épinay trouve un *modus vivendi* avec Francueil. Elle sort mûrie de cette expérience. Elle ne craint plus sa mère, ni les extravagances de son mari dont elle a obtenu la séparation de biens. En attendant de trouver définitivement l'homme de son cœur, elle se consacre plus activement à ses enfants, et particulièrement à la petite Angélique qu'elle a eue de Francueil. Parce que c'est une fille et que M. d'Épinay qui en a officiellement endossé la

1. *Ibid.*, p. 496.

paternité ne la reconnaît pas comme sienne, Louise a toute latitude de s'en occuper à sa guise. Cette enfant que Mme d'Épinay chérit particulièrement va lui donner l'occasion d'exercer son ambition de mère et de pédagogue. A travers cette enfant bâtarde, c'est sa propre éducation qu'elle annule puis recommence.

Mme d'Épinay a maintenant une idée de la femme qu'elle voudrait être. C'en est fini de la jeune femme naïve prête à toutes les soumissions. Plus jamais un homme ne la fera songer au suicide. La véritable Mme d'Épinay s'est réveillée. Émilie a commencé à se substituer à Louise.

A Francueil qui continue de tergiverser, elle répond par cette phrase qui définit bien la nouvelle Émilie : « Est-ce que vous me prenez pour une femme ordinaire [1] ? »

Mme du Châtelet ne montra pas autant de scrupules pour prendre des amants. Dès 1728, elle trompe son mari aux armées avec un don Juan reconnu. Elle tombe passionnément amoureuse du comte de Guébriant dont Saint-Simon nous a laissé un portrait. C'est un homme élégant, beau parleur, bon danseur qui séduit toutes les femmes en les faisant rire. Le prototype du parfait amant qui ne s'attache à aucun cœur. Il a trente-trois ans lorsqu'elle le rencontre chez des amis. Elle croit que c'est le grand amour de sa vie et l'aime comme une ingénue.

Émilie, qui n'a d'autre expérience des hommes que celle de son loyal époux, ignore les lois des libertins parisiens, égoïstes, chasseurs et menteurs. Elle prend au mot l'homme qui lui fait une déclaration d'amour et reste confondue de l'inadéquation des gestes et des propos. Plus passionnée et entière qu'il ne convient, elle adopte un comportement qui fait fuir celui qu'elle veut retenir. Quand Émilie aime un homme, elle ne s'embarrasse pas de pudeur

1. *Ibid.*, tome II, p. 390.

ni d'orgueil. Elle fait son siège, l'accable de reproches s'il ne manifeste pas la même passion, gémit, pleure, se fâche, supplie et finalement l'assomme.

Guébriant n'a plus qu'une idée, c'est de prendre ses distances avec cette jeune femme envahissante. Il espace les rendez-vous et trouve de mauvais prétextes pour ne pas la voir autant qu'elle le souhaiterait, c'est-à-dire tout le temps. Elle ennuie ce don Juan qui a d'autres dames à séduire.

Folle de jalousie et de désespoir, elle n'a plus envie de vivre. Son père est mort depuis quelques mois ; ni sa mère, ni son mari, ni ses enfants, ni même ses chères études ne lui paraissent des raisons de vivre suffisantes. Mais si elle veut mourir, elle cherche d'abord à gâcher la vie de son amant. Pour ce faire, elle imagine une mise en scène particulièrement grandiose.

Un soir, elle supplie Guébriant de passer la voir pour un ultime entretien. Lorsqu'il arrive, il la trouve étendue sur un sofa, et en apparence fort calme. Ils parlent de choses insignifiantes pendant un quart d'heure jusqu'à ce que Guébriant se lève pour prendre congé. C'est alors qu'elle le prie de bien vouloir lui donner le bouillon qui est sur la cheminée. Il s'exécute et elle le boit entièrement devant lui. Après quoi elle lui remet une lettre en lui demandant de ne l'ouvrir que dans la rue.

Dès qu'il a descendu l'escalier, Guébriant ouvre la lettre et lit ces mots : « Je meurs empoisonnée par votre main [1]. »

Affolé, on dit que l'empoisonneur involontaire appela du secours et se procura du contre-poison qu'il fit prendre à sa maîtresse. D'autres versions racontent que la dose d'opium prise par Émilie était si forte qu'elle vomit le bouillon d'elle-même.

Le fait est que M. de Guébriant, terrorisé par les folies de Mme du Châtelet, disparut définitivement de sa vie. L'affaire fit un beau scandale dans Paris et

1. Cf. *Mémoires* de Maurepas, Paris, 1792, tome IV, p. 173.

on se demande comment M. du Châtelet put l'ignorer. Plus tard, le galant Voltaire aura beau crier à la calomnie, l'anecdote restera vivace dans la mémoire des contemporains. Le comte de Maurepas la raconta dans ses *Mémoires*, et la *Correspondance littéraire* tenue par l'abbé Raynal [1] n'hésita pas à la rapporter dans la notice nécrologique d'Émilie. Hommage funèbre peu respectueux pour la défunte.

Toute indifférente qu'elle fût au caquetage de l'opinion publique, Mme du Châtelet en tira les leçons. Elle se rendit compte qu'il n'était pas prudent de pousser un mari à bout, même aussi tolérant que le sien. Très attachée aux bienséances et à l'honneur de son nom, Mme du Châtelet évitera à l'avenir de se comporter de façon aussi tapageuse qu'infantile. Elle comprit enfin qu'on ne donne pas son cœur au premier venu, et qu'une femme de sa qualité se devait d'être plus exigeante sur le choix de ses amants.

Pourtant, l'avenir montrera qu'elle aura du mal à distinguer une aventure d'une passion et à évaluer le sentiment réel qu'elle fait naître chez les hommes...

A peine remise de son suicide manqué, Émilie s'enferme chez elle et se remet à ses études. Pendant quelque temps on ne l'aperçoit plus nulle part. Quand l'isolement lui pèse trop, elle rend visite à son amie et cousine, Catherine de Richelieu, qui l'avait déjà recueillie lors de son premier accouchement. Là , elle retrouve parfois le duc de Richelieu, frère cadet de Catherine. Ce jeune militaire jouit déjà d'un prestige immense aux yeux des femmes. Très séduisant [2], charmant, drôle, courageux et même téméraire, le jeune duc a une réputation flatteuse. En 1729, à trente-cinq ans, Richelieu [3] a déjà fait beaucoup parler de lui. Il a été enfermé deux fois à la Bastille pour avoir trop courtisé une jeune

1. *Correspondance littéraire*, tome IV, p. 365.
2. Mathieu Marais disait de lui : « Il ressemble à l'amour. »
3. Né en 1694.

princesse de la maison royale. Et une troisième fois pour avoir participé en 1718 au complot de Cellamare contre le régent.

Ces péchés de jeunesse seront vite pardonnés. A vingt-quatre ans, l'Académie française lui ouvre ses portes pour la simple raison qu'il est l'arrière-neveu du cardinal. Un an plus tard, en 1725, c'est le Parlement qui l'accueille à bras ouverts en tant que pair.

Mme du Châtelet est vivement impressionnée par cet homme prestigieux dont toutes les femmes recherchent les faveurs. Le duc n'est pas insensible à la vivacité et au charme d'Émilie. Leurs amours seront brèves, mais cette fois elle se garde de demander plus que ce qu'on peut donner. Elle est satisfaite d'avoir circonvenu le plus grand homme à femmes du moment (on pourrait presque dire du siècle). Il est touché par son ardeur et ébloui par son intelligence.

Pour ces deux êtres, cette liaison est davantage qu'une simple aventure. Elle s'apercevra que l'homme est moins superficiel qu'il n'y paraît, qu'il a un cœur fidèle en amitié. Quant à lui, il gardera tout son respect et son admiration pour cette femme qu'il juge exceptionnelle. Une solide amitié les liera jusqu'à la fin de Mme du Châtelet, même si à plusieurs reprises celle-ci a regretté qu'il ne s'agît que d'amitié...

Alors qu'elle est devenue « la femme [1] » de Voltaire, Émilie écrit une lettre fort ambiguë à Richelieu qui avait rejoint son régiment à Strasbourg. Elle y compare l'amour qu'elle porte à Voltaire à son amitié pour lui, et ne constate pas grande différence : « Tout mon bien est à Lunéville [où est Voltaire] et à Strasbourg [2]. »

Évoquant son départ pour Strasbourg : « Je crois

1. Voltaire a souvent parlé d'Émilie en disant « Ma femme ». Cf. lettre d'août 1734 (Éd. de la Pléiade, tome I, p. 545).

2. Lettre du 21 mai 1735.

que votre séparation avec Madame de Richelieu aura été tendre ; je crois que Voltaire aura été sensiblement touché de vous voir partir ; mais si l'amitié seule s'en mêlait, je défierais l'une et l'autre d'avoir été plus sensible à votre départ que moi ; ils ont seulement sur moi l'avantage de pouvoir vous le dire sans mesurer leurs expressions sur la bienséance [1]. »

Il faut bien que cette lointaine liaison n'ait pas été une si banale aventure pour que Voltaire en soit jaloux six ans plus tard.

« Il ne me pardonne point d'avoir eu pour vous des sentiments passagers, quelque légers qu'ils aient été : assurément le caractère de mon amitié doit réparer cette faute, et si c'est à elle que je dois la vôtre, malgré tous mes remords, *o felix culpa !* »

Mme du Châtelet éprouvera toujours pour lui une amitié bien particulière que la complicité des amours passées et un léger mais constant désir de les revivre rendent toujours très intense.

« Vous, homme unique, incomparable, vous savez tout allier ; délicieuse amitié, ivresse de l'amour, tout est senti par vous et répand le charme le plus doux [2]. »

Est-ce vraiment l'amitié qui fait écrire à Émilie :

« Votre absence me fait sentir que j'aurais encore quelque chose à demander aux Dieux, et que pour être parfaitement heureuse, il faudrait que je vécusse entre vous et votre ami [Voltaire]. Mon cœur ose le désirer, et ne se reproche point un sentiment que la tendre amitié que j'ai pour vous y conservera toute ma vie [...]. Je veux bien mourir au monde, mais je ne veux point mourir à votre amitié [3]. »

A défaut d'amant, elle l'utilise comme complice. C'est à lui qu'elle demande d'intervenir auprès de M. du Châtelet pour qu'il accepte qu'elle aille vivre

1. *Ibid.*
2. Lettre du 22 mai 1735.
3. Lettre du 22 sept. 1735.

au château de famille, Cirey, en compagnie de Voltaire. « Tâchez de lui insinuer qu'il faut être fou pour être jaloux d'une femme dont on est content, qu'on estime et qui se conduit bien [...]. Vous êtes assurément la seule personne dans l'univers à qui j'ose en dire autant [1]. »

En décembre 1735, elle le revoit à Paris et se livre à de tendres confidences. L'extrait de lettre qui suit montre, s'il en était besoin, que Mme du Châtelet est encore amoureuse de M. de Richelieu :

« La conversation que je viens d'avoir avec vous me prouve que l'homme n'est pas libre. Je n'aurai jamais dû vous dire ce que je vous ai avoué, mais je n'ai pu me refuser la douceur de vous faire voir que je vous ai toujours rendu justice et que j'ai toujours senti tout ce que vous valez. L'amitié d'un cœur comme le vôtre me paraît le plus beau présent du ciel, et je ne me consolerais jamais si je n'étais pas sûre que vous ne pouvez, malgré toutes vos résolutions, vous empêcher d'en avoir pour moi au milieu du sentiment vif qui emporte mon âme et qui fait disparaître le reste à mes yeux [2]. »

Pendant les quatre années suivantes (1735-1739), au plus fort de sa passion pour Voltaire, Émilie espacera ses lettres à Richelieu et le ton de l'amitié prendra le pas sur celui de la passion.

Faut-il accorder quelque crédit aux commérages de Mme de Graffigny ? Son voyage à Cirey lui a laissé une haine tenace pour Mme du Châtelet et, de retour à Paris, elle n'hésite pas à lui attribuer de nombreux amants. Parmi eux Richelieu. Mme de Graffigny va même jusqu'à affirmer que le couple était si peu discret qu'on les aurait pris en flagrant délit !

Bien entendu, ce n'est pas le duc qui est blâmé. Elle réserve ses flèches pour les « indécences », les « agaceries » et la méchanceté d'Émilie qui trahit

1. Lettre du 22 mai 1735.
2. Lettre du 1er déc. 1735.

son amie, Mme de Richelieu [1], de surcroît alitée à la veille d'une fausse couche. Mais le témoignage de Mme de Graffigny est à prendre avec beaucoup de précautions : elle recueille volontiers ses informations dans les antichambres...

1735 est une année clef dans la vie amoureuse de Mme du Châtelet. A cette date, elle choisit Voltaire, se résout à l'amitié de Richelieu, mais aussi renonce définitivement à aimer Maupertuis.

Maupertuis est le troisième amant connu de Mme du Châtelet, autre don Juan célèbre de la capitale. Contrairement à Richelieu, il affiche une préférence pour les femmes sérieuses qu'il convertit au « newtonianisme ». Il est adulé par les femmes d'esprit les plus célèbres de Paris. Mmes du Deffand, de Saint-Pierre, d'Aiguillon, de Rochefort et de Chaulnes [2] s'arrachent sa présence. Son charme irrésistible opère dans tous les salons et, comme c'est aussi un grand ambitieux, il utilise sans vergogne les passions que sa personne fait naître.

Mme du Châtelet le rencontre probablement dans le salon des Brancas vers les années 1732-1733. Elle a beaucoup entendu évoquer, sinon lu, son *Discours sur les Différentes Figures des Astres* [3]. Contrairement à Richelieu, il ne doit son entrée à l'Académie des sciences [4] qu'à son génie précoce, ce qui éblouit d'autant plus Émilie. Avide de développer ses connaissances mathématiques, elle incline Voltaire, qui le connaît mieux qu'elle, à demander à Maupertuis de lui servir de professeur. Voltaire s'exécute et vante au savant les dons d'Émilie.

Celui-ci accepte de diriger ses études. Dès janvier 1734, Maupertuis est le professeur... et l'amant de Mme du Châtelet. Celle-ci a perdu la sagesse dont

1. *Correspondance* de Mme de Graffigny, Éd. Besterman, lettre n° 184 (sept., oct. ou nov. 1739), p. 210.
2. Léon Velluz, *Maupertuis*, Hachette, 1969, pp. 81-82.
3. 1732.
4. 1723, il a vingt-cinq ans.

elle avait fait preuve cinq ans plus tôt avec Richelieu. Pourtant Maupertuis est le même genre de séducteur que Guébriant et Richelieu. Il n'aime pas à se sentir prisonnier d'une femme qu'il a possédée. Manquant totalement de psychologie et d'intuition, Mme du Châtelet se fait d'autant plus pressante qu'elle sent qu'il lui échappe. Les mots tendres succèdent aux billets comminatoires. Plusieurs fois par jour. Il lui répond rarement, et ne vient qu'à un rendez-vous sur dix.

C'est toute honte bue qu'elle le poursuit jusqu'au café Gradot, lieu de rencontre de l'élite intellectuelle. Elle va même jusqu'à l'envoyer chercher à l'Académie [1] ! Tout cela exaspère Maupertuis qui n'ose pas renvoyer une femme de son rang et de son intelligence à ses chères études.

Trois mois plus tard, ce sont les lettres pleurnichardes et jalouses :

« Vous me faites sentir, Monsieur, les peines et les inquiétudes de l'absence : je crois toujours voir Madame de Lauraguais vous faire mille coquetteries, et je crains que vous ne soyez pas assez philosophe pour y résister [2]. »

Pourtant, lorsqu'elle écrit cette lettre, elle est à Autun pour assister au mariage de M. de Richelieu avec Mlle de Guise. Elle y est allée avec Voltaire dont elle est aussi la maîtresse...

Mme du Châtelet n'aime pas renoncer et elle continuera de poursuivre Maupertuis de ses assiduités pendant encore un an. Jusqu'au moment où elle fera le choix décisif de sa vie. Alors, pendant une longue période, elle sera la femme la plus fidèle du monde...

1. Lettre n° 10, janv. 1734.
2. Lettre n° 12, 28 avril 1734.

*Une réputation exécrable*

Bien qu'on ne puisse comparer la vie amoureuse des deux femmes, elles eurent l'une et l'autre fort mauvaise réputation. Mme d'Épinay plus encore que Mme du Châtelet. Peut-être parce qu'elle cherchait à dissimuler, et qu'elle le faisait avec maladresse. A force de naïveté et de petits mensonges dévoilés, on finit par attribuer à Mme d'Épinay plus d'amants qu'elle ne connaissait d'hommes.

Loin de se cacher, Mme du Châtelet s'affiche. Elle adopte une conduite extravagante sans souci du qu'en-dira-t-on.

Elle n'hésite pas lors de ses amours avec Maupertuis à le poursuivre dans tous les lieux publics. Elle va même jusqu'à se livrer travestie à des équipées nocturnes qui n'échappent pas aux indicateurs de police. Voici ce que raconte l'un d'eux au marquis de Caumont :

« Depuis l'absence de Monsieur de Voltaire, elle s'est liée avec un géomètre de l'Académie [sur ce point l'indicateur montre son ignorance, puisque cela fait plus d'un an que leur liaison a débuté]. Il y a quelques jours, ce Monsieur ayant fait une partie, avec plusieurs de ses amis, pour aller à une maison qu'il a à Suresne ou à Puteaux [1], la curiosité ou la jalousie [...] détermina Madame du Châtelet à l'y aller surprendre. Son équipage la conduisit jusque sur le boulevard où elle se travestit et monta à cheval. De là, elle se rendit à la maison en question, toujours galopant, elle y fut reconnue et invitée à partager le plaisir. *Ce dernier point était ce qu'elle pouvait faire de mieux.* Aussi se livra-t-elle de si bonne grâce, qu'elle ne se souvint qu'à minuit que ses gens l'attendaient où elle les avait quittés... [Elle les rejoignit.] [...] Comme elle était venue, c'est-à-dire n'ayant d'autre compagnie que celle de son cheval [...]. Elle se démit le pouce au retour. Arrivée à Paris

1. Cette maison se situait au mont Valérien.

elle dépêcha un exprès au pauvre M. de Maupertuis, qui partit sur le champ pour venir la consoler [...]. Il demeura enfermé tête à tête avec elle depuis quatre heures du matin jusqu'à près de midi ; et sans un courrier qui vint apporter à Madame du Châtelet des nouvelles de son mari et qu'on ne put se dispenser de faire entrer, je crois qu'il y serait encore [1]. »

Mme du Châtelet ne recule donc devant rien pour voir son amant, pas même à le garder la nuit entière chez elle. Elle en fera autant pour Voltaire, n'hésitant pas non plus à coucher chez lui. On raconte qu'un jour, rencontrant Voltaire dans un lieu public, elle le prit par le cou et l'embrassa à pleine bouche.

La marquise du Châtelet ne s'embarrasse guère de discrétion et ne fait rien pour empêcher la langue de vipère de ses amies de cracher son venin. Le résultat ne se fait pas attendre : tout Paris murmure des horreurs sur son compte dont ses propres amis se font les colporteurs.

Formont écrit à Cideville : « J'ai trouvé l'Épître [de Voltaire] à Madame du Châtelet [dans *Alzire*] pleine d'esprit et peut-être un peu trop pleine de louanges pour l'héroïne [...]. Madame du Châtelet, femme forte, rivale de Newton et de Locke, cela donne trop de prétexte à rire au public [...]. *Combien d'agréables diront qu'ils ne croyaient pas avoir couché avec un si grand philosophe* [2]. »

Un an plus tard, le même récidive, en répandant complaisamment les détails de la plus ignoble calomnie, surtout lorsqu'on connaît le pauvre tempérament de Voltaire !

« Voici ce qu'on m'a raconté hier et qui sera le conte de tout Paris. Madame du Châtelet a, dit-on, un concierge qui a une fille dans l'âge de l'inno-

1. Lettre du commissaire Simon Henri Dubuisson à Joseph de Seitres, marquis de Caumont, 25 juin 1735 (éd. définitive de Besterman, n° 884). Souligné par nous.

2. Lettre de Formont à Cideville, mai 1736, n° 1076. Souligné par nous.

cence avec une jolie figure. Madame du Châtelet l'aimait au point qu'elle la rendait témoin de tout ce qui se passait de plus secret entre Monsieur de Voltaire et elle. Ce M. de Voltaire trouva la petite fille jolie et fit son marché avec elle et de plus un petit enfant. La mère a tempêté, la fille a répondu qu'elle n'avait fait avec Monsieur de Voltaire que ce qu'elle lui avait vu faire avec Madame et qu'elle croyait que Madame ne pouvait jamais rien faire que de bien. On ajoute qu'il y a eu procès, information, et que tout cela a été déposé. Tout ceci est peu vraisemblable, mais on fera semblant de le croire [1]. »

Il faut dire à la décharge des calomniateurs et autres potineurs que Voltaire ne se gênait pas pour écrire à ses amis que « sa femme » le faisait « cocu » [2].

A peine mariée, Mme d'Épinay se trouvait enceinte. Sa passion pour son mari et son état n'empêchent pas le monde de lui prêter des aventures. Le bruit court qu'elle a des amants et ses bonnes amies, comme toujours, amplifient la rumeur. L'amant de sa cousine Maupeou n'hésite pas, pour sauver la réputation de celle-ci, à faire croire à tous que Mme d'Épinay est la maîtresse qu'il retrouve régulièrement dans « une petite maison ».

Il est vrai que si ces calomnies prennent aisément l'apparence de vérités, c'était aussi parce que Mme d'Épinay prêtait le flanc à la critique. Elle se laissait courtiser par des hommes légers, empressés à répandre leurs bonnes fortunes et même à inventer celles qu'ils n'avaient pas.

Au bout d'un an de mariage, elle fait parler d'elle [3] par sa naïveté et ses mensonges et la sévère tante de Roncherolles s'inquiète déjà de sa mauvaise réputation. Lorsque plus tard elle devient la maî-

1. De Formont à Cideville, 2 fév. 1737, n° 1278.

2. *Correspondance* de Voltaire, août 1734, Éd. de la Pléiade, tome I, p. 545.

3. *Pseudo-Mémoires*, tome I, pp. 274-275.

tresse de Francueil, le public ne voit là que la confirmation officielle des propos officieux que l'on tient depuis longtemps sur son compte. Puisqu'elle a un amant, on la soupçonne de coucher avec tout le monde, et d'abord avec les amis qui fréquentent régulièrement la Chevrette.

Une ancienne relation, Mme d'Arty, de passage à Paris, ne se gêne pas pour lui rapporter ce que l'on dit d'elle : « On vous donne une botte d'amants, ma chère. D'abord Francueil, et puis Duclos, Monsieur de Lucé [son beau-frère], Gauffecourt [...] et je ne fais qu'arriver [1] ! »

Forte de cette réputation, Mme d'Épinay rapporte dans ses *Pseudo-Mémoires* toutes les propositions « malhonnêtes » dont elle est l'objet, et les propos insultants qui se tiennent sur elle.

A l'en croire, l'ami Duclos aurait été le premier à lui proposer très directement d'être sa maîtresse :

« Il vint tout à coup à moi, les bras étendus et disant : « Tenez, Madame, je suis amoureux de vous. Voulez-vous de moi ? Je sens que je vous aimerai comme un fol... » » Et devant le refus de Madame d'Épinay, il ajoute : « Me trouvez-vous désagréable ? Écoutez ; vous pourriez faire pis [2]. »

Au lieu de se fâcher de cette brusque déclaration, Mme d'Épinay se retient de rire. Elle n'est pas femme à se choquer d'une mésestimation de sa vertu. Ce qui encourage Duclos à revenir à la charge plus brutalement. Il n'hésitera pas à entrer dans sa chambre et à la serrer dans ses bras. Elle se débat avec indignation et Duclos ne cache pas son cynisme :

« Qu'est-ce que cela vous fait-il ? [...] Il ne vous en coûtera pas davantage ; vous pouvez compter sur moi [3]. »

Vexé, Duclos finit par évoquer sa mauvaise répu-

1. *Ibid.*, tome II, p. 195.
2. *Ibid.*, p. 127.
3. *Ibid.*, p. 175.

tation, ses soupers en tête à tête avec Francueil pendant que ses parents sont à la campagne, ses complaisances guidées par l'intérêt pour son beau-frère. Puisqu'on disait qu'elle avait couché avec M. de Lucé... « Vous auriez bien pu accorder à l'amitié ce que vous donniez à l'intérêt [1] », ironise-t-il.

A en croire Mme d'Épinay, il est vrai que le beau-frère lui proposa également d'être son amant, en échange de quoi il s'occupait d'assurer sa sécurité après la mort de son beau-père. Il commença par des soupirs et des serrements de mains [2], puis passa vite aux déclarations.

« Si je puis compter sur une tendresse sans borne de votre part telle qu'est la mienne pour vous [...] sans avoir osé vous le dire [...] je passerai sept à huit mois de l'année ici. Qu'est-ce qui vous empêcherait de venir passer le reste du temps avec moi [3] ? »

Mme d'Épinay fait mine de ne pas comprendre. M. de Lucé veut l'embrasser. Elle se retire et il se fait plus explicite encore en lui demandant « un abandon entier [4] », que Duclos lui conseilla d'accepter...

La réputation d'Émilie ne vaut donc pas cher, même auprès de ses proches. Son beau-frère ne se gêne pas pour le lui rappeler. Et son mari, peu exigeant sur le chapitre de la fidélité, s'empresse de répandre partout le bruit qu'elle se livre à des orgies [5] avec Francueil sous le toit familial.

S'il le fait, c'est parce qu'il sait que le mensonge a une apparence de vraisemblance. Quand il lui propose de la payer très cher pour passer une nuit dans son lit, M. d'Épinay fait la preuve qu'il considère sa femme comme une putain [6].

Tout cela est rapporté par Mme d'Épinay avec

1. *Ibid.*
2. *Ibid.*, p. 149.
3. *Ibid.*, p. 160.
4. *Ibid.*, p. 161.
5. *Ibid.*, p. 211.
6. *Ibid.*, p. 345.

une certaine complaisance. Le lecteur prudent n'est pas forcé de la croire sur parole. Il a été démontré que ses *Pseudo-Mémoires*, lorsqu'elles évoquent son existence d'adulte, comportent de nombreuses inexactitudes. Mensonges, disaient les uns, qui visent à donner une meilleure image de sa personne. Travestissements qui sont l'œuvre et les droits de la romancière, rétorquaient les autres. En ce qui concerme sa vie amoureuse, le lecteur du XXe siècle est bien en peine de trancher.

A première vue, on voit mal pourquoi Mme d'Épinay se serait décrite pire qu'elle n'était. Mais surtout, une grande partie de ses dires sont corroborés par d'autres sources. Il est vrai qu'elle n'a pas bonne réputation dans le salon du baron d'Holbach, avant qu'on l'y rencontre. Elle passe pour une intrigante et une femme facile. Il est non moins vrai que Diderot refusa longtemps de la fréquenter [1] alors même qu'elle est devenue la maîtresse de son meilleur ami, Grimm.

Qui donc a pu faire un portrait si déplaisant d'Émilie auprès de Diderot, sinon ceux qui peuvent se vanter de la connaître ? Par exemple Rousseau ou Duclos, qui sont tous les deux des proches de l'Encyclopédiste durant les années 1754-1759.

On peut donc penser que la conversation, rapportée dans les *Pseudo-Mémoires*, entre Émilie et Rousseau, qui a pu avoir lieu vers la mi-août 1752, n'est pas si éloignée de la réalité. Comme elle se plaint de ne pas le voir assez, Rousseau ne lui cache pas ce qu'il pense d'elle et ce que les autres en disent :

– Rousseau :

« Que voulez-vous que je fasse au milieu de votre société ? Je figurerais mal dans un cercle de petits mirliflores [...]. Tous ces gens remplis d'honnêteté mais qui n'ont point de mœurs... »

– Madame d'Épinay :

« Vous êtes bien sévère et injuste. »

1. Jusqu'à son retour de Genève en 1759.

– Rousseau :

« Je dis, Madame, ce que le public en pense, et certainement ce que j'ai vu ne m'a pas donné le désir de les justifier [...]. On vous croit sans caractère, bonne femme, fausse cependant, un peu de penchant pour l'intrigue ; inconstante, légère, beaucoup de finesse, beaucoup de prétention à l'esprit...[1]. ».

Ce portrait peu flatteur est le seul que connaisse Diderot qui ne tient aucunement à mieux évaluer l'original. L'information ne vient pas seulement d'Émilie mais également de Grimm et de Diderot lui-même. Il est exact que Diderot a tout fait pour convaincre Grimm de ne pas aimer Mme d'Épinay. Il lui a exposé tous les ragots qui courent sur son compte et lui a conseillé de prendre du bon temps avec elle, mais de ne surtout pas l'aimer. Pendant des années il s'en tiendra à ce parti pris, refusant de se laisser persuader, par Grimm ou les d'Holbach qui ont changé d'avis, que Mme d'Épinay est une femme estimable.

## *Le repliement sur soi*

Émilie et Émilie ont connu toutes les étapes de l'expérience féminine au XVIIIe siècle. Parcours manqué qui laisse une impression de cendre et un goût d'amertume à toutes celles qui l'ont connu. Elles furent des milliers, ces sœurs de Mmes d'Épinay et du Châtelet, à prendre conscience un jour qu'elles avaient perdu leur temps et raté leur vie. Les unes réagirent en se donnant des doses plus fortes encore de divertissement comme on le fait des drogues. D'autres se réfugièrent dans les vapeurs et autres troubles psychosomatiques. Mais peu nombreuses furent celles qui décidèrent de donner une autre

1. *Pseudo-Mémoires*, tome II, p. 422.

direction à leur existence. Un coup de barre à cent quatre-vingts degrés.

Insatisfaites de leur vie privée, soûlées par une agitation stérile qui les dépossédait d'elles-mêmes, elles aspirèrent de la même façon à une union stable et apaisante. Elles choisirent donc un « époux de cœur » qui le restera jusqu'à leur mort. Et même si l'une et l'autre les ont passionnément aimés, c'est d'abord la raison qui dicta leur choix.

Décidées à ne pas tout miser sur le même enjeu qui, pour être amoureux, n'en était pas moins étranger, elles se retournèrent tout naturellement vers elles-mêmes, comme à la source la plus sûre de leur satisfaction. Chacune, avec une échelle de valeurs et des goûts différents, se consacra à ce qui lui paraissait être le plus essentiel et faire honneur à sa personne.

Lassées de passer pour des femmes « ordinaires », que rien ne distinguait des autres, elles entendirent prouver à tous qu'elles pouvaient participer au mouvement de la pensée, à la grande bataille pour le progrès et le savoir humain, presque toujours abandonnés aux hommes. Elles voulaient prendre part aux polémiques les plus sérieuses, et en tirer leur part de gloire.

### *Le narcissisme*

L'ambition ne se définit pas seulement par son objet. Elle est aussi, et peut-être en premier lieu, une méditation du sujet sur lui-même. L'ambitieux se regarde de façon très active. Il réfléchit sur sa personne, évalue ses moyens et fait son autocritique. Mais la critique n'est jamais rédhibitoire, sans quoi notre sujet ne serait pas un véritable ambitieux. La contemplation à laquelle il se livre n'est pas exempte d'une certaine satisfaction empreinte de plaisir narcissique.

Deux aspects différents interviennent dans le plaisir éprouvé par l'ambitieux. Non seulement il aime à se contempler lui-même, mais aussi à être vu comme le meilleur par les autres. Au narcissisme se mêle un certain exhibitionnisme qui va rarement sans quelque complaisance. L'amour-propre se teinte de vanité.

Par pudeur ou omission, Mmes d'Épinay et du Châtelet n'ont pas livré toutes leurs pensées sur le sujet. Elles ont pourtant écrit un certain nombre de choses qui nous donnent des éléments de réflexion. L'« Autoportrait » de Mme d'Épinay est de ceux-là, d'autant qu'il est précédé d'un texte très révélateur titré « A mon bonnet [1] ».

En 1756, Mme d'Épinay a trente ans. Depuis plus de deux ans elle est la maîtresse de Grimm. Grâce à lui, elle a pu commencer à libérer sa personnalité. Elle s'évalue de moins en moins dans le regard des autres. Progressivement elle se dédouble pour être juge et partie à la fois, comme tous ceux qui se livrent à l'introspection. Ce retour sur elle-même marque le début de sa libération, condition nécessaire pour le déploiement de l'ambition. Le recueil de textes contenus dans *Mes moments heureux* disent la « renaissance [2] » de Mme d'Épinay, son accession à l'indépendance. Il n'est donc pas étonnant qu'elle ait tenu à imprimer ce petit recueil, pourtant si personnel.

Il s'ouvre sur une dédicace à elle-même qui commence par ces propos :

« Sévérité, justice, indulgence sont les qualités sans lesquelles il n'y a point de véritable ami ; je les ai toujours trouvées en vous, ô mon bonnet [...]. Combien de fois ne me suis-je pas repentie de ne vous avoir point consulté, ou d'avoir fait semblant

1. Texte qui ouvre *Mes moments heureux*, écrit en 1756 et imprimé en 1759.

2. Dictionnaire *Robert* : « La naissance est le commencement de la vie indépendante (caractérisé par l'établissement de la respiration pulmonaire). »

de ne pas vous entendre ? Par une défiance injuste à laquelle, pauvre bonnet, vous n'aviez jamais donné lieu, je rejetais vos avis salutaires pour en suivre d'autres, presque toujours dictés par des intérêts qui n'étaient pas les miens [...]. *C'est la réparation que je vous dois, et d'après laquelle je jure de n'écouter jamais que vous* [1]. »

Vient ensuite son portrait qu'un de ses commentateurs, Challemel-Lacour, *machiste* s'il en est, a jugé sévèrement : « Il manifeste un parfait contentement de soi-même et [...] n'a rien de pénible pour l'amour-propre [2]. » Nous laisserons une telle opinion à la sottise de son auteur...

Au contraire, il nous semble que l'« Autoportrait » est un petit chef-d'œuvre de lucidité, à la fois « sévère et indulgent », comme elle l'annonçait à son bonnet. Elle y analyse son caractère, ses goûts et son savoir de telle sorte qu'elle puisse cerner le positif et le négatif de sa personne. Ce qui doit être développé et ce qui doit être corrigé. Son propos n'était pas de se déprécier ou de faire un *mea culpa*, plus propre à la confession catholique ou à l'exercice du masochisme. Il était de procéder à une juste évaluation d'elle-même pour savoir sur quoi fonder son ambition et de quels moyens elle disposait.

Elle découvre que son arme principale est l'amour-propre. C'est à lui qu'elle doit ses premiers pas vers la liberté. « Il était le principe de ma timidité ; il sert aujourd'hui à me garantir de ses inconvénients en se révoltant contre elle. Il m'a délivré de la tyrannie et sans me faire concevoir la folle espérance d'être parfaitement sage, il me fait prétendre à *devenir un jour une femme d'un grand mérite* [3]. »

Sans s'attarder pour l'instant sur ce qu'elle enten-

1. *Mes moments heureux*, pp. V, VI. Souligné par nous.
2. Introduction de Challemel-Lacour à l'édition de *Mes moments heureux*, 1869, p. XXXI.
3. *Mes moments heureux*, « Autoportrait », p. 8. Souligné par nous.

dait par ces derniers mots, notons que Mme d'Épinay a fait par écrit ce que tout ambitieux digne de ce nom fait un jour ou l'autre mentalement. Elle a analysé ce qu'elle était et représenté ce qu'elle voulait être. Après quoi, il ne reste plus à l'ambitieux qu'à tenter de rapprocher le réel de l'idéal. Le plus difficile.

De Mme du Châtelet, nous ne possédons aucun texte semblable. Ses écrits témoignent plus de ce qu'elle veut être que de ce qu'elle est. Même si certains de ses propos montrent une extrême lucidité sur ses moyens intellectuels, ils sont peut-être à mettre au compte d'un découragement passager autant que d'un paisible examen de conscience. De sa conscience d'ailleurs, il n'est jamais question. Mme du Châtelet se moque pas mal d'être une femme de bien. Sa seule préoccupation est d'être la première « savante » de son temps. Pendant très longtemps elle affichera sans pudeur la couleur de son ambition. Elle confie à Algarotti son désir extrême d'aller faire de la physique avec des savants anglais pour être « la première femme qui ait été en Angleterre pour s'instruire [1] ». Désir qui laisse percer l'ambition d'être l'égale des plus grands, comme Voltaire et Maupertuis, qui ont tous deux traversé la Manche pour compléter leurs connaissances.

Avant même d'avoir commencé son œuvre, Émilie veut être regardée par les autres comme une femme exceptionnelle. Voltaire lui a tellement dit qu'elle est « Admirable », « Divine », et « Sublime » qu'elle prend d'emblée la chose pour acquise. C'est quand elle entreprendra de le prouver qu'elle mesurera la distance qui la sépare de son idéal.

Au départ de son compagnonnage avec Voltaire qui se surnomme avec modestie « le premier des Émiliens », elle se représente volontiers comme l'égérie des grands hommes qui entourent le couple. Elle trouve normal que le jeune savant italien Alga-

1. Lettre à Algarotti, 10 juil. 1736.

rotti mette son portrait à la tête de son livre, *Il Newtonianismo per le dame* [1], dans la seconde édition de 1737, sous prétexte qu'elle a participé à sa correction. Elle ne lui cache pas qu'elle trouve même cet hommage insuffisant. « Je devrais me contenter d'être dans l'estampe, je voudrais à présent être dans l'ouvrage et qu'il me fût adressé [2]. »

Émilie n'a pas de fausse modestie. Le livre d'Algarotti était dédié au grand Fontenelle, le plus célèbre savant français depuis Descartes. Le jugeant trop cartésien pour parrainer un ouvrage sur Newton, qui d'autre part s'adressait aux femmes, elle s'estimait une meilleure marraine. Elle était aussi la seule femme à bien connaître Newton.

A défaut d'être célèbre par elle-même, elle se sert de Voltaire qui chante ses vertus. Elle n'hésite pas à prier Algarotti, qui part pour l'Angleterre dont elle rêve, de montrer l'épître consacrée à sa gloire par Voltaire au début de *Alzire* : « Je vous supplie de faire en sorte que la reine d'Angleterre, qui sait le français à merveille, la voit. Et que si on imprime, ou qu'on traduise *Alzire* en Angleterre, l'épître soit imprimée et traduite. Ils me doivent cette attention pour mon admiration pour leurs ouvrages [3]. »

Émilie qui a trente ans, comme Mme d'Épinay au moment où elle écrit son « Autoportrait », est loin d'avoir ses doutes et sa lucidité. Elle ne pense qu'à l'effet produit par l'épître à sa gloire [4].

1. 1re édition à Naples en 1735. L'ouvrage sera traduit en français en 1738. Il avait pour ambition de mettre le système de Newton à la portée des dames qui n'entendaient rien à la physique.
2. Lettre à Algarotti, 20 avril 1736.
3. Lettre à Algarotti, 5 mai 1736.
4. Lettre à Algarotti, 15 juin 1736. « J'ai bien peur que mon épître ne soit pas dans les deux éditions qu'on a faites à Londres, mais je serais inconsolable si elle n'était pas dans la traduction. Si le traducteur est ami de la reine, il la traduira sans doute. J'espère que vous me manderez ce que la reine en a dit [...]. La Duchesse du Maine n'est pas encore revenue de l'étonnement où elle est de voir tant de louanges adressées à une autre qu'elle ; elle est ivre de mauvais encens... »

Quelque temps plus tard, elle laisse éclater sa joie parce que Voltaire lui dédie un nouveau morceau de choix : les *Éléments de la philosophie de Newton.* Même si les bons amis du couple trouvent tout cela excessif, Mme du Châtelet n'hésite pas à écrire à Thieriot : « Je suis d'accord avec vous sur l'Émiliade *[Alzire]*, il n'y a rien de si flatteur pour moi [...]. Enfin je vous avoue que je suis très contente d'avoir l'un et l'autre *[Alzire* et Newton] [...]. Au reste je crois que ce sont les plus beaux vers qu'il ait jamais faits [...] et les idées les plus grandes qu'on ait jamais mises en vers [1]. »

A cette époque, l'ambition d'Émilie est concentrée sur la meilleure image de soi qu'elle peut donner aux autres. Que la reine d'Angleterre ou la duchesse du Maine lisent des vers à sa gloire la comble d'un plaisir mi-narcissique mi-exhibitionniste. A défaut d'être une femme admirable, elle est déjà une femme admirée.

Le plaisir ne durera pas, parce que Mme du Châtelet n'est pas femme à s'en conter longtemps. L'amour-propre reprendra vite le dessus et avec lui la lucidité. Pendant les années qui vont suivre, Émilie va se plonger dans un travail de Romain qui ne finira qu'avec sa mort. Consciente de ses dons mais aussi de ses limites, elle ne cessera plus jamais d'exploiter les uns et de faire reculer les autres. Tâche qui n'a pas de borne pour l'ambitieux.

Mme du Châtelet a très bien compris que « l'ambition est une passion insatiable [2] ». Le véritable ambitieux voit constamment son idéal reculer. Aussitôt qu'une étape est atteinte, d'autres apparaissent qui exigent plus d'efforts encore. L'ambitieux satisfait n'existe pas. Il laisse immédiatement la place au vaniteux et perd force et substance.

Ni Mme d'Épinay, ni Mme du Châtelet ne céderont à cette tentation. Perpétuellement insatisfaites

1. Lettre à Thieriot, 21 déc. 1736.
2. Lettre à Algarotti, 20 avril 1736.

d'elles-mêmes, elles lutteront jusqu'au bout pour être mieux encore et conquérir une ultime Bastille. Il ne faut donc pas croire Mme du Châtelet, lorsque, vers la fin de sa courte vie, elle affirme être dénuée d'ambition.

Alors qu'elle est en train de terminer péniblement son œuvre essentielle, la traduction et le commentaire de Newton, elle tente de justifier à ses yeux et à ceux de Saint-Lambert de l'avoir laissé à Lunéville pour travailler à Paris. Une première fois en mai 1748, elle lui écrit : « J'ai si peu d'ambition, je suis *si philosophe* sur tout ce qui ne touche pas à mon cœur, que j'aurais tout abandonné si l'envie de vivre avec vous ne m'avait donné de l'ardeur[1]. » Méchant prétexte que cette ardeur au travail inspirée par l'amour de Saint-Lambert et qui l'empêche d'aller le retrouver ! Ne va-t-elle pas lui avouer un mois plus tard « que son livre est une affaire essentielle [...] dont sa réputation dépend[2] ».

Mais Émilie refuse de prendre conscience qu'elle préfère sa gloire à son amant. Elle a beau se livrer à toutes les dénégations possibles, elle ne parvient pas à convaincre du contraire. Ses propos sur le sujet sont presque incohérents. Ainsi, lorsqu'elle dit à Saint-Lambert, un an plus tard : « Ne me reprochez pas mon Newton, j'en suis assez punie ; je n'ai jamais fait de plus grand sacrifice à la *raison* que de rester ici pour le finir[3] », elle se ment à elle-même. Au mot « raison », il faut substituer celui d'« ambition », qu'elle n'ose pas écrire, auquel elle ne veut même pas penser. Émilie est tout sauf philosophe et résignée. Lorsqu'il s'agit de sa gloire, rien au monde ne peut venir la distraire de sa tâche.

1. Lettre à Saint-Lambert, 23 mai 1748. « Philosophe », souligné par nous, signifie un peu, à la façon stoïcienne, la conscience de la vanité des biens de ce monde.

2. Lettre à Saint-Lambert, 16 juin 1748, tome II, p. 189.

3. Lettre à Saint-Lambert, 16 mai 1749, tome II, p. 284. Souligné par nous.

Est-ce là une preuve de philosophie chez une femme qui ne cesse de déclarer vaine la recherche de la gloire ? N'est-ce pas elle qui affirme dans son *Discours sur le bonheur*, qui se veut un traité de la sagesse humaine : « L'amour de la gloire, qui est la source de tant de plaisirs et tant d'efforts... est entièrement fondé sur l'illusion ; rien n'est si aisé que de faire disparaître le fantôme après lequel courent toutes les âmes élevées [1]. »

Illusoire, la célébrité est tout de même source d'un immense plaisir dont on peut jouir de son vivant. Mme du Châtelet plaide alors pour le sentiment contre la philosophie : « On ne savoure pas toujours le désir vague de faire parler de soi quand on ne sera plus ; mais il reste toujours au fond de notre cœur. Le *Philosophe* en voudrait faire sentir la vanité ; mais le *sentiment* prend le dessus, et ce plaisir n'est point une illusion : car il nous prouve le bien réel de jouir de notre réputation future [2]. »

Le plaisir de serrer Saint-Lambert dans ses bras ne compte pas à côté de celui de sa gloire. Mais Émilie ne peut s'avouer à elle-même un sentiment aussi égoïste et aussi dénué de raison.

Une femme raisonnable aurait-elle accouché de sa petite fille en restant à son bureau pour achever son commentaire de Newton ? Voltaire a donné six versions de l'accouchement de notre savante qui se recoupent à un ou deux détails près. Il écrit à la baronne de Staal-Delaunay :

« Elle était à son secrétaire à deux heures après minuit, selon sa louable coutume. Elle dit en griffonnant du Newton : Mais je sens quelque chose. Ce quelque chose était une petite fille qui vint au monde beaucoup plus aisément qu'un problème. On la reçut dans une serviette ; on la déposa sur un grand in-quarto, et on fit coucher la mère pour la

1. *Discours sur le bonheur*, *op. cit.*, pp. 21-22.
2. *Ibid.*, p. 22. Souligné par nous.

forme, et pour la forme aussi elle ne vous écrit point [1]. »

Voltaire ne fut jamais dupe de l'ambition de Mme du Châtelet. Dans l'éloge qu'il lui consacre après sa mort, il dévoile ce qu'elle voulait cacher à Saint-Lambert : « Elle était jalouse de sa gloire et n'avait point cet orgueil de la fausse modestie, qui consiste à paraître mépriser ce qu'on souhaite, et à vouloir paraître supérieur à cette gloire véritable, *la seule récompense de ceux qui servent le public* [2]. »

En soulignant la légitimité de l'ambition de feue Émilie, Voltaire plaide pour lui et tous ses frères d'ambition. Mais l'égoïsme et le narcissisme sont trop éclatants pour être crûment revendiqués. Il est bon de les masquer sous des prétextes honorables. Nos Émilie n'en manquaient pas.

### *L'autre comme prétexte*

A les écouter, elles n'auraient travaillé que pour le bien d'autrui. La plupart des ouvrages qu'elles ont publiés sont précédés de la même mise en garde. Elles disent, chacune à sa façon : ne croyez pas que j'ai œuvré pour mon plaisir. Ce que j'ai fait, je l'ai fait pour vous, lecteurs. Pour vous faciliter l'accès aux sciences, pour vous aider à être de meilleures mères, etc.

L'intention est encore plus nette chez Mme d'Épinay. Celle-ci a toujours revendiqué l'ambition d'être « utile » aux autres. Par tous les moyens, y compris celui de l'écriture. Plus sensible que son aînée à l'esprit philanthropique qui commence à être à la mode, Mme d'Épinay n'eut aucune peine à faire appel aux justifications altruistes.

Une exception : le livre *Mes moments heureux*

1. Lettre à la baronne de Staal-Delaunay, 4 sept. 1749.
2. *Préface historique* aux *Principia* de Newton, *op. cit.*, p. x. Souligné par nous.

qu'elle s'est dédié à elle-même. Là, point d'excuse au narcissisme. Cependant, le texte n'est destiné qu'à un très petit nombre d'amis. Émilie l'avait imprimé elle-même, à Genève, sur les presses que son ami Gauffecourt avait mises à sa disposition. Il n'en sortit que quelques dizaines d'exemplaires que l'auteur distribua avec une grande parcimonie. Voltaire lui-même n'en reçut pas. Vexé de ce manque de confiance de la part de sa « chère philosophe », il lui écrit : « Vous n'avez pas eu de confiance en moi et vous l'avez prodiguée à des prêtres genevois. Vos livres courent Genève [1]. »

Mme d'Épinay répondra à une amie genevoise que ce recueil de lettres n'était pas fait pour être imprimé et qu'elles ne furent écrites que pour l'instruction et le bien des enfants... Suivent d'autres explications guère plus convaincantes.

« Je n'ai jamais cru qu'elles seraient exposées à être jugées par d'autres que par quelques amis particuliers, dont je fais gloire de suivre les avis [...]. Je n'aurais jamais songé à les imprimer, sans le hasard qui me procura une imprimerie chez moi. J'ai d'abord compté n'en tirer que deux ou trois exemplaires pour mon amusement ; mais ensuite je n'ai pu en refuser à quelques amis [...]. J'y avais mis la condition qu'ils ne sortiraient pas de leurs mains [...]. On a abusé de ma confiance [2]. »

Mais Mme d'Épinay, avec une lucidité remarquable, confie à sa correspondante le vrai motif de toute publication : « Et si vous voulez que je vous dise tout, le soin qu'on prend de publier un ouvrage sous le prétexte de sa justification me semble presque toujours un sophisme de l'amour-propre pour mettre au jour une production qu'on se sait très bon gré d'avoir faite [3]. »

1. Lettre du 7 déc. 1759, La Pléiade, tome III, p. 707.
2. *Pseudo-Mémoires*, tome III, p. 448.
3. *Ibid.*, p. 449.

Cela est à mettre à son crédit et rend vraisemblable sa volonté de ne pas diffuser trop largement un écrit dont elle n'est pas satisfaite. Elle était presque humiliée d'avoir laissé se propager des textes mal corrigés et parfois maladroits. A cette occasion, elle fit preuve d'un désir ambivalent : montrer une première œuvre qu'elle savait peu digne de publication...

Cette prise de conscience ne l'empêchera pas de récidiver. Au tout début de l'*Histoire de Madame de Montbrillant*, ses *Pseudo-Mémoires*, qu'elle renonça à publier, elle ne put s'empêcher d'étaler une double justification à cette œuvre. « Mon but en publiant l'histoire de ses malheurs [ceux de Mme de Montbrillant, *alias* Mme d'Épinay] est de la justifier aux yeux du public du soupçon de légèreté, de coquetterie et de manque de caractère [1]. »

Après ce plaidoyer *pro domo*, sous le nom d'une autre, elle en vient au noble motif pédagogique :

« Ces mémoires doivent aussi servir de leçon aux mères de famille. On y verra le danger d'une éducation timide et incertaine, et la nécessité d'étudier le caractère d'un enfant pour former [...] un plan d'éducation invariable [2]. »

Enfin dans *Les Conversations d'Émilie*, publiées avec son plein accord, Mme d'Épinay, qui avait montré jadis tant de lucidité sur les faux prétextes de publication, fut obligée de se livrer à de véritables contorsions verbales pour expliquer l'édition de son livre. Les quatorze pages de l'Avertissement y sont consacrées. Non, elle ne se trouvait pas les talents suffisants pour une telle publication, mais des amis indulgents lui juraient que cet essai serait utile à l'éducation des filles en général... Elle accepte de

1. *Ibid.*, tome I, p. 4.
2. *Ibid.*

faire éditer le manuscrit en Allemagne. Il connaît un succès inattendu... elle ne le refusera donc pas à un éditeur français... Enfin il peut être utile aux personnes chargées de l'instruction des enfants, et surtout guider les mères vigilantes dans leur tâche...

Les vœux de Mme d'Épinay seront comblés, puisque son livre recevra le « Prix de l'Utilité »...

Mme du Châtelet montra le même empressement à rendre service à ses semblables. Et d'abord à son fils. Elle lui dédia l'Avant-Propos des *Institutions de Physique* dans lequel elle omet complètement de citer sa fille... Puisqu'il n'existe aucun livre de physique complet écrit en français et que cette discipline est très nécessaire à la compréhension du monde, « je ne me propose dans cet ouvrage que de rassembler sous vos yeux les découvertes éparses dans tant de bons livres latins, italiens et anglais [...]. Quoique l'ouvrage que j'entreprends demande bien du temps et du travail, je ne regretterai point la peine qu'il pourra me coûter, et je la croirai bien employée s'il peut vous inspirer l'amour des sciences [...]. Quelles peines et quels soins ne se donne-t-on pas tous les jours dans l'espérance incertaine de procurer des honneurs et d'augmenter la fortune de ses enfants [1] ! »

Propos qui ne manque pas d'audace quand on sait à quel point Mme du Châtelet fut peu préoccupée des soins maternels ! Comme Mme d'Épinay, Émilie fait preuve d'une grande humilité. Toute sa vie elle prétendra ne faire qu'œuvre modeste de traductrice, ce qui n'est que partiellement vrai.

Dans la préface qu'elle écrivit à sa traduction de *La Fable des Abeilles* de Mandeville [2], Émilie définit l'intérêt et les limites des traducteurs. « Ce ne sont

1. Les *Institutions de Physique*, 1740, Avant-Propos, pp. 4, 5.

2. Ira O. Wade, *in* : *Studies on Voltaire*, Princeton, 1947, a publié pour la première fois ce texte écrit en 1735 et retrouvé dans les *Papiers de Leningrad*.

pas des génies, mais ils sont utiles à la collectivité [1]. »

« Ils sont les négociants de la république des lettres [2]. » Leur travail exige une application dont on doit leur savoir gré, d'autant qu'ils en attendent moins de gloire. Ils sont d'une grande utilité à leur pays. « Ainsi si la nature humaine est redevable au sage M. Locke de lui avoir appris à connaître la plus belle partie d'elle-même, son entendement, les Français le sont sans doute à M. Coste de leur avoir fait connaître ce grand philosophe [3]. »

A l'écouter, on pourrait croire que Mme du Châtelet s'était contentée d'être le Coste français de Newton. Ambition déjà très remarquable, comme l'a fort bien expliqué Voltaire. Les *Principia* de Newton avaient déjà été traduits en latin en 1713. S'il est vrai que cette langue est entendue de toute la communauté scientifique d'alors, il en coûte toujours quelques fatigues à lire des choses abstraites dans une langue étrangère. D'ailleurs, « le latin n'a pas de termes pour exprimer les vérités mathématiques et physiques qui manquaient aux anciens [4] ».

En traduisant les conceptions de Newton dans la langue française qui était, à cette époque, la plus courante de l'Europe, elle rendait un fier service à toute la communauté scientifique. Mais l'on verra qu'elle ne s'est pas bornée à cela. Car la satisfaction des autres ne pouvait, quoi qu'elle en dît, suffire au bonheur de Mme du Châtelet.

Mmes du Châtelet et d'Épinay se sont donné

1. Id., *ibid.*, p. 132 : « Je sais que c'est rendre un plus grand service à son pays de lui procurer des richesses, tirées de son propre fonds, que de lui faire part des découvertes étrangères [...]. Mais il ne faut entrer en désespoir parce qu'on n'a que deux arpents à cultiver... »

2. *Ibid.*, p. 133.

3. *Ibid.*, p. 133 : Coste est le traducteur français des *Essais sur l'entendement humain* de Locke.

4. *Préface historique... in : Principes mathématiques..., op. cit.*, p. IX, publié en 1759.

beaucoup de mal pour sauver les apparences de la modestie et de l'altruisme. En réalité, comme bien des ambitieux, elles n'ont œuvré que dans leur propre intérêt.

En méditant sur l'éducation, et particulièrement celle des filles, Mme d'Épinay a réglé ses comptes avec elle-même. En traduisant Newton, ou en vulgarisant Leibniz, Mme du Châtelet a assouvi son profond désir d'explication métaphysique du monde.

En publiant leurs écrits, elles ont satisfait à une incontestable volonté de puissance. En dépit de toutes leurs dénégations, ces publications faisaient d'elles, sinon les égales, du moins les consœurs des plus grands. Mme d'Épinay pouvait croire qu'elle répondait à Rousseau, Mme du Châtelet qu'elle était partie prenante dans la grande polémique scientifique du XVIII^e siècle. Dans l'un et l'autre cas, leur travail leur renvoyait une image d'elle-même satisfaisante. Elles n'étaient plus des femmes ordinaires...

## CHAPITRE III

# LES DÉTERMINISMES DE L'AMBITION

En dehors de leur histoire personnelle qui a largement contribué à faire naître leur ambition, d'autres éléments interviennent qui expliquent le contenu même de celle-ci. Femmes d'une classe, d'une société, d'une époque, Mmes du Châtelet et d'Épinay furent l'objet d'autant de déterminismes qui conditionnèrent leurs choix. Généralement, l'ambitieux n'a pas conscience du réseau d'influences qui l'entoure. Au contraire, il a l'impression d'être son maître. Parce que personne ne pourrait le faire changer de passion, il se sent la liberté d'un Dieu. C'est seulement quand il échoue que les obstacles lui apparaissent insurmontables. Vanité bien humaine que de vouloir « extérioriser » ses échecs pour n'en point porter la responsabilité !

Il demeure qu'à tous les stades de l'ambition la marge de liberté est étroite. Que Mme du Châtelet désirât être savante, Mme d'Épinay pédagogue ou Mme de Staël politique, cela n'a rien pour nous surprendre. L'idéologie du moment, l'entourage proche et lointain conspiraient à cette fin. Elles ont simplement tiré profit de l'air du temps.

Leur condition de femme était une entrave supplémentaire. On verra plus loin avec quelle lucidité nos deux héroïnes l'ont mesurée. Notons pour l'instant qu'au XVIIIe siècle toute ambition féminine autre qu'artistique ou intellectuelle passe nécessairement par l'entremise des hommes. Mme de Maintenon put fonder Saint-Cyr, Mme de Pompadour nommer des ministres, parce qu'elles étaient les maîtresses du roi ; il en est de même, sur un tout autre plan, pour Mmes du Châtelet et d'Épinay. Les hommes ne leur ont pas donné le pouvoir, mais la culture. Sans leurs liens d'amitié et peut-être même leurs liaisons amoureuses, elles n'auraient jamais pu être ce qu'elles sont devenues. Car rien, dans le destin féminin, ne permettait d'accéder aux sphères dévolues depuis si longtemps à la gent masculine.

Rendons grâce aux hommes de leur entourage de leur avoir tendu la main et redonné l'esprit. Peu importe que leur intention n'ait pas toujours été aussi pure et altruiste qu'on le voudrait. L'essentiel est bien que le hasard des rencontres leur ait permis de transmettre une part de leur savoir, et que nos ambitieuses aient eu la clairvoyance et la volonté d'en profiter.

## *L'évolution des modes intellectuelles*

Bien que contemporaines, Mmes du Châtelet et d'Épinay n'appartiennent pas à la même génération. Rien de commun entre les intérêts de l'une et de l'autre. Mme du Châtelet est exclusivement attirée par les disciplines spéculatives, Mme d'Épinay se passionne pour les problèmes de société.

La physique et la métaphysique ont eu sa préférence, mais Émilie du Châtelet s'est intéressée aussi de très près à la grammaire et à la religion [1]. Voltaire qui avait relu tous ses manuscrits après sa mort confia à des proches qu'elle laissait des « monu-

1. Cf. les manuscrits de Leningrad publiés par Ira O. Wade *in : Studies on Voltaire with some Unpublished Papers of Madame du Châtelet*, Princeton University Press, 1947.

ments[1] ». Si elle consacra quelque temps à la traduction de *La Fable des Abeilles* de Mandeville et à un petit *Discours sur le bonheur,* l'essentiel de son travail concerne le savoir le plus abstrait.

Ce ne fut pas le cas de Mme d'Épinay qui se passionna toute sa vie pour l'éducation des enfants, la vie en société et le théâtre. Rien là de bien métaphysique. Les critiques théâtrales qu'elle écrivit pour la *Correspondance littéraire* dénotent un intérêt premier pour le vécu, et sont encore l'occasion de réfléchir sur l'éducation[2]. Sa correspondance avec Galiani (1769-1781) montre qu'elle s'est passionnée pour l'économie et la politique, reconnues comme les conditions d'une vie plus heureuse. Proche des Encyclopédistes, elle adopte leurs partis pris et, lorsque Louis XV dissout les Parlements et la Cour des Aides[3], elle est la première à lire les *Remontrances* de Malesherbes et à en diffuser les arguments[4].

En revanche, Mme du Châtelet n'eut jamais d'autres intérêts ou indignations politiques que ceux qui pouvaient la toucher directement. Elle ne s'émeut d'un changement de ministre qu'en fonction des avantages qu'elle peut en tirer pour Voltaire ou sa famille. En quoi elle ne diffère pas de ceux de sa classe.

### *Deux idéaux de vie*

On a coutume d'évoquer le XVIIIe siècle comme une entité dont l'unité efface la diversité.

Le surnom global de « siècle des Lumières » accentue encore l'aspect unitaire et continu de cette époque. Il ne s'agit pas de critiquer cette appellation

1. Cf. Lettres de Voltaire du 1er oct. et 26 oct. 1749.
2. « Le rêve de Mademoiselle Clairon », *Correspondance littéraire*, janv. 1772.
3. 1771.
4. Lettre à Galiani, 11 avril 1771.

dont le bien-fondé a été de multiples fois démontré, mais de ne pas se laisser abuser par une fausse homogénéité.

Les Émilie ont vécu la partie la plus féconde de leur vie de part et d'autre de la moitié du XVIIIe siècle. Mme du Châtelet, durant les années 1735-1749, Mme d'Épinay de 1756 jusqu'en 1783. L'année 1750 est une rupture moins artificielle qu'il n'y paraît au premier abord, car toutes deux sont effectivement les représentantes de deux états d'esprit, de deux systèmes de pensée bien différents.

Les frères Goncourt sont parmi les premiers à avoir mis en valeur l'aspect bigarré du XVIIIe siècle. Ils ont étudié précisément l'évolution des idéaux et des mœurs féminins. Dans un chapitre intitulé « La philosophie et la mort de la femme [1] », ils opposent deux conceptions successives de la vie qui correspondent parfaitement aux idéaux différents de nos héroïnes.

Une première approche du bonheur consiste à se rallier à une sagesse épicurienne. On se persuade qu'il n'y a rien d'autre à faire en ce monde qu'être heureux, et pour cela, on ne recherche que sentiments et sensations agréables. Si on est attaché à la vertu, ce n'est pas pour elle-même, mais parce que la bonne conscience est la condition du confort moral. « C'est une doctrine qui aime ses aises, qui cherche les commodités morales, un régime sans rigueur ressemblant à une douce et complaisante hygiène de l'âme, qui ne vise qu'à tenir le cœur et l'esprit dans une assiette tranquille [...]. A cette philosophie [...] *en succéda une autre,* qui allait véritablement soutenir et consoler la femme dans l'irréligion et lui conserver, dans le scepticisme, un appui moral [2]. »

Dans cette seconde optique, la recherche du bonheur ne passe ni par la croyance en Dieu, ni par le

1. *La Femme au XVIIIe siècle, op. cit.*, chap. XII.
2. *Ibid.*, p. 384. Souligné par nous.

seul plaisir, mais par le devoir accompli envers ses semblables.

« D'une sorte d'examen de conscience fait avec sincérité, la femme tire la pensée et la volonté de se rendre plus heureuse, mais en se rendant meilleure [...]. Des devoirs envers elle-même, elle monte aux devoirs envers les autres [...]. Elle se fait une obligation indispensable *de la justice envers tous les hommes* et la justice devient en elle une charité [1]. »

Mme d'Épinay correspond tout à fait à cette dernière description. Comme les autres femmes décrites par les Goncourt, sa religion n'est qu'une morale. Elle n'a que faire des philosophes ou de la théologie rationnelle. « Le galimatias des livres et des traités » ne lui sert à rien. Affranchie de tout dogme et système, elle puise ses ressources au fond d'elle-même [2] pour les faire partager aux autres.

Au début des années 1750, Mme d'Épinay fut tentée par l'idéal de vie stoïcien que lui décrivait Tronchin. « Étendez le domaine de votre philosophie ; le vrai bonheur y est enfermé ; tout ce qui est au-delà n'est que vains désirs [...]. Notre bonheur est en nous-même et s'affaiblit de l'appui de ce qui est au-dehors [3]. »

Elle reconnaît à ces conseils le mérite de la sagesse, mais leur dénie la faculté du bonheur. « Ma tranquillité n'en sera pas pour cela tout à fait assurée ni entièrement indépendante de moi, puisqu'*il m'est impossible de renoncer à aimer tendrement quelques-uns de mes semblables, ni à une certaine amitié et bienveillance pour les hommes en général.* Je ne pourrai même pas me flatter d'être indifférente à l'égard de l'injustice ou du méchant [...] comment m'empêcherai-je de le plaindre ?... [4]. » Elle est aussi

1. *Ibid.* Souligné par nous.
2. *Ibid.*, p. 386.
3. Lettre de Tronchin, juil. 1756, *in : Mes moments heureux, op. cit.*, p. 93.
4. *Ibid.*, p. 96. Souligné par nous.

éloignée du bonheur épicurien que de celui des stoïciens. Ces derniers se repliaient sur eux, rétrécissaient leur être pour éviter toute dépendance du contingent. Mme d'Épinay a une sensibilité ouverte sur le monde qui l'empêche d'être heureuse toute seule. A sa petite-fille Émilie, elle enseignera qu'il n'y a de bonheur possible qu'en observant les préceptes de la morale. Pour être heureux, il faut être utile aux autres, lui répète-t-elle sans cesse. Joignant les actes à la parole, elle emmène la jeune Émilie visiter des familles pauvres. Elle lui apprend à respecter autrui et à savoir se mettre à sa place. Mépris, dureté et ironie ne sont pas de mise dans la morale de Mme d'Épinay. Au contraire c'est vers la philanthropie, si chère au XIX$^{e}$ siècle, que s'oriente sa pédagogie.

Mme d'Épinay a adopté, comme beaucoup de ses contemporains, le nouveau code moral et sentimental qui fait une place nouvelle à la solidarité humaine. Progressivement, l'idée d'humanité s'impose aux esprits, jadis plus habitués à distinguer les hommes selon leur ordre plutôt qu'à les rassembler en un même concept. Il n'est donc pas étonnant que l'attention se soit détournée des sciences exactes pour embrasser les sciences sociales à peine naissantes. Politique, économie, pédagogie, philanthropie deviennent les principaux pôles d'intérêt de l'entourage de Mme d'Épinay. C'est à ceux-là qu'elle rapporte ses jugements, donne son temps et son admiration.

Quand Mme du Châtelet meurt en 1749, les idées de Mme d'Épinay n'ont pas encore vraiment vu le jour. Même Voltaire, qui laissa à juste titre dans l'histoire le souvenir d'un militant des droits de l'homme avant la lettre, n'était pas particulièrement préoccupé, du vivant de son Émilie, par les malheurs de ses contemporains. *Candide* date de 1759 et ses courageuses interventions en faveur de la famille Calas, de Sirven, La Barre, Lally-Tollendal sont toutes postérieures aux années 1760.

Mme du Châtelet a un idéal de vie qui est davantage l'héritage de la fin du XVIIe siècle qu'une anticipation du XIXe siècle comme celui de Mme d'Épinay. C'est une épicurienne impénitente qui met sur le même pied la santé, la vertu, les goûts, les passions, les illusions et l'absence de préjugés. Des autres, il n'est jamais question, sauf quand ils participent à son bonheur. « On n'est heureux que par des goûts et des passions satisfaites [1]. » Les siens sont l'étude, par définition solitaire, et la gloire, toujours personnelle. Seule la passion amoureuse la met en rapport avec autrui.

Mme du Châtelet n'a jamais été déchirée entre ses passions et ses devoirs. Elle a toujours fait passer les premières avant les seconds, sans tortures pour sa conscience. Peu sensible à la douleur ou aux souffrances des autres, elle possède la dureté de ses ancêtres. Les notions d'humanité et de solidarité n'ont pour ainsi dire pas de sens pour elle. Hors de son petit cercle d'amis et de ceux qui appartiennent à sa classe sociale et à son milieu intellectuel, le reste du monde n'existe pas.

Du XVIIe siècle, elle a gardé un sens intransigeant de la hiérarchie et l'idée du pouvoir absolu sur ceux qui dépendent d'elle. « Tel est mon bon plaisir » est sa doctrine. Elle n'est stoïcienne que lorsqu'elle envisage la vieillesse qu'elle ne connaîtra jamais. Elle a partagé toute sa vie de femme entre l'amour et l'étude, mais elle savait qu'un jour l'amour cesserait de la rendre heureuse et qu'il fallait s'assurer d'une source inépuisable de bonheur. C'est pourquoi elle conseillait « le goût de l'étude qui ne fait dépendre notre bonheur que de nous-même [2]. »

Mais, contrairement au sage stoïcien, elle ne méprisait ni la gourmandise, satisfaction d'un sens qui ne vieillit pas, ni la considération [3]. Ce dernier

1. *Discours sur le bonheur, op. cit.*, p. 4.
2. *Ibid.*, p. 39.
3. *Ibid.*, p. 38.

trait nous rappelle, s'il en était besoin, le statut qu'elle accordait à autrui. Non un frère, ni un égal, mais un admirateur déférent. Elle n'avait donc besoin des autres que pour se sentir exister, comme le maître a besoin de l'esclave dans la dialectique des consciences.

Si les deux femmes sont bien du même siècle en ce qu'elles privilégient, dans l'échelle des valeurs morales, le bonheur avant la grandeur, leur conception du bonheur n'est pas la même.

Comme l'a très bien souligné Robert Mauzi, « le XVIIIe siècle est moins sensible à la gloire que l'âge précédent [...] la gloire cesse d'être une fin pour devenir un moyen [...] bien loin d'être gratuite, la gloire se confond avec l'éclat auréolant des actions utiles [...] sa source n'est plus dans le moi mais dans les autres. Une gloire personnelle devient un non-sens. A la gloire héroïque succède la gloire utilitaire et philanthropique [1] ».

Si Mme d'Épinay illustre parfaitement ce changement d'esprit, Mme du Châtelet nous paraît davantage l'héritière du siècle de Louis XIV, en ce que la gloire est à la fois, pour elle, une fin et un moyen. Sa source est d'abord dans le moi, et l'idée qu'elle s'en fait ressemble peu à la vertu. S'il est vrai que les plaisirs de la gloire contribuent à son bonheur, ce en quoi elle est bien femme du XVIIIe siècle, elle n'a cure d'une gloire utilitaire. Elle rejoint curieusement l'idéal de Diderot pour lequel cet « applaudissement universel [...] est le meilleur stimulant de l'homme [2] ».

1. R. Mauzi, *L'Idée du bonheur, op. cit.*, p. 485.

2. *Ibid.*, p. 492. Lettre à Falconnet : « Le sentiment de l'immortalité [...] de faire l'admiration et l'entretien des siècles tend à émouvoir le cœur, enflammer l'esprit [...] à mettre en feu tout ce que j'ai d'énergie. » (*Œuvres*, Assézat, Tourneux, tome XVIII, p. 94).

*Des disciplines à la mode*

Les changements idéologiques ne sont pas sans conséquences sur les intérêts scientifiques. Évidence cent fois constatée par les historiens des sciences. Ainsi la philosophie morale de Descartes qui mettait le bonheur au premier rang des préoccupations humaines trouvera-t-elle sa pleine réalisation dans l'intérêt passionné des hommes du XVIIIe siècle pour les machines et les techniques. Le succès de l'*Encyclopédie* qui fait foi du changement des mentalités prouve que le bien-être est devenu un objectif digne d'attention.

De même que le XVIIe siècle avait renouvelé l'intérêt pour les mathématiques et la physique et contemplait l'univers infini avec de nouveaux instruments d'optique, de même les hommes du XVIIIe siècle se passionnaient pour la planète Terre, ses habitants, les moyens de les rendre plus heureux, et la vie en général.

En 1758, Diderot fait le constat de cette évolution. Alors que d'Alembert, mathématicien d'origine, veut quitter l'*Encyclopédie* menacée, Diderot lui répond qu'il a tort, parce que « le règne des mathématiques n'est plus. Le goût a changé. C'est celui de l'histoire naturelle et des lettres qui domine [1] ». Lui-même avait été tenté par les mathématiques dans le passé. Il avait envoyé un exemplaire à Voltaire et à Mme du Châtelet de ses *Mémoires sur Différents Sujets de Mathématiques* [2].

On ne connaît pas l'avis de Mme du Châtelet sur ces *Mémoires,* mais on sait en revanche qu'elle avait apprécié la *Lettre sur les Aveugles* qui faisait aussi partie de l'envoi. Diderot s'est dit comblé par la réponse chaleureuse de sa correspondante [3]. Le tra-

1. *Correspondance* de Diderot, tome II, lettre à Voltaire du 19 fév. 1758, p. 35.
2. *Ibid.*, tome I, lettre à Voltaire du 11 juin 1749, p. 79.
3. *Ibid.*, tome I, lettre au père Castel, mi-mars 1751.

vail qui lui valait les éloges d'Émilie était tout à fait d'avant-garde.

Avant 1750, la mode intellectuelle est aux Sciences qu'on ne distinguait pas encore nettement de la Métaphysique. L'évolution personnelle de Voltaire à ce sujet est significative. On se souvient qu'il était déjà un poète connu et apprécié du public français lorsqu'il s'exila à Londres de 1726 à 1729. Il y rencontra toute l'intelligentsia et manqua de peu Newton qui mourut en avril 1727. Il assista à ses funérailles grandioses et commença de s'initier à sa pensée grâce à Clarke, grand ami de ce dernier.

Rentré en France, il ne s'occupe plus que de poésie et d'histoire [1], jusqu'au moment où Maupertuis, lui aussi revenu de Londres, publie en octobre 1732 son *Discours sur les Différentes Figures des Astres.* Ce texte constitue un pas décisif en physique dans la réalisation d'un programme conçu sous l'influence newtonienne. Comme le dira Fontenelle, cartésien convaincu comme tous ses collègues de l'Académie des sciences : « Voilà l'attraction qui se montre ici sans voile [2]. »

La même année, Voltaire écrit à Maupertuis une lettre admirative, où il se rallie à ses idées scientifiques : « Je vous supplie très instamment de bien vouloir employer un moment de votre temps à m'éclairer. J'attends votre réponse pour savoir si je dois croire ou non à l'attraction ; ma foi dépendra de vous, et si je suis persuadé de la vérité de ce système, comme je le suis de votre mérite, je suis assurément le plus ferme newtonien du monde [3]. »

Maupertuis, flatté de cet appui inespéré, s'empresse de lui répondre. Voltaire le remercie avec

1. Il publie successivement les *Lettres philosophiques* (1729), *Brutus* (1730), l'*Histoire de Charles XII* (1731), *Zaïre* (1732) et commence *Le Siècle de Louis XIV* (1732).

2. Compte rendu sur le *Discours* de Maupertuis, *in : Histoire de l'Académie des sciences*, 1732, p. 132.

3. Lettre à Maupertuis, 30 oct. 1732.

enthousiasme : « Vous avez éclairci mes doutes avec la netteté la plus lumineuse ; me voici newtonien de votre façon ; je suis votre prosélyte et fais ma profession de foi entre vos mains [1]. »

Non content d'être un admirateur du grand Newton et de son adepte breton, Voltaire entend prendre part à la violente polémique qui divise les savants français au sujet de la nouvelle physique de l'attraction. Une immense majorité d'entre eux s'affirment partisans des tourbillons de Descartes et ne veulent pas entendre parler de Newton. Le conflit des idées dépasse bientôt le cadre des spécialistes et le public cultivé brûle d'y participer. Voltaire écrit en avril 1735 :

« Les vers ne sont plus guère à la mode à Paris. Tout le monde commence à faire le géomètre et le physicien. On se mêle de raisonner. Le sentiment, l'imagination et les grâces sont bannis [...]. Les belles-lettres périssent à vue d'œil [...]. Ce n'est pas que je sois fâché que la *philosophie* soit cultivée, mais je ne voudrais pas qu'elle devînt un tyran [...]. Je veux passer d'une expérience à un opéra [2]. »

En attendant, Voltaire cède à la tyrannie de la mode et abandonne la poésie pour le compas. Stimulé par Mme du Châtelet, il entreprend de vulgariser la pensée du maître anglais pour la mettre « à la portée de tout le monde ». Il consacre l'essentiel de l'année 1736 à l'étude de Newton, aidé si activement par Émilie qu'on a pu se demander si elle n'était pas le principal auteur de ce travail.

Réfugié en Hollande en 1737, il remet le manuscrit au libraire Ledet qui le publie en le complétant à sa manière. Voltaire veut alors le faire imprimer en France avec des éclaircissements. D'Aguesseau, sous la pression des cartésiens, refuse le privilège et n'ac-

1. *Ibid.*, 3 nov. 1732.

2. Lettre à Cideville, 16 avril 1735. Souligné par nous : le terme « philosophie » englobe ici la science, comme il était fréquent à cette époque.

corde que la permission tacite. En 1738, le livre connaît un succès si considérable auprès du public cultivé que Besterman affirme ne pouvoir le comparer qu'à celui obtenu un siècle plus tard par Darwin avec *L'Origine des Espèces* [1].

Passionné par la physique, Voltaire délaisse ses autres activités. Il crée un véritable laboratoire à Cirey, commande à Moussinot force thermomètres, baromètres [2], chambre noire, et se livre à de multiples expériences en compagnie d'Émilie. A la fin de 1737 [3], il abandonne momentanément la science pour écrire une pièce, *Mérope*, et annonce qu'il veut délaisser Newton. C'était sans compter sur l'influence de Mme du Châtelet qui ne l'entend pas ainsi. A ses yeux, la poésie est chose facile et peu sérieuse qui ne mérite pas qu'on y consacre sa vie. Voltaire accepte la leçon : « Étant parvenu à quarante-trois ans, je renonce déjà à la poésie. La vie est trop courte et l'esprit de l'homme trop destiné à s'instruire sérieusement pour consumer tout son temps à chercher des sons et des rimes [4]. »

Il se plonge dans *l'Optique* de Newton, « que le Parnasse a un peu oublié [5] », mais n'abandonne pas toutefois les épîtres, malgré les pressions d'Émilie. Il écrit *Zulime*, seule pièce qui la fera pleurer d'émotion. Il est vrai que c'est un beau morceau de féminisme... Jusqu'en 1740, Voltaire alterne physique, histoire et poésie. En désaccord avec les travaux personnels d'Émilie, constatant qu'il ne peut être à la fois poète et physicien et que son goût pour les sciences ne vaut pas ses dons pour l'écriture, Voltaire range ses compas et décide de revenir « à l'autel de Melpomène [6] ». En juin 1741 [7], il confirme

1. Théodore Besterman, *Voltaire*, 1969, p. 193.
2. Lettres à Moussinot, juil. 1737.
3. Lettre à Thieriot, 15 déc. 1737.
4. Lettre à R., 20 juin 1738.
5. Lettre à Thieriot, 23 juin 1738, p. 1169.
6. Lettre à Cideville, 25 avril 1740.
7. Lettre à Henri Pitot, 19 juin 1741.

son abandon de la physique et, quelques mois plus tard, il s'insurge contre sa prééminence.

« A Paris [...] les arts que j'aime y sont méprisés [...]. La supériorité qu'une physique sèche et abstraite a usurpé sur les belles lettres commence à m'indigner [...]. J'ai aimé la physique tant qu'elle n'a point voulu dominer sur la poésie ; à présent qu'elle écrase tous les arts, je ne veux plus la regarder que comme un tyran de mauvaise compagnie [1]. »

On ne peut s'empêcher de remarquer que ce rejet de la physique, incarnée au plus haut point par Émilie, va de pair avec les premiers signes de dissension dans le couple qu'ils forment...

Il serait cependant inexact de laisser entendre que l'intérêt de Voltaire pour la physique n'était dû qu'à son amour pour Émilie. D'abord il s'y était attaché avant de la connaître et, surtout, la mode des sciences exactes avait excité tous les bons esprits. Les femmes du monde se déclaraient newtoniennes, même si elles n'avaient pas les capacités de Mme du Châtelet pour pouvoir en juger. La jeune duchesse de Richelieu suit des leçons de physique à Lunéville. « Un célèbre prédicateur jésuite, le père Dallemant, s'est avisé de venir à ses leçons et de disputer contre elle sur le système de Newton qu'elle commence à entendre, et qu'il n'entend point du tout. Le pauvre prêtre a été confondu et hué en présence de quelques Anglais qui ont conçu de cette affaire beaucoup d'estime pour nos dames [2]. »

La duchesse de Saint-Pierre, elle aussi, exige de Maupertuis qu'il lui enseigne les rudiments de la nouvelle science [3]... au nom de la passion qu'elle a pour lui... Elle est bientôt imitée par la duchesse de Chaulnes... Mais, pour ces dames qui, en matière de physique, n'égaleront jamais les connaissances d'Émilie, le newtonianisme a surtout la figure du

1. Lettre à d'Argental, 22 août 1741.
2. Lettre à Thieriot, 20 juin 1735.
3. Lettres des 18 août et 29 oct. 1739.

séduisant Maupertuis. Il y avait cependant chez nombre d'entre elles une intense curiosité mondaine pour le génie anglais. A tel point que le jeune savant italien Algarotti décida d'écrire un ouvrage de vulgarisation mis à leur portée : *Le Newtonianisme pour les dames.* Il termina le livre à Cirey avec l'aide de Mme du Châtelet qui n'était pas encore la spécialiste qu'elle sera après 1740. A cette époque, fin 1735, elle prend grand plaisir à travailler avec le jeune Vénitien qui éblouit Voltaire par son savoir : « Il entend Newton comme les *Éléments* d'Euclide[1]. » Elle-même ne cache pas son admiration pour lui : « Il a mis les sublimes découvertes de Monsieur Newton sur la lumière en dialogues qui peuvent (au moins) faire le pendant de ceux de Fontenelle[2]. »

Elle va même jusqu'à apprendre l'italien pour traduire ce chef-d'œuvre en français.

Deux ans plus tard, mieux à même de juger, elle modère son enthousiasme dans une lettre au duc de Richelieu : « Les dialogues d'Algarotti sont pleins d'esprit [...]. Je vous avoue cependant que je n'aime pas ce style-là en matière de philosophie, et l'amour d'un amant qui décroît en raison du carré des temps et du cube de la distance me paraît difficile à digérer[3]. »

Algarotti n'avait, effectivement, reculé devant rien pour mettre Newton à la portée des dames... Mais Émilie, qui l'entendait comme un homme, ne pouvait plus admettre un tel détournement de la pensée du maître.

L'intérêt pour la nouvelle physique, et la polémique qu'elle suscitait, furent également stimulés par

1. Lettre à Thoulier d'Olivet, 30 nov. 1735.
2. Lettre de Mme du Châtelet, 3 janv. 1736 (adressée à ?).
3. Lettre du 17 fév. 1738. Dans la lettre du 3 septembre suivant, elle sera plus sévère encore. Elle écrit à Maupertuis : « Je vous avoue que je n'aime pas trop cette bigarrure d'arlequinade et de vérités sublimes. »

tout le folklore qui entoura les grands voyages entrepris par les newtoniens au pôle Nord et à l'Équateur. Pour confondre ses opposants, et notamment Cassini, le plus tenace d'entre eux, Maupertuis décide de faire une expédition en Laponie avec une poignée de jeunes et brillants scientifiques, Clairaut, Lemonnier, Outhier et Camus, afin de mesurer au fond du golfe de Botnie un arc de méridien traversant le cercle polaire, puis de comparer sa valeur avec celle que d'autres astronomes devaient établir près de l'Équateur.

L'enjeu était si considérable que les ministres Maurepas et Fleury encouragèrent les expéditions qui devaient prouver définitivement la forme de la Terre. Maupertuis pensait, comme jadis Huygens et Newton, que la Terre était aplatie aux pôles, mais les astronomes parisiens croyaient qu'elle était une sphère parfaite.

L'expédition de Maupertuis [1], puis celle de La Condamine au Pérou apportèrent la démonstration irréfutable des assertions de ces derniers. Mais Paris se passionna davantage pour les amours de Maupertuis avec une Lapone qu'il avait ramenée à Paris que pour les résultats scientifiques exceptionnels de son voyage. Par ces biais détournés, on ne parlait plus que de science. La physique paraissait amusante, colorée et source de potins... Mais quand le pittoresque disparut, elle cessa d'intéresser les amateurs de l'esprit. A l'époque où Voltaire se consacre à nouveau à la poésie, le public se détourne des sciences abstraites pour se porter vers des sujets qui le concernent plus directement et qu'il appréhende plus aisément. Mme du Châtelet, qui n'était pas, quoi qu'en dise G. Bachelard, amateur de sciences « minaudées [2] », continua ses travaux avec l'ardeur que l'on sait, jusqu'à ce que la mort l'emportât à la veille de l'année 1750.

1. Avril 1736-août 1737.
2. *La Formation de l'esprit scientifique*, 4e éd., 1965, Vrin, p. 34.

1750-1760 : cette décennie voit naître un nouvel état d'esprit plus critique, voire révolté à l'égard de la société existante. La bourgeoisie montante revendique une plus grande égalité de tous les états. La société devient la valeur suprême. C'est le premier stade d'une évolution qui conduit à faire passer l'humanité au premier plan de la pensée morale. Bientôt l'abbé de Saint-Pierre se fera l'apôtre de la bienfaisance, et Voltaire, le défenseur de la tolérance.

Pour l'instant, on prend conscience qu'une société meilleure exige une nouvelle éducation. Les philosophes rappellent inlassablement que seule l'éducation peut former de bons « citoyens » qui aimeront le bien public, à présent nouvelle vertu suprême. On se plaît à citer Platon et Lycurgue pour qui l'éducation des enfants était l'affaire la plus importante de l'État.

Aux alentours du demi-siècle et jusqu'à la Révolution, paraissent de nombreux livres sur la question, œuvres de toute l'intelligentsia française. Philosophes, moralistes, hauts fonctionnaires et médecins se mêlent activement de pédagogie qui apparaît comme le problème le plus urgent à résoudre pour améliorer la société et le bonheur des hommes.

Lorsqu'on considère les écrits pédagogiques de la première partie du siècle, on constate que la finalité de l'éducation était alors la formation d'un individu propre à son état. Presque tous s'adressent à la noblesse [1], considérée comme la seule condition intéressante. L'éducation veut être mondaine et ne cherche qu'à rendre brillant le jeune seigneur. L'abbé Prévost l'a bien décrite dans les *Mémoires d'un homme de qualité* [2]. Le jeune marquis qui lui est confié n'étudie que trois heures par jour et consa-

1.Cf. Bouyer de Saint-Gervais, *Conseils d'un gouverneur à un jeune seigneur,* 1727. Brucourt, *Essai sur l'éducation de la noblesse,* 1747. Duchesne, *La Science de la jeune noblesse,* 1729-1730.

2. *Mémoires et aventures d'un homme de qualité qui s'est retiré du monde,* 1728.

cre le reste de sa journée aux divertissements, promenades et mondanités.

Le but recherché est d'apprendre à *plaire* [1] à ses semblables en adoptant leurs habitudes et particularismes. Le mari de Mme d'Épinay est présenté tout au long de ses *Pseudo-Mémoires* comme un fervent adepte de cette éducation traditionnelle. C'est pour obéir à la tradition qu'il envoie son fils au collège contre la volonté de sa femme. Il est plus soucieux de lui faire apprendre les jeux de société qui lui permettront d'être à l'aise dans son milieu que de lui donner une véritable instruction. A Mme d'Épinay qui suggérait un « plan d'éducation propre à lui former le cœur et la raison », M. d'Épinay répond : « Que peut apprendre un enfant en ne faisant presque jamais que causer avec lui ? [...] Cette étude du droit naturel me paraît fort peu nécessaire [...]. C'est le latin qu'il faut apprendre. Il n'est même pas nécessaire qu'il entende bien ses auteurs, qu'on ne lit jamais, sorti du collège [...]. Je ne suis pas d'avis d'interrompre pendant deux ou trois ans l'étude des talents agréables [...]. Je veux qu'il emploie deux heures par jour à l'étude du violon, et deux heures à celle des jeux de société [2]. »

Dans la seconde partie du siècle, l'idéal pédagogique se modifie sensiblement. « C'est toujours vers « le monde » qu'il est dirigé, mais le sens du mot s'est élargi ; il ne s'agit plus du monde des salons, mais de la nature et de l'univers entier [3]. » Bien avant la publication de l'*Émile*, la leçon de choses se substitue à la leçon orale. Dans une *Lettre à la gouvernante* de sa fille, en 1756, Mme d'Épinay lui recommande : « Apprenez-lui à admirer les beautés de la nature, à voir travailler les insectes par exemple [...]. Qu'elle s'accoutume à être attentive à ces

1. Moncrif, *Essais sur la nécessité et les moyens de plaire*, 1738.
2. *Pseudo-Mémoires*, tome III, p. 333.
3. R. Mauzi, *L'Idée du bonheur*, *op. cit.*, p. 574.

sortes d'objets si dignes d'être admirés et si négligés dans l'éducation ordinaire [1]. »

La nouvelle éducation se constitue autour de trois intérêts nouveaux. Outre la connaissance de la nature, on lui demande de mieux adapter l'enfant à la société et de lui « former le cœur » pour en faire un être moral. Duclos, comme beaucoup d'autres, se plaint que l'esprit et l'âme soient traités avec insouciance. On enseigne n'importe quoi n'importe comment. Dans le meilleur des cas il y a « beaucoup d'instruction, et peu d'éducation », on se préoccupe d'enseigner « chaque partie des Lettres, des Sciences et des Arts, et personne ne s'est encore avisé de former des hommes [2] ».

La constatation de ces défauts est, aux dires de Duclos, si générale parmi les hommes qui réfléchissent « que ceux qui s'intéressent à leurs enfants songent d'abord à se faire un plan nouveau pour les élever [3] ». La bonne société lit avidement l'ouvrage sur l'éducation de John Locke [4] qui prônait la nécessité de commencer celle-ci le plus tôt possible.

Turgot, intendant du Limousin, se mêle lui aussi de critiquer l'éducation traditionnelle qui ne consiste qu'à nous rendre « pédant ». « On nous apprend tout à rebours de la nature [...]. On commence par vouloir fourrer dans la tête des enfants une foule d'idées les plus abstraites. Eux que la nature tout entière appelle à elle par tous les objets, on les enchaîne dans une place ; on les occupe avec des mots qui ne peuvent leur offrir aucun sens... [5]. »

Non seulement on forme des pédants, mais ceux-ci sont totalement ignorants de la nature. Après une longue éducation, l'homme ne sait rien du cours

1. *Mes moments heureux*, pp. 39-40.
2. *Considérations sur les mœurs de ce siècle*, 1751, p. 33.
3. *Ibid.*, p. 40.
4. *De l'éducation des enfants*, traduit en 1695.
5. Turgot, *Lettres à Mme de Graffigny sur les lettres d'une Péruvienne*, 1751, p. 244.

des saisons, des animaux ou des plantes. Plus grave encore, il ignore tout de la Morale.

« On a grand soin de dire à un enfant qu'il faut être juste, tempérant, vertueux ; et a-t-il la moindre idée de la vertu ? Ne dites pas à votre fils : Soyez vertueux, mais faites-lui trouver du plaisir à l'être [...]. Mettez-le dans les occasions d'être vrai, libéral, compatissant... [1]. » La véritable pédagogie est l'enseignement de la Morale, seule capable de nous rendre heureux. Désormais il faut apprendre aux enfants à ouvrir les yeux sur la nature et leurs semblables pour mieux former une unité avec eux. Le troisième tiers du siècle répandra plus largement encore cette « sensibilité sociale, dont l'amour du bien public, la recherche du bonheur général est l'expression pratique [2] ». L'*Encyclopédie* s'en fera l'écho en prônant l'idée d'humanité, « sentiment de bienveillance pour tous les hommes [...] sublime enthousiasme [qui] se tourmente des peines des autres et du besoin de les soulager [3]. ».

Dès le milieu du siècle, on associe l'éducation aux devoirs du citoyen, la vertu à la sociabilité et le bien particulier au bien général. Jean-Jacques Rousseau, prince incontestable de la nouvelle pédagogie, en fut convaincu très tôt. Il consacra vingt ans de sa vie à tracer les contours de l'éducation idéale. Jeune précepteur des deux fils de M. de Mably, à Lyon, il effectua médiocrement sa tâche qui ne dura qu'une année (1740), mais traça un plan théorique qui portait en germes un grand nombre d'idées que l'on retrouvera dans l'*Émile.* Ce *Projet pour l'Éducation de Monsieur de Sainte-Marie* [4], le plus jeune fils de M. de Mably, énonce les principes de la nouvelle éducation.

1. *Ibid.*, p. 244.
2. Camille Bloch, *L'Assistance et l'État en France à la veille de la Révolution,* 1908, p. 144.
3. Article *Humanité.*
4. 1741.

Il faut d'abord connaître la nature de chaque élève pour en déduire la méthode d'éducation appropriée. Après quoi vient le plan des priorités. Il convient de former le cœur de l'enfant et de partir de l'expérience pratique de l'élève pour conserver la droiture de son cœur et le rendre heureux. La formation du jugement vient en deuxième et seulement ensuite celle de l'esprit. Car l'essentiel est de former un honnête homme et un bon citoyen.

Toute l'œuvre ultérieure de Rousseau, jusqu'à la publication de l'*Émile,* sera une longue méditation sur cet idéal énoncé dès 1740. Même les écrits politiques participent au développement de ses idées pédagogiques, y compris le premier *Discours sur les Sciences et les Arts,* qui accuse les femmes d'être de mauvaises éducatrices et recommande de leur apprendre « la grandeur d'âme et la vertu [1] » pour qu'elles élèvent mieux l'autre moitié de l'humanité.

En 1762, lors de la publication de l'*Émile,* rédigé durant les années 1759-1760, Rousseau confie à Lenieps [2] que ce livre est le résultat d'un travail de huit ans. Dans les *Confessions,* il évoqua « vingt ans de méditation et trois ans de travail [3] ». Il est vrai que plusieurs femmes du monde ont sollicité ses avis sur la meilleure éducation à donner à leurs enfants. Hors Mme d'Épinay, Mme Dupin de Francueil lui avait proposé, dès 1743, de s'intéresser à celle de son fils, âgé de treize ans [4]. En 1756, c'est la belle-sœur de cette dernière, Mme de Chenonceaux, qui demande à Rousseau « un système d'éducation », car celui de son mari « la faisait trembler pour son fils [5] ». Deux ans plus tard, c'est au tour

1. *Discours sur les Sciences et les Arts,* 1749, La Pléiade, tome III, p. 21, note.
2. Lettre du 18 janv. 1762.
3. La Pléiade, tome I, p. 386.
4. On retrouvera une copie du *Projet d'Éducation* dans ses papiers.
5. *Confessions,* livre IX, La Pléiade, p. 409.

de Mme de Créqui de l'interroger sur la façon de mener son fils.

Dès cette époque, il se met à écrire l'*Émile* pour répondre à l'interrogation de plus en plus pressante de tous ceux que laisse insatisfaits l'éducation traditionnelle. « Depuis les temps infinis, il n'y a qu'un cri contre la pratique établie sans que personne ne s'avise d'en proposer une meilleure [...]. Malgré tant d'écrits qui n'ont, dit-on, pour but que l'utilité publique, la première de toutes les utilités, qui est l'art de former les hommes, est encore oubliée [1]. »

Hostile aux collèges, incapables de donner une formation morale, Rousseau jette la balle dans le camp des familles. Nullement dupe de la capacité parentale des hommes et des femmes qu'il côtoie, il préconise le recours au précepteur comme père spirituel.

Mme d'Épinay qui l'a écouté avec avidité ne l'entendra pas de cette oreille. C'est ce qui fait, au milieu de ses contemporains, son intérêt et son originalité.

## *La « vocation » scientifique et maternelle*

Les vocations respectives de Mmes du Châtelet et d'Épinay ne sont pas surprenantes. Elles ne sont ni l'une ni l'autre des précurseurs au sens strict du terme. Elles ont participé aux révolutions intellectuelles qui marquaient leur époque et qui étaient l'œuvre de quelques hommes de génie. Leur talent consista d'abord à percevoir l'intérêt de ces pensées nouvelles avant qu'elles ne devinssent des modes adoptées par tous. Leur audace – s'il en est une – fut d'investir les premières des domaines non encore foulés par les autres femmes. Et c'est là qu'on reconnaît l'une des particularités de l'ambition féminine.

1. L'*Émile*, La Pléiade, p. 241.

L'ambition ayant toujours été la grande affaire des hommes, elle n'a jamais pris pour eux le caractère d'une rivalité entre sexes. En revanche, chaque fois que les femmes ont fait preuve d'ambition, elles ont doublement ressenti leur condition féminine. Elles eurent d'abord l'impression de transgresser celle-ci pour rejoindre l'univers masculin. Mais elles connurent aussi l'étrange plaisir de se distinguer de leurs sœurs et de les dominer. Avant d'entrer en concurrence avec les hommes, l'ambitieuse se mesure d'abord aux autres femmes et à la condition qui leur est faite. Si elle sort victorieuse de ce combat, elle a déjà gagné l'essentiel de la guerre. Du moins à ses propres yeux, et à ceux de ses pareilles. Cela ne la rend pas plus aimable à ces dernières qui la regardent avec méfiance ou haine.

Dans le portrait cruel que Mme du Deffand traça de Mme du Châtelet, la plupart des assertions, qui sont autant de coups de couteau, sont fausses. Il en est une cependant d'une vérité psychologique incontestable : « Elle s'est faite géomètre pour paraître au-dessus des autres femmes, ne doutant point que la singularité ne donne la supériorité [1]. » C'est bien cela que l'orgueilleuse du Deffand ne supporte pas et qui explique l'incroyable haine qu'elle porte à une femme qui ne lui a jamais rien fait. Le propos pourrait s'appliquer à Mme d'Épinay, mais à un moindre degré. Il est exact dans la mesure où elle incarne un nouveau modèle maternel inconnu aux femmes de sa classe. Il l'est moins en ce qu'elle choisit d'exprimer son ambition sur un terrain spécifiquement féminin, la maternité.

Les hommes, toujours surpris de rencontrer des femmes sur leur territoire, finirent, après le mépris et la condescendance d'usage, par accepter le fait accompli. Il est vrai qu'au XVIII<sup>e</sup> siècle la gent masculine leur était moins hostile qu'au siècle suivant, et

1. *Correspondance littéraire*, tome XI, mars 1777, p. 436.

que les femmes n'étaient pas légion à prétendre les égaler. Et cependant...

*La science : un lieu misogyne du savoir*

Jusqu'au XXe siècle, les quelques femmes qui ont voulu se consacrer aux « sciences abstraites » ont été considérées comme des intruses par les hommes. Théologie, philosophie et sciences formaient un domaine réservé, le signe le plus noble de la virilité.

Rappelons l'histoire tragique d'Hypatie, cette femme grecque, philosophe et mathématicienne qui vivait à Alexandrie au IVe siècle [1] après Jésus-Christ. Son père Théon d'Alexandrie, célèbre mathématicien, lui avait transmis son amour des sciences et de l'abstraction. Elle avait fait des études approfondies de philosophie, d'éloquence et de mathématiques à Athènes avant de revenir se fixer à Alexandrie pour y enseigner. Fait exceptionnel, une femme dirigeait une école où l'on commentait Platon, Aristote ainsi que les œuvres de grands mathématiciens : Diophante, les *Sections coniques* d'Appolonios de Pergame, les *Tables* de Ptolémée. Les moines ne purent supporter la domination intellectuelle de cette femme. Ils excitèrent contre elle la foule qui finit par la tuer en la lapidant.

Le sort d'Hypatie est significatif. Certes l'agressivité masculine a rarement été aussi extrême contre l'insupportable concurrence féminine. Mais peu de femmes, dans l'histoire, se sont risquées sur un terrain aussi bien gardé. Les hommes leur en ont constamment refusé l'accès sous les prétextes les plus variés. Une première raison est la véritable terreur des hommes d'une identification des sexes. Lorsqu'une femme se mêle de sciences ou de philosophie, elle apparaît aux hommes, qui ont fait de la

1. 370-415.

Raison l'apanage de leur sexe, comme un double ou un équivalent.

Le second motif de l'exclusion des femmes du domaine de l'abstraction est la destination qu'on leur impose. Les hommes se sont réservé les hautes sphères et n'ont laissé aux femmes que la matière, la génération et la corruption. Pendant qu'ils contemplent les étoiles, comme Thalès qui tombe dans un puits faute de regarder où il met les pieds, les femmes, telle la servante de Thrace qui se rit de la maladresse du savant, sont chargées des exigences de la vie, les yeux tournés vers la Terre. Mais si elles refusent le rôle qu'on leur assigne, et empiètent sur celui du maître, qui assumera les charges de l'esclave ? Problème millénaire qui n'avait pas avancé d'un pas au XVIIIe siècle.

En ce temps où l'on commence à s'interroger sérieusement sur l'éducation des femmes, les plus audacieux continuent d'en tracer les limites en fonction de leur destination et de leurs devoirs. Celui que Mme d'Épinay appelait le « Divin Fénelon », qui fit figure de précurseur pendant près d'un siècle, est tout aussi hostile que ses prédécesseurs à l'enseignement des sciences. On trouve chez lui la même peur panique de faire des femmes des « savantes ridicules [1] ».

On ne leur apprendra donc que ce qui est utile au gouvernement du foyer, et notamment les quatre règles de l'arithmétique pour qu'elles puissent faire les comptes de la maison. Le latin ne serait enseigné qu'aux jeunes filles « qui renonceraient à la vaine curiosité, qui *cacheraient ce qu'elles auraient appris* [2] ».

Qu'aurait pensé le bon Fénelon des publications et polémiques publiques entreprises par Mme du Châtelet, lui qui craignait par-dessus tout « le goût

1. Fénelon, *De l'Éducation des Filles* (1687), éd. Delalain, 1878, p. 2.

2. *Ibid.*, p. 92. Souligné par nous.

du bel esprit et un excès de curiosité vaine et dangereuse [1] » ?

Fénelon redoutait les femmes qui voulaient se distinguer par leur esprit. « Une femme curieuse et qui se pique de savoir beaucoup, se flatte d'être un génie supérieur dans son sexe ; elle se sait bon gré de mépriser les amusements et les vanités des autres femmes, elle se croit solide en tout, et rien ne la guérit de son entêtement [2]. » En réalité, poursuit-il, elle ne peut rien savoir « qu'à demi ». Elle est plus éblouie qu'éclairée par la raison.

Ces femmes-là sont dangereuses lorsqu'elles se mêlent de métaphysique ou de théologie. Elles font naître des sectes et mènent des cabales. Il faut donc à tout prix empêcher la jeune fille de développer le « bel esprit ». « Qu'elle apprenne à se défier d'elle-même, et à craindre les progrès de la curiosité et de la présomption. Qu'elle s'applique à prier Dieu en toute humilité, *à devenir pauvre d'esprit* [...] *et à se taire, laissant parler les autres* [...]. Occupez-la d'un ouvrage de tapisserie [...]. Mais ne la laissez point raisonner sur un ouvrage de théologie [...]. Tout est perdu, si elle s'entête du bel esprit et si elle se dégoûte des soins domestiques [3]. »

On aurait pu penser que les femmes du XVIIIe siècle prendraient le contre-pied de Fénelon. Il n'en fut rien. Seule Mme d'Épinay osa s'y opposer, insidieusement, tout en reconnaissant sa grandeur, tandis que la plupart des pédagogues connus reprirent l'essentiel de ses thèses. Il convenait toujours de préparer les futures femmes à leurs devoirs domestiques.

Rares sont celles qui ont pris à cœur la cause des femmes avec autant d'ardeur que la marquise de Lambert. Sa dignité a souffert à l'idée « qu'on ne

1. *Ibid.*, « Avis à une Dame de qualité sur l'Éducation de sa fille », p. 107.
2. *Ibid.*, p. 108.
3. *Ibid.*, p. 109. Souligné par nous.

travaille que pour les hommes, comme s'ils formaient une espèce à part, tandis que les femmes sont sacrifiées, abandonnées, réduites à néant [...]. Livrées sans défense au monde, aux préjugés, à l'ignorance, au plaisir ; il suffit qu'elles soient belles, on ne leur demande rien de plus [1] ». Contrairement à son ami Fénelon qu'elle a beaucoup reçu dans son salon, la vieille marquise ne pardonnait pas à Molière d'avoir ridiculisé les femmes savantes et « déplacé la pudeur, attaché au savoir la honte qui était le partage du vice et fait que le ridicule est devenu plus redoutable que le déshonorant [2] ». Mais, tout en exaltant l'ambition masculine, qui consiste à se « rendre supérieur en mérite », et en protestant contre la tyrannie des hommes, elle se garde bien de rien prétendre pour les femmes qui dépasse ce que la nature ou l'ordre social permet de réclamer. Elle reconnaît que les vertus d'éclat ne sont pas leur partage. « Vivre chez soi, se régler soi et sa famille, ce sont là tous leurs mérites, mérites obscurs et que la gloire n'aide point à pratiquer [3]. »

A sa fille, elle recommande de modérer son goût pour les sciences, « qui ne donnent que beaucoup d'orgueil et démontent les ressorts de l'âme [...]. Les filles doivent avoir sur les sciences une pudeur presque aussi tendre que sur les vices [4] ».

Toute sa vie, Mme du Châtelet rencontrera cette hostilité envers les femmes de sciences. Sous couvert de galanterie, certains hommes ne manqueront pas de la renvoyer plus ou moins gracieusement aux occupations féminines qu'elle n'aurait pas dû quitter. Pour la remercier de son *Mémoire... sur le Feu,* Cideville lui écrit une lettre ironique. Il la taquine sur ses préoccupations scientifiques : « On ne voit

1. *Avis d'une mère à sa fille*, p. 8 de l'édition de 1828.
2. *Ibid.*
3. *Ibid.*
4. *Ibid.*, p. 47.

plus que prismes... récipients... parallaxes... sinus... tangentes, dans ces lieux mêmes où [...] dansait Terpsichore, où Melpomène déclamait les vers les plus sublimes... » Mais « un instant de passion vaut mieux que la physique entière [1] ».

Le roi Frédéric II en fait autant lorsqu'elle lui propose de l'initier à la physique : « Vous voulez, Madame, que je m'applique à la physique, pour que votre commerce ne m'ennuie pas [...]. Je sens bien que si j'avais le plaisir de vous voir, je vous parlerais de tout autre chose que de physique... [2]. » Il se moque d'elle lorsqu'elle lui envoie les *Institutions de Physique* : « Je vous demande bien pardon, Madame, de mon bavardage ; je me flatte que ce sera la Marquise du Châtelet qui lira ma lettre et non l'auteur de la Métaphysique, entourée d'algèbre et armée d'un compas [3]. »

Le roi a la dent bien plus dure lorsqu'il parle d'elle à Jordan. Il trouve tout à fait nulles ses *Institutions*, lui qui n'a que fort peu de connaissances de physique. Il n'hésite pas à réduire son esprit à la mémoire. Lorsqu'on se mêle, dit-il, d'expliquer ce qu'on ne comprend pas soi-même, on est comme un bègue qui veut enseigner l'usage de la parole à un muet.

« Ses amis devraient lui conseiller charitablement d'instruire son fils sans instruire l'univers, de ne point parler d'algèbre dans un livre de métaphysique, et de ne point dessiner des figures lorsqu'on ne peut s'expliquer clairement sans leur secours [4]. » Frédéric aurait-il osé adresser de telles critiques à Clairaut ou Dortous de Mairan ? Les aurait-il renvoyés à leurs études comme il le fit pour Émilie ? Aurait-il laissé entendre qu'ils devaient tout à d'autres hommes ?

1. Lettre de Cideville, 3 juil. 1738.
2. Lettre de Frédéric, 20 août 1739.
3. Lettre de Frédéric, 19 mai 1740.
4. Lettre de Frédéric à Jordan, 20 sept. 1740.

Les femmes non plus ne se privaient pas d'ironiser sur la vocation scientifique de Mme du Châtelet. Mme de Staal-Delaunay la décrit fielleusement dans une lettre à sa commère du Deffand : « Elle fait actuellement la revue de ses principes : c'est un exercice qu'elle réitère chaque année, sans quoi ils pourraient s'échapper, et peut-être s'en aller si loin, qu'elle n'en trouverait pas un seul. Je crois bien que sa tête est pour eux une maison de force, et non pas le lieu de leur naissance [1]. » La commère n'est pas moins venimeuse lorsqu'elle affirme « qu'elle étudiait la géométrie pour parvenir à entendre son livre [les *Institutions*]. Sa science est un problème difficile à résoudre. Elle n'en parle que comme Sganarelle parlait latin, devant ceux qui ne le savaient pas [2] ».

Venant de femmes aussi ignorantes en matière de science, ces coups de griffes auraient de quoi faire sourire s'ils n'avaient été généralisés et donc éprouvants à la longue pour celle à laquelle ils s'adressaient.

Plus de cinquante ans auparavant, une autre femme s'était risquée hors des sentiers battus et s'était attiré les mêmes volées de bois vert. Anne le Fèvre, épouse Dacier, avait bouleversé le monde des érudits en traduisant les anciens auteurs grecs et romains mieux que tous les spécialistes d'alors. Jalousée par les hommes, détestée par les femmes, elle s'était crue obligée de se justifier dans la préface de l'édition grecque et latine des *Hymnes, Épigrammes et Fragments* de Callimaque (1675). Elle y défendait son père que beaucoup blâmaient d'avoir appliqué sa fille aux doctes études de critique, et les traitait de fous, d'imbéciles et de « pauvres têtes ». Lorsqu'elle envoya ses œuvres à la reine Christine,

1. Lettre de Mme de Staal-Delaunay à Mme du Deffand, 20 août 1747.

2. « Portrait de feu Madame du Châtelet par Madame du Deffand », *in : Correspondance littéraire, op. cit.*

celle-ci la remercia et ne put s'empêcher d'ajouter : « N'avez-vous pas de honte d'être si savante [1] ? »

Sa plus grande gloire fut la traduction de *l'Iliade* (1711) et de l'*Odyssée* (1716) dont elle s'attacha à rendre l'esprit avant la lettre, provoquant ainsi une des batailles littéraires les plus vives qu'on ait vues. Mme Dacier combattit seule toutes les autorités masculines en la matière. De Perrault à Despréaux, de Pope à La Motte, du père Terrasson au père Hardouin, elle croisa le fer avec les meilleurs.

Croirait-on que l'unique sentence qu'on put trouver sous sa plume fut : « Le silence est l'ornement des femmes » ! Il est vrai qu'elle l'avait écrit en grec, en souvenir d'un mot de Sophocle...

La seule activité intellectuelle permise aux femmes était la littérature, et plus précisément le roman ou les comédies. Si elles sortaient de ce domaine qui fait d'abord appel à l'imagination et à la sensibilité, elles prenaient le risque d'apparaître comme des pédantes. Toute incursion dans le territoire de la raison pure apparaissait comme une menace pour les uns, une insupportable prétention pour les autres.

Il fallait donc beaucoup d'audace à Mme du Châtelet pour se lancer dans la carrière scientifique. Mais elle bénéficiait de trois atouts. Outre son éducation originale qui l'invitait à transgresser les usages et à mépriser les préjugés sexistes, elle était douée de prodigieuses capacités intellectuelles.

Alors que l'inaptitude de la société du XVIIIe siècle à faire ses comptes était notoire, Voltaire rapporte : « Je l'ai vue un jour diviser jusqu'à neuf chiffres de tête et sans aucun secours, en présence d'un géomètre qui ne pouvait la suivre [2]. » Elle comprend les

1. Rapporté par Sainte-Beuve dans les *Causeries du Lundi*, 6 mars 1854.

2. A. Maurel, *La Marquise du Châtelet*, 1930, p. 154.

disciplines les plus ardues à une vitesse étonnante. Sans parler de l'anglais dont Voltaire assure qu'elle l'apprit en quinze jours [1]. Nous savons qu'après deux ans d'études acharnées elle le surpassait dans la connaissance de la physique. Bientôt, il avouera ne plus pouvoir la suivre.

Dès 1735, il confie à Thieriot qu'« elle lit Virgile, Pope et l'algèbre comme on lit un roman. Je ne reviens pas de la facilité avec laquelle elle lit les essais de Pope, *On man*. C'est un ouvrage qui donne parfois de la peine aux lecteurs anglais [2] ». Même Mme de Graffigny est éblouie par la machine intellectuelle d'Émilie. Un jour que cette dernière lisait tout haut un calcul géométrique d'un « rêveur anglais », elle laisse éclater son admiration : « Le livre était écrit en latin et elle le lisait en français. Elle hésitait un moment à chaque période ; je croyais que c'était pour comprendre les calculs qui y sont tout au long, mais non ; c'est qu'elle traduisait facilement les termes de mathématiques, les nombres et les extravagances ; rien ne l'arrêtait [3]. »

Une autre fois, Mme de Graffigny s'émerveille de la rapidité avec laquelle elle traduit la préface de Mandeville. Elle va jusqu'à s'exclamer : « Notre sexe devrait lui élever des autels. C'étaient de belles crasseuses que les Athénaïs et ces autres bégueules si renommées [4]. »

Son troisième atout, et non le moindre, est un caractère impérieux et conquérant. Elle prend des risques, désire la gloire et entend ne pas rester spectateur passif des débats qui agitent le monde de l'esprit. Son goût naturel pour les sciences est doublement stimulé par son entourage et la polémique

1. Lettre à Sade, 3 nov. 1733.
2. Lettre à Thieriot, 11 sept. 1735.
3. *Correspondance* de Mme de Graffigny, éd. E. Asse, p. 50.
4. *Ibid.*, p. 116.

scientifique dont l'enjeu dépasse le cadre de la physique.

La jeune Émilie est d'emblée attirée par la brillante équipe du mont Valérien. Ces jeunes savants ont tout pour lui plaire : insolence, charme et séduction. De plus, ils sont à la pointe de la nouvelle physique, tous ardents défenseurs de Newton. Ajoutons que Mme du Châtelet n'était pas peu fière d'être la seule femme admise dans ce cénacle. Pour être à la hauteur de ses compagnons, elle eut à cœur de comprendre les raisons de leur combat contre l'« establishment » de l'Académie des sciences et d'entrer avec eux dans la bataille.

On a du mal à se représenter aujourd'hui le scandale que suscita l'importation en France du système newtonien, dans les années 1730-1740, par les amis de Mme du Châtelet. Deux camps inégaux se forment à cette époque, irréconciliables, entre « les impulsionnaires » et les « attractionnaires ».

La théorie de la gravitation n'est pas pour un cartésien une découverte parmi d'autres : elle implique une vision de la nature et une conception de la science radicalement contraires à l'esprit mécaniste. Des cartésiens, aussi souples que Fontenelle, se durcissent devant elle et n'hésitent pas à faire appel à l'amour-propre national pour tenter d'en arrêter l'influence. Pendant trente ans, tous les opposants à Newton – même pour des motifs différents – se retrouvent côte à côte pour faire face à l'adversaire. Tous ressassent sans se décourager les mêmes arguments, quitte à fermer les yeux sur les incohérences.

Émilie éprouvera l'impression enivrante d'être partie prenante dans « une guerre de religion » intellectuelle et d'appartenir au camp des persécutés qui ont la raison pour eux. Elle souffre de voir Maupertuis en proie à l'hostilité des cartésiens, Cassini, Mairan, Réaumur, qui refusent de reconnaître que la Terre n'est pas ovoïde, malgré les preuves apportées [1]. De plus, le pouvoir est contre les newtoniens. Émilie écrit à Maupertuis : « On ne veut pas en France, que Monsieur Newton ait raison [...] je ne désespère pas de voir rendre un arrêt du Parlement contre la philosophie de M. Newton et surtout contre vous [...]. Nous sommes des hérétiques en philosophie [2]. »

Voltaire, fervent newtonien, console Maupertuis en évoquant les précédents célèbres : « Souvenez-vous qu'on a soutenu des thèses contre la circulation du sang. Songez à Galilée et consolez-vous [3]. » Au même moment Voltaire a lui aussi maille à partir avec le chancelier qui refuse obstinément de laisser paraître ses *Éléments* avec le privilège. « Apparemment, dire que l'attraction est possible, et prouvée, que la terre doit être aplatie aux pôles, que le vide est démontré, que les tourbillons sont absurdes [...] cela n'est pas permis à un pauvre Français [4]. »

Émilie se passionne, tempête et jubile. Sa condition et ses dons lui permettent d'intervenir dans la bataille des Anciens et des Modernes. Mais surtout elle sait qu'elle est la première et la seule femme à investir le domaine scientifique. Quelle joie pour elle d'être sans concurrente, sur ce terrain exclusivement masculin ! Elle restera, de fait, une brillante exception en son siècle. La seule avant Marie Curie.

### *Le nouveau maternage*

Pour comprendre l'intérêt des choix de Mme d'Épinay, il faut bien en mesurer toute la nouveauté.

1. Lettre de Mme du Châtelet à Algarotti, 10 janv. 1738 : « Les fatigues qu'il [Maupertuis] a essuyées sont dignes de Charles XII [...] la récompense a été la persécution. La vieille académie s'est soulevée contre lui, M. Cassini et les jésuites [...] ont persuadé les sots que M. de Maupertuis ne savait pas ce qu'il disait. »
2. Lettre à Maupertuis, 10 janv. 1738.
3. Lettre de Voltaire à Maupertuis, 10 janv. 1738.
4. *Ibid.*

Deux siècles de maternage exemplaires [1] nous ont fait oublier la réalité maternelle des XVIIe et XVIIIe siècles, telle qu'elle fut vécue en milieu urbain et particulièrement dans les classes dominantes. A l'époque où Mme d'Épinay devient mère, cela fait plus d'un siècle que l'on traite l'enfant comme un gêneur [2]. C'est à peine si on lui reconnaît le droit de survivre. On s'en débarrasse en l'expédiant à la campagne, où, confié aux soins de nourrices mercenaires ignorantes, il a presque une chance sur deux de mourir. A moins qu'on ne perde son identité parmi d'autres nourrissons indiscernables. Beaucoup de moralistes de cette époque avancent le mot d'assassinat. Si l'enfant survit, on l'enfermera bientôt dans un collège ou un couvent en attendant de le marier ou de le lancer dans une carrière.

A en croire Bocquillot, l'allaitement maternel est complètement délaissé par les femmes des classes favorisées. En 1688, il écrit dans une de ses *Homélies* : « Il n'y a presque plus que les enfants des pauvres qui soient nourris par leur mère [3]. » Mais les moralistes ont beau tempêter contre ces mères indignes, le phénomène se généralise si bien qu'il y a, au milieu du XVIIIe siècle, une pénurie de nourrices mercenaires. La pratique sociale semble indifférente au point de vue moral. Tout est bon pour exporter les nourrissons loin du toit familial. Ce n'est pas sans étonnement que le lecteur du XXe siècle découvre dans les *Mémoires* de Mme d'Épinay les raisons invoquées par son entourage pour se débarrasser de ses nourrissons. Le mari trouve l'allaitement ridicule et peu digne de la condition de son épouse. Le grand-père, pour s'éviter les inconvénients de la présence d'un bébé chez lui, ne craint pas d'évoquer le manque d'espace dans son somptueux hôtel particulier ! Tous, sauf la mère, sont

1. Le XIXe et le XXe siècle.
2. É. Badinter, *op. cit.*, 1re partie, chap. II et III.
3. Bocquillot, *Homélies*, tome II, p. 64.

d'accord pour se débarrasser du bébé à plus d'une dizaine de lieues !

En 1756, le *Mercure de France* publie une lettre [1] adressée à Mme d'Épinay qui dresse un tableau des attitudes diverses que les mères de la haute société adoptent à l'égard de leurs enfants. Les unes, dans leur négligence, sont « de bonne foi [...] livrées aux dissipations du monde ». D'autres, aveuglées par leur propre frivolité, n'ont « jamais imaginé qu'une mère dût autre chose à ses enfants que des bonbons, des caresses et quelques soins domestiques ». Une autre catégorie est composée de « mères philosophes » que le snobisme porte à couvrir leur insensibilité de ce mot de philosophie consacré par la mode, qui se font « gloire de l'indifférence la plus coupable » et croient « se parer du nom de femme forte, en dédaignant des soins si tendres et des devoirs si sacrés ». « Rien n'est si rare qu'une mère tendre et éclairée, capable de faire marcher sur la même ligne le sentiment et la raison [2]. »

Au milieu du siècle, les mères rechignent à troubler leur tranquillité pour veiller sur ce petit fardeau qui exige une attention continuelle, perturbe le sommeil des parents et leurs rapports sexuels pendant la durée de l'allaitement [3], empêche la vie mondaine de la mère et porte atteinte à la beauté de sa poitrine. En outre, l'idéal mondain de l'époque commande de ne pas paraître attendri par sa progéniture. L'humaniste Turgot en est choqué. Mais il a beau fustiger, avec quelques autres, ces parents qui « rougissent de leurs enfants [4] », ceux-ci restent sourds aux propos des moralistes et des médecins. Une raison plus forte que tous les rappels à la morale vient

1. *Lettre à une dame occupée sérieusement de l'éducation de ses enfants*, juin 1756.
2. *Ibid.*, pp. 30-31.
3. A cette époque, on pensait que le sperme faisait tourner le lait de la mère.
4. *Op. cit.*, p. 249.

balayer les derniers scrupules : l'amour-propre, ou le snobisme des parents. Les femmes de la haute aristocratie, les premières, ont donné l'exemple de la négligence à l'égard des enfants. Peut-être ont-elles considéré que cet emploi n'était pas digne d'elles, soulignent en chœur les médecins moralisateurs. Puis les femmes des classes inférieures ont voulu imiter celles qu'elles admiraient, et la négligence est venue à passer pour une marque de distinction. Alors « les bourgeoises [...] les femmes des moindres artisans [1] », « toutes les mères qui se croient un peu au-dessus du vulgaire [2] » se déchargent sur d'autres de leurs obligations envers leurs enfants.

Assurément ces propos sont quelque peu exagérés, parce que la majorité des femmes de la campagne n'a jamais cessé de materner ses enfants. Il est certain également qu'ils ne disent pas toute la vérité et occultent la diversité des motifs qui ont amené les mères à adopter une telle attitude. Les femmes des artisans urbains n'avaient pas les mêmes raisons que les bourgeoises, et, a fortiori, les aristocrates, d'envoyer leurs nourrissons à la campagne. Cependant l'indifférence à l'égard de l'enfant est un phénomène dûment constaté à cette époque et les femmes du milieu de Mme d'Épinay en étaient les initiatrices. Sinon l'expression la plus criante.

Par son mariage, Mme d'Épinay appartient à la haute bourgeoisie financière. Yves Durand, qui a consacré une très belle thèse aux fermiers généraux [3] distingue parmi eux deux catégories. Ceux qui se rattachent à l'idéologie bourgeoise et chrétienne et ceux, plus nombreux, qui rêvent de se modeler sur les valeurs et le comportement de la grande aristocratie. Les premiers sont les adeptes du mérite, du travail et de la vertu ; les seconds penchent pour une totale liberté, la mondanité et un certain

1. Pierre Dionis, *Traité des accouchements*, 1718, p. 355.
2. Karl von Linné, *La Nourrice marâtre*, 1752, p. 218.
3. *Les Fermiers généraux au XVIII^e siècle*, P.U.F., 1971.

cynisme. L'opposition se retrouve dans leurs comportements différents à l'égard de la vie de famille. Pour les uns, comme Brac de la Perrière, le mariage est envisagé dans une optique chrétienne de fidélité et d'amour. Pour d'autres, le mariage n'est qu'une union de convenance où les « deux époux restent libres de leur conduite, où il n'est plus question de fidélité conjugale et où, à l'extrême, le mariage paraît lui-même honteux, restrictif d'une liberté qui se voulait totale [1] ».

Hélas, pour Mme d'Épinay, qui s'apparente à la première catégorie, son mari appartient à la seconde, de même que la totalité de son entourage. Une de ses belles-sœurs, Mme d'Houdetot, ne s'est mariée, confie-t-elle à Diderot [2], que pour aller plus librement dans le monde ; l'autre, Mme La Live de Jully, pour avoir un statut social honorable ; sa cousine Roncherolles, devenue présidente Maupeou contrainte et forcée, se jurait bien de ne tenir aucun compte des liens du mariage pour avoir les amants qui lui plaisaient. Bien entendu, les hommes de la famille avaient déjà adopté cette politique conjugale sans le moindre trouble de conscience.

Ce mépris des liens sacrés du mariage se faisait sentir à l'égard de toute vie familiale. De même qu'il n'était pas de bon ton de paraître aimer sa femme, de même il semblait inconvenant d'endosser le rôle du papa et de la maman. Si la séparation de corps entre époux [3] était chose banale dans ce milieu, celle des parents et des enfants était encore plus répandue. A plusieurs reprises, M. d'Épinay tenta de se débarrasser de la présence de ces derniers en suggérant qu'ils vivent sous le toit de leur grand-mère maternelle. Désir qui semble ne surprendre personne, sauf son épouse qu'il n'est pas loin de considérer comme une originale...

1. *Ibid.*, pp. 306-307.
2. Lettre à Sophie Volland, 30 sept. 1760.
3. Mme d'Épinay obtint la séparation d'avec son mari en 1749.

Pendant fort longtemps, l'inaptitude parentale à la pédagogie fut considérée comme une vérité établie, que nul ne songeait à remettre en cause. Même Rousseau, dans l'*Émile*, ignore les parents et en particulier la mère dès qu'elle a cessé d'allaiter. Très peu nombreux sont ceux, à cette époque, qui envisagent la possibilité de parents éducateurs au sein des classes dominantes, et moins encore de mère pédagogue. Lorsque Mme d'Épinay quitte sa petite société chaque matin pour donner des leçons à ses enfants, l'entourage s'en étonne comme d'une incompréhensible lubie. Pour la plupart, les femmes de ce milieu n'ont presque aucune responsabilité maternelle. Diderot en fera le constat, mais pour le regretter : « Les femmes ne semblent destinées qu'à notre plaisir. Lorsqu'elles n'ont plus cet attrait, tout est perdu pour elles. Aucune idée accessoire qui nous les rende intéressantes, surtout depuis qu'elles ne nourrissent ni n'élèvent leurs enfants [1]. » Il est vrai que le propos est tenu par un bourgeois de 1762. Soit presque dix ans après que Mme d'Épinay a été confrontée à l'éducation de ses jeunes enfants !

Face au comportement maternel généralisé propre à son milieu, Mme d'Épinay affiche une attitude novatrice à bien des égards. Elle fait siennes les valeurs morales de sa mère qui sont celles de la bourgeoisie du XVII^e^ siècle, telles qu'on les découvre dans le *Roman bourgeois* de Furetière [2]. Elle innove, dans sa classe, en réadoptant un comportement que les bourgeoises ont abandonné depuis plus d'un demi-siècle, mais qui s'accorde fort bien avec les idées nouvelles de son entourage intellectuel. Ce n'est pas un hasard si Mme d'Épinay s'est trouvée tellement à l'aise au milieu des austères protestants de Genève. Elle a la même notion qu'eux de la vertu et des devoirs, une conception identique des responsabilités parentales.

1. Lettre à Sophie Volland, 15 août 1762.
2. Publié en 1666.

Aux yeux de Mme du Châtelet et de ses amies, la maternité, dans les années 1725-1740, était chose vulgaire, animale et sans intérêt, bonne pour les femmes des classes inférieures et toutes celles qui ne pouvaient matériellement faire autrement. Pour Mme d'Épinay, la maternité a d'abord été un dérivatif à ses malheurs que son défaut d'instruction ne pouvait apaiser. Elle y fut amenée par le bon sens bourgeois de son tuteur et de l'ancienne génération incarnée par sa mère et une tante. Mais bientôt elle fera de ce « divertissement », au sens pascalien, le but de sa vie et sa gloire.

Elle décida, avec quelques autres, de transformer radicalement l'idée que l'on se faisait de la maternité. Du destin obligatoire que la femme partage avec la femelle elle fit une œuvre de liberté et de grandeur. Grâce à elle, la formation d'êtres humains conformes à un certain idéal moral devient la tâche la plus exaltante qu'une femme puisse jamais réaliser. Particulièrement l'éducation des filles dont on parle beaucoup et qui implique un nouveau modèle féminin.

Cette nouvelle approche de la grandeur et de la responsabilité maternelle est une idée véritablement révolutionnaire, qui va s'emparer pour longtemps du cœur des femmes. Tout le XIX^e^ et le XX^e^ siècles ont vécu sur cette conception qu'aucune femme ne songea à mettre en doute. Hors du maternage, point de salut pour la moitié de l'humanité qui trouve là son unique raison d'être. L'éducation des enfants jusqu'à l'âge adulte qui préoccupait peu les femmes les plus favorisées du XVIII^e^ siècle devient la seule ambition légitime de toutes les mères des siècles suivants.

Sous cet aspect, Mme d'Épinay peut être considérée comme un précurseur. Quelques mères avant elle avaient abordé les problèmes de la pédagogie, comme Mme de Lambert. D'autres, comme Mmes de Maintenon et de Genlis, furent de brillantes professionnelles de l'éducation des filles et s'étaient personnellement occupées d'enfants. Mais Mme d'Épinay est la première mère de sa condition à présenter les deux caractères de la nouvelle maternité. Mère, elle s'occupe personnellement de ses enfants ; pédagogue, elle définit le contenu de son éducation et réfléchit sur ses fondements et ses buts.

L'article déjà cité du *Mercure de France* témoigne de la nouveauté de son comportement. Bien qu'il ne s'adressât pas nommément à elle et que l'auteur eût préféré garder l'anonymat, tout le monde avait reconnu Mme d'Épinay en cette « dame occupée sérieusement de ses enfants », et Grimm, son amant, dans le rédacteur de l'article. Elle venait d'écrire en cette année 1756 les *Lettres à son fils,* son premier essai de pédagogie. Rousseau l'avait jugé mauvais, mais Grimm le trouvait intéressant.

Dans cette lettre qu'il lui adresse par *Mercure de France* interposé, il ne la félicite pas seulement des écrits théoriques qu'elle destine à son fils, il s'émerveille surtout de ses sentiments et des soins qu'elle dispense personnellement à ses enfants. Il admire sa patience et sa fermeté, la façon dont elle « se garantit des illusions de la tendresse [1] », en écoutant la raison, son plan d'éducation fondé sur le principe de « l'utilité » et de la solidarité. Il insiste surtout sur le fait qu'elle s'est sans cesse occupée d'eux [2].

Mme d'Épinay est une mère présente et attentive, adepte des nouvelles méthodes pédagogiques qui conseillent d'enseigner en amusant les enfants. Elle préside à l'éducation de son fils en bonne intelligence avec le précepteur chargé de son instruction et avec la gouvernante qui fait figure de « collaboratrice ». Grâce à quoi son fils « peut devenir un

1. *Op. cit.*, p. 33.
2. *Ibid.*, pp. 33-34 : « Vous ne les laissez pas un moment abandonnés à eux-mêmes [...]. Vous ménagez les instants de leur faire mille questions adroites qui leur font goûter la raison dans le sein du badinage. »

citoyen utile à sa patrie et à lui-même [...] l'amour maternel [lui assurera] un fils digne de ses soins [1] ».

Tel est l'hommage rendu à une mère suffisamment exceptionnelle pour que le *Mercure de France* lui consacre douze pages.

En adoptant ce nouveau rôle, Mme d'Épinay ne laissait pas seulement parler sa tendresse. Elle fit un calcul que bien des femmes ont refait depuis. Pleine de doutes sur elle-même, et ses possibilités personnelles, elle projeta sur son enfant l'ambition qu'elle n'était pas sûre de pouvoir réaliser. A défaut d'être à elle-même son propre chef-d'œuvre, elle ferait tout pour que son fils puisse être celui-ci. A ces moments-là, la mère se rappelle que l'enfant fait partie d'elle-même et que ses succès seront aussi les siens. La fierté maternelle satisfait le narcissisme féminin. Raison pour laquelle les mères sont prêtes à tout sacrifier pour leurs enfants.

A l'époque de Mme d'Épinay, le projet paraît d'autant plus accessible que l'heure est à l'angélisme de la nature et que l'éducation a vu son importance reconnue. Leibniz avait proclamé : « L'éducation peut tout, elle peut même faire danser les ours. » Locke allait plus loin en affirmant que toute idée est le produit de l'expérience individuelle et des contacts de l'homme avec son milieu. A l'entendre, la part du naturel est si réduite qu'on peut presque négliger l'influence de l'hérédité.

Cette valeur attribuée à l'éducation allait à l'encontre de la soumission à l'ordre de la nature maintes fois prêchée dans toutes les discussions sur la pédagogie. Rousseau n'a jamais admis la thèse des philosophes selon laquelle l'éducation peut tout. Elle avait pour mission, non de « créer un individu », mais de permettre le développement de toutes ses « potentialités naturelles » qui, sans elle, resteraient lettres mortes. En bonne rousseauiste, Mme d'Épinay pense de même. Elle n'hésite pas à dire dès les

1. *Ibid.*, p. 43.

premières pages de ses *Pseudo-Mémoires* que, si son éducation avait été autre, elle aurait été un esprit supérieur. Mais celle qu'elle avait reçue « avait déguisé ou affaibli ses dispositions naturelles [1] ». Autrement dit, Mme d'Épinay affirmait, sans le moindre scrupule de modestie, que la nature l'avait douée de mille talents que son éducation ratée avait étouffés. Forte de cette expérience négative, elle entendait en tirer la leçon pour réussir celle de ses enfants.

Contrairement à Rousseau, elle croyait que les parents sont capables d'élever leurs enfants et que ces derniers sont faits pour l'être [2]. Plus précisément, elle pensait que la mère était l'être le mieux à même de remplir cette tâche. Ainsi, Mme d'Épinay pouvait conclure logiquement qu'une éducation réussie manifeste le triomphe de la mère. L'inverse, bien sûr, étant la preuve de son échec. Ce simple raisonnement donnait aux femmes la possibilité inespérée d'avoir enfin un idéal digne d'elles !

Alors que Mme du Châtelet investit un domaine spécifiquement masculin et constitue une sorte d'exception pour les siècles à venir, Mme d'Épinay trace les contours d'un champ exclusivement féminin. Pendant plus de deux siècles, l'éducation sera de la compétence exclusive des femmes. Enfin un territoire où l'homme n'a pas sa place ! Une spécialité féminine digne de susciter admiration et respect.

Ayant échoué à faire de son fils un homme honnête et respectable, Mme d'Épinay connut aussi le revers de la médaille : l'angoisse et la culpabilité de toute mère devant l'échec et le malheur de ses enfants.

1. *Op. cit.*, p. 4.
2. « Les pères et mères ne sont point faits par la nature pour élever, ni les enfants pour l'être », phrase prononcée par Rousseau dans les *Pseudo-Mémoires*, tome III, p. 135.

Bien que Mme du Châtelet bénéficiât d'une éducation exceptionnelle, elle éprouva tout autant que sa cadette le besoin de développer sa faculté rationnelle et d'augmenter ses connaissances. Ce qui semble aller de soi pour une femme qui veut être physicienne peut surprendre chez celle qui n'a d'autre ambition que de se consacrer à ses enfants. Et pourtant, Mme d'Épinay découvre rapidement que le sentiment maternel ne suffit pas à faire une bonne éducatrice. La raison et les connaissances doivent très tôt collaborer avec l'amour et l'intuition. Elle se retrouva donc à l'âge adulte avec la nécessité de refaire son éducation, ou plus exactement de la commencer, car elle partait presque de zéro.

Mme du Châtelet n'était pas dans le même cas. Mais, aussi privilégiée qu'elle le fût dans sa jeunesse, elle n'avait pas atteint le niveau des étudiants qui sortent de l'Université avant de travailler sous la direction d'un maître. Elle se trouvait donc, elle aussi, en butte aux difficultés des autodidactes. Le travail solitaire, les lectures difficiles que nul ne vient éclairer, les difficultés de compréhension peuvent décourager les meilleures volontés.

Mme d'Épinay avait bien dévoré la bibliothèque de son beau-père, aussitôt qu'elle en avait eu la permission [1], mais elle avait procédé sans méthode. [2] Elle lisait les meilleurs philosophes, Locke, Montaigne, Montesquieu [3], elle notait soigneusement ses réflexions sur un cahier, mais elle ne parvenait pas à avoir des « principes et des idées nettes [4] ». Mme du Châtelet rencontrait le même genre de difficultés dans le domaine qui l'intéressait le plus en 1734. Elle avait grand mal à saisir toutes les subtilités de

1. *Pseudo-Mémoires*, tome I, p. 239. Après son mariage.
2. *Ibid.*, tome II, p. 425.
3. *Ibid.*, p. 508.
4. *Ibid.*, p. 425.

l'algèbre et de la géométrie et ne faisait plus de progrès. Toutes deux avaient donc un besoin pressant de professeurs, pour les aider à résoudre leurs problèmes respectifs. En l'absence de tout enseignement supérieur pour les femmes, elles profitèrent de leurs relations pour obtenir les meilleurs précepteurs. Grâce à la complaisance de ces derniers, elles purent surmonter leurs handicaps et s'élever au-dessus du niveau intellectuel des femmes de cette époque.

On ne peut mieux dire l'importance de l'entourage proche des femmes, ce qui limite d'emblée le nombre de celles pouvant prétendre à l'ambition intellectuelle. Rares sont celles qui purent bénéficier des leçons d'un Maupertuis ou d'un Rousseau. Il fallait pour cela la conjonction d'éléments différents : un milieu privilégié, l'heureux hasard d'une rencontre, du charme pour les retenir, de la volonté pour les comprendre.

Bref, un petit miracle !

### *Les leçons de Mme du Châtelet*

Elle fut toute sa vie désireuse d'apprendre. Au fur et à mesure qu'elle approfondissait tel ou tel aspect de la physique et des mathématiques, elle fit appel aux meilleurs esprits de son temps, afin de recevoir les éclaircissements nécessaires pour continuer son travail.

Maupertuis fut son premier professeur, certainement le plus déterminant. C'est Voltaire qui avait insisté auprès de son nouvel ami pour qu'il acceptât de diriger les études d'Émilie. Maupertuis céda à la requête de Voltaire et se fit le professeur de géométrie de la jeune femme de vingt-huit ans.

A lire la correspondance de Mme du Châtelet, on a le sentiment d'avoir affaire à une écolière studieuse. Elle va régulièrement chez lui en ce début 1734 prendre sa leçon. Il lui donne des devoirs à faire entre chaque séance, qu'il corrige la fois suivante. Elle travaille d'arrache-pied pour ne pas le décevoir et montre toute l'humilité qui sied à l'élève d'un grand homme : « J'ai passé hier toute ma soirée à profiter de vos leçons, je voudrais bien m'en rendre digne, je crains de perdre la bonne opinion que l'on vous avait donnée de moi [1]. »

Maupertuis avait-il montré quelque agacement lors d'une leçon qu'Émilie s'empressait de lui écrire : « Je sens que je ne dois pas abuser de votre complaisance. J'ai beaucoup étudié et j'espère que vous serez un peu moins mécontent de moi que la dernière fois [2]. »

Parfois elle se fait plaintive : « Vous n'avez pas envie d'encourager votre écolière, car j'ignore encore si vous avez trouvé ma leçon bien [3]. » Coquette : « Je reste chez moi. Voyez si vous voulez venir m'apprendre à élever un nombre infini à puissance donnée [4]. » Insistante : « Je l'ai passée [la soirée] avec des binômes et des trinômes. Je ne puis plus étudier si vous ne me donnez une tâche, et j'en ai un désir extrême [5]. »

Lorsqu'elle part pour Montjeu assister avec Voltaire au mariage du duc de Richelieu, elle emporte des leçons à apprendre et des devoirs à faire. Jamais assez à son goût. Elle écrit à Maupertuis pour continuer ses cours par correspondance. Au passage, elle fait l'éloge de ses talents pédagogiques : « Je vous avoue que je n'entends rien seule à M. Guisnée, et je crois qu'il n'y a qu'avec vous que je puisse apprendre avec plaisir [...] vous semez des fleurs sur un chemin où les autres ne font trouver que des ronces, votre imagination sait embellir les matières les plus

1. Lettre à Maupertuis, janv. 1734.
2. Lettre à Maupertuis, janv. 1734.
3. Lettre à Maupertuis, janv. 1734.
4. Lettre à Maupertuis, janv. 1734.
5. Lettre à Maupertuis, janv. 1734.

sèches [...] et m'apprendre des vérités si sublimes presque en badinant [1]. »

Au bout de quelques mois de leçons, Maupertuis abandonne son élève pour aller philosopher avec MM. Bernoulli à Bâle. Émilie reprend le chemin de Cirey en septembre 1734. Il n'empêche que, pendant les deux années suivantes, elle profitera au maximum des lumières de son maître à chaque fois qu'il acceptera de rencontrer son encombrante élève... Ce qui, il faut bien le reconnaître, sera de plus en plus rare. Maupertuis préfère correspondre avec elle plutôt que d'encourir ses assauts amoureux.

En 1736, lorsque Maupertuis part pour le pôle, Émilie a acquis les bases de la nouvelle physique. Elle est capable de comprendre les subtilités du système newtonien et de conseiller Voltaire et Algarotti dans leurs travaux. En février 1738, elle s'intéresse de près aux forces vives chères à Leibniz. Le 10 du même mois, elle envoie une lettre très importante à Maupertuis pour avoir son avis sur la découverte du philosophe. Cette longue missive est révélatrice de son évolution intellectuelle. Ce n'est plus une élève timide qui demande des conseils, mais une authentique physicienne qui veut confronter son opinion avec celle de son collègue. Elle y expose ses idées avec une autorité nouvelle : « J'ai toujours pensé que la force d'un corps devait s'estimer par les obstacles qu'il dérangeait et non par le temps qu'il y employait, et cela pour deux raisons...[2]. »

Dans cette même lettre, elle montre sa connaissance approfondie de tous les écrits scientifiques du moment. Elle a lu Mairan, de Louville, Fontenelle, Bernoulli et Molières qui ont pris parti dans la querelle des forces vives. Elle mentionne le physicien Henri Pitot avec lequel elle correspond et qui partage son avis sur Leibniz. Curieusement elle n'interroge pas Maupertuis sur les problèmes scientifiques

1. Lettre à Maupertuis, 7 juin 1734.
2. Lettre à Maupertuis, 10 fév. 1738.

que pose le concept de force vive, mais sur les difficultés métaphysiques qu'il soulève. « Si on prend pour forces les forces vives, la même quantité s'en conservera toujours dans l'univers. Cela serait plus digne de l'éternel géomètre [...] mais empêche que les créatures libres ne le commençassent... [1]. » Autrement dit, comment sauver la liberté humaine dans un tel système ?

A plusieurs reprises, elle interroge Maupertuis sur ce problème [2] et critique au passage les idées de Dortous de Mairan, anticipation de la future polémique publique qu'elle aura avec lui. Satisfaite par ses réponses, elle lui demande des éclaircissements sur son *Mémoire sur les Lois d'Attractions* [3], pose des questions précises sur la surface sphérique et l'infinité de superficies concentriques tracées par un corpuscule. Émilie retrouve le ton de l'élève, elle se fait humble et modeste, s'excuse des bêtises ridicules qu'elle a écrites dans ses dernières lettres... [4].

Malgré ce ton de soumission, Émilie n'a plus rien de l'élève passive. Elle sait apprécier, critiquer, prendre parti. Elle vient d'achever la rédaction de son *Mémoire... sur le Feu* pour le concours de l'Académie, dont elle espère sinon un prix, du moins la reconnaissance de ses capacités de physicienne. Même si elle continue de solliciter l'avis de Maupertuis sur tel ou tel problème de physique [5] ou de géométrie [6], on a le sentiment qu'elle traite presque d'égal à égal avec lui, en dépit des formes obligées de politesse et de modestie.

Clairaut, beaucoup plus jeune que Maupertuis, eut autant d'influence sur le développement de la pensée scientifique de Mme du Châtelet. Elle le ren-

1. *Ibid.*
2. Lettres du 30 avril et du 9 mai 1738.
3. 1735.
4. Lettre à Maupertuis, 20 mai 1738, p. 231.
5. Lettre à Maupertuis, 26 janv. 1739. Elle lui pose huit questions sur son *Mémoire* concernant la forme de la Terre.
6. Lettre à Maupertuis, 20 janv. 1739.

contra grâce à Maupertuis, parce qu'il faisait partie du petit groupe de têtes pensantes du mont Valérien. Il est reçu à l'Académie à l'âge de dix-huit ans, à la suite de ses *Recherches sur les Courbes à Double Courbure.* Maupertuis avait tout de suite reconnu le génie de son jeune collègue et l'avait invité à travailler avec lui.

Au début de leur rencontre, Émilie se souciait peu de le prendre comme guide dans ses études puisque Maupertuis, son amant et son professeur, suffisait à cette tâche. Mais lorsque ce dernier prit ses distances, Émilie se rapprocha de Clairaut qui devint son « Maître en géométrie » et son initiateur en astronomie. Doué de toutes les qualités d'urbanité [1] dont Maupertuis était dépourvu, Clairaut, qui aimait à rendre service, ne put résister aux charmes d'une élève si douée. Il fit à Cirey plusieurs séjours et confia à l'un de ses amis parisiens : « J'avais là deux élèves de valeur très inégale, l'une tout à fait remarquable, tandis que je n'ai pu faire entendre à l'autre [Voltaire] ce que sont les mathématiques [2]. »

Aux yeux de Clairaut, Émilie est une femme d'une exceptionnelle intelligence. S'il accepte d'aller jusqu'à Cirey ou de la conseiller pour son commentaire de Newton, c'est qu'il lui reconnaît une indiscutable compétence scientifique. Elle-même avoue à plusieurs reprises son admiration pour les travaux de Clairaut. Au père Jacquier, autre physicien d'envergure, elle écrit : « Les *Éléments d'Algèbre* de M. Clairaut vont paraître. C'est à mon gré un des livres les plus utiles, où le génie supérieur en la matière se fait le plus sentir [3]. » Dans cette même lettre de novembre 1745, elle fait un commentaire acide sur la dernière œuvre de Maupertuis, la *Vénus Physique :* « J'aimerais mieux encore qu'il fît de

1. Portrait de Clairaut par de Fouchy, dans la Préface d'E. Asse à la *Correspondance* d'Émilie, p. VIII.
2. Cité par Brunet, *Clairaut,* 1952, p. 14.
3. Lettre à Jacquier, 12 nov. 1745.

petits Maupertuis à Madame Debork, que de tels livres... », montrant ainsi qu'elle a définitivement changé de conseiller scientifique. D'ailleurs son commentaire de Newton s'inspirera officiellement des travaux de Clairaut sur le système du monde [1].

La dernière année de sa vie, Émilie travaillera comme un forçat avec Clairaut qui venait presque quotidiennement rue Traversière l'aider de ses lumières. A en croire les potins de Longchamp, Voltaire était agacé par ces longs tête-à-tête.

Un soir qu'ils travaillent à l'étage, Voltaire désire souper de bonne heure et envoie Longchamp les avertir. Ils demandent un quart d'heure. Une demi-heure s'écoule. Voltaire renvoie son laquais les prier de venir. « Nous descendons. » Aussitôt Voltaire de faire servir. Mais comme les plats refroidissent, il monte et trouve la porte fermée de l'intérieur. Furieux, il l'enfonce d'un coup de pied et hurle : « Vous êtes donc de concert pour me faire mourir ! » On expédia le souper sans un mot. Mais Clairaut restera plusieurs jours sans oser revenir [2]. Et pourtant Voltaire avait bien tort d'être jaloux.

Enfin Mme du Châtelet eut un troisième professeur à demeure. En 1739, elle demande à Kœnig, élève du leibnizien Wolff, de venir s'installer chez elle pour lui donner des leçons de géométrie [3]. Il la suit en Belgique où elle se partage entre les leçons de mathématiques et son interminable procès. Elle se dit ravie de son nouveau professeur dans une lettre à Bernoulli d'avril 1739. Mais elle découvre très vite qu'il n'a pas les qualités pédagogiques d'un Maupertuis ou d'un Clairaut. Au lieu de l'aider ou de la stimuler, Kœnig la décourage en voulant sauter les étapes. Elle avoue, désespérée, à Maupertuis, qu'elle

1. Lettre au père Jacquier, 1er juil. 1747.

2. Longchamp et Wagnière, *Mémoires sur Voltaire, op. cit.*, pp. 175-176.

3. Lettre à Frédéric, 27 fév. 1739 : « Je vais quitter quelques temps la physique pour la géométrie, la clef de toutes les portes. »

ne comprend rien à l'Algorithme : « J'ai bien peur qu'il ne soit bien tard pour moi pour apprendre tant de choses si difficiles [...]. M. de Kœnig [...] me mène un train de chasse que j'ai bien peine à suivre [...]. Je suis quelquefois prête à tout abandonner [...]. Je ne sais trop si Kœnig a envie de faire quelque chose de moi, je crois que mon incapacité le dégoûte...[1]. »

La brouille n'est pas loin entre le maître et l'élève qui font état l'un pour l'autre d'une incompatibilité d'humeur. Émilie demande à Maupertuis[2] d'intervenir auprès du fils Bernoulli, qui réside à Bâle, pour qu'il accepte de venir remplacer Kœnig auprès d'elle. L'affaire est conclue, lorsqu'elle se brouille avec Kœnig qui se répand méchamment sur son compte. Maupertuis conseille à Bernoulli de se rétracter, et Mme du Châtelet restera le bec dans l'eau...

Il n'empêche que, dès 1739, après avoir reçu Bernoulli à Cirey, elle entretiendra une correspondance régulière avec lui. Elle lui envoie ses œuvres, sollicite ses avis et tient compte de toutes ses observations, excepté lorsqu'il s'agit des monades de Leibniz[3]. Même si elle l'a très peu rencontré, Bernoulli est à mettre au compte de ses précepteurs, comme d'ailleurs d'autres de ses correspondants.

Elle s'est targuée à juste titre de correspondre avec les plus grands savants de l'époque : Maupertuis et Clairaut, mais aussi Wolff, Euler, Jurin, Mussembrœk et le père Jacquier. Avec les deux premiers, c'est probablement Jacquier qui lui a été le plus utile.

Il appartenait à l'ordre des Minimes créé par l'Italien Saint-François de Paule. Il résidait à la Trinité du mont Pincio, en Italie. Il fut l'un des illustres mathématiciens du XVIIIe siècle et, avec son ami le père Le Sueur, le plus ardent propagateur et com-

1. Lettre à Maupertuis, 20 juin 1739.
2. Lettre à Maupertuis, 15 sept. 1739.
3. Lettre à Bernoulli, 20 nov. 1746.

mentateur des doctrines de Newton. Réputé pour son érudition universelle, il occupait la chaire de physique expérimentale. En 1744, il passe une année en France et fait le détour par Cirey en juillet. Il évoque son commentaire en quatre volumes sur la philosophie de Newton à une époque où Émilie elle-même a commencé la traduction des *Principia.* De cette rencontre date leur correspondance dont nous ne connaissons que quatre lettres. On sait qu'elle aurait aimé traduire en français le commentaire du père Jacquier et qu'elle attendait avec impatience la publication de son quatrième volume qui devait l'aider à résoudre des problèmes qui l'occupaient alors. Hélas ! elle mourut trop tôt pour le lire.

Un détail nous révèle le respect que le père Jacquier lui portait : c'est lui qui œuvra pour qu'elle fût admise à l'institut de Bologne, à titre scientifique.

Il montre aussi que Mme du Châtelet avait définitivement changé de statut. De bonne élève, elle était passée, grâce à ses précepteurs prestigieux, au niveau d'experte. Même si elle n'atteignit jamais le génie supérieur de son premier Maître, elle était partie prenante aux débats scientifiques qui agitaient la scène européenne.

### *Les conversations de Mme d'Épinay*

Mme d'Épinay ne prit pas de leçons comme Mme du Châtelet. Mais elle acquit son savoir et développa son esprit par d'interminables conversations. Contrairement à d'autres femmes de la même période, elle ne cultivait pas l'art de parler mais celui d'écouter. Elle notait les conversations utiles et déterminait ensuite sa propre opinion.

Comme son principal intérêt concernait l'éducation de ses enfants, elle ne cessait de questionner autour d'elle sur ce sujet. Mécontente que sa famille eût étouffé son premier sentiment maternel en l'empêchant d'allaiter et en lui enlevant la présence de ses nourrissons, Mme d'Épinay fit appel à ses amis, Duclos, Rousseau et Grimm, pour apprendre l'art pédagogique. Elle était de ceux qui considèrent l'éducation comme un art qu'on ne possède pas de façon innée et qu'on ne peut abandonner à la seule intuition. Il faut des *Lumières* pour élever un enfant. Elle les demanda à son entourage qui se trouvait à la pointe de la question pédagogique.

Elle fit la connaissance de Rousseau par l'intermédiaire de Francueil qui en était l'ami et qui l'introduisit à la Chevrette au cours de l'année 1748. Les raisons de cette présentation n'étaient nullement pédagogiques. Il n'était question à cette époque que de rencontrer l'auteur de la comédie, *L'Engagement téméraire*, que l'on s'apprêtait à jouer sur la scène de la Chevrette. Dans leurs Mémoires respectifs, Rousseau et Mme d'Épinay donneront des détails sur cette représentation à laquelle l'auteur participait en tant qu'acteur.

La première rencontre des futurs amis, puis ennemis, fut chaleureuse. Mme d'Épinay est séduite par cet « homme singulier [...] complimenteur sans être poli [...] qui a infiniment d'esprit [...] le teint fort brun et des yeux pleins de feu animent sa physionomie. Lorsqu'il a parlé et qu'on le regarde il paraît joli ; mais lorsqu'on se le rappelle, c'est toujours en laid [1] ».

Petit à petit, elle lui accorde sa confiance et leurs promenades en tête-à-tête sont l'occasion de mutuelles confidences. De Francueil qui lui emplissait le cœur et l'esprit, elle passa à l'éducation de ses enfants qui la préoccupait davantage au fur et à mesure qu'ils grandissaient. Rousseau s'émeut de voir cette jeune femme prendre réellement soin de ses enfants. Elle s'occupe activement de son fils et de

1. *Pseudo-Mémoires*, tome I, p. 520.

sa petite fille, les loge près de son appartement pour « de sa chambre, être au fait de ce qui se passe [1] ». Rousseau, qui assiste à tous ces arrangements, en a, dit-elle, les larmes aux yeux !

De ses conversations avec Rousseau, elle retient la plupart des idées nouvelles en matière d'éducation. Même si l'auteur de l'*Émile* n'était pas à l'origine de toutes, il est fort probable qu'il fut celui qui l'en informa et lui en expliqua le bien-fondé. Grâce à lui, elle fut particulièrement attentive au développement et à l'hygiène du corps de ses jeunes enfants. Elle observa leur caractère respectif pour leur donner une éducation personnalisée et s'attacha à éveiller leur intérêt et leur curiosité par le jeu plutôt que de leur assener, comme jadis, des vérités toutes faites. Rousseau ne devait pas être étranger non plus à l'importance qu'elle accordait à l'observation de la nature.

En 1756, elle éprouve le besoin de mettre par écrit ses idées pédagogiques, en deux recueils différents. Le premier s'adresse à la gouvernante de sa fille et contient les instructions pour l'éducation de celle-ci. L'autre a pour titre *Lettres à mon fils* et constitue un véritable traité de morale à l'usage de la nouvelle génération. L'idée lui en était venue un jour que ses enfants s'étaient amusés à lui écrire une lettre et avaient pris plaisir à recevoir sa réponse. Louise entrevit l'intérêt pédagogique d'un tel jeu et conçut le projet « de leur écrire de temps en temps » : « Tout en les amusant, je ferai entrer des préceptes et des leçons qui leur laissent des idées justes dans la tête sur les principaux points de la morale [2]. »

En bonne élève, elle consulte son maître Rousseau pour connaître son avis sur les deux premières lettres adressées à son fils. La réponse du professeur n'est guère encourageante, mais elle contient un certain nombre d'idées que l'on retrouvera six ans plus

1. *Ibid.*, tome II, p. 384.
2. *Ibid.*, p. 517.

tard dans l'*Émile*. « Vos lettres [...] sont excellentes, mais elles ne valent rien pour lui [...]. Malgré la douceur et l'onction dont vous croyez parer vos avis, le ton de ces lettres est trop sérieux [...] gardez-les pour un âge plus avancé [...]. Gardez-vous des généralités ; on ne fait rien que de commun et d'inutile en mettant les maximes à la place des faits...[1]. »

La réponse est sèche et peu aimable. Bien qu'il critique davantage la forme que le contenu de ses écrits, qui comportent pourtant quelques remarques contre ses propres idées, Rousseau l'engage « brutalement à recommencer sa besogne[2] ». Contre toute attente, Mme d'Épinay ne suivra pas le conseil et continuera d'écrire à son fils des lettres qu'elle aura même l'audace de faire imprimer.

Mais Rousseau ne fut pas son seul précepteur. Grand ami de ce dernier, le moraliste Duclos a lui aussi joué le rôle de mentor auprès d'elle. Elle en a dit beaucoup de mal dans ses *Pseudo-Mémoires*, mais il est indéniable qu'il eut une grande influence sur ses idées dans les années qui suivirent leur rencontre chez Mlle Quinault en 1750.

Très lancé dans le monde, Duclos, membre de l'Académie française, faisait officiellement partie de l'intelligentsia de l'époque[3]. La publication de ses *Considérations sur les Mœurs*, en 1751, avait quelque peu annulé l'image de libertin engendrée par son premier ouvrage connu : les *Confessions du Comte de**** parues dix ans plus tôt, véritable « best-seller » des années 1740.

Nul doute qu'il impressionna Mme d'Épinay dès leur première rencontre. Le lendemain, elle note dans son journal : « Il est célèbre par son esprit,

1. *Ibid.*, p. 529. Dans le livre I de l'*Émile*, Rousseau redira : « La véritable éducation consiste moins en préceptes qu'en exercices. »
2. *Ibid.*, p. 530.
3. Duclos jouissait de la protection de Mme de Pompadour. Elle obtint pour lui, le 20 septembre 1750, la place d'historiographe du roi, en remplacement de Voltaire, parti en Prusse.

mais il devait l'être plus encore par ses vertus [1]. » A l'en croire, c'est lui qui envahira sa maison et s'imposera chez elle comme une sorte de directeur de conscience qu'elle accepta d'abord avec respect. D'autant plus que Rousseau en faisait grand cas.

Duclos ayant exposé ses idées sur l'éducation publique et privée dans les *Considérations*, et ayant préconisé un changement radical, elle sollicita ses conseils éclairés pour son fils. Elle voulut d'abord qu'il jugeât de son précepteur, et qu'il traçât un plan d'éducation que celui-ci appliquerait à son élève. Elle l'emmena un jour au collège du Plessis [2]. Ils surprirent l'enfant et son précepteur en pleine activité... L'enfant faisait des croix et des pâtés, faute de pouvoir traduire un thème latin trop difficile, et le précepteur, Linant, en robe de chambre, lisait couché sur un fauteuil. Scène typique de la mauvaise éducation traditionnelle ! Duclos procéda à une interrogation serrée de Linant qui fut obligé d'énoncer son plan et ses méthodes d'éducation : dévotion, beaucoup de latin, géographie en vers du père Buffier, lecture de l'*Imitation de Jésus-Christ* et de *La Henriade* de Voltaire [3].

Après une diatribe sévère contre un programme aussi inadapté, Duclos énonce le sien, sorte de vade-mecum de l'homme moderne. « Très peu de latin ; point de grec [...] un peu moins de dévotion. Je ne veux en faire ni un cagot, ni un sot, ni un savant [...]. Beaucoup de mœurs, de morale [...]. Apprenez-lui à aimer ses semblables, à leur être utile et à s'en faire aimer. Voilà la science dont tout le monde a besoin...[4]. »

Puis Duclos exposa l'emploi qu'il fallait faire de la journée : « Qu'il sache bien lire, bien écrire, occupez-le sérieusement à l'étude de sa langue [...]. Il

1. *Pseudo-Mémoires*, tome II, p. 82.
2. Futur lycée Louis-le-Grand.
3. *Pseudo-Mémoires*, tome II, p. 308.
4. *Ibid.*, pp. 308-309.

est français, c'est donc un Français qu'il en faut faire, c'est-à-dire un homme à peu près bon à tout [...]. Un peu d'histoire, de géographie, mais seulement sur la carte, en causant [...]. Qu'il sache bien compter [...]. Dans quelques temps, nous le ferons passer à la géométrie, c'est une science nécessaire, parce que tout [...] se compte, se calcule [...] et se mesure [1]. »

Mme d'Épinay retiendra bien la leçon de Duclos ainsi que ses principes et ses idées sur la méthode à suivre. Comme Rousseau, il pense qu'on ne doit pas chercher à modifier le caractère de l'enfant mais « à tirer tout le parti possible [de celui] que la nature lui a donné [2] » ; il faut l'élever en lui montrant le bon exemple ; lui balayer la tête de tous les préjugés en ne lui « commandant rien sans lui en dire la raison [3] » ; en développant sa propre expérience et « en le faisant juger de toutes les actions qui viendront à sa connaissance [4]. »

Tous ces conseils se retrouveront dans les écrits de Mme d'Épinay, même si elle prit ses distances à l'égard de l'un et de l'autre. Élevée par Duclos et Rousseau dans l'art de la pédagogie, elle garda jusqu'au bout la plus grande admiration pour les idées de ses initiateurs. Qu'elle s'inspire de leurs principes ou qu'elle les combatte, c'est toujours par rapport à eux qu'elle situe les siens. Elle entretint avec eux la même filiation intellectuelle que Mme du Châtelet avec Maupertuis et Clairaut.

Mme d'Épinay a acquis toute sa culture grâce aux conversations de ses amis. C'est en écoutant les convives de Mlle Quinault qu'elle s'initie aux problèmes philosophiques et théologiques, qui sont pour elle une révélation bouleversante ; en entendant Galiani et en le corrigeant, elle apprend l'éco-

1. *Ibid.*, p. 309.
2. *Ibid.*, p. 310.
3. *Ibid.*, p. 312.
4. *Ibid.*

nomie politique ; grâce aux entretiens sans fin de Grimm et Diderot, elle complète son éducation littéraire.

Elle a d'autres sources également. Passé trente ans, Mme d'Épinay a beaucoup lu et pris de notes sur ses lectures [1]. Mais sans ces conversations, les lectures se seraient révélées trop difficiles et donc inutiles. Ses divers précepteurs lui ont rendu l'insigne service de développer son jugement et d'aider sa compréhension, de telle sorte qu'elle put avoir « des idées nettes [2] » sur tous les sujets qui l'intéressaient. Sans ce privilège exceptionnel, l'autodidacte qu'elle était n'aurait jamais dépassé le stade de ces femmes aimables pourvues de quelques idées sur tous les sujets, que l'on rencontrait dans les salons.

Si Mmes du Châtelet et d'Épinay ont toutes deux été de bonnes élèves studieuses, elles ont fait preuve d'une extrême modestie. Le trait n'étonnera pas de la part de Mme d'Épinay qui montra souvent une humilité frisant le masochisme. On le verra, elle ne manquait pas une occasion d'avouer publiquement ses faiblesses ou son ignorance et d'insister sur la pauvreté de ses capacités intellectuelles. On ne put jamais la prendre en flagrant délit de pédanterie ou de vanité. Et Dieu sait que certains se seraient fait une joie de le dénoncer.

En revanche, la modestie de Mme du Châtelet peut davantage surprendre. Elle fut pourtant réelle chez cette femme orgueilleuse qui n'était pas dénuée de vanité. Lorsque la terrible du Deffand affirme « qu'elle ne parle science que comme Sganarelle parlait latin, devant ceux qui ne le savaient pas [3] », elle émet un mensonge de plus. Tous ceux qui l'ont bien connue affirment le contraire et disent qu'elle n'a jamais fait montre de son savoir dans les salons mondains. D'elle, on dira au contraire, comme

1. *Ibid.*, p. 507.
2. *Ibid.*, p. 425.
3. *Portrait de Madame du Châtelet*, *op. cit.*, p. 436.

Saint-Simon de Mme Dacier, qu'« elle n'était savante que dans son cabinet ou avec des savants ; partout ailleurs, simple, avec de l'esprit, agréable dans la conversation, où on ne se serait pas douté qu'elle sût rien de plus que les femmes les plus ordinaires [1] ».

Émilie n'étala jamais sa science. A la voir couverte de pompons, de bijoux, à l'entendre parler aussi futilement que les autres, à suivre son jeu éperdu, personne ne pouvait se douter qu'on avait affaire à une femme savante qui venait de passer la nuit en compagnie de Newton ou de Leibniz, la journée à établir des calculs. Voltaire remarqua dans son hommage posthume qu'« elle a vécu longtemps dans les sociétés où l'on ignorait ce qu'elle était, et elle ne prenait pas garde à cette ignorance [2] ».

Émilie faisait tout, au contraire, pour ne pas être taxée de pédanterie. Elle cachait son savoir « avec soin aux cercles frivoles dont elle était entourée ; elle n'avait jamais plus de connaissance que les autres. Il fallait en avoir beaucoup, pour qu'elle se plût à en montrer [3]. »

Elle-même avouait volontiers ses difficultés et n'hésitait pas à dire son désespoir « de ne même pas atteindre au médiocre en mathématiques [4] », avec Kœnig.

Ce genre de confessions n'était pas seulement le résultat d'un découragement passager. Il révélait aussi une grande lucidité sur ses moyens et ses limites. Comme Mme d'Épinay, elle était plus inquiète de ce qu'elle ne savait pas que satisfaite de ce qu'elle possédait déjà.

Avec le temps, elles avaient toutes deux tendance à oublier le chemin parcouru, les conditions excep-

1. Cité par Sainte-Beuve, *Causeries du Lundi*, tome IX, p. 379.
2. *Préface historique* à la traduction des *Principia*, *op. cit.*, p. x.
3. Extrait de l'*Œuvre* de Saint-Lambert, *Mémoires du Maréchal de Beauveau*, 1793, p. 30.
4. Lettre à Maupertuis, 20 juin 1739.

tionnelles de leur éducation qui leur avaient permis d'être l'une et l'autre des « spécialistes » de leur discipline. Grâce à leurs précepteurs, quelques-uns des meilleurs esprits du siècle, les deux Émilie ont réalisé leur ambition. Elles ont laissé une œuvre non négligeable, en science et philosophie, et dans le domaine de la pédagogie.

Mais auraient-elles pu donner la mesure de leur intelligence et de leur volonté si elles n'avaient eu la chance de connaître un lien affectif et intellectuel d'une rare qualité ?

CHAPITRE IV

# UN INDÉFECTIBLE LIEN DU CŒUR ET DE L'ESPRIT

MMES du Châtelet et d'Épinay ont formé avec Voltaire et Grimm des couples indissolubles, unis par des sentiments et des intérêts puissants. Il est incontestable que ces deux hommes ont donné aux deux Émilie les atouts nécessaires, mais non suffisants, à la réalisation de leur ambition : la stabilité affective et le respect de l'homme admiré qui les rassurait sur elles-mêmes.

Il peut paraître choquant d'insister ainsi sur leurs amants, tous deux célèbres, pour rendre compte de leur ambition. N'est-ce pas donner raison à ceux, nombreux, qui ne s'intéressent aux femmes qu'en fonction de leurs liaisons avec des hommes plus célèbres ? N'est-ce pas reconnaître la validité des stéréotypes habituels selon lesquels on se souvient de Mme du Châtelet parce qu'elle coucha avec Voltaire et de Mme d'Épinay parce qu'elle fut la maîtresse de Grimm ou l'hôtesse de Rousseau ? N'est-ce pas renier enfin notre propos initial qui est de mettre en lumière les caractères propres de ces deux ambitions féminines ?

Notre gêne s'accroît si l'on inverse la question. S'il fallait rendre compte de l'ambition masculine au XVIIIe siècle et particulièrement de Grimm et de Voltaire, devrions-nous évoquer leurs relations affectives et en faire une condition nécessaire à la réalisation de leur ambition ?

La réponse est négative. Voltaire était un poète célébré [1] avant de connaître Mme du Châtelet et le resta après sa mort. Grimm était déjà connu avant de s'attacher à Mme d'Épinay. Le succès de leur entreprise n'a jamais paru dépendre des liens du cœur. Ils n'ont pas eu besoin de l'admiration et de la reconnaissance de leur compagne pour pouvoir enfin se consacrer à leur passion. Dès le départ, ils se sentaient suffisamment autonomes et sûrs d'eux-mêmes pour tenter la grande aventure.

On pourrait en dire autant des femmes de notre époque. Non qu'elles soient moins sensibles ou sentimentales que leurs ancêtres. Mais les conditions de vie sont plus favorables à leur indépendance ; leur statut dans la société est plus propice à la confiance en elles-mêmes. Ce n'était pas le cas des Émilie au XVIII^e siècle.

Elles avaient toutes deux connu échecs et déceptions sans grands espoirs de compensation. La dissipation, les vapeurs, le malaise d'une existence vide étaient les symptômes banals d'une vie qui s'effritait pour rien. Fortes de leur passé, elles avaient beaucoup à donner et personne à qui le donner.

L'excitation produite par les jeux de hasard et l'agitation mondaine ne suffisaient certes pas à satisfaire Mme du Châtelet. Pas plus, il faut l'avouer, que les enfants de Mme d'Épinay ne parvenaient à calmer ses angoisses existentielles.

Voltaire et Grimm prirent donc une place dans leur cœur et leur esprit que nul ne leur disputait. Par leur tendresse et l'entente intellectuelle et morale qu'ils établirent avec elles, les deux hommes les libérèrent de leurs angoisses. Ils ont contribué ainsi à les rendre plus disponibles pour elles-mêmes. L'amour, loin d'être une source d'aliénation, fut la condition de leur émancipation et même de leur autonomie.

1. Le succès triomphal de *Zaïre* date d'août 1732.

Dès lors qu'elles se sont senties aimées et respectées, elles ont cessé d'éprouver le besoin de courir après la reconnaissance des autres. Appréciées par l'homme qu'elles admiraient le plus, elles pouvaient enfin oser être elles-mêmes et se consacrer à leur ambition propre. Qu'importait alors que l'une soit la risée du monde et l'autre l'objet de son mépris ! Comme l'a joliment dit Mme du Châtelet, « la plus grande vengeance que l'on puisse prendre des gens qui nous haïssent, c'est d'être heureux [1] ».

Lorsque Mme du Châtelet choisit de s'isoler en tête-à-tête avec Voltaire à Cirey, aux frontières de la Lorraine, quand Mme d'Épinay se retire du monde pour jouir de la présence de Grimm, elles se donnent toutes deux les moyens d'être enfin à elles-mêmes. On a coutume de dire que malheur et frustrations sont propices au développement d'ambitions revanchardes, mais pour ces deux femmes, au contraire, c'est le bonheur et la plénitude du cœur qui furent une des conditions essentielles de leur épanouissement intellectuel. Une des causes aussi de leur volonté et de leur ténacité.

Quand elles se sentiront trahies par leur amant, elles souffriront mille morts, mais elles auront acquis suffisamment de forces pour continuer leur chemin.

## *La tendresse plus que le désir*

Apparemment, ni l'une ni l'autre n'ont éprouvé le coup de foudre lors des premières rencontres avec l'homme de leur vie.

C'est en avril 1733 que Voltaire revoit Mme du Châtelet. Plus de dix ans s'étaient écoulés depuis sa rencontre avec la jeune Émilie dans le salon de son père. A peine relevée de ses dernières couches, la

1. Lettre à d'Argental, 28 déc. 1736.

marquise voulut entendre avec la duchesse de Saint-Pierre et le comte de Forcalquier, son amant, le nouvel opéra de Montcrif, *L'Empire de l'Amour*, qui venait d'être créé le 14 avril. De son côté, Voltaire, très occupé par un déménagement, attristé par la mort récente de son amie Mme de Fontaine-Martel, n'avait ni le temps, ni le goût de sortir. Mais, ami dévoué de Montcrif, il promit d'aller faire « la claque » à l'Opéra pour soutenir la pièce. C'est probablement là qu'un soir d'avril il rencontre Émilie dans la loge de la duchesse. Très vite ils se sont revus puisque la première lettre connue qu'il lui adresse date du 6 mai suivant et prouve qu'ils sont restés en relation : « Je suis dans les horreurs du déménagement, dans la crainte des sifflets, dans les douleurs de la colique, je ne vous enverrai pas moins ce que vous demandez. J'ai plus envie de vous voir que vous n'en avez de me consoler [1]. »

On peut trouver malvenu de confier ses troubles intestinaux à une dame qu'on veut conquérir, mais, outre qu'il n'est pas malséant à cette époque de parler de ses viscères et de ses déjections, la confidence est chez Voltaire un signe d'amitié. La dernière phrase de la missive est plus révélatrice encore car elle tend à montrer que Voltaire a tout de suite été plus attiré par elle qu'elle ne le fut par lui. Il est séduit par son intelligence, son charme et sa puissante personnalité. Ils se font rire mutuellement et, comme il y a longtemps que son cœur n'a pas aimé, Voltaire montre vite tous les signes d'une grande passion.

Mme du Châtelet est charmée par cet homme de trente-huit ans, grand et sec, qui a gardé dans son aspect et ses propos quelque chose de juvénile. Elle est fascinée par ce fabuleux acteur qui mime tous les sentiments avec de perpétuelles saillies d'esprit. Avec lui, elle sait qu'elle ne s'ennuiera pas. Comme elle aussi est en manque d'amour, il est fort proba-

1. Lettre du 6 mai 1733.

ble qu'elle devint rapidement sa maîtresse. De là à dire qu'elle éprouve une grande passion, il y a un pas que nous ne franchirons pas. Durant les deux premières années de leur liaison, Émilie hésite à faire de Voltaire le seul élu de son cœur. Tout en étant sa maîtresse, elle le trompe avec Maupertuis, et continue de penser avec tendresse au duc de Richelieu.

Lorsqu'il est obligé de s'exiler à Cirey, elle utilise tous les faux-fuyants possibles pour ne pas s'installer définitivement avec lui. Manifestement il ne la comble pas entièrement et elle ne parvient pas à en faire son deuil. Il est vrai qu'elle a de puissants besoins sexuels et que Voltaire n'est pas l'homme qui lui convient. Il confesse à Cideville en octobre 1733 : « J'ai bien peu de tempérament mais ma maîtresse me pardonne, et je l'aime plus tendrement [1]. »

Sentiment certainement partagé par Émilie, mais qui la laisse tout de même sur sa faim. En 1733 et l'année suivante, elle aime avec amitié et tendresse, pas encore avec passion.

C'est en septembre ou octobre 1751 que Grimm fut présenté par Rousseau à Mme d'Épinay, probablement chez la marquise de la Popelinière. Elle a vingt-cinq ans et lui vingt-huit [2]. Ils ont tous les deux le cœur brisé ! En France depuis plus de deux ans pour y faire sa fortune littéraire, Grimm est alors secrétaire du comte de Friesen.

Son coup de cœur pour Mlle Fel l'avait mis à la mode, en faisant beaucoup parler de lui.

Si l'on se fie au portrait de Latour, cette cantatrice de concerts spirituels avait un visage charmant, sans plus. « Au milieu de toutes les distractions de la capitale du monde, écrit Meister, notre jeune philo-

1. Lettre à Cideville, 11 oct. 1733.

2. Grimm est né à Ratisbonne le 26 décembre 1723 de parents considérés mais sans fortune. Son père portait le titre de superintendant des Églises luthériennes du Haut-Palatinat.

sophe fut atteint tout à coup d'une passion telle qu'on n'en éprouve qu'au milieu des rêveries de la plus profonde solitude [1]. » Passion romanesque et malheureuse qui dévorait son cœur et son imagination.

Grimm passa ses soirées à l'Opéra pour entendre sa belle. Il joua les grands sentiments, assure Jean-Jacques Rousseau, « unique et très suspect historien [2] » de l'histoire. La belle l'éconduisit. « Il prit l'affaire au tragique et s'avisa d'en vouloir mourir. Il tomba tout subitement dans la plus étrange maladie dont jamais peut-être on ait ouï parler. Il passait les jours et les nuits dans une continuelle léthargie, les yeux bien ouverts, le pouls bien battant, mais sans parler, sans manger, sans bouger, paraissant quelques fois entendre mais ne répondant jamais, pas même par signe [...]. L'abbé Raynal et moi, nous nous partageâmes sa garde. Le malade resta plusieurs jours immobile, sans prendre ni bouillon, ni quoi que ce fût, que des cerises confites que je lui mettais de temps en temps sur la langue et qu'il avalait fort bien. Un beau matin, il se leva et s'habilla, et reprit son train de vie ordinaire sans que jamais il m'eût reparlé [...] de cette singulière léthargie... [3]. »

C'est peu de temps après qu'il rencontra Mme d'Épinay, sur sa demande, paraît-il. Le premier portrait qu'elle trace de lui après cette rencontre ne dénote rien de plus qu'une attention de bon aloi. « Il n'a pas l'élocution facile ; malgré cela sa manière de dire ne manque ni d'agrément ni d'intérêt. Rousseau m'en avait parlé avec un enthousiasme qui me l'a fait examiner avec une curiosité que je n'apporte guère ordinairement dans la société. Je l'ai engagé à venir voir Rousseau et Francueil, lorsqu'ils seront à Épinay. Il m'a répondu honnêtement, mais

1. *Correspondance littéraire,* Meister, tome I, 6.
2. *Ibid.,* Appendice XVI, 503. Note de M. Tourneux, tome I, 6.
3. Rousseau, les *Confessions,* La Pléiade, livre 8, p. 370.

je doute qu'il profite de mon invitation, car on dit qu'il n'aime pas la campagne [1]. »

Grimm vint pourtant avant la fin de l'année entendre quelques concerts à la Chevrette. Il était doux et poli et elle mettait sur le compte de la timidité son embarras en société. Il aimait la musique, comme Rousseau et Francueil, et Mme d'Épinay lui montrait les morceaux qu'elle composait. Même s'il l'avait étonnée par son érudition et son intelligence incisive, Louise était encore trop éprise de Francueil pour s'intéresser de près à un autre homme. Son amant avait beau la tromper outrageusement, elle ne parvenait pas à rompre définitivement avec lui. Elle souffrait le martyre et en était obnubilée. État d'esprit peu propice à l'établissement de nouvelles relations amoureuses. Pendant les trois années qui suivirent leur première rencontre, Louise et Grimm se rencontrèrent de temps à autre à la Chevrette ou à Paris sans qu'un autre sentiment se mêlât à une amitié un peu distante. A cette époque, Grimm était davantage l'ami de Rousseau que celui de Mme d'Épinay.

Du quatuor qui nous occupe, seul Voltaire a connu le coup de foudre. Il mettra peu de temps avant de dévoiler son secret à ses proches. Deux mois après la rencontre à l'Opéra, il ne cache pas qu'il est heureux. A la duchesse de Saint-Pierre, premier témoin des retrouvailles, il confie : « Je fuyais les chagrins, j'ai trouvé le bonheur [2]. »

En ce début de l'été, l'impression prévaut que Voltaire et Émilie sont déjà amants. Peut-être même ont-ils déjà fait une escapade à Cirey, et de là daterait cette lettre à la duchesse qui raconte son nouveau bonheur. Quoi qu'il en soit, dès cette période, et bien que les amants observent une extrême discrétion à l'égard du monde, Voltaire ne peut s'empêcher de mentionner Émilie dans les lettres aux amis

1. *Pseudo-Mémoires*, tome II, p. 416.
2. Lettre de juil. 1733.

intimes. La première confidence est adressée à Cideville, le 3 juillet : « Hier, étant à la campagne, n'ayant ni tragédie, ni opéra dans la tête, pendant que la bonne compagnie jouait aux cartes, je commençais une épître en vers sur la calomnie dédiée à une femme très aimable et très calomniée [1]. »

Il promet l'épître à la gloire de Mme du Châtelet à Cideville et Thieriot en leur faisant jurer de ne pas la montrer ni d'en faire de copies. En août, son admiration et sa passion pour elle explosent littéralement dans le portrait qu'il en trace à l'attention de Cideville :

« Je l'adore comme les Dieux...
Elle est belle et sait être amie,
Elle a de l'imagination
Toujours juste et toujours fleurie.
Sa vive et sublime raison
Quelquefois a trop de saillie...
Elle a je vous jure un génie
Digne d'Horace et de Newton
Et n'en passe pas moins sa vie
Avec le monde qui l'ennuie,
Et les banquiers de Pharaon [2]. »

A part les allusions au génie d'Horace et de Newton qui feront sourire Cideville, le portrait est à peine flatté. Trois mois à peine après leur rencontre, Voltaire déplore les excès mondains de sa Divine Émilie et son attrait pour le jeu. Il perçoit aussi le caractère difficile de celle-ci et confie à Cideville :

« On a des moments si fâcheux
Avec des gens de caractère ! »

Il n'empêche qu'il l'aime déjà à la folie, « à pro-

1. Lettre du 3 juil. 1733.
2. Lettre à Cideville, 14 août 1733. Le Pharaon est un jeu de cartes.

portion de son mérite, ce qui veut dire infiniment ». Il prend sa défense avec énergie contre les calomniateurs et ne manque pas une occasion de célébrer ses vertus. A leur ami commun Aldonce de Sade, il écrit : « C'est une femme que l'on ne connaît pas [1] » et lui avoue son entière soumission : « Je ne peux rien faire sans ses ordres. Vous devez croire qu'il est impossible de lui désobéir. »

Suit un nouveau portrait d'Émilie aussi enthousiaste et lucide que les précédents :

« Cette belle âme est une étoffe
Qu'elle brode en mille façons
Son esprit est très philosophe
Et son cœur aime les pompons.

« Mais les pompons et le monde sont de son âge, et son mérite est au-dessus de son âge, de son sexe et du nôtre.

« J'avouerai qu'elle est tyrannique.
Il faut pour lui faire sa cour,
Lui parler de métaphysique,
Quand on voulait parler d'amour [2]. »

Il est clair que Mme du Châtelet ne partage pas le même enthousiasme pour Voltaire, lorsqu'il confie à son correspondant qu'il reste seul à Paris pendant que la « divine abeille va porter son miel aux bourdons de Versailles ». Le moment de la solitude à deux n'est pas encore venu pour Émilie qui ne peut se passer des divertissements mondains. En vérité, si Voltaire l'a tout de suite reconnue comme celle dont il veut faire sa compagne, de son côté elle a hésité. La passion totale qu'il lui exprime en toutes occasions lui fait peur. La façon insistante dont il lui

1. Lettre à Sade, 29 août 1733.
2. *Ibid.*

offre son amour appelle de sa part une réponse qu'elle n'ose pas encore donner.

Telle cette première *Épître à Uranie* où Voltaire se montre à découvert.

« Je vous adore, ô ma chère Uranie !
Pourquoi si tard m'avez-vous enflammé ?
Qu'ai-je donc fait des beaux jours de ma vie ?
Ils sont perdus ; je n'avais point aimé.
J'avais cherché dans l'erreur du bel âge
Ce dieu d'amour, le dieu de mes désirs...
Je n'embrassai que l'ombre des plaisirs.
Non, les baisers des plus tendres maîtresses ;
Non, ces moments comptés par cent caresses...
Ne valent pas un regard de tes yeux.
Je n'ai vécu que du jour où ton âme
M'a pénétré dans sa divine flamme ;
Que de ce jour où, livré tout à toi,
Le monde entier a disparu pour moi.
Ah ! Quel bonheur de te voir, de t'entendre !...
*Et quels plaisirs je goûte dans tes bras* !...
Vous, Uranie, idole de mon cœur,
Vous que les dieux pour la gloire ont fait naître,
Vous qui vivez pour faire mon bonheur [1]. »

Émilie le satisfait totalement. C'est la première fois que Voltaire est ainsi comblé. Même la présidente de Bernière qu'il a jadis aimée n'avait pas un tel charme [2]. Qu'attend donc la divine marquise pour devenir pleinement la compagne de Voltaire ?

En cette première année de leur liaison, ils se voient certes beaucoup et se rendent mutuellement visite. Le plus souvent c'est lui qui va chez elle, mais elle n'hésite pas non plus à aller chez lui. Devant les domestiques ils parlent anglais de crainte peut-être d'une indiscrétion fâcheuse auprès de M. du Châtelet... Ils sortent ensemble, accompagnés de la

1. Rédigée en 1733. Souligné par nous.
2. Lettre à Cideville, 1er nov. 1734.

duchesse de Saint-Pierre et de Forcalquier. Un soir de septembre 1733, ils vont tous les quatre à l'Opéra assister à la répétition générale *d'Hippolyte et Aricie*[1]. Maupertuis doit se joindre à eux. Mais au lieu de se retrouver au spectacle comme prévu, Voltaire, qui a envie de bavarder avec le savant, le prie de venir tout d'abord chez Mme du Châtelet... Sans le savoir, il introduit le loup dans la bergerie. En s'interposant auprès de Maupertuis pour qu'il accepte de diriger les études d'Émilie, Voltaire provoque une aventure dont il sera la première victime.

Comme on l'a vu, Mme du Châtelet tombe follement amoureuse du prestigieux savant et devient sa maîtresse dans le courant du mois de décembre. Dès ce moment, elle se partage entre les deux hommes, de façon inégale. Maupertuis est autrement plus doué pour l'amour que Voltaire ! Celui-ci, averti de la trahison d'Émilie, fait mine de prendre les choses avec humour tout en multipliant les déclarations enflammées. Il voit bien qu'elle n'est pas heureuse avec Maupertuis qui la traite comme une maîtresse trop envahissante, un accessoire de sa séduction. Voltaire en est à la fois touché pour elle et soulagé pour lui.

En ce printemps 1734, beau joueur, il lui adresse une seconde épître pleine de tact et de tendresse où il fait mine d'ignorer les vrais motifs de l'éloignement de sa belle :

« Qu'un autre vous enseigne, ô ma chère Uranie,
A mesurer la terre, à lire dans les cieux,
Et soumette à votre génie
Ce que l'amour soumet au pouvoir de vos yeux.
Pour moi, sans disputer ni du plein, ni du vide,
Ce que j'aime est mon univers...
Et l'amour le sujet et l'âme de mes vers.

1. De l'abbé Pellerin.

Ecoutez ses leçons ; du pays des chimères
Souffrez qu'il vous conduise au pays des désirs...
Quoi ! de si belles mains pour toucher un compas...

Non la main de Vénus est faite
Pour toucher le luth des amours...
Laissez donc là tous les systèmes...
Jouissez au lieu de connaître [1]. »

Mais bientôt une occasion se présente à Voltaire d'éloigner Émilie du charme de Maupertuis. Le mariage du duc de Richelieu, leur ami commun, a lieu à Montjeu près d'Autun et Voltaire en est le témoin. Il se met en route avec Émilie vers le 2 avril pour y retrouver le jeune couple qui se marie le 7. Richelieu repart vite aux armées où il retrouvera le marquis du Châtelet, et laisse avec sa femme Voltaire et Émilie en tête-à-tête tout un mois. C'est le bonheur et l'apaisement retrouvé.

Sans doute Mme du Châtelet continue-t-elle d'écrire à Maupertuis : « Vous me faites sentir, Monsieur, les peines et les inquiétudes de l'absence. Je crois toujours voir Mme de Lauraguais vous faire mille coquetteries et je crains que vous ne soyez point assez philosophe pour y résister... [2]. » Mais un événement inattendu lui fait prendre conscience de la profondeur de son attachement pour Voltaire.

Les *Lettres anglaises* ont été mises en vente par suite d'une imprudence et une lettre de cachet est lancée contre l'auteur, début mai, par le garde des Sceaux Chauvelin. Voltaire, prévenu par son ami d'Argental [3], décide de prendre la fuite. Mieux vaut l'exil que de retourner une fois encore en prison. Mme du Châtelet lui offre l'hospitalité sur les terres de son mari, à Cirey, proche de la frontière lorraine.

1. Seconde *Épître à Uranie*, 1734.
2. Lettre du 28 avril 1734.
3. Conseiller au Parlement de Paris, proche de Maurepas.

A l'aube du 6 mai 1734, il quitte Montjeu, laissant Émilie désespérée. Cette séparation brutale lui fait découvrir l'amour qui l'unit à Voltaire. Le même jour, elle écrit à Maupertuis : « Je viens de perdre Voltaire [...]. Son départ m'a pénétrée de douleur [1]. »

A Sade, elle parle plus librement qu'à son maître et amant : « Je viens d'éprouver le plus affreux [malheur] de tous. Mon ami Voltaire, pour qui vous connaissez mes sentiments [...] nous a quittés [...]. Je ne connais que vous avec qui je puisse pleurer le malheur de mon ami. *Il me semble qu'il m'a encore plus attachée à lui* [...]. J'ai passé dix jours ici entre lui et Mme de Richelieu ; je ne crois pas en avoir passé de plus agréables. Je l'ai perdu dans le temps où je sentais le plus le bonheur de le posséder [...]. Sa société faisait le bonheur de ma vie ; sa sûreté en ferait la tranquillité [2]. »

Plus tard, alors qu'elle est toujours séparée de Voltaire, lui à Cirey, elle à Paris, elle confie, au même Sade : « Je ne m'accoutume point à vivre sans lui et à l'idée de le perdre sans retour [3]. » Ce qui ne l'empêche pas d'ajouter deux lignes plus loin que Maupertuis la voit souvent et qu'il est fort aimable.

Pendant qu'Émilie s'est remise à la géométrie avec Maupertuis, Voltaire fait faire de gigantesques travaux pour rendre Cirey habitable. Il vit au milieu des ouvriers pour embellir la demeure de son amour et tâcher de l'y attirer près de lui. Mais la volage Émilie, en dépit de ses protestations, n'a aucune envie de quitter Paris et Maupertuis pour venir s'enterrer à Cirey. Elle a beau jurer qu'elle n'y reste que pour reconquérir la liberté de Voltaire, celui-ci n'est pas dupe et confie à sa voisine de campagne, la comtesse de Neuville : « A l'égard de la bonne

1. Lettre du 6 mai 1734.
2. Lettre à Sade, 12 mai 1734. Souligné par nous.
3. Lettre à Sade, 15 juil. 1734.

volonté de ma femme, je m'en remets à la providence, à la patience du cocu [1]. »

Pendant qu'il restaure le château de la famille du Châtelet, dessine un jardin et construit une nouvelle aile, les mauvaises langues se font une joie de lui rapporter les frasques d'Émilie. A-t-il entendu parler de sa brouille avec Maupertuis à la suite d'une partie de campagne qui a mal fini ? En tout cas, il fait la sourde oreille et refoule sa jalousie. Il attend que « sa femme » revienne au bercail, ou qu'il soit en mesure de rentrer à Paris si son affaire s'arrange. Mais les choses traînent et Mme du Châtelet désespère de revoir son poète avant l'hiver.

Puis subitement, début septembre, elle annonce à Sade qu'elle part pour Cirey « arranger son château [2] ». La raison déterminante de ce brusque départ est que Maupertuis la quitte pour aller philosopher à Bâle avec les Bernoulli. Il aura même la goujaterie d'avancer son voyage sans l'en avertir, ni lui dire au revoir.

Elle traînera encore quelques semaines avant d'arriver à Cirey le 20 octobre. « Elle est entourée de deux cents ballots qui ont débarqué ici le même jour qu'elle. On a des lits sans rideaux, des chambres sans fenêtres [...]. Mme du Châtelet au milieu de ce désordre rit et est charmante [3]. » C'est une nouvelle lune de miel qui dure deux mois. Voltaire, beau joueur, a écrit à Maupertuis pour l'inviter à Cirey lors de son retour de Bâle. « La plus belle âme du monde passe son temps à vous écrire en algèbre, et moi je vous dis en prose que je serai toute ma vie votre admirateur, votre ami [4]. »

Maupertuis rentre à Paris en se gardant bien de

1. Lettre à la comtesse de Neuville, août 1734. Un peu plus tard, il répète sur le ton du badinage : « Que ma femme me fasse souvent cocu ; que Madame de Champbonin [...] n'ait point d'indigestion ; je serai toujours très heureux. »
2. Lettre à Sade, 6 sept. 1734.
3. Lettre à Mme de Champbonin, oct. 1734.
4. Lettre à Maupertuis, oct. 1734.

faire le détour par Cirey. Émilie brûle de le retrouver, et de sortir de l'ermitage. Les prétextes ne manquent pas. La duchesse de Richelieu va accoucher et l'amitié commande d'être à son chevet. En outre, elle se chargera de porter *Alzire*, la nouvelle tragédie de Voltaire, à d'Argental pour qu'il décide si on peut la faire jouer.

Émilie arrive à Paris, relance aussitôt Maupertuis qui ne se précipite pas. Elle le supplie de venir « célébrer la naissance d'Éloïm [1] » avec elle. Mais il ne vient pas, pas plus qu'il n'accepte son invitation à dîner le soir du 31 décembre. Les billets se succèdent en janvier et février 1735 qui montrent la passion exacerbée et malheureuse d'Émilie. Plus Maupertuis la fuit, plus elle éclate en reproches et scènes de jalousie. Avec une humilité et une franchise désarmantes, elle reconnaît : « Je veux toujours ne point vous faire d'avances et je passe ma vie à vous en faire [2]. »

Émilie souffre le martyre et s'enfonce dans la plus folle dissipation. Il est impossible de la trouver chez elle tant elle court à droite et à gauche. Voltaire, de loin, observe son amie malheureuse et lui envoie une épître chaleureuse l'engageant à ouvrir les yeux :

« Vous renoncez aux étincelles,
Aux feux follets de mes écrits,
Pour des lumières immortelles ;
Et le sublime Maupertuis
Vient éclipser mes bagatelles.
Je n'en suis fâché, ni surpris...
Mais sans le secret d'être heureux,
Que vous aura-t-il donc appris [3] ? »

Depuis le mois de janvier, secrètement, l'affaire

1. *Ibid.*, 24 déc. 1734.
2. *Ibid.*, janv. 1735.
3. *Épître à Madame la Marquise du Châtelet sur sa liaison avec Maupertuis.*

de Voltaire évolue. Le 2 mars, le lieutenant de police Hérault lui écrit qu'il peut revenir à Paris. Trois semaines après, Voltaire est dans la capitale et trouve Émilie toujours aussi entichée de son savant. Sa patience est à bout, une explication est nécessaire. Il la met au pied du mur. Il quitte Paris avec la duchesse de Richelieu pour Lunéville et ne rentrera à Cirey que si elle vient y demeurer avec lui. Il part début mai en lui donnant quelques semaines pour réfléchir.

Dès le 21 mai, Émilie a choisi. C'est à Richelieu, son ancien amant, qu'elle confie le cheminement de sa pensée. « Tout mon bien est à Lunéville [où se trouve Voltaire] et à Strasbourg [où réside le duc]. Je perds ma vie loin de tout ce que j'aime [...]. Je ne soupire qu'après mon départ comme après celui de ma délivrance [1]. »

Les arguments qui l'ont amenée à cette décision apparaissent dans une autre lettre. Elle y juge lucidement Maupertuis qui se prépare à partir pour sa grande expédition : « Il a une inquiétude de l'esprit qui le rend bien malheureux et qui prouve bien qu'il est plus nécessaire d'occuper son cœur que son esprit ; mais malheureusement, c'est qu'il est plus aisé de faire des calculs d'algèbre que d'être amoureux [2]. »

Enfin, elle analyse sagement ses rapports avec Voltaire : « Plus je réfléchis sur la situation de Voltaire et la mienne, plus je crois le parti que je prends nécessaire. Premièrement, je crois que tous les gens qui aiment passionnément vivraient à la campagne ensemble [...] mais je crois de plus, que je ne puis tenir son imagination en bride que là : je le perdrais tôt ou tard à Paris [...]. Je l'aime assez, pour sacrifier au bonheur de vivre avec lui sans alarmes [...] et tout ce que je pourrais trouver de plaisir et d'agréments à Paris [...]. La seule chose qui m'inquiète c'est la pré-

1. Lettre à Richelieu, 21 mai 1735.
2. Lettre à Richelieu, 15 juin 1735.

sence de Monsieur du Châtelet [...]. Mais l'amour change toutes les épines en fleurs [1]. »

Quinze jours plus tard, Émilie fait part de ses doutes. Elle avoue : « Il y a de l'héroïsme, ou peut-être de la folie à moi, de m'enfermer en tiers à Cirey [2]. »

Cependant, sa décision est prise. Elle décide de partir dans quatre jours malgré quelques pincements de cœur : « Mon esprit est accablé, mais mon cœur nage dans la joie. L'espérance que cette démarche lui persuadera que je l'aime me cache toutes les autres idées [...]. Je vous avoue que ses inquiétudes et ses méfiances m'affligent sensiblement ; je sais que cela fait le tourment de sa vie ; cela empoisonne la mienne ; mais nous pourrions bien avoir raison tous les deux [3]. »

Oui, Émilie a choisi. A Maupertuis et aux dissipations parisiennes, elle préfère Voltaire et la solitude studieuse. A trente ans, elle s'est délivrée de ses démons. A l'heure où elle se confie au duc de Richelieu, ce n'est pas la passion pour Voltaire qui préside à ses choix. Elle laisse encore percer dans ses lettres des feux mal éteints pour Richelieu et les restes de sa passion pour Maupertuis. C'est donc la sagesse et la raison qui l'inclinent à rejoindre Voltaire qu'elle aime tendrement... René Vaillot a raison de se demander « ce qu'il serait advenu de ses sentiments pour Voltaire si Maupertuis avait répondu totalement à l'amour d'Émilie [4]. »

Lorsque, en juin, elle part enfin pour Cirey retrouver Voltaire, Émilie ne sait pas encore qu'elle va vivre quelques années d'un bonheur sans égal. Pendant presque cinq ans, en tête-à-tête avec le grand homme, elle formera avec lui un couple digne d'Abélard et Héloïse. Et, pendant cette période de

1. Lettre à Richelieu, 30 mai 1735.
2. Lettre à Richelieu, 15 juin 1735.
3. *Ibid.*
4. R. Vaillot, *Madame du Châtelet, op. cit.*, p. 81.

travail acharné, elle se donnera les moyens de satisfaire son ambition. Voltaire résumera d'une phrase leur situation exceptionnelle. A Thieriot, il confie dans la joie : « Nous sommes des philosophes très voluptueux [1]. »

Lorsque, un an plus tard, Voltaire est obligé de fuir la France à cause des menaces que font peser sur lui *Le Mondain,* Émilie l'accompagne en pleine nuit à la frontière et pleure de désespoir dans ses bras au moment de la séparation [2]. Tout l'amour qu'on lui a si mal rendu jadis, elle l'éprouve à présent pour cet homme qui l'adore comme une déesse.

Seule, dans le carrosse qui la reconduit, elle ne se doute pas que la situation est maintenant inversée. Elle va l'attendre impatiemment dans leur demeure de Cirey, lui, voler de ses propres ailes, peu pressé de retourner au foyer. A partir de cette époque, c'est elle qui sera en position de demandeur et lui se fera prier jusqu'à provoquer son exaspération et de terribles scènes.

Mme d'Épinay et Grimm furent plus discrets sur le début de leurs amours. Nos seuls renseignements viennent des *Pseudo-Mémoires* qui restent volontairement flous sur le sujet. Il est difficile de préciser les dates et les événements qui marquent la progression de leurs sentiments mutuels. Mme d'Épinay brouille à dessein les pistes pour que le lecteur reste dans l'ignorance de ses grossesses illégitimes. De plus, elle ne veut pas qu'on puisse suspecter qu'elle fut en même temps la maîtresse de Francueil et de Grimm. Rien ne nous autorise à l'affirmer, mais les événements qu'elle rapporte et la vague chronologie qu'elle en donne permettent de le soupçonner.

Elle rencontre Grimm à la fin de l'année 1751, alors qu'elle est toujours la maîtresse de Francueil. Dès le mois de décembre 1749, six mois après qu'elle

1. Lettre à Thieriot, 3 nov. 1735.
2. Lettre à d'Argental, 9 déc. 1736.

eut accouché d'une fille de ses œuvres, leur liaison n'est déjà plus ce qu'elle était à ses débuts. Francueil la recherche moins et préfère la compagnie d'une société plus nombreuse. Si l'on s'en tient à la chronologie des *Pseudo-Mémoires,* c'est en 1751 qu'il marque ses distances avec sa maîtresse, pour ne pas dire qu'il montre un détachement certain. Bien qu'il s'enivre de plus en plus souvent, oublie ses rendez-vous et la trompe ouvertement, Mme d'Épinay continue d'être passionnément attachée à cet homme. Lui ayant donné son amour, sa respectabilité et sa confiance, elle mettra longtemps avant de pouvoir envisager une rupture définitive.

A l'en croire, c'est aux alentours de 1752 qu'elle aurait rendu sa liberté à Francueil, alors qu'elle se trouvait une seconde fois enceinte de lui. Son accouchement en mai 1753 ne donne qu'une date approximative de leur séparation. Elle n'en continua pas moins de le recevoir régulièrement chez elle pendant encore deux ans. Durant ce temps, Francueil était l'amant d'une des sœurs Verrières, et M. d'Épinay vivait presque maritalement avec l'autre. Double humiliation qui révolta Mme d'Épinay au point qu'elle en tomba malade. Une nouvelle fois elle annonce qu'elle rompt avec lui...

En 1753, M. de Francueil n'aurait plus été qu'un ami familier de l'hôtel d'Épinay reçu de temps à autre en souvenir du passé, du moins selon la version officielle.

A la même époque, elle rapporte qu'elle revoit Grimm de temps en temps et qu'elle en est « toujours plus contente [1] ». Sa personnalité l'intrigue et l'impressionne à la fois, sans qu'on ait pour autant le sentiment qu'elle est séduite. Le portrait qu'elle en trace est empreint de respect mais n'indique en rien désir ou passion.

« Sa figure est agréable avec un mélange de naïveté et de finesse. Sa physionomie est intéressante,

1. *Pseudo-Mémoires,* tome II, p. 458.

sa contenance négligée et nonchalante [...]. Son âme est tendre, ferme, généreuse et élevée [...]. En morale et en philosophie, il a des principes sévères [...]. Son caractère est un mélange de vérité, de douceur, de sauvagerie [...]. Il n'y a que ses amis qui sont en droit de l'apprécier, parce qu'il n'est lui qu'avec eux [1]. »

Pour rendre compte des débuts de leur liaison, Mme d'Épinay rapporte un événement que nulle autre source n'est venue confirmer. A la fin du mois de décembre 1752, peut-être en janvier 1753, Grimm aurait pris sa défense au cours d'un dîner chez le comte de Friesen dont il était le secrétaire. Entre hommes, on racontait à table avec quelle habileté Mme d'Épinay avait fait disparaître, à la mort de sa belle-sœur, Mme de Jully, les papiers qui indiquaient une dette de son mari. Grimm assurait que Mme d'Épinay était honnête, fortunée et généreuse et qu'on ne changeait pas de mœurs et de probité en vingt-quatre heures [2]. Un convive rapporta quelques ragots qui couraient sur le compte de Louise, la conversation s'envenima et Grimm provoqua l'invité en duel. Ils se seraient battus dans le jardin et légèrement blessés.

Aux dires de Mme d'Épinay, Grimm se serait présenté chez elle le bras en écharpe et sa mère lui aurait intimé l'ordre d'embrasser « son chevalier [3] », bénissant implicitement par avance leur future union. A partir de ce jour, la maison lui fut ouverte comme au plus proche des familiers. Grimm sut en profiter au même titre que Francueil, qui continuait de fréquenter le salon de son ancienne maîtresse.

En août 1754, Mme d'Épinay laisse paraître plus nettement ses sentiments. Alors que Grimm quitte Paris pour voyager avec le baron d'Holbach afin de le distraire de la mort de sa première femme, Mme

1. *Ibid.*, pp. 463-464.
2. *Ibid.*, p. 489.
3. *Ibid.*, p. 505.

d'Épinay avoue : « Je l'en estime davantage, mais je trouve insupportable cette vie ambulante de ceux avec lesquels on aime le mieux vivre [1]. » S'il n'est pas encore son amant, il est devenu sans conteste l'une des personnes les plus chères à son cœur. La tendresse se mêlant à l'amitié, Mme d'Épinay n'est pas loin d'éprouver de l'amour. Lorsqu'il revient, quelques mois plus tard, il joue le rôle de confident et de protecteur. Il la conseille sur l'éducation de ses enfants, ses intérêts et la conduite à tenir avec ses relations. Désormais, elle s'en remet complètement à lui et tout laisse supposer qu'il devient alors son amant. Un amant sévère et tyrannique qui exige une rupture définitive avec Francueil et le renvoi de Duclos.

Mme d'Épinay s'exécutera docilement, tout en reprochant à Grimm sa dureté pour Francueil. Il semble qu'elle ait souffert de devoir rompre avec son premier amant auquel elle tenait sans doute davantage qu'elle ne l'a dit.

Mme d'Épinay a presque trente ans et sa nouvelle union avec Grimm marque la fin d'une période plutôt négative et stérile de sa vie. La jeune femme frivole et influençable de jadis est morte. Elle laisse place à un être indépendant et philosophe qui ne s'en laissera plus compter.

Avec Grimm, elle forme un couple uni. Dorénavant, c'est lui son véritable époux qui lui donne paix et bonheur. Peu à peu la tendresse a laissé place chez elle à la plus profonde passion. Elle lui écrit, le réclame sans cesse et finit par confesser qu'elle ne peut respirer qu'en sa présence. Lorsque Grimm part aux armées en 1757 avec le duc d'Orléans, Mme d'Épinay pleure les mêmes larmes de sang que Mme du Châtelet lorsque Voltaire la quitte pour fuir la police. Mais Grimm, comme Voltaire jadis, semble moins ému que sa compagne par cette séparation forcée. Jusqu'à son retour, ils vont échanger une

1. *Ibid.*, p. 515.

correspondance amoureuse révélatrice de leurs sentiments mutuels. Les lettres de Mme d'Épinay racontent sa vie quotidienne et sa passion pour lui. Celles de Grimm telles qu'elles sont publiées dans les *Pseudo-Mémoires* sont plus retenues et empreintes d'un ton paternaliste. Mme d'Épinay lui fera reproche d'être trop réservé, bien qu'il termine ses lettres parfois par un pudique « je vous serre dans mes bras [1] ».

Séparés à nouveau, un an plus tard, elle à Genève pour se soigner, lui à Paris, elle souffre cruellement de son absence et ne peut se consoler d'être séparée de lui. Il lui répond en l'appelant : « Mon seul et unique bien que je regrette à chaque instant, et que j'aimerai toujours plus que ma vie [2] ! » Des mots qui ne seront pas toujours suivis d'effets.

Dès février 1758, Mme d'Épinay le supplie de venir la rejoindre. « Je compte fermement que vous viendrez. Oh ! qu'alors nous serons heureux ! Mais resteras-tu tout l'été ? Ne réponds pas, viens seulement... » Hélas ! Grimm temporise, il veut rester près de Diderot pour l'aider à réviser l'*Encyclopédie.* Louise se plaint : « Je ne vais pas me noyer, comme je le ferais, si je ne devais vous revoir jamais ; mais à cela près, y a-t-il deux créatures sur la terre plus à plaindre que nous ? »

Elle apprend que Diderot et d'Holbach lui ont déconseillé de venir la rejoindre, elle se fâche et donne à Grimm une magistrale leçon d'indépendance. Elle est prête à sacrifier son bonheur aux intérêts de Grimm, mais pas au qu'en-dira-t-on. « Est-ce à des gens qui pensent et qui agissent comme nous à redouter la censure du public [3] ? »

Grimm ne la rejoindra à Genève qu'en février 1759 parce qu'elle est très malade et qu'il redoute qu'elle ne meure. Pendant presque huit mois, ils

1. *Pseudo-Mémoires,* tome III, p. 113.
2. *Ibid.*, p. 301.
3. *Ibid.*, p. 396.

vivent ensemble une vraie lune de miel. Mme d'Épinay exulte de bonheur, mais Grimm pense d'abord à sa carrière. Songeant aux fonctions diplomatiques qu'il espère obtenir et qui prendront son temps et son activité, il écrit de Genève à Diderot : « Je cherche moins à consoler [Mme d'Épinay] qu'à diminuer en elle cette ivresse qui ferait le bonheur de ma vie si nous étions destinés à vivre comme nous avons vécu depuis quatre mois. Elle sera toujours l'objet de ma tendresse et de tous mes soins, mais je pourrais bien à mon tour être détourné de cette douce occupation par des devoirs et des affaires qui, à vue de pays, vont se multiplier... [1]. »

En octobre, au moment de rentrer à Paris, Mme d'Épinay est déchirée de mettre fin à cette parenthèse de bonheur. La vie qu'elle a menée à Genève a été trop douce... Grimm la console comme un homme maître de ses sentiments, que n'affecte pas au même degré leur séparation prochaine : « Ma tendre amie, il faut remplir sa vocation ; la vôtre ne saurait être de vivre retirée et solitaire avec moi ; nous ne devons nous consacrer que les moments de repos que nos devoirs nous laissent. Le bonheur dont nous avons joui depuis six mois ne devrait jamais exister [...] nous serions coupables de nous désoler de son peu de durée, tandis que nos devoirs nous rappellent ailleurs. »

Rentré à Paris, Grimm se consacre presque exclusivement à ses ambitions diplomatiques et littéraires. Bientôt il se montrera moins aimant et attentif pour cette femme qui ne cessera jamais de l'aimer comme à Genève, c'est-à-dire de toute son âme.

En s'unissant avec Voltaire et Grimm, Mmes du Châtelet et d'Épinay ont fait un choix quelque peu similaire. Toutes deux mariées et mères avaient déjà beaucoup vécu et souffert. Déçues par les hommes, elles menaient une vie désordonnée et peu satisfaisante. Le cœur désorienté, elles éprouvaient un irré-

1. *Ibid.*, p. 423.

sistible besoin de jeter l'ancre et de trouver un havre affectif pour s'y reposer enfin.

L'une et l'autre proches de la trentaine ont donc opéré un changement radical dans leur existence. Pour la première fois de leur vie, le bon sens l'emportait sur la passion, la tendresse sur le désir. C'était comme une sorte de « remariage » où le cœur prend en compte les intérêts de la raison.

Mais cela n'impliquait nullement, chez l'une ou chez l'autre, un renoncement à l'amour. Au contraire, en « épousant » Voltaire et Grimm, elles préparaient une nouvelle vie et se donnaient les moyens d'être enfin elles-mêmes. S'il est vrai que leur tendresse s'enrichit de la passion et qu'à long terme leur amour ne fut pas assez payé de retour, ces unions furent pour elles l'occasion d'une véritable renaissance. Grâce à l'amour de Grimm et de Voltaire, elles allaient pouvoir montrer au monde de quoi elles étaient capables.

## *Les deux « moitiés » des Émilie*

Comme dans le mythe d'Aristophane [1], les Émilie ont rencontré non leur double mais leur complément. Douées de caractères différents, l'une avait d'abord besoin de protection, l'autre d'admiration. Grimm et Voltaire surent répondre à leur demande pressante, parce qu'ils y trouvaient leurs satisfactions personnelles.

## *Voltaire, féministe*

L'amour de Voltaire pour Mme du Châtelet repose avant tout sur l'admiration qu'elle suscite en lui. Son intelligence le fascine et il la considère sin-

1. *Le Banquet* de Platon, Flammarion, G.F., n° 4.

cèrement comme supérieure à la sienne. Lorsqu'il l'appelle la « Sublime », ou la « Divine » Émilie, il n'y met pas l'ombre d'une ironie. Il est, au sens propre du terme, subjugué par elle. C'est la première fois qu'il rencontre une femme de cette qualité, capable même de le conseiller dans ses travaux. Tout au long de leur vie commune, son intelligence ne cessera de l'émerveiller. En novembre 1733, il confie à Sade : « En vérité Mme du Châtelet est un prodige[1]. » Deux ans plus tard, il est toujours aussi charmé par les dons de sa compagne. Elle lit Virgile, Pope et l'algèbre comme d'autres liraient un roman ; « il n'y a rien dans tout ce siècle de si admirable qu'elle[2] ».

Pour comprendre l'admiration de Voltaire, il faut bien apprécier la rare qualité de Mme du Châtelet. Quelle autre femme, au XVIIIe siècle, aurait pu prétendre se montrer à la fois physicienne et philosophe[3], lire Cicéron et Pope[4] dans le texte, critiquer avec brio les physiciens de l'Antiquité[5], chanter l'opéra la nuit et retrouver Newton le jour[6] ? Aucune autre ne pouvait commenter Wolff ou la Bible, de concert avec lui, et en faire une critique aussi brillante.

Voltaire ne la considère pas seulement comme son égale, mais comme le juge suprême de ses réflexions et de son œuvre. Il lui soumet respectueusement ses ouvrages et ses pièces. Émilie tranche de tout et renvoie parfois la copie à fin de corrections. Docile, Voltaire se remet au travail confiant dans son jugement. Cela est particulièrement vrai pour les sciences. En quatre ans de vie commune à Cirey, il a pu observer les progrès quotidiens qu'elle fait dans ces

1. Lettre à Sade, 3 nov. 1733.
2. Lettre à Thieriot, 11 sept. 1735.
3. Lettre à Berger, 10 janv. 1736.
4. Lettre à Thieriot, 9 fév. 1736.
5. Lettre à d'Olivet, 12 fév. 1736.
6. Lettre à Thieriot, 5 sept. 1736.

disciplines. La brillante collaboratrice qu'elle était au début est rapidement devenue un maître qu'il ne peut plus suivre. Ravi, il proclame la supériorité de sa compagne [1] et la déclare tour à tour « un astre » dont il est un « satellite [2] », ou « la substance dont il est l'accident [3] ».

En 1736, alors qu'ils travaillent ensemble sur la philosophie de Newton, il compose une nouvelle épître à sa gloire qui débute par ces vers :

« Tu m'appelles à toi, vaste et puissant génie,
Minerve de la France, immortelle Émilie.
Je m'éveille à ta voix, je marche à ta clarté,
Sur les pas des vertus et de la vérité. »

Non seulement il ignore toute jalousie à son égard, mais au contraire il affiche volontiers une fierté touchante, comme un père qui ne peut se retenir de conter les succès de sa fille. Convaincu qu'elle a du génie, il prend le monde à témoin des vertus de sa femme, car il entend qu'elle soit regardée par tous avec ses yeux à lui.

Si Voltaire peut être qualifié de féministe, c'est qu'à travers elle, et peut-être grâce à elle, il a constamment fait l'éloge des femmes. Adversaire de Molière, il est convaincu de l'égalité intellectuelle des deux sexes, voire de la supériorité du second. En dédicaçant *Alzire* à Mme du Châtelet, il profite de l'occasion pour régler leur compte aux misogynes du siècle passé. Non, les femmes ne sortent pas de leur état en osant s'instruire. Oui, le ridicule que Molière et Boileau ont jeté sur les femmes savantes a semblé justifier les préjugés de la barbarie. Voltaire renvoie l'élégant Despréaux à ses chères études : « En vain, dans sa satire des femmes, il a voulu couvrir de ridicule une dame qui avait appris l'astronomie ; il

1. Lettre à Mme de Champbonin, 20 août 1739.
2. Lettre à Maupertuis, 22 juin 1740.
3. Lettre à d'Argental, fév.-mars 1745.

eût mieux fait de l'apprendre lui-même [1]. » Voltaire conclut : « Nous sommes du temps [...] où il faut qu'un poète soit philosophe, *et où une femme peut l'être hardiment* [2]. »

Après avoir fait l'éloge des reines et princesses philosophes, des mérites d'Émilie, Voltaire va un pas au-delà dans l'apologie des femmes savantes : « Une des raisons qui doivent faire estimer les femmes qui font usage de leur esprit, c'est que le goût seul les détermine [...]. Pour nous autres hommes, c'est souvent par vanité, quelques fois par intérêt [...]. Nous en faisons les instruments de notre fortune... [3]. »

Le compliment est flatteur pour les dames, mais pas tout à fait exact. Si Voltaire avait mieux observé Mme du Châtelet en 1734, il aurait vu que son goût pour les sciences n'était pas le seul moteur de son application... Mais l'essentiel n'est pas qu'il ait mésestimé la vanité féminine, c'est plutôt qu'il ait osé penser et écrire que « la philosophie est de tout état et de tout sexe [...] elle est certainement du ressort des femmes [4] ».

A ses yeux, les femmes peuvent prétendre briller dans tous les domaines traditionnellement réservés aux hommes. Lorsque fut représenté à l'Opéra, en octobre 1736, *Les Génies élémentaires* sur une musique de Mlle Duval, il remarque : « Si un opéra d'une femme réussit, j'en serai enchanté. C'est une preuve [...] que les femmes sont capables de tout ce que nous faisons, et que la seule différence qui est entre elles et nous, c'est qu'elles sont plus aimables [5]. »

Féministe, Voltaire l'est aussi par son respect des

1. *Alzire*, 1734. *Épître à Madame du Châtelet, op. cit.*
2. *Ibid.* Souligné par nous.
3. *Ibid.*
4. « Épître dédicatoire à la Marquise du Châtelet », *in : Éléments de la philosophie de Newton*, éd. de 1741.
5. Lettre à Berger, 18 oct. 1736.

libertés qui ne sont pas l'apanage du sexe masculin. Il n'a jamais exercé la moindre pression sur Émilie pour qu'elle agît ou pensât de telle ou telle façon. Plus d'une fois il constatera avec bonne humeur qu'elle « ne vient pas quand on veut [1] ». Durant leurs quinze années de vie commune, Mme du Châtelet décidera en souveraine de leurs faits et gestes sans que jamais Voltaire y oppose une volonté contraire. Il bougonne parfois, mais obtempère toujours. « Pourquoi nous allons à Paris ? [...] J'y vais parce que je suis Émilie [...]. Elle y va parce qu'elle prétend que cela est nécessaire [2]. »

Lorsqu'elle adoptera plus tard des positions philosophiques contraires aux siennes, Voltaire, sans changer d'avis, défendra publiquement le droit d'Émilie de penser autrement. Tout en lui signifiant son désaccord, il respectera scrupuleusement ses options leibniziennes. À Dortous de Mairan qui s'en étonne, il répond : « Je m'y accoutume comme je laisserais ma femme aller au prêche si elle était protestante [3]. »

### *Une mère dominatrice*

Aux yeux d'Émilie, Voltaire fait figure à la fois d'enfant et d'époux. Lui-même, ayant perdu sa mère à l'âge de dix ans, élevé par un père sévère, est à la recherche d'une femme maternante et protectrice. Avant de rencontrer Mme du Châtelet, il a déjà eu quelques liaisons avec des femmes plus âgées que lui. Émilie endossera le rôle sans la moindre difficulté comme si de son côté elle avait besoin d'assouvir un sentiment qu'elle n'a jamais éprouvé pour ses enfants.

Accablé par mille petits maux réels ou imaginai-

1. Lettre à Mme de Champbonin, déc. 1734.
2. Lettre à Mme de Champbonin, 20 août 1739.
3. Lettre à Dortous de Mairan, 5 mai 1741.

res, la tripe fragile, les nerfs en pelote, Voltaire n'est pas seulement un véritable hypocondriaque qui se croit toujours à l'article de la mort, il est aussi un grand imprudent qui prend mille risques inutiles pour sa santé et sa tranquillité. Dès qu'elle s'installe à ses côtés, Émilie va veiller sur lui comme une mère sur son petit. Voltaire le ressent ainsi lorsqu'il confie à d'Argental qu'elle est pour lui toute sa famille, plus qu'un père, un frère ou un fils [1].

lle-même éprouve pour lui tous les symptômes de l'amour maternel. Lorsqu'elle décrit ses sentiments, elle donne l'impression de parler de son enfant. Elle l'aime pour lui et non pour elle-même. Elle est toute prête à « sacrifier son bonheur à ses goûts et à la justice de ses ressentiments [2] ». Rien ne lui semble plus important que le bien-être de son amant, parce qu'elle vit dans une véritable symbiose avec lui. Tous les sentiments qu'il éprouve, elle les ressent sur l'instant avec la même acuité, comme une jeune mère attentive.

Au début de leur liaison, Émilie a le grand pouvoir de l'apaiser. Elle a su faire de Cirey un « paradis terrestre [3] », où Voltaire profite du rare bonheur de jouir et de connaître à la fois. Bien qu'ils travaillent chacun dans leur chambre, ils passent de longues heures ensemble à échanger leurs idées et s'envoient des petits billets d'une pièce à l'autre dès qu'ils sont séparés. Pendant ces premières années de bonheur en tête-à-tête, l'un et l'autre produiront une œuvre considérable, comme s'il ne leur en avait rien coûté.

Lorsque Voltaire est malade, elle le soigne personnellement et vient s'installer auprès de son lit pour lui faire la lecture. Elle lui lit, pour leur plaisir commun, Virgile et Ovide en latin, Newton et Pope en anglais. Voltaire fait mine d'être plus malade qu'il

1. Lettre à d'Argental, 1er mars 1737.
2. *Ibid.*
3. Lettre au baron von Keyserlingk, 20 août 1737.

n'est pour avoir la joie d'être materné par elle. Attentive à tous les détails, Émilie surveille son régime alimentaire, interdit le vin blanc et tâche de lui éviter tout sujet de désagrément.

Malgré toutes ses précautions, Émilie ne parvient pas toujours à retenir Voltaire sur la pente des pires imprudences. Incapable de garder un secret ou d'empêcher la publication d'un écrit dangereux pour son repos, Voltaire met constamment sa sécurité en péril. Plusieurs fois menacé de scandales et de lettres de cachet, il ne doit son salut qu'aux décisions énergiques d'Émilie. Après les *Lettres anglaises,* ce sont des copies du *Mondain* qui circulent à Paris en novembre-décembre 1736. Une fois de plus, Voltaire doit s'éloigner. Pendant ce temps, la dame de Cirey se démène, fait intervenir Mme de Richelieu auprès du garde des Sceaux et son mari auprès du cardinal Fleury. D'Argental lui rapporte ce qu'on dit à Paris, notamment que Voltaire aurait été arrêté depuis longtemps sans le respect qu'on a pour la maison du Châtelet.

Voltaire parti pour Amsterdam surveiller une édition complète de ses œuvres, Émilie vit dans la plus grande inquiétude qu'il ne lui arrive malheur, qu'il ne tombe malade ou ne se laisse aller à quelques nouvelles fantaisies. « Ne le laissez pas longtemps en Hollande, écrit-elle à d'Argental, il est sage les premiers temps, mais souvenez-vous qu'il est peu de vertu qui résiste sans cesse [1]. »

Peu de temps se passe avant que ses craintes ne soient justifiées. Voltaire s'est mis en tête de faire imprimer, en même temps que les *Éléments de Newton,* un chapitre sur la métaphysique qu'ils ont rédigé ensemble et qui est extrêmement dangereux [2]. A bout d'arguments, elle demande au fidèle d'Argental d'écrire lui-même en Hollande pour dissuader

1. Lettre à d'Argental, 2 janv. 1737.

2. *Ibid. :* « Je connais ce manuscrit [...] c'est un livre mille fois plus dangereux et punissable que *La Pucelle.* »

Voltaire de le publier ainsi que *Le Mondain.* Elle ajoute : « Il faut à tout moment le sauver de lui-même et j'emploie plus de politique pour le conduire, que tout le Vatican n'en emploie pour retenir la chrétienté dans ses fers [...]. Je passerai ma vie à combattre contre lui, pour lui-même, sans le sauver, à trembler pour lui, ou à gémir de ses fautes [...] il faut que vous m'aidiez à parer ce coup s'il est parable, car vous sentez bien que cette imprudence le perdra tôt ou tard sans retour [1]. »

Non seulement il menace de faire imprimer son chapitre de métaphysique, mais en outre il veut l'envoyer au jeune Frédéric de Prusse qui le lui réclame à cor et à cri. C'en est trop pour Émilie qui se fâche pour de bon. A d'Argental, le confident de ses peines, elle dit sans ménagement ce qu'elle pense de Voltaire et de la folie d'aller « confier à un prince de vingt-quatre ans qu'il ne connaît point, le secret de sa vie, sa tranquillité et celle des gens qui l'aiment [...]. Pourquoi faire dépendre sa tranquillité d'un autre et cela sans nécessité, par la sotte vanité de montrer à quelqu'un qui n'en est pas juge, un ouvrage où il ne verra que de l'imprudence ? Qui confie si légèrement son secret mérite qu'on le trahisse [...]. Je suis outrée ... [2] ».

Finalement, Émilie aura gain de cause et Voltaire rengainera sa dangereuse métaphysique. Mais ce ne sera pas la dernière fois qu'elle le sauvera de lui-même. Un an après éclate l'affaire de la *Voltairomanie,* le terrible libelle de Desfontaines, en réponse à celui de Voltaire intitulé *Le Préservatif.* La *Voltairomanie,* qui attaque l'œuvre du poète et déshonore l'homme, obtient un succès prodigieux : deux mille exemplaires sont écoulés en quinze jours ! D'Argental prévient secrètement Émilie dès le 25 décembre 1737. Elle filtre le courrier de Voltaire pour lui éviter de le lire et cache sa douleur. Elle ne se doute pas

1. *Ibid.*
2. *Ibid.*

que Voltaire couché avec de la fièvre l'a déjà lu et que c'est là la raison de sa maladie. Comme elle ne veut pas que l'outrage reste sans réponse, elle rédige seule et secrètement une lettre à l'ignoble Desfontaines qui commence ainsi : « Les naturalistes recherchent avec soin les monstres que la nature a produits [...] par simple curiosité [...] il est une autre sorte de monstres dont la recherche est plus utile pour la société, et dont l'extirpation serait bien plus nécessaire [1]. »

Elle n'a pas le temps de l'envoyer que Voltaire avoue être au courant. Dès lors il se laisse aller à des scènes de rage et de désespoir que Mme de Graffigny juge indignes. Il veut faire un procès et inonde tout Paris de lettres vengeresses. Émilie a beaucoup de mal à le calmer et à l'empêcher de se rendre ridicule. A force de patience, elle parvient à lui faire abandonner l'idée du procès et l'aide, après plusieurs mois de folie, à retrouver ses esprits.

Les occasions ne lui manqueront pas d'exercer sa protection maternelle. Pas une gaffe qu'elle ne tente de réparer. Depuis la folle lettre à Frédéric pour le féliciter d'avoir trahi la France en 1742... et qui circule à Paris par la volonté du roi qui veut gêner Voltaire, jusqu'au succès scandaleux de sa pièce déiste, *Mahomet*, Mme du Châtelet se démène pour annuler les effets les plus nocifs de ses folies. Elle va voir les puissants à Versailles, pour plaider inlassablement la cause de son protégé, et parvient plusieurs fois à lui éviter l'exil. A force d'intrigues, elle réussit à le faire élire à l'Académie, après deux essais ratés. Mais Voltaire a tant d'ennemis que toute l'énergie et la puissance d'Émilie ne suffisent pas à obtenir gain de cause à tous les coups !

Maternelle et protectrice, Mme du Châtelet fut

1. Réponse à une lettre diffamatoire de l'abbé Desfontaines par la marquise du Châtelet, publiée par Beuchot dans les *Mémoires anecdotiques, très curieux et inconnus jusqu'à ce jour sur Voltaire*, Paris, 1838, tome II.

aussi terriblement dominatrice. Semblable en cela à ces mères abusives qui couvent leur enfant jusqu'à le castrer. Voltaire s'est plaint à plusieurs reprises des excès d'autorité de sa femme. Elle ordonne sans cesse, il obéit toujours. Elle s'empare des écrits qu'elle juge dangereux et refuse de les rendre. Elle lui interdit la poésie et le persécute pour qu'il ne perde pas son temps à écrire de l'histoire.

Elle n'est pas moins tyrannique dans la vie quotidienne. Elle choisit les habits qu'il doit mettre [1] et se fâche s'il n'obtempère pas. Elle décide des voyages, de la durée du séjour et des départs au gré de ses envies ou de ses besoins sans tenir compte des désirs de Voltaire. Mme de Staal-Delaunay, qui les a observés sans complaisance durant leur séjour à Anet, conclut justement : « La du Châtelet, c'est la souveraine et lui l'esclave [2]. »

Voltaire ne s'est jamais rebellé ouvertement. Aux yeux du public, le « premier des Émiliens » a toujours manifesté sa soumission à sa déesse. En réalité, il lui fera chèrement payer cette tyrannie en partant pour l'étranger, sous un prétexte ou un autre, et en ne revenant qu'à son heure à lui, malgré les supplications et les désespoirs d'Émilie. Les occasions furent relativement rares en quinze ans de vie commune, mais il n'en laissa jamais passer une...

Une des raisons de la domination constante qu'elle exerça sur lui fut non seulement son caractère naturellement impérieux, mais aussi sa supériorité sexuelle. Dès le début de leur liaison, il confesse à Cideville qu'il a « bien peu de tempérament [3] ». Mais dans les *Épîtres à Émilie*, il note, émerveillé, qu'elle a éveillé ses sens. Il est donc probable qu'il s'est vite senti en état d'infériorité devant cette femme insatiable à laquelle il ne pouvait rendre les plaisirs qu'elle lui donnait.

1. Lettres à Mme de Graffigny.
2. *Correspondance* de Mme du Deffand.
3. Lettre à Cideville, 11 oct. 1733.

En 1741, alors que les premiers feux de la passion sont éteints, Voltaire confesse ses faiblesses à son ami Cideville et fait le constat douloureux de son incapacité amoureuse :

> « Si vous voulez que j'aime encore,
> Rendez-moi l'âge des amours...
> On meurt deux fois, je le vois bien :
> Cesser d'aimer et d'être aimable
> C'est une mort insupportable,
> Cesser de vivre ce n'est rien...
> Du ciel alors daignant descendre
> L'amitié vint à mon secours :
> Elle est plus égale, aussi tendre,
> Et moins vive que les amours...
> Je la suivis ; mais je pleurais
> De ne pouvoir plus suivre qu'elle [1]. »

Même si longtemps Émilie a fait mine de ne pas y attacher d'importance et de se contenter de l'amitié qu'il lui offrait, il est certain que Voltaire dut se sentir humilié par cette secrète infériorité. Raison supplémentaire pour être plus soumis à Émilie, laquelle, inconsciemment ou non, sut en profiter.

### *Grimm, paternaliste*

Malgré leur faible différence d'âge, Grimm en a tout de suite imposé à Mme d'Épinay. Timide en société, de caractère taciturne, maniant l'ironie avec talent, mais dénué d'humour, il impressionne ses interlocuteurs. Ses adversaires le trouvent hautain, ses amis reconnaissent qu'il a la froideur de sa Prusse natale ; tous s'accordent pour le trouver autoritaire à l'excès. Diderot qui l'a aimé comme un frère ne sera pas le dernier à s'en plaindre. Ses désirs sont des ordres qu'on ne discute pas, ce qui ne peut

1. Lettre à Cideville, 11 juil. 1741.

manquer à la longue d'agacer l'entourage le plus affectueux. Seule Mme d'Épinay supportera jusqu'au bout le caractère difficile de son compagnon vieillissant.

Au début de leur liaison, l'autorité du jeune Grimm lui fut bénéfique. Il remplace auprès d'elle le père protecteur qu'elle a perdu trop tôt. Comme ni son mari, ni Francueil ne sont venus remplir la place laissée vide, et qu'au contraire Mme d'Épinay a dû faire face à leur irresponsabilité commune, elle éprouve un irrésistible besoin d'être à son tour prise en charge et protégée. Dans ses nombreux déboires, elle a recours à l'homme qui défend sa réputation, qui s'est acquis par là des droits à sa confiance et qui lui en inspire, par toute sa manière d'être.

Non seulement elle a mis sa confiance en cet homme solide, aux principes sévères, mais elle admire son itinéraire et ses succès qui ne sont dus qu'au travail et à la volonté. Arrivé à Paris sans nom, sans réputation et pauvre, Melchior Grimm ne s'est pas seulement fait connaître par sa passion malheureuse pour Mlle Fel, il a fait plus sérieusement parler de lui par ses prises de position, au plus fort de la querelle qui oppose les partisans de la musique française à ceux de la musique italienne. Grimm, comme tous les connaisseurs de l'époque, prend parti pour cette dernière. Une première fois en février 1752 en remettant à l'imprimeur une brochure de cinquante-deux pages : *Lettre de M. Grimm sur Omphale.* Alors qu'il est critiqué par l'abbé Raynal, Rousseau vient à son secours et publie à son tour une longue lettre pour soutenir ses idées. Un an plus tard, Grimm revient à la charge avec *Le Petit Prophète de Boehmischbroda* [1].

En moins d'un mois, trois éditions du *Petit Prophète* sont vendues, une cinquantaine de pamphlets attaquent ou défendent les idées de Grimm. Du jour au lendemain, Grimm est célèbre, et Voltaire, qui

1. Publié le 25 janvier 1753.

admire « la gaieté vive et piquante » de l'ouvrage, s'écrie : « De quoi s'avise donc ce bohémien d'avoir plus d'esprit que nous [1]. ? »

En mai 1753, discrètement, Grimm rédige la *Correspondance littéraire* et succède à l'abbé Raynal, nouveau directeur des *Nouvelles littéraires.* « Grâce à la finesse de son tact et de son goût, grâce encore à ses rapports avec plusieurs hommes de lettres de la première distinction, répandu comme il l'était dans les meilleures sociétés de Paris, il parvint à donner à cette gazette littéraire plus d'importance et d'intérêt qu'elle n'en avait jamais eu [2]. »

Pendant vingt ans, Grimm tiendra la plume aidé seulement de quelques collaborateurs bénévoles dont Diderot et Mme d'Épinay. En 1755, il s'en occupe seul et travaille avec acharnement pour ne pas décevoir sa prestigieuse clientèle, essentiellement des princes et des souverains étrangers. Rendant compte de toutes les nouveautés littéraires, artistiques, philosophiques, Grimm a la même culture que ses amis encyclopédistes. Ce qui achève d'impressionner Mme d'Épinay.

Voilà longtemps qu'elle cherchait un homme de cette qualité qui puisse la conseiller, l'aider à vivre, la transformer. Très sûr de lui, Grimm est tout prêt à jouer le rôle de Pygmalion et à exercer une tendre autorité sur cette femme qu'il trouve exquise. Le tout début de leurs amours est profondément empreint de sentiments paternels et filiaux. Parfois, elle se laisse aller à l'appeler « mon père [3] », et lui « mon enfant [4] », sans qu'il s'agisse là de simples formules de style.

Un peu plus tard, elle ira même jusqu'à lui écrire : « Ce n'est pas d'aujourd'hui que je sens qu'avec vous on peut se laisser conduire sans y

1. *Correspondance littéraire*, Meister, tome I, 5.
2. *Ibid.*, Meister, tome I, 6.
3. *Pseudo-Mémoires*, tome III, p. 206.
4. *Ibid.*, p. 357, note 9.

regarder ; vous m'inspirez tous les jours davantage cette espèce de sécurité qu'a l'enfant qui dort sur les genoux de sa mère. »

Jusqu'au séjour à Genève, Louise se laisse diriger avec plaisir, dans sa vie privée comme dans son activité culturelle. Le petit écrit suivant rédigé en 1756 prouve l'influence décisive que Grimm a prise sur elle. Il montre aussi qu'elle en était consciente et savait l'apprécier avec humour.

> « Moi, de cinq ours [1] la souveraine,
> Qui leur donne et prescrit des lois,
> Faut-il que je sois à la fois
> Et votre esclave et votre reine ?
> Ô des tyrans le plus tyran !
> Vous voulez que je versifie ;
> Vous commandez à mon génie...
> Tantôt c'est une comédie,
> Puis un portrait, puis un discours
> Sur les grâces, sur les amours ;
> Un roman, une historiette,
> Un bouquet, une chansonnette...
> Bien étendu sur une chaise
> Vous ordonnez tout à votre aise
> Sans souffrir qu'on dise nenni ;
> Mais dites-moi, quelle manie,
> Vous prend de vouloir sans pitié
> Guinder mon style négligé... ? »

Mme d'Épinay plaisante, mais exécute toutes les volontés de Grimm. Elle croit sincèrement qu'il lui est bien supérieur. De Genève, elle lui écrira en 1757 : « Vous présumez que vous n'avez pas sur moi autant de crédit que d'autres en ont, qui ne méritaient pas ma confiance [...]. Ne voyez-vous pas,

1. Au tyran le Blanc (surnom de Grimm), *in : Mes moments heureux*, *op. cit.*, p. 163. Mme d'Épinay surnommait ses « ours » le petit groupe d'amis qui faisaient sa société habituelle : Rousseau, Demahis, Gauffecourt, Saint-Lambert et Grimm.

et n'avez pas toujours vu dans mes actions que c'était au contraire la grande estime que j'avais de vous qui me faisait rougir d'être, par ma faiblesse, si peu digne de la vôtre ? J'ai rougi jusqu'à ce que j'ai acquis la force d'imiter votre fermeté ; j'en suis moins éloignée que je ne l'étais [1]. »

Contrairement à ce que pouvait laisser craindre l'autoritarisme de Grimm et la volontaire soumission de Mme d'Épinay, leurs relations vont se transformer peu à peu dans le sens de l'égalité. A la différence d'autres couples où se maintiennent intacts les premiers rapports de domination et de servitude, Grimm et Mme d'Épinay ont tous deux évolué vers le respect mutuel de leur autonomie. Et c'est là que l'on mesure la bienfaisante influence de Grimm et le caractère volontaire de sa compagne. Il s'est bien comporté en père aimant jusqu'à ce qu'elle volât de ses propres ailes. Et même s'il s'est peu à peu détaché d'elle, et lassé, il a joué un rôle décisif dans la libération intellectuelle et morale de Louise.

C'est lui qui a coupé une fois pour toutes le cordon ombilical qui la tenait soumise à sa mère, laquelle également impressionnée par son sérieux le traite en gendre putatif. C'est lui aussi qui l'a rendue à elle-même en l'arrachant à l'instabilité et à la crédulité héritées de son éducation. Grimm a raison quand il écrit : « Vous avez été sans cesse le jouet des méchants et de gens sans conscience, mille fois plus légers que vous [...]. Si j'ai pu faire quelque chose pour vous ramener à vous-même, ne suis-je pas trop heureux, et n'êtes-vous pas bien aise d'en avoir l'obligation à l'homme du monde que vous aimez le plus, et à qui vous êtes plus chère que la vie [2] ? »

En enlevant la fille à l'influence négative de sa mère, en lui redonnant confiance en elle, Grimm a ressuscité l'orpheline de neuf ans, petite fille ambi-

1. *Pseudo-Mémoires*, tome III, p. 302.
2. *Ibid.*, p. 299.

tieuse et orgueilleuse. Il a achevé le travail éducatif et libérateur que son père n'avait pas eu le temps de faire. Il a donc permis à cette femme de trente ans de renaître à elle-même comme une personne indépendante prête à donner le meilleur de son caractère.

En 1757, elle écrit à un ami une lettre très importante qui fait le point sur son évolution : « Le seul tort que j'ai eu avec mes amis et avec moi est d'avoir toujours songé à eux préférablement à moi, et à satisfaire jusqu'à leur fantaisie sans me compter pour rien. Au moyen de ce petit système, j'avais autant de maîtres que d'amis. *Avoir une volonté à moi me paraissait un crime.* Je faisais mille choses qui ne me convenaient pas avec une complaisance qui me convenait encore moins [...] j'en étais continuellement la victime, sans qu'on m'en sût aucun gré. J'y ai bien regardé ; *j'ai commencé à oser être moi* ; je ne compte plus que pour rien les caprices des autres. Je ne fais plus que ce qui me plaît ; je m'en trouve à merveille [1]. »

Dorénavant, au lieu de se dissimuler sous des masques différents pour ressembler aux différentes images que son entourage se fait d'elle, Mme d'Épinay marche à découvert et impose sa personnalité. Aimée et respectée par Grimm, elle n'éprouve plus le besoin de plaire à tout le monde.

Grimm ne s'est pas contenté de jouer les pères libérateurs. Il a aussi occupé la place vacante, ô combien, du mari protecteur. Voltaire non plus n'avait pas négligé ce rôle. Combien de fois n'est-il pas venu au secours d'Émilie pour régler ses dettes de jeu et mettre de l'ordre dans ses finances ? C'est lui, en redoutable homme d'affaires, qui met fin, au mieux des intérêts de la famille du Châtelet, à un procès qui dure depuis plus d'un demi-siècle. Dans une lettre émouvante, le marquis du Châtelet remercie chaleureusement Voltaire qui, par son habileté,

1. *Ibid.*, p. 209. Souligné par nous.

permet de régler les dettes criantes de la famille. En réalité, l'affaire ne sera réglée qu'après la mort d'Émilie. Mais Voltaire aura montré qu'il était le véritable chef de la famille.

Plus encore que Voltaire, Grimm a complètement pris en charge les problèmes de Mme d'Épinay. C'est à lui que son tuteur remet solennellement les dossiers de ses affaires, comme il l'aurait fait à son véritable époux si ce dernier était un homme responsable. Vers 1760, il écrit à Grimm : « Je désire [...] vous remettre les affaires de ma pupille, vous en expliquer les détails et vous prévenir sur différents points qui concernent celles de Monsieur d'Épinay, que je regarde comme un homme qui ne peut aller deux ans sans faire la banqueroute la plus effroyable. Je voudrais éviter de montrer à sa femme cette affreuse perspective [1]. »

Grimm prend très au sérieux son rôle de conseiller financier. A peine est-elle partie pour Genève qu'il lui écrit : « Mandez-moi si vous êtes d'accord avec Monsieur d'Épinay sur vos décomptes et sur vos finances. Je trouve que vous avez très bien fait de vous défaire de votre cocher. J'ai reçu une lettre de change pour vous dont vous me manderez la destination. Je désire [...] que vous puissiez finir d'acquitter vos dettes, et même épargner pendant votre voyage [2]. »

Mieux encore, il s'entremet entre son mari et elle pour la défendre contre ses folies. Il donne rendez-vous à M. d'Épinay pour lui demander des comptes sur ses dépenses. Ayant entendu dire qu'il avait dilapidé quarante mille francs de diamants pour les sœurs Verrières et qu'il leur avait acheté à leur nom une maison de vingt mille écus, Grimm exige des explications. « Notre conversation a duré trois heures. Il m'a écouté avec la plus grande douceur, niant la plupart des faits, se défendant mal sur les autres

1. *Ibid.*, pp. 426-427.
2. *Ibid.*, p. 289.

et me faisant des aveux faux pour m'en imposer sur le reste. Il m'a demandé très sérieusement si moi, qui le connais depuis longtemps, j'ai pu le croire capable de tant d'extravagance [1] ? »

Grimm fait mine d'être dupe mais laisse planer la menace de plaintes publiques de la part de Mme d'Épinay pour sauver le peu de biens qu'il lui reste et qu'elle ne soit point compromise dans une banqueroute honteuse. Le mari ne s'offusque nullement d'une démarche aussi humiliante et se contente de lui jurer qu'il ne voyait plus ses créatures...

Mais quand sa situation se gâtera plus encore au point de laisser envisager la destitution prochaine de sa charge de fermier général, Grimm mettra tout en œuvre pour tenter de le sauver et épargner Mme d'Épinay. Il essaie de faire intervenir la marquise de Pompadour, puis le contrôleur général. Quand le malheur est consommé, en 1762, Grimm est désigné par la famille unanime, y compris le mari, pour rédiger le mémoire de la défense de leurs intérêts [2], à l'adresse du ministre des Finances. Démarche vaine qui eut le mérite de montrer là aussi qui était le véritable chef de la famille d'Épinay.

Grimm ne se contentera pas du rôle de tuteur de Mme d'Épinay. Elle lui demanda aussi d'être le protecteur de sa mère et le père spirituel de ses enfants. Lorsque sa santé réclame son départ pour Genève, elle emmène son fils pour le soustraire à l'influence paternelle et laisse sa fille en compagnie de sa mère. Grimm se voit confier le soin de veiller sur les deux femmes [3]. En cette occasion aussi il se conduit en véritable époux : « J'ai passé le jour de votre départ entre votre mère et votre enfant [...]. Reposez-vous

1. *Ibid.*, p. 335.

2. *Ibid.*, p. 463. M. d'Épinay fut destitué de sa charge le 1er janvier 1762. Il était mis en faillite avec près de 700 000 livres de dettes. Mme d'Épinay conservait les 90 000 livres de la succession de sa mère qu'elle investit dans la charge du successeur de son mari, M. Tronchin.

3. *Ibid.*, p. 233.

sur moi : le soin que je prendrai d'eux [...] sera ma plus chère et ma plus douce occupation [1]. »

Grimm tiendra pleinement sa promesse. Il rend de très nombreuses visites, veille sur la santé de sa mère et l'éducation de sa fille. Il lui donne fréquemment des nouvelles qui prouvent qu'il a à cœur de bien remplir son rôle de gendre et de père d'adoption. Il s'intéresse également à l'évolution de son fils, porte de sévères jugements et donne des conseils [2].

Se doute-t-il que le fils de sa maîtresse, copie conforme du père, dont le caractère inquiète sa mère, lui porte déjà une haine secrète ? Dans une lettre écrite longtemps après la mort de sa mère et de son amant, Louis-Joseph d'Épinay trace un terrible portrait de Grimm qui s'enracine dans la jalouse exécration pour l'homme qui lui a volé sa mère. « On lui procura une *Correspondance littéraire* [...] et le mit en état de montrer sa garde-robe. Il fit bientôt disparaître le petit habit noir râpé, les mauvais bas usés, et les autres pièces de son ajustement de voyage. Il y substitua l'habit brodé, les bas de soie blancs, le fin escarpin, l'épée et le carrosse de remise au mois. Il accompagna tout cela d'un laquais, et d'un valet de chambre-secrétaire, qui le coiffait et écrivait sous sa dictée. Mais si chacun fut frappé de cette prompte métamorphose du costume, on ne tarda pas de l'être bientôt encore davantage de celle de ses manières envers ses amis : du moment qu'il fréquenta les Grands, il oublia promptement qu'il était petit, et prit un air d'insolence avec ses inférieurs, de suffisance avec ses amis et égaux, et rampant avec ses supérieurs [3]. »

Portrait non sans vérité, comme pourrait l'attester

1. *Ibid.*, p. 247.
2. *Ibid.*, p. 338.
3. Lettre à Mme la C.*** née J.***, 20 mai 1811, publiée par Besterman dans la *Correspondance* complète de Rousseau, tome IV, appendice 171, p. 421.

l'abbé Galiani, mais qui omet à dessein tous les aspects aimables du personnage et en particulier les bienfaits de Grimm pour sa mère. Dans la querelle qui a opposé le couple à Rousseau, Louis prend parti pour le philosophe, contre Grimm qui aurait imposé la rupture à sa mère. « Elle était obsédée, circonvenue, peut-être un peu faible ; et elle n'aura pas osé montrer du caractère dans cette occasion. »

Curieuse réaction de la part d'un fils qui avait pu prendre connaissance depuis longtemps des *Confessions* de Rousseau !

Si Grimm a souvent fait preuve d'un égoïsme forcené à l'égard de Mme d'Épinay, il a toujours porté la plus grande attention à ses enfants et petits-enfants. Nul doute qu'il assouvit avec eux son désir de paternité. Comme Mme d'Épinay, il sera fou de sa petite-fille, Émilie de Belzunce. A la mort de Louise, il en arrachera la garde à ses parents, la mariera et la dotera. Au pire moment de la Révolution, il l'emmènera avec mari et enfants en Allemagne. Il mourut à Gotha, à demi aveugle, en 1807, entouré par Émilie et ses deux filles. Sur sa tombe, la petite-fille de Mme d'Épinay fit graver en allemand : « Ici repose un sage, un ami dévoué [1]. »

On ne pouvait mieux dire la qualité essentielle d'un compagnon de trente ans de vie. Père, mari, amant, Grimm avait joué momentanément tous ces rôles auprès de Louise. Mais trop préoccupé par lui-même et peu passionné de nature, il avait vite pris ses distances au retour de Genève. Il resta son ami et « associé » face aux aléas de la vie et partagea sa demeure lors de ses trop brefs séjours en France. Mais il força Mme d'Épinay à assumer pleinement sa fréquente solitude et son indépendance.

1. André Cazes, *Grimm et les Encyclopédistes*, 1970, éd. Slatkine, Genève, p. 379.

Si Voltaire et Grimm tiennent une place importante dans ces deux carrières féminines, ce n'est pas seulement parce qu'ils offrirent une stabilité affective longtemps attendue, et une existence sereine ; ils surent convaincre les deux Émilie qu'elles avaient du talent. Ils les ont si bien encouragées à exploiter leurs dons qu'elles ont fini par croire qu'elles pouvaient faire aussi bien que les hommes de leur entourage.

Voltaire, par son enthousiasme, décupla les forces de Mme du Châtelet et stimula sa volonté déjà grande. « Divine », « Géniale », « Minerve », elle accepta tous ces compliments avant même d'avoir rien publié.

Grimm, plus mesuré dans ses compliments, ne manque pourtant jamais d'encourager le travail de Mme d'Épinay. Lorsqu'elle lui envoie les premiers cahiers de son « roman », il lui répond immédiatement : « Vos récits sont des chefs-d'œuvre [1]. » Un peu plus tard, elle lui en fait parvenir deux nouveaux. Grimm se récrie : « Je suis dans une telle colère [...]. Je reçois deux gros cahiers de votre roman écrits de votre main. Vous voulez donc absolument vous tuer ? [...] Ma colère fait place à l'admiration que cet ouvrage mérite. En vérité il est charmant [...]. Je n'ai jamais pu le quitter [...]. Si vous continuez de même, *vous ferez très sûrement un ouvrage unique* [...]. En vérité, *c'est un chef-d'œuvre* [...]. Regardez-le comme un monument réservé pour vous seule, et vous en ferez un *digne d'une femme de génie* [2]. »

Comment serait-on plus stimulant ? Mme d'Épinay a entrepris d'écrire sa vie sous forme de roman, à la suite de la lecture de la *Julie* de Rousseau, qui

1. *Pseudo-Mémoires*, tome III, p. 163. A cette époque, 1757, Grimm est aux armées avec le duc d'Orléans.

2. *Ibid.*, p. 171. Souligné par nous.

l'a déçue. « Toutes ses lettres sont si belles, si faites, que la lecture m'en paraît froide et fatigante [1]. » Après les encouragements de Grimm, elle n'est plus loin de penser qu'elle peut égaler Rousseau et peut-être faire mieux !... Espérance moins folle qu'on pourrait le penser au premier abord ! Espérance nourrie par la confiance de son amant.

Non contents d'être leurs premiers admirateurs, Voltaire et Grimm ont été aussi leurs plus ardents défenseurs. A peine Voltaire est-il amoureux d'Émilie qu'il rédige, pour la consoler des méchantes langues, une *Épître sur la calomnie* propre à faire mourir de jalousie toutes les Deffand du monde parisien.

> « Écoutez-moi, respectable Émilie :
> Vous êtes belle ; ainsi donc la moitié
> Du genre humain sera votre ennemie :
> Vous possédez un sublime génie ;
> On vous craindra. Votre tendre amitié
> Est confiante, et vous serez trahie.
> Votre vertu, dans sa démarche unie,
> Simple et sans fard, n'a point sacrifié
> A nos dévots ; craignez la calomnie...[2]. »

Il lui dédia *Alzire* avec ces phrases élogieuses : « Heureux esprit que la philosophie ne peut dessécher, et que les charmes des belles lettres ne peuvent amollir ; qui sait se fortifier avec Locke [...] tel est votre génie, Madame. Il faut que je ne craigne pas de le dire, quoique vous craignez de l'entendre. Il faut que votre exemple encourage les personnes de votre sexe... » Le public averti, et particulièrement les femmes, en font des gorges chaudes. Voltaire,

1. *Ibid.*, p. 131.
2. L'épître est de 1733, mais elle a été imprimée pour la première fois en 1736 dans une édition de Hollande, à la suite de *La Mort de César.*

imperturbable, constate : « Cette épître a essuyé quelques contradictions auprès des bégueules [...] mais il me semble qu'elle doit réussir auprès des honnêtes gens. Le suffrage d'un homme qui pense est, par rapport aux cervelles non pensantes, comme l'infini est à zéro [1]. » Si les femmes de son entourage ont toujours traité Mme du Châtelet avec condescendance, les hommes de sciences la regarderont bientôt comme « un » des leurs, sinon avec les yeux de Voltaire, du moins avec le respect que l'on doit à ses pairs.

Grimm aura plus à faire pour défendre la réputation de Louise. D'abord parce qu'elle vit dans un milieu proche de la bourgeoisie, plus sensible que l'aristocratie à la respectabilité des femmes ; ensuite parce que, aux dires de Rousseau, on la décrit hors de son cercle comme une intrigante et une femme légère. Diderot utilisera tous les arguments possibles pour décourager Grimm...

Mme d'Épinay rapporta le dialogue que les deux hommes furent censés tenir aux alentours de 1755.

« *Diderot :* Je n'ai point l'honneur de connaître Mme d'Épinay. Je n'ai aucune raison personnelle de l'aimer ni de la haïr, mais je suis lié avec des hommes de sens qui la connaissent, et qui la connaissent bien.

« *Grimm :* Mieux que moi ?

« *Diderot :* Je ne sais ; mais ce sont des amis, et ils ne s'en expliquent pas autrement qu'une foule d'indifférents.

« *Grimm :* Les amis ou soi-disant tels sont souvent bien méchants, et presque toujours le public que vous avez eu la délicatesse de me présenter sous la foule des indifférents, est un sot.

« *Diderot :* C'est-à-dire que vous croyez très sin-

1. Lettre à Formont, 11 mai 1736.

cèrement que Mme d'Épinay n'est ni fausse, ni coquette, ni catin ?

« *Grimm* : Non, très certainement.

« *Diderot* : Elle est pleine de raison, de sens, de philosophie ?

« *Grimm* : Beaucoup plus qu'on ne le croit, et qu'elle ne le croit elle-même.

« *Diderot* : Qu'elle n'a nulle affectation, nulle prétention ?

« *Grimm* : Aucune.

« *Diderot* : Ni faiblesses, ni détours ?

« *Grimm* : Qui n'a pas un défaut ?

« *Diderot* : Elle est franche, naïve, véridique ?

« *Grimm* : Elle a le cœur droit.

« *Diderot* : Elle a sans doute du courage, du nerf, de la fermeté ?

« *Grimm* : Assez pour en acquérir davantage.

« *Diderot* : Elle n'est point méchante ?

« *Grimm* : Elle en est à mille lieues.

« *Diderot* : A vous entendre, mon ami, elle est parfaite.

« *Grimm* : Je ne dis pas cela.

« *Diderot* : Il ne vous manque plus que d'ajouter à cela qu'avant vous, elle n'aura pas eu d'amants !

« *Grimm* : Si je l'aime, je serai le premier [1]. »

Les arguments de Grimm n'eurent aucun effet sur Diderot qui crut son ami perdu. Pendant cinq ans encore il refusera toute rencontre avec Mme d'Épinay. A la sortie du *Fils naturel,* en 1757, elle en fit vendre une centaine d'exemplaires en deux jours, mais Diderot avoue à Grimm sa répugnance à l'en remercier. Grimm se fâche avec son ami « en l'assurant que c'était tant pis pour ceux qui ne [lui] rendaient pas justice [2] », et ils restèrent brouillés un bon moment.

Inlassablement, Grimm se fait son avocat. Il a su persuader les d'Holbach de fréquenter Mme d'Épi-

1. *Pseudo-Mémoires,* tome II, p. 604.
2. *Ibid.,* tome III, p. 64.

nay et ils sont devenus les meilleurs amis du monde [1]. Mieux, il a convaincu Louise elle-même qu'elle était une femme respectable et intéressante. Grimm sentit qu'il avait gagné la partie lorsqu'elle répliqua à un donneur d'avis, prévenu contre elle :

« Monsieur, je n'ai ni plus ni moins de défauts qu'une autre, mais j'en ai le moins que je le puis [...]. Au reste, je n'ai nulle curiosité sur ce qu'on dit de moi dans le monde ; l'opinion seule de mes amis m'en inspire. Lorsqu'on me parle de moi, lorsqu'on me donne un avis, je veux pouvoir en chérir le motif ; et pour cela il faut avoir acquis le droit de me le montrer. On ne saurait plaire à tout le monde [2]. »

Grâce à Grimm, elle avait retrouvé le bien le plus précieux qu'on s'était acharné à lui ôter depuis la mort de son père : la confiance en soi. Elle était enfin prête à reprendre la direction de sa vie et à en tirer le meilleur parti possible.

## *De précieuses associées*

Ni la tendresse ni le désir ne rendent compte à eux seuls des liens exceptionnels qui ont uni les Émilie à leur amant. La longévité de leur liaison, qui connut aussi des intermittences, s'explique largement par une entente intellectuelle d'une rare qualité. Partageant les mêmes goûts et intérêts que leur compagnon, elles surent se hisser d'emblée au même niveau qu'eux, et devenir d'authentiques *collaboratrices,* sans que cela impliquât aucune subordination

1. Il n'empêche que lorsque Louise partira pour Genève soigner sa santé (1757-1759), les d'Holbach seront les premiers à en faire des gorges chaudes. D'où cette remarque désabusée de Grimm : « Je sais bien qu'il faudrait qu'elle mourût pour en justifier la nécessité. » *(Pseudo-Mémoires,* tome III, p. 389.)
2. *Pseudo-Mémoires,* tome III, p. 422.

de leur part. Elles étaient leurs égales, dans une commune passion de l'intelligence.

## *Qui influence l'autre ?*

Lorsque Émilie rejoint définitivement Voltaire à Cirey durant l'été 1735, le couple s'organise une vie studieuse. Dans leur solitude heureuse, ils se laissent aller à la même frénésie de travail. Pendant qu'elle se consacre à l'algèbre et l'anglais, Voltaire écrit *La Pucelle, Le Siècle de Louis XIV, La Mort de Jules César.* Mais lorsqu'ils se retrouvent seul à seul, ils commentent avec sérieux les œuvres de Locke, Pope et Newton, parlent de science, de métaphysique ou de religion. Également intéressés par les travaux des physiciens Castel, Mairan ou Maupertuis et les commentaires de la Bible du père Calmet, Voltaire et Émilie établissent entre eux une véritable symbiose intellectuelle.

Jusqu'à la découverte de liasses de papiers non publiés de Mme du Châtelet à la bibliothèque de Leningrad, les historiens du couple eurent plutôt tendance [1] à mettre en lumière l'influence de Voltaire sur Émilie et non l'inverse. En dépit même des dénégations voltairiennes...

Ira O. Wade, le premier, a dévoilé l'apport d'Émilie aux travaux de physique et de métaphysique de Voltaire. Dès janvier 1737, celui-ci confiait au prince héritier de Prusse, alors qu'il était en Hollande pour faire éditer les *Éléments de la philosophie de Newton* : « J'avais esquissé les principes assez faciles de la philosophie de Newton ; Madame du Châtelet avait sa part à l'ouvrage ; Minerve dictait et j'écrivais [2]. » En décembre de la même année, il

1. Rendons hommage à René Pomeau qui fait figure d'exception.
2. Lettre à Frédéric, 15 janv. 1737.

confirme qu'elle est son conseiller en physique. « Je m'amuse à me faire un cabinet de physique assez complet. Madame du Châtelet est dans tout cela mon guide et mon oracle [1]. »

Pour plusieurs raisons, on considéra pendant longtemps que ces affirmations relevaient davantage de la galanterie que de la vérité. On a d'abord opposé la tendance leibnizienne d'Émilie à l'admiration sans faille de Voltaire pour Newton. Argument qui s'effondre lorsque l'on sait que l'un et l'autre furent aussi curieux de Leibniz que de Newton et qu'en fin de compte Émilie opta pour le savant anglais.

On a fait remarquer également que les travaux de Voltaire ont toujours précédé ceux de Mme du Châtelet. Les *Éléments* furent écrits et publiés en 1738 alors que les *Institutions de Physique* de la marquise datent de 1741. Bonne raison de penser que Voltaire fut le maître et Émilie l'élève. Mais la chronologie des publications ne doit pas masquer le fait que les ouvrages furent écrits à peu près au même moment. Une remarque d'Émilie et de son éditeur nous fait savoir que les *Institutions* étaient prêtes à être publiées dès le 18 septembre 1738.

Un troisième argument n'a pu être levé que récemment. Les *Éléments* traitaient de deux sujets de physique : l'optique et la théorie de l'attraction. Or, jusqu'à la découverte de Leningrad, nous ne possédions aucun travail d'Émilie sur l'optique de Newton. Dans l'article qu'elle consacre aux *Éléments* dans le *Journal des savants* en septembre 1738, elle ne discute que de l'attraction et ne dit mot sur l'optique qui remplit pourtant les quatorze premiers chapitres du livre de Voltaire. De là à conclure qu'elle ne s'y intéressait pas...

Ira O. Wade a révélé qu'elle écrivit un traité d'optique. Il en retrouva trente-quatre pages consacrées à la formation des couleurs. Grâce à une patiente lec-

1. Lettre à Cideville, 23 déc. 1737.

ture, il fut à même d'en déduire qu'elles formaient le quatrième et dernier chapitre d'un *Essai sur l'optique* dont le premier était consacré à la composition de la lumière, le deuxième à la réfraction et le troisième à la réflection [1].

Ira O. Wade fait remarquer encore que le travail d'Émilie ne ressemble ni au modèle compliqué de l'*Optique* de Newton ni à celui simplifié des *Éléments* de Voltaire. Il se situe entre l'enthousiasme de Voltaire et la sévère méthode expérimentale de Newton. Mais elle était aussi newtonienne que Voltaire, bien que moins naïvement. Ce qui est sûr, c'est qu'ils ont pris leurs idées à la même source sans qu'il soit possible d'en suivre la filiation. Lorsqu'on compare certaines phrases de l'*Essai* d'Émilie à celles des *Éléments* de Voltaire, on ne peut manquer d'être frappé par leur totale similitude. Selon les supputations de Wade, l'*Essai sur l'optique* d'Émilie a été composé vers 1736-1738, comme le prouve sa correspondance de l'époque [2]. Il est donc certain que, pendant que Voltaire s'intéressait à l'optique et à l'attraction newtonienne, Émilie, de son côté, travaillait sur ces deux sujets. Pendant que Voltaire refait les expériences de Newton, Mme du Châtelet les vérifie également. Wade conclut avec raison : « In a very true sense, they are working together. But there is a difference. While Voltaire is producing an elementary treatise « mis à la portée de tout le monde », Madame du Châtelet's work is more advanced « mis à la portée de Voltaire » [3].

On a également suggéré que le dernier travail d'Émilie sur Newton, le *Commentaire* qui fait suite à la traduction des *Principia*, était largement inspiré des *Éléments*. Là aussi, Wade lui a rendu justice. D'abord le *Commentaire* est de dix ans postérieur au travail de Voltaire. Ensuite nous savons que, dès

1. Ira O. Wade, *Studies on Voltaire*, 1947, *op. cit.*, p. 120.
2. Lettre du 10 avril 1736 à Algarotti.
3. Ira O. Wade, *op. cit.*, p. 123.

janvier 1736, « elle newtonise tant bien que mal [1] », et que deux ans plus tard elle critique sévèrement les *Dialogues* d'Algarotti [2] comme un maître son élève. Enfin et surtout, le niveau de son *Commentaire* est sans commune mesure avec celui des *Éléments.* S'il est vrai que six chapitres d'une partie du *Commentaire* offrent une grande ressemblance avec la troisième partie des *Éléments* de Voltaire, celle-ci n'est à imputer dans les deux cas qu'au travail personnel de Mme du Châtelet.

Rappelons que Voltaire fut le premier à reconnaître sa dette envers elle. Lors de la première édition des *Éléments*, en 1738, il écrivit dans le poème qui précède le texte et l'avant-propos qui lui sont dédiés : « L'étude solide que vous avez faite de plusieurs vérités, et le fruit d'un travail respectable sont ce que j'offre au public pour votre gloire, pour celle de votre sexe [...] *vous vous bornez dans cette étude dont je rends compte* à vous faire seulement une idée nette [...] de ces lois primitives que Newton a découvertes... [3]. »

Voltaire s'exprime donc comme si les *Éléments* étaient le résultat de leur travail commun. Il se serait contenté de transcrire les explications qu'elle lui fournissait.

Dans l'*Épître dédicatoire de l'édition de 1748*, il n'insiste plus sur leur collaboration, mais sur le fait que Mme du Châtelet a maintenant progressé dans son étude sur Newton, bien au-delà de ses capacités à lui.

« Madame,

« Lorsque je mis pour la première fois votre nom respectable à la tête de ces *Éléments de philosophie*, je m'instruisais avec vous. Mais vous avez pris depuis un vol que je ne peux plus suivre. Je me trouve à présent dans le cas d'un grammairien qui

1. Lettre du 3 janv. 1736.
2. Lettre à Maupertuis, 1er sept. 1738.
3. Souligné par nous.

aurait présenté un essai de rhétorique ou à Démosthène ou à Cicéron. J'offre de simples *Éléments* à celle qui a pénétré toutes les profondeurs de la géométrie transcendante et qui seule parmi nous a traduit et commenté le grand Newton. »

Mme du Châtelet, après sa traduction des *Principia*, était mieux à même de vulgariser les idées de Newton que lorsqu'elle collaborait aux *Éléments*. Apparemment peu satisfaite de ce premier travail, elle en refit un autre, *Exposition abrégée du système du monde*, en 1748-1749, plus clair que le premier. Mais elle n'hésite pas à y intégrer sa propre contribution à la troisième partie des *Éléments*. Une fois encore, on peut constater, en comparant les deux textes, ligne à ligne, à quel point Voltaire et elle ont travaillé en commun.

La même constatation peut être faite à propos des travaux de métaphysique. Il est certain, dit Wade, que Voltaire écrivit son *Traité de métaphysique* sur son instigation. On ne peut manquer d'être frappé par l'absolue coïncidence de leurs vues sur ce sujet. Dans une lettre à Frédéric du 25 avril 1737, Voltaire définit les limites de la métaphysique qui « contient deux choses : la première, tout ce que les hommes de bon sens savent ; la seconde, ce qu'ils ne savent jamais ». Dans ses *Institutions de Physique*, Émilie en donne une définition similaire : « La Métaphysique contient deux espèces de choses ; la première, ce que tous les gens qui font un bon usage de leur esprit, peuvent savoir ; et la seconde, qui est la plus étendue, ce qu'ils ne sauront jamais [1]. »

Voltaire, comme Mme du Châtelet, pensait durant la période de Cirey que seule la métaphysique pouvait fonder la physique et il consacra le premier tiers des *Éléments* à la métaphysique. Mais avant la publication de ses travaux, la marquise encouragea Voltaire à faire l'inventaire de ses croyances

1. P. 14.

métaphysiques qui furent publiées séparément dans l'édition Kehl sous le titre *Traité de métaphysique.* Pendant qu'il faisait cet inventaire, elle-même accumulait des « matériaux immenses de métaphysique [1] » qu'il découvrit avec surprise après sa mort. Ceux-ci nous sont demeurés inconnus à ce jour, mais il suffit une fois encore de comparer certains textes de la marquise et de Voltaire, comme les *Institutions* et le *Traité de métaphysique,* pour être frappé de la similitude de leurs propos sur l'existence de Dieu ou la liberté humaine.

Wade conclut qu'Émilie ne se contenta pas de suggérer à Voltaire d'écrire son *Traité.* Elle en discuta tous les problèmes avec lui et commenta le travail une fois terminé. Pendant ce temps, elle discutait également avec Voltaire de sa traduction de Mandeville [2] dont on retrouvera des traces dans *Le Mondain* et dans les deux derniers chapitres de son *Traité.*

Au cours des années 1735-1736, le couple est aussi passionné par le problème des religions et par celui de l'existence de Dieu. C'est encore une fois avec l'aide d'Émilie qu'il examine ces questions sur des bases rationnelles. Tête géométrique, elle exige des constructions assises sur des principes solides. Déiste pour les besoins de la physique, elle est plus attirée par l'athéisme que Voltaire.

A Cirey, chaque matin, ils lisent ensemble un passage de la Bible et chacun fait librement toutes les réflexions qui lui viennent à l'esprit [3]. Émilie consulte l'œuvre monumentale de son voisin Dom Calmet, le *Commentaire littéral sur les livres de l'Ancien et du Nouveau Testament.* Tous deux lisent Tindal, le *Dictionnaire* de Bayle, les *Discours* de

1. Lettre à d'Argental, 1er oct. 1749.
2. *La Fable des abeilles.* Traduction qu'elle fit entre décembre 1738 et février 1739. Mais sa préface date de 1735 et prouve leur connaissance de Mandeville avant la rédaction du *Mondain.*
3. Grimm, *Correspondance littéraire,* tome XI, p. 348.

Woolston et des extraits du *Testament de Meslier* [1], et Mme du Châtelet rédige d'une traite un *Examen de la Bible,* cinq volumes [2] sur l'examen des Testaments largement inspirés de Dom Calmet.

René Pomeau, ayant comparé l'*Examen* et les différents travaux de Voltaire sur la Bible, s'est demandé quelle fut la part de chacun dans le travail de l'autre. Voltaire écrivait ses impressions de lecture sur les marges de ses livres et des notes sur des carnets qu'il conservait précieusement. C'est de cette façon que les matériaux de l'*Examen* ont pu passer dans les pamphlets très postérieurs (de Ferney), bien que Voltaire n'eût pas conservé le manuscrit de son amie. Ainsi s'expliquent les analogies frappantes entre l'*Examen* et tel ou tel article du *Dictionnaire philosophique* [3]. Inversement, une remarque de Voltaire dans une lettre adressée à Émilie : « Vous m'ordonnez de vous faire un tableau fidèle de l'esprit des juifs et de leur histoire [4] » laisse à penser qu'il pourrait bien être à la source de certains passages de l'*Examen.* Quoi qu'il en soit, la rapidité avec laquelle il rédigea à Berlin les articles *Abraham, Baptême, Moïse* montre, selon Pomeau, qu'il disposait de tous les matériaux de critique biblique accumulés durant la période de Cirey.

La seule conclusion qu'on puisse tirer avec certitude de toutes ces observations est que les œuvres sur la religion leur sont communes, au même titre que les travaux scientifiques ou philosophiques. Émilie et Voltaire ont œuvré dans une si parfaite harmonie intellectuelle qu'il est souvent impossible de distinguer l'auteur d'une théorie ou d'une idée.

A aucun moment Mme du Châtelet n'a été la seconde de Voltaire. Elle fut même plus souvent,

1. Voir René Pomeau, *La Religion de Voltaire, op. cit.,* chap. III.
2. Manuscrits non autographes, bibliothèque de Troyes.
3. Sur la généalogie de Melchisédech, voir Pomeau, *op. cit.,* p. 177.
4. Citée par R. Pomeau, *op. cit.,* p. 178.

semble-t-il, son inspiratrice que son adepte. Avec le temps, elle osera s'opposer à lui. Sa période leibnizienne montrera, s'il en était besoin, que Mme du Châtelet n'était pas de caractère à se laisser impressionner par quiconque. Même par Voltaire.

### *La passion de la culture*

Amoureusement conseillée par Grimm, Mme d'Épinay délaisse sa société frivole composée de jeunes gens passionnés de comédie et de jeux au profit de l'intelligentsia la plus brillante. En l'introduisant dans la « synagogue [1] », où l'on discute librement de philosophie et de métaphysique, Grimm donne l'occasion à son amie de se passionner pour les questions les plus intéressantes de l'époque. Mme d'Épinay, qui a déjà beaucoup appris par elle-même, encouragée par son ami Gauffecourt, écoute les conversations des meilleurs esprits du temps et fait des progrès foudroyants.

Sa correspondance de Genève donne la mesure de son évolution. Ses lettres à Grimm sur les mœurs et l'organisation économique et politique de la cité sont de petits chefs-d'œuvre d'observation sociologique, d'une remarquable perspicacité. Pour occuper son temps durant le long traitement ordonné par Tronchin, elle se met à étudier la botanique et la géologie sous la direction des frères Luc, revoit ses notes sur l'éducation et modifie ses idées pédagogiques en fonction du modèle genevois.

Voltaire, qui accueille aux Délices toutes les « dévotes [2] » de Tronchin, est ébloui par l'esprit de Mme d'Épinay qui tranche sur celui des dames de Muy, d'Albertas ou de Montferrat. Il la réclame inlassablement et trouve qu'elle ne passe jamais

1. C'est ainsi qu'on appelait familièrement le salon du baron d'Holbach.
2. On appelait ainsi les nombreuses clientes du docteur.

assez de temps avec lui. De son côté, Louise remarque qu'il se conduit avec elle très différemment d'avec les autres femmes [1]. « J'ai été passer encore une journée chez Voltaire. J'y étais reçue avec des égards, des respects et des attentions que je suis portée à croire que je mérite, mais auxquels cependant je ne suis guère accoutumée [...]. Quand je parle, il y a autant d'yeux et de bouches ouverts que d'oreilles. Cela m'est bien nouveau et me fait rire [2]. »

Mais c'est seulement lorsque Grimm vient la rejoindre à Genève en 1759 que commence vraiment leur collaboration intellectuelle. Ils fréquentent ensemble les Luc, les Saussure, Charles Bonnet, Malet et Voltaire. Pour la première fois elle travaille avec lui à la *Correspondance littéraire* qu'il continue d'envoyer à ses correspondants princiers. Celle-ci est nettement influencée par les préoccupations genevoises de Mme d'Épinay. On y trouve différents articles sur l'hygiène, la santé, la botanique, etc. L'art de l'accouchement y voisine avec la propreté de la bouche ; l'histoire naturelle du Sénégal d'Adenson avec les travaux de Duhamel de Monceau. On y parle de la vigne, d'école d'agriculture, de plantes, d'inoculation, entre deux articles sur les nouveautés théâtrales et littéraires que lui envoie Diderot de Paris. Mme d'Épinay rédige certains textes, dont Grimm corrige parfois le fond, et inversement relit les écrits de Grimm pour y apporter quelques corrections de style.

A leur retour à Paris en octobre 1759, Diderot a désormais oublié ses anciennes préventions et devient l'inséparable ami du couple. Il se partage entre le salon d'Holbach et celui de Mme d'Épinay. Il amène à la Chevrette ses amis encyclopédistes qui se lancent dans d'interminables conversations. Devenu un diplomate important, et prévoyant de longues absences, Grimm présente à Louise tout le

1. *Pseudo-Mémoires*, tome III, p. 304.
2. *Ibid.*, p. 296.

monde diplomatique : Thun, le baron de Gleichen, lord Stormont, le marquis Caraccioli, Fuentes, Mora, Pignatelli et bientôt l'abbé Galiani. Mme d'Épinay, seule parmi ses émules, paraît avoir plutôt favorisé que gêné la parfaite liberté de parole. Tous ses hôtes sont libres de disputer sur les livres nouveaux, de discuter les dogmes du christianisme, de chicaner les actes du pouvoir et les délibérations du Parlement. Galiani n'admet pas la libre sortie des blés et les droits prohibitifs ; les partisans de la musique italienne écoutent les œuvres de Piccinni et chacun reconnaît que c'est un des salons les plus brillants de l'époque parce que Mme d'Épinay est le contraire d'une mondaine classique.

Pendant une dizaine d'années, elle connaît le milieu intellectuel le plus exceptionnel de Paris. Elle accumule les connaissances, fait son profit de toutes sortes de réflexions qui s'échangent chez elle. Elle suit de près le travail littéraire de Grimm, et particulièrement la critique théâtrale qui la passionne. Accompagnés de Diderot, ils vont voir toutes les nouveautés. Après *Spartacus* ou *Tancrède,* chacun s'enthousiasme, donne son avis, et l'on décide en commun du compte rendu que la *Correspondance* en donnera.

Lorsque Grimm s'absente en 1771 pour accompagner à Londres pendant l'automne et l'hiver le jeune prince Louis de Hesse-Darmstadt, il confie « le tablier » conjointement à Diderot et à Mme d'Épinay. Depuis le 1er septembre, la *Correspondance* est officiellement l'ouvrage de Diderot, mais c'est Mme d'Épinay qui rédige presque tous les articles jusqu'au 1er janvier 1772. Les critiques de théâtre y alternent avec des contes et une polémique avec Diderot, tout cela dans le plus grand anonymat.

Ses comptes rendus d'une dizaine de pièces sont d'un sérieux et d'une férocité exemplaires. Elle résume l'intrigue, juge de la construction et des acteurs sans la moindre faiblesse. Une farce italienne, *Domino,* piètre copie du *Préjugé à la mode* de La Chaussée, est déclarée sans intrigue ni intérêt. De même pour deux autres comédies jouées par les Italiens, *Deux miliciens* et *La Coquette du village* [1]. C'est avec cruauté qu'elle rapporte que cette dernière pièce a été huée du début à la fin. Lorsqu'elle rend compte de la reprise du *Fils naturel* de son ami Diderot, elle évoque la première représentation de 1756 et ne cache pas son désaccord sur le nouveau jeu des acteurs. Elle déplore le défaut théâtral et suggère plusieurs coupes dans les conversations de Constance et Dorval ainsi que dans le récit d'André, « si heureux lorsque l'ouvrage a paru [...] mais qui demanderait à être raccourci pour le théâtre [2]. »

Jamais critique ne fut moins complaisante, mais Diderot l'accepte de bon cœur. Même s'il discuta pied à pied de toutes ses suggestions, il en accepta certaines et reconnut avec elle la mauvaise performance des acteurs. La pièce ne fut pas rejouée.

Alors que Diderot porte aux nues Goldoni dont on reprend *Les Cinq Ages d'Arlequin* [3], Mme d'Épinay est plus nuancée quand elle évoque *Le Bourru bienfaisant*, joué le 4 novembre à la Comédie-Française. La représentation eut un grand succès et cet Italien qui écrit en français suscite son admiration, mais elle ne trouve pas la représentation sans défaut : « Fortement conçue, mais faiblement exécutée [4]. » De tous ces comptes rendus, celui-là est le plus favorable.

A part le théâtre, Mme d'Épinay n'épargne pas non plus quelques œuvres littéraires, dont *L'An 2440* de L.S. Mercier. Après un résumé succinct, elle conclut que ce livre est aussi délirant et chimérique que celui de La Rivière [5] ; qu'il montre le faux

1. Les trois pièces furent représentées en septembre 1771.
2. *Correspondance littéraire*, nov. 1771, pp. 379-380.
3. Joué le 27 septembre. Compte rendu en novembre 1771.
4. *Correspondance littéraire*, 15 nov. 1771, p. 389.
5. Le Mercier de La Rivière, *De l'ordre naturel et essentiel des sociétés politiques*, juin 1767.

patriotisme de l'abbé Coyer et la sécheresse de Dumarsais [1] ; en un mot qu'il manque autant d'attrait que d'intérêt, quoique bien écrit. En quelques phrases, Louise avait réglé son compte, à juste titre, à quatre écrivains surévalués par la mode, et, parmi eux, Le Mercier de La Rivière dont Diderot était positivement fou [2].

Diderot laissa Mme d'Épinay s'exprimer librement sur tous les sujets littéraires et dramatiques. Mais il ne put laisser passer son article enthousiaste pour l'*Éloge de Fénelon* de La Harpe [3] sans y ajouter ses propres remarques critiques. Ce qu'elle trouve éloquent et touchant, Diderot le juge soporifique et compassé. Mme d'Épinay suggérait de couper un petit passage sur l'athéisme, mais Diderot pense que c'est le moment le plus éloquent de La Harpe, etc. Il conclut à l'adresse de son amie : « Pour Dieu, abandonnez-moi les poètes et les orateurs : c'est mon affaire [4]. »

Éprise de théâtre – n'oublions pas qu'elle a elle-même joué avec succès la comédie, à la Chevrette –, Louise court les scènes et juge dans la *Correspondance* tous les acteurs, même débutants. Ponteuil, Mlle Pitrot ou Héricourt ont droit à de sévères remarques, dignes d'une professionnelle. En janvier 1772, elle publie un conte, *Le Rêve de Mademoiselle Clairon*, où elle expose sa conception de l'art théâtral et de la formation du comédien. Inspirée par le *Paradoxe*, que Diderot a rédigé à la fin de 1770, Mme d'Épinay y montre un talent d'écriture qui fera l'admiration, un siècle plus tard, d'un redoutable critique : A. Daudet [5].

*L'Amitié de deux jolies femmes*, autre conte

1. Auteur de l'*Essai sur les préjugés.*
2. Diderot, lettres à Damilaville, juin, juillet 1767.
3. *Correspondance littéraire*, novembre 1771, p. 382.
4. *Ibid.*, p. 385.
5. « Tout reste vrai de ce morceau écrit il y a cent ans qui mériterait d'être imprimé à la suite de l'admirable *Paradoxe* de Diderot », *Journal officiel*, 26 mai 1879.

publié anonymement dans la *Correspondance*, fut une étonnante critique des femmes-objets de son monde privilégié : en une quarantaine de pages, elle met à nu la vie féminine avec légèreté et lucidité. Alphonse Daudet, de nouveau, l'appréciera ainsi : « Figurez-vous un Droz de 1771, le plus joli tableautin de mœurs, coquet, brodé, fanfreluché et qui d'un trait léger mais sûr de son pastel nous en apprend plus long qu'une fresque historique de vingt pieds [1]. »

De retour à Paris en novembre 1774, Grimm peut être fier de sa compagne. Elle l'a brillamment remplacé de concert avec Diderot et fait preuve de talents littéraires dont lui-même n'est pas toujours pourvu. Lorsque, en mars 1773, il repart en Russie, accompagné de Diderot, il confie la *Correspondance* à son collaborateur Meister et à Mme d'Épinay. Une fois encore, elle s'acquitte heureusement de sa tâche. Mais cette fois est bien la dernière. Épuisée par un cancer à l'estomac, Louise n'a plus le courage d'assumer cette responsabilité éreintante. A son retour de Russie en septembre 1774, Grimm cédera définitivement sa *Correspondance* à Meister.

L'heure est venue pour Mme d'Épinay de se vouer exclusivement à son intérêt majeur : éduquer sa petite Émilie et écrire son traité pédagogique. Dorénavant, tout en restant amis, Grimm et Mme d'Épinay voient diverger leurs intérêts intellectuels. Lui ne se passionne plus que pour ses missions diplomatiques. Elle consacre son esprit à l'éducation des femmes. Seules la tendresse et de douces habitudes les garderont unis.

Il en fut de même pour Voltaire et Mme du Châtelet après 1740. Voltaire cessa de s'intéresser activement à la physique pour revenir à ses premières amours. Émilie continue seule à défricher ce difficile terrain. Le cœur aussi suivait son chemin.

L'époque de la symbiose était close. Pour chaque

1. *Journal officiel*, 12 mai 1879, p. 3883.

Émilie le moment de l'autonomie avait sonné. Subie ou volontaire, celle-ci se révélait nécessaire à l'achèvement de leur épanouissement intellectuel. La femme du grand homme allait voler de ses propres ailes.

Physicienne ou pédagogue, elles ne devaient plus rien à leur amant.

## CHAPITRE V

# L'ASCENSION D'ÉMILIE

PLUSIEURS étapes jalonnent le chemin qui conduit la jeune Mme du Châtelet de l'étudiante tenace et originale à la grande dame respectée par ses pairs, les plus grands physiciens d'Europe. Élève de Maupertuis, associée de Voltaire, Émilie n'a vraiment pris son envol que lorsqu'elle renonça à être l'une et l'autre. Bien qu'à chaque fois les ruptures se fussent opérées plutôt contre son gré, elle sut combler les manques et tirer une force nouvelle de sa solitude. Que Maupertuis l'abandonne pour courir à Bâle chez les Bernoulli, puis au pôle, que Voltaire range ses compas, lassé par les calculs, cela ne l'a pas empêchée de persévérer dans ses travaux et même de s'opposer à ses maîtres lorsqu'elle le jugea bon.

En cinq ans elle a accumulé tellement de connaissances et de réflexions qu'elle passe du stade de l'amateur éclairé à celui de spécialiste reconnu. Elle qui écoutait docilement les Algarotti, Mairan et surtout Maupertuis n'hésite plus à critiquer sévèrement le premier, à polémiquer avec le deuxième et à émettre des jugements ironiques sur une œuvre du troisième.

Partagée entre la rigueur scientifique et un profond besoin d'explication métaphysique, Mme du Châtelet tenta un moment une conciliation impossible entre Newton et Leibniz. Elle s'aliéna ainsi toute la communauté scientifique, qui se partageait entre newtoniens et cartésiens acharnés, mais sans jamais perdre sa sérénité. Au contraire, la polémique parut la stimuler et lui apporter joies et émotions que l'amour ne lui donnait plus. En échangeant arguments et insultes courtoises avec Dortous de Mairan, Émilie se sentait exister comme jamais auparavant. Elle était devenue un être avec lequel il fallait désormais compter. Son premier rêve était réalisé. Il ne lui restait plus qu'à tâcher de satisfaire l'autre espérance de l'ambitieux : la pérennité.

## *1738 : de la physique avant toute chose*

Bien que le XVIII^e siècle ne distingue pas encore nettement philosophie et science, et que Mme du Châtelet se soit partagée entre l'étude de la physique, de la métaphysique et des mathématiques, elle affirme sa préférence aux alentours de 1738. C'est la physique qui l'intéresse au premier chef. Mais, pour comprendre cette discipline, il faut de solides notions de mathématiques. Pour la fonder, de grandes connaissances métaphysiques.

Les premières leçons avec Maupertuis n'ont pas d'autre but. Mais elles se révèlent insuffisantes au fur et à mesure qu'elle avance dans l'étude des forces vives et de l'attraction. En mai 1738, elle lui avoue ingénieusement : « Je me suis hasardée à lire votre mémoire [1] donné en 1734 sur les différentes lois d'attraction [...] mais je ne sais pas assez d'algèbre pour avoir pu vous suivre partout [2]. » Il n'empêche qu'elle lui pose deux questions pertinentes qui ne sont pas dénuées de critique et qui témoignent d'une compréhension déjà remarquable des mathématiques qu'elle dit mal entendre : « Je trouve ce qui est écrit en français un peu obscur, car première-

1. *Mémoires de l'Académie des sciences*, Paris, 1735.
2. Lettre à Maupertuis, 9 mai 1738.

ment vous ne dites point (en français) pourquoi dans une attraction en raison directe de la simple distance, qui a d'ailleurs tant d'avantages, n'aurait pas celui de l'accord de la même loi dans les parties et dans le tout ; vous ne dites point non plus pourquoi la raison inverse du carré des distances a cet avantage, et vous allez voir que vous avez bien tort, car il y a bien des ignorants comme moi, et chacun l'entendra à sa manière... [1]. »

Suit la manière dont elle l'entend, qui fait état d'un raisonnement sophistiqué concernant un corpuscule placé sur l'axe prolongé d'une surface sphérique...

Quelques jours plus tard, elle réitère ses déclarations d'ignorance : « Je vous ai avoué humblement que je n'entendais point les longues phrases d'algèbre. J'en attrape quelques mots par-ci par-là, mais cela ne sert qu'à me faire dire des choses fort ridicules, car quand on entend ces choses à moitié, il vaudrait mieux ne les point entendre du tout [2]. »

Mais Émilie n'est pas femme à reculer devant la difficulté. Puisque les mathématiques sont les instruments nécessaires à la compréhension de la physique, elle engage un homme de l'art, Kœnig, pour l'aider à remédier à ses déficiences : « Je vais quitter quelques temps la physique pour la géométrie [...] la clef de toutes les portes. Je vais travailler à l'acquérir [3]. »

Les mois qui suivent sont un enfer. Kœnig, qui n'a pas de patience, la mène à un « train de chasse ». Pour la première fois Émilie laisse percer son découragement : « Je me lève tous les jours à six heures au plus tard pour étudier et cependant je n'ai pas encore pu finir l'Algorithme. Ma mémoire me manque à chaque instant et j'ai bien peur qu'il

1. *Ibid.*
2. Lettre à Maupertuis, 20 mai 1738.
3. Lettre à Frédéric, 27 fév. 1739.

soit bien tard pour moi pour apprendre tant de choses si difficiles [...]. Je suis quelques fois prête à tout abandonner. Si je ne dois point réussir du moins à être médiocre, je voudrais n'avoir jamais rien entrepris [1]. »

Bien sûr Mme du Châtelet se reprendra. Mais la confidence a le mérite de montrer un aspect fragile et émouvant du personnage, qui n'est ni une brute ni une simple machine intellectuelle. La suite de ses travaux, et notamment le *Commentaire* des *Principia,* rédigé de concert avec Clairaut, prouve qu'elle surmonta ses difficultés en mathématique. Elle n'a cependant jamais considéré cette discipline comme une fin en soi [2].

A ses yeux, l'important est de progresser dans l'étude de la nature. La physique est la reine des sciences, « elle paraît faite pour l'homme, elle roule sur les choses qui nous environnent sans cesse et *desquelles nos plaisirs et nos besoins* dépendent [3]. » Tout est là. La physique a sa préférence parce qu'elle est utile à notre bonheur. Entre cette déclaration liminaire en tête de son traité de physique et le *Discours sur le bonheur,* rédigé sept ans plus tard, la cohérence est parfaite et révèle une philosophie morale inchangée. Mme du Châtelet est épicurienne jusque dans sa conception de la science physique.

Certains protesteront contre une théorie aussi pragmatique des sciences, contraire aux déclarations traditionnelles depuis Aristote et toujours actuelle dans l'esprit de nombreux chercheurs contemporains. La science dite « pure », le savoir pour le savoir, cela ne fait pas partie des priorités d'Émilie, soucieuse avant tout du mieux-être. On objectera peut-être qu'entre le débat qui oppose « attraction-

1. Lettre à Maupertuis, 20 juin 1739. Elle emploie le mot algorithme dans le sens d'algèbre.
2. *Institutions de Physique,* préface, p. III, 1740.
3. *Ibid,* p. III. Souligné par nous.

naires » et « impulsionnaires » et le bonheur des hommes il y a une continuité difficile à percevoir. Mais la remarque ne vaut pas pour Mme du Châtelet qui connaît comme tout bon physicien l'influence de la théorie sur la pratique et la fécondité des applications.

Si l'aspect utilitaire de l'optique ou de la dioptrique n'échappe à personne, il n'est pas moins évident que notre action sur le monde est conditionnée par le bien-fondé d'une théorie globale de l'univers. Convaincue que les cartésiens font fausse route avec leur conception des tourbillons et de la matière subtile, Émilie perçoit l'urgence de convaincre ses concitoyens, en majorité adeptes de Descartes, d'abandonner l'erreur pour la vérité. La vision cartésienne du monde est devenue un « obstacle épistémologique » à lever le plus rapidement possible si l'on veut faire progresser notre maîtrise de l'univers et donc la satisfaction de nos besoins, voire de nos plaisirs. En cela, Mme du Châtelet reste fidèle d'ailleurs à l'idée cartésienne du bonheur humain !

Quand Mme du Châtelet rend compte, dans le *Journal des savants* [1], du dernier livre de Voltaire sur les *Éléments de Newton*, c'est moins pour se faire agent de publicité de son complice et amant – on verra qu'elle ne lui épargne pas les critiques – que pour se féliciter de la vulgarisation d'une œuvre révolutionnaire. Le « best-seller » de Voltaire ne s'adressait pas au monde savant, mais « à tout lecteur raisonnable et attentif » qu'on voulait rendre juge d'une polémique réservée jusque-là aux initiés. Mme du Châtelet, Voltaire et leurs amis étaient ulcérés de voir la majorité des savants français faire obstacle à la vérité sous prétexte qu'elle venait de l'étranger et menaçait leur confort et leurs habitudes intellectuelles. En mettant le public averti à même de comprendre l'essentiel du débat, Voltaire pensait,

1. *Journal des savants*, janv. 1738, pp. 534-541.

non sans raison, faire basculer l'idéologie officielle et forcer les représentants du pouvoir politique [1] à changer de camp. Condition *sine qua non* pour encourager le développement des connaissances et donc l'amélioration de notre condition.

Paradoxe fort commun : Mme du Châtelet s'est dépensée sans répit pour apporter une modeste contribution aux progrès du bien-être humain. Elle a travaillé comme un forçat pour que d'autres bénéficient de satisfactions qu'elle ne connaîtrait jamais. Démarche classique chez les savants, à ceci près qu'ils n'affichent pas tous, comme elle, une irréductible philosophie du plaisir ! Il est vrai qu'elle éprouve une véritable jouissance à déchiffrer les ouvrages les plus ardus et à faire reculer son ignorance.

Pour être au fait de la physique contemporaine, Émilie a lu, fiché et annoté toutes les publications importantes depuis vingt ans. Des *Acta Eruditorum* de Leibniz aux œuvres plus modestes d'un Privat de Molières, aucun livre, article ou communication sur les diverses branches de la physique ne lui échappe. Elle se passionne autant pour le problème des forces vives [2] que pour les expériences de Du Fay sur les couleurs primaires [3] ou la nature du feu. Lisant aussi bien le latin et l'anglais que le français, elle commande à son libraire toutes les nouveautés d'outre-Manche, centre stratégique de la nouvelle physique, et de Hollande. Une lettre à Laurent François Prault, le meilleur fournisseur d'ouvrages scientifiques, permet de se faire une idée de sa culture et de ses sources : « Je vous prie de me mander si [les recueils de] l'Académie des sciences que vous trou-

1. Ils soutenaient les académiciens, fervents adeptes dans leur majorité de la physique cartésienne, et faisaient obstacle à la diffusion des œuvres d'inspiration newtonienne.

2. A Maupertuis, lettres du 2 fév., 10 fév., 30 avril et 9 mai 1738.

3. A Maupertuis, lettres du 19 nov. et 28 déc. 1738.

vez à vendre est toute reliée [...]. Je veux encore les transactions philosophiques [1], la république des lettres [2] jusqu'à la mort de Bayle, et tous les livres de physique que vous trouverez dans votre chemin [...]. J'ai l'optique de Newton [3], Rohault commenté par Clark [4], Vhiston [5], la figure de la terre, figure des astres [6], Musembrok physique [7], 's Gravesande physique [8], recueil des lettres de Leibniz [9] et de Clark [10], les entretiens du père Renaut [11] [...] Euclide [12], Pardies [13], Malesieux [14], l'application de l'algèbre à la géométrie de Guinée [15], les sections coniques de Mr. de Lhôpital [16], les mathématiques universelles, et les

1. De la Royal Society de Londres.

2. Revue qui parut pour la première fois en 1684 à Amsterdam. Bayle s'en occupa jusqu'en 1687.

3. *Traité d'optique*, Amsterdam, 1720.

4. Le *Traité de physique* de Jacques Rohault, 1671, rééd. jusqu'en 1730, éd. par Samuel Clarke et traduit par John Clarke en anglais.

5. William Whiston écrivit plusieurs ouvrages de physique dont le plus connu est *The Work of Josephus*, 1737. Aucun ne fut traduit en français.

6. De Maupertuis.

7. Van Musschenbroek, *Epitome elementorum physicomathematicorum*, 1725, ou *Physicae experimentales et geometricae naturales*, 1729.

8. 'S Gravesande, *Physicae elementa mathematica experimentii confirmata*, 1720.

9. *Viri illustri Godefridi Guil. Leibnitii Epistolae ad diversos*, 1734-1742.

10. *A Collection of Papers which passed between the late Learned Mr. Leibnitz and Dr. Clarke*, 1717.

11. Noël Regnault, *Les Entretiens physiques d'Ariste et d'Eudoxe*, 1729, nouv. éd. en 1737.

12. *Les Éléments d'Euclide expliqués*, abrégé de Milliet de Charles, rééd. en 1738.

13. Ignace Pardies, *Éléments de géométrie*, 1re éd. en 1671.

14. Nicolas de Malezieu, *Éléments de géométrie de Monseigneur le Duc de Bourgogne*, 1705.

15. De Guisnée, *Application de l'algèbre à la géométrie*, éd. posthume de 1733.

16. *Traité analytique des sections coniques et de leur usage pour la résolution des équations*, 1707.

œuvres de Descartes [1] [...].Je vous prie de me chercher les *Principia Mathematica* de M. Newton d'une belle édition [...]. Des Keill [2] dès que vous en aurez [3]. »

Lorsqu'on lit attentivement sa correspondance riche en détails sur ses préoccupations scientifiques, on perçoit facilement que 1737-1738 est une année charnière dans son évolution. La période presque passive d'accumulation des connaissances laisse place à un engagement actif et critique.

En février 1738, elle fait part à Maupertuis de ses préférences théoriques. Déjà elle prend parti pour Bernoulli, contre Mairan, dans le problème des forces vives, et pense que la force d'un corps doit s'« estimer par les obstacles qu'il dérange et non par le temps qu'il y emploie [4] ». Elle ne craint pas d'afficher ses opinions [5], qu'elle justifie par des raisonnements rigoureux, avant même de connaître l'avis du maître sur la question. Mais la confiance lui manque encore et l'approbation de Maupertuis la soulage et la comble.

Pour la première fois également, elle se déclare partiellement leibnizienne contre la majorité de l'Académie des sciences : « Le Docteur Clarke, dont M. de Mairan [6] a rapporté toutes les raisons dans son mémoire, traite M. de Leibniz avec autant de mépris sur la force des corps que sur le plein, et les monades, mais il a grand tort à mon gré [...]. M. de Leibniz à la vérité n'avait guère raison que sur les forces vives, mais enfin il les a découvertes, et c'est avoir deviné un des secrets du créateur [7]. »

1. *Opera philosophica omnia,* Francofurti a. M., 1697, et *Opuscula posthuma physica et mathematica*, Amstelodami, 1701.
2. John Keill, *Introductio ad veram physicam,* 1702.
3. Lettre à Prault, 16 fév. 1739.
4. Lettre à Maupertuis, 10 fév. 1738.
5. Lettre au physicien Henri Pitot.
6. « Dissertation sur l'estimation et la mesure des forces motrices des corps », *Mémoires de l'Académie des sciences,* 1730.
7. Lettre à Maupertuis, 10 fév. 1738.

Bientôt, seule contre tous, elle sera plus leibnizienne encore...

Elle épluche les publications des académies non plus pour les mettre en fiches, mais pour les évaluer. Elle constate que Dortous de Mairan, secrétaire prestigieux de l'Académie, est plein de préjugés et « combattait pour combattre [1] ». Elle se dit navrée que Réaumur puisse écrire à Voltaire pour évoquer « les grandes obligations que la physique a au Père Malebranche de lui avoir fait connaître tant d'ordres de tourbillons différents [2] ». Affligée que tous les journaux puissent louer l'abbé de Molières pour ses ratiocinations sur l'attraction. Enfin, elle ne cache pas son dédain pour la façon stupide dont Algarotti vulgarise certains aspects de la philosophie newtonienne [3].

## *Le* Mémoire... sur le Feu

1738 est surtout l'année de sa première publication officielle. Si elle a déjà beaucoup écrit, elle a gardé ses réflexions et ses notes pour elle et Voltaire. En décidant de concourir pour le prix de l'Académie, elle prend volontairement le risque de s'exposer aux critiques, mais aussi à l'admiration des spécialistes de son pays. Voltaire le premier s'est décidé à présenter un mémoire sur le sujet proposé par l'Académie des sciences dès 1737 : « De la nature du feu et de sa propagation. » Pour Voltaire, cela représente un défi jeté à ses ennemis dans un domaine où ils n'entendent rien. C'est aussi l'époque où il se passionne pour la recherche et l'expérimentation, et où il crée un laboratoire à Cirey.

Voltaire charge secrètement Moussinot de demander à Fontenelle ce qu'il faut entendre par « propa-

1. Lettre à Maupertuis, 9 mai 1738.
2. Lettre à Maupertuis, 7 juil. 1738.
3. Lettre à Richelieu, août 1738.

gation du feu [1] » et de consulter Geoffroy, l'apothicaire de l'Académie, sur le sujet. Pour savoir si le feu est pesant, Voltaire se livre à de multiples expériences. Il fait rougir le fer, le laisse refroidir, fait éclater ses thermomètres, puis se rend dans les forges du marquis [2] et fait peser jusqu'à deux mille livres de fonte ardente. Malheureusement, la fonte blanche acquiert du poids, mais pas la fonte grise. Tant bien que mal, il conclut qu'il est fort probable que le feu soit pesant.

Durant tout cet été 1737, Émilie regarde Voltaire faire ses expériences et s'acharner à découvrir la nature du feu. Ils discutent jour après jour de ses difficultés et de ses doutes. Elle se passionne pour le sujet, et ne cache pas ses désaccords avec Voltaire sur bien des points. Elle prend alors secrètement la décision de concourir elle aussi, sans en dire mot à son amant. Curieusement, M. du Châtelet est le seul qu'elle met dans la confidence [3], peut-être parce qu'elle a besoin des encouragements d'un homme qui l'admire, quoique incapable de discuter et de juger son travail.

Un an plus tard, elle s'ouvrira à Maupertuis des circonstances de la rédaction de son ouvrage anonyme. Elle lui affirmera qu'elle n'a commencé son travail qu'un mois seulement avant la date de remise des mémoires. Mais rien ne prouve que ce ne soit pas là simple coquetterie d'élève brillante...

« Je n'ai pu faire aucune expérience parce que je travaillais à l'insu de M. de Voltaire et que je n'aurai pu les lui cacher [...]. Je ne pouvais travailler que la nuit [...]. L'ouvrage de M. de Voltaire, qui était presque fini avant que j'eusse commencé le mien, me fit naître des idées et l'envie de courir la même carrière me prit. Je me mis à travailler sans savoir si j'enverrais mon mémoire et je ne le dis point à M. de Voltaire parce que je ne voulais pas rougir à ses

1. Lettre à Moussinot, 18 juin 1731.
2. Lettre de Voltaire à Moussinot, 19 juin 1737.
3. Lettre à Maupertuis, 21 juin 1738.

yeux d'une entreprise que j'avais peur qui lui déplût. De plus je combattais presque toutes ses idées dans mon ouvrage, je ne le lui avouai que quand je vis par la gazette que ni lui ni moi n'avions part au prix. Il me parut qu'un refus que je partageais avec lui devenait honorable [1]. »

Signe de son honnêteté intellectuelle, elle ne touche mot de son projet à son ami Maupertuis qui était pourtant parmi ses futurs juges ! Lorsque le prix fut attribué conjointement à Euler, de Fiesc et de Créqui, et qu'on lui accorda, ainsi qu'à Voltaire, l'insigne consolation de l'imprimatur, elle exposa à Maupertuis l'idée qui avait présidé à ses réflexions. Contrairement au mémoire de Voltaire dont elle fait l'éloge : « plein de vues, de recherches, d'expériences curieuses [2] », le sien est tout simple. Il établit que « le feu ne pèse point, et qu'il se pourrait très bien que ce fût un être particulier qui ne serait ni esprit ni matière, de même que l'espace, dont l'existence est démontrée, n'est ni matière ni esprit. Je ne crois pas cette idée insoutenable, quelque singulière qu'elle puisse paraître d'abord [3] ».

Dans ce mémoire, qui compte cent quarante pages, près d'un tiers sont consacrées à la nature du feu, qu'aucun physicien n'a pu encore définir. Émilie montre au passage qu'elle n'ignore rien des tentatives de Boyle, Musschenbroek, Boerhaave, Homberg, Lémery ou 's Gravesande... Pour résoudre le problème, elle fait appel aux principes de la philosophie leibnizienne, et notamment à la distinction entre les phénomènes [4] et les propriétés inséparables de la substance. C'est après avoir examiné toutes les propriétés distinctives du feu (il tend vers le haut, antagoniste de la pesanteur, vivifie tout l'univers,

1. *Ibid.*
2. *Ibid.*
3. *Ibid.*
4. « Dissertation sur la nature et propagation du feu », 1744, *Mémoires de l'Académie des sciences,* p. 17.

également répandu partout, incapable d'un repos absolu) qu'elle se sent autorisée à conclure que c'est un être particulier qui ne serait ni esprit, ni matière. Mais elle laisse inexpliquée, comme tous ses contemporains, l'origine du feu.

La seconde partie, beaucoup plus longue, traite des lois de la propagation du feu, où elle reprend à son compte les concepts leibniziens de force vive et de force morte [1]. A ses yeux, l'action du feu peut être comprise comme un combat perpétuel entre la force du feu et la résistance que les corps lui opposent. Mais cela ne l'empêche pas d'adhérer entièrement au système de l'attraction de Newton lorsqu'elle étudie les effets du soleil [2] et à son optique lorsqu'elle évoque les couleurs [3].

Bien qu'elle affiche une volonté de synthèse entre les deux philosophes, Émilie révèle son attirance pour Leibniz dans les dernières pages de son mémoire. C'est Dieu, dit-elle, qui a donné une portion de feu à chaque partie de matière, c'est à sa bonté que l'on doit qu'il brûle plus difficilement qu'il n'éclaire, sans quoi on serait exposé à tout moment à être consumé. Enfin, elle émet l'hypothèse « d'un feu central que Dieu aurait placé au milieu de chaque globe comme l'âme qui doit l'animer [4] ». Autant de propositions qui font dire à Maurel que « l'essai sur le feu n'est que du Leibniz adapté [5] ».

Pas plus que les autres mémoires présentés au jugement de l'Académie, celui-ci n'avait résolu le problème posé. Plus métaphysique que scientifique, son explication reste entachée par l'« illusion substantialiste » dénoncée par G. Bachelard, qui note qu'« elle en reste à l'aveu d'un miracle [6] ». N'a-

1. *Ibid.*, p. 52.
2. *Ibid.*, p. 127.
3. *Ibid.*, p. 19.
4. *Ibid.*, p. 135.
5. A. Maurel, *La Marquise du Châtelet*, 1930, p. 149.
6. G. Bachelard, *La Psychanalyse du feu*, Gallimard, coll. Idées, n° 73, p. 52.

t-elle pas écrit : « C'est sans doute l'un des plus grands miracles de la Nature, que le feu le plus violent puisse être produit en un moment par la percussion des corps les plus froids en apparence » ?

Bachelard a beau jeu ensuite de remarquer que ce qui est clair pour un esprit scientifique, fondé sur l'enseignement de l'énergétisme moderne, n'est que mystère pour « l'esprit préscientifique » de Mme du Châtelet qui s'empêtre dans les distinctions métaphysiques entre les « modes » et les « propriétés » du feu. Mais comment reprocher à notre savante d'être restée prisonnière de l'esprit de son temps alors que l'énigme du feu ne sera résolue qu'à la fin du siècle avec les expériences chimiques de Lavoisier qui mirent un point final à la théorie millénaire des quatre éléments ?

De cet ouvrage, qu'elle ne doit qu'à la seule réflexion, faute d'avoir pu procéder aux expériences nécessaires, il faut pourtant retenir deux idées fécondes. Elle eut raison d'attribuer à la lumière et à la chaleur une cause commune (on sait aujourd'hui qu'il s'agit de mouvements vibratoires et non de molécules lumineuses). Elle était également dans le vrai en affirmant que les rayons différemment colorés ne donnent pas un égal degré de chaleur, phénomène amplement démontré par la suite, notamment par les expériences de l'abbé Rochon.

Enfin, il est important de noter que son mémoire est en contradiction totale avec celui de Voltaire. C'est la première fois qu'apparaît un désaccord théorique entre ces deux êtres qui travaillent côte à côte depuis plusieurs années. A l'exception d'une seule idée commune – tous les corps contiennent du feu –, leurs points de vue sont diamétralement opposés sur la nature ou la pesanteur de celui-ci. Voltaire avait renoncé à l'approche métaphysique du problème et s'en tenait aux expériences de Boerhaave et de Musschenbroek qui ne satisfaisaient pas son amie.

Les deux mémoires partirent séparément pour l'Académie des sciences où ils se rejoignirent. Celui de Mme du Châtelet fut enregistré sous le numéro 6 et celui de Voltaire sous le numéro 7 pour que l'anonymat des candidats fût respecté. Voltaire apprendra la candidature de son amie en même temps que leur échec commun. « Monsieur de Voltaire, au lieu de me savoir mauvais gré de ma réserve, n'a songé qu'à me servir [1]. »

Les heureux concurrents durent leur succès à la conformité de leurs idées avec celles de l'Académie. Euler fut couronné, non parce que ses découvertes allaient plus loin que celles de Voltaire et d'Émilie, mais parce qu'il était déjà un des plus grands géomètres d'Europe et surtout parce qu'il joignait à sa « pièce » la formule de la vitesse du son que Newton avait cherchée en vain. Les deux autres mémoires étaient bien inférieurs à ceux du couple, mais leur cartésianisme garantissait leur valeur aux yeux des académiciens.

C'est finalement Voltaire qui demande à l'Académie d'imprimer le mémoire de Mme du Châtelet. Il écrit à Maupertuis, qui est l'un de ses membres : « Ne serait-il pas de l'honneur de l'Académie autant que de celui d'un sexe, à qui nous devons tous nos hommages, d'imprimer ce mémoire, en avertissant qu'il est d'une dame [2] ? »

Émilie, aux anges, flattée de cet honneur, fit un instant la coquette. Elle « veut bien consentir à se découvrir à l'Académie pourvu que l'Académie en imprimant son essai, et en l'approuvant, n'en nomme pas l'auteur [3] ». Modestie de courte durée puisqu'elle s'empresse d'écrire elle-même à Réaumur pour l'assurer qu'elle met sa gloire à publier l'hommage qu'elle lui a rendu.

Réaumur avait répondu par une lettre fort polie à Voltaire où il lui déclarait : « Il faut absolument

1. Lettre à Maupertuis, 14 juin 1738.
2. Lettre de Voltaire à Maupertuis, 25 mai 1735. Il écrivit également de façon officielle à Réaumur et à Du Fay.
3. Lettre de Voltaire à Maupertuis, 15 juin 1738.

que le public sache que parmi les pièces qui ont concouru [...] il y en a une d'une jeune femme, et l'autre du plus grand de nos poètes [1]. »

Finalement, les deux mémoires furent imprimés avec ceux qui partageaient le prix, précédés de cet avertissement qui en disait long sur l'état d'esprit des académiciens : « Les auteurs des deux pièces suivantes s'étant fait connaître à l'Académie et ayant désiré qu'elles fussent imprimées, l'Académie y a consenti avec plaisir quoiqu'elle ne puisse approuver l'idée que l'on donne dans l'une et l'autre de ces pièces de la nature du feu, et elle y a consenti parce que l'une et l'autre supposent une grande lecture, une grande connaissance des meilleurs ouvrages de physique, et qu'elles sont remplies de faits, de vues. D'ailleurs le nom seul des auteurs est capable d'intéresser la curiosité du public. La pièce n⁰ 6 est d'une dame d'un haut rang, de Madame la Marquise du Châtelet, et la pièce n⁰ 7 est d'un des meilleurs de nos poètes. »

On ne pouvait dire plus élégamment quels étaient les demandeurs auxquels on consentait cette grâce !

Comme Maupertuis était à Saint-Malo durant toutes ces tractations, Mme du Châtelet s'inquiétait de ne pouvoir compter sur son aide et surtout d'ignorer le jugement qu'il portait sur son mémoire. Mais Voltaire, beau joueur, s'empresse de faire son éloge *urbi et orbi.* A Maupertuis d'abord, auquel il écrit : « Peut-être croirez-vous que j'aurais pu gâter le mémoire de Madame du Châtelet en y mêlant du mien, mais tout est d'elle. Les fautes sont en petit nombre, et les beautés me paraissent grandes [2]. » Un peu plus tard, il renouvelle ses galanteries, jure que seule lui importe la gloire d'Émilie et constate qu'« il est bien cruel que les maudits tourbillons l'aient emporté sur votre élève [3] ». Au physicien

1. Lettre de Mme du Châtelet à Maupertuis, 7 juil. 1738.
2. Lettre de Voltaire à Maupertuis, 25 mai 1738.
3. Lettre de Voltaire à Maupertuis, 15 juin 1738.

Henri Pitot, également membre de l'Académie, auquel Voltaire s'était laissé aller à marquer sa déception de n'avoir pas eu le prix [1], il confie à présent que M. de Réaumur aurait dû donner le prix à la marquise : « La philosophie n'eut en rien à reprocher à la galanterie. Le mémoire de cette dame singulière ne vaut-il pas bien des tourbillons [2] ? »

Voltaire fit mieux encore pour sa compagne. Il décida d'écrire un article à sa gloire qui fut publié par le *Mercure de France* en juin 1739 [3]. Il en avertit le marquis d'Argens en ces termes : « Je n'y parle que de sa dissertation. Il faut que ma petite planète disparaisse entièrement devant son soleil [...] sans l'opinion trop hardie que le feu n'est point matière, cette dame méritait le prix. Mais le prix véritable, qui est l'estime de l'Europe savante, est bien dû à une personne de son sexe, de son âge et de son rang... [4]. »

Toutefois les compliments de Voltaire, privés ou publics, ne suffisaient pas au bonheur de la marquise. Ce qu'elle désirait par-dessus tout, c'était l'avis et l'approbation de Maupertuis. Elle lui envoie lettre sur lettre à Saint-Malo [5] pour qu'il relise son mémoire en sachant qu'elle en est l'auteur. Maupertuis, peu pressé de satisfaire à son désir, ne lui répondit que six mois plus tard. La lettre dut être fort élogieuse puisque Émilie lui écrit à sa réception : « Je suis trop flattée de ce que vous voulez bien me dire, et il me semble que d'avoir été lue par vous est un prix bien au-dessus de ce que je devais espérer [6]. »

1. Lettre à Henri Pitot, 18 mai 1738.
2. Lettre à Henri Pitot, 17 juin 1738, et lettre à Thieriot, 21 juin 1738.
3. « Sur la nature du feu », *Mercure de France*, juin 1739, tome II, pp. 1320-1328.
4. Lettre de Voltaire au marquis d'Argens, 21 juin 1739.
5. Lettres de juin et juillet 1738, et lettre du 1er sept. 1738.
6. Lettre à Maupertuis, 1er déc. 1738.

L'admiration de Maupertuis n'était pas feinte. A des collègues aussi éminents que Bernoulli [1] ou Jurin, il dit le plus grand bien de son ancienne élève. « J'ai donné à M. Algarotti, qui part pour Londres, un ouvrage pour vous [Jurin] remettre de la part de son auteur [...] une jeune dame de la première condition qui fait honneur à nos sciences [...] *vous vous étonnerez peut-être que [la pièce] ne l'ait pas remporté [à l'Académie]* [2]. »

Cette lettre à un étranger, qui n'a que faire des susceptibilités des concurrents, semble démentir l'affirmation de Voltaire selon laquelle Maupertuis aurait voté pour son mémoire [3]. Bien que, dans la même lettre, il fasse également l'éloge de celui de Voltaire, il ne mentionne nulle part qu'il ait voté pour lui.

Dans un élan de franchise, elle avouera à son ancien maître qu'elle pensait recevoir un accessit de l'Académie. Mais puisqu'on n'en distribue pas, elle se contente de l'imprimatur qui lui donne l'avantage de se faire connaître de toute l'Europe des savants. Tel était bien d'ailleurs le secret motif de sa participation au concours : « Je n'espérais me tirer de la foule et me faire lire avec quelque attention par les commissaires que par la hardiesse et la nouveauté de mes idées [4]. »

Mission accomplie. Cette première publication lui ouvre le monde scientifique. Qu'elle soit femme ajoute à l'intérêt qu'on porte à l'auteur des idées. Son nom est évoqué avec respect dans l'enceinte de la très sérieuse et misogyne Sorbonne. Le Blanc rapporte qu'« un prieur de Sorbonne devant une assemblée composée d'Évêques et de tout ce qu'il y a de plus respectable, prononça l'éloge de Newton et de la nouvelle philosophie, mais ce qui vous éton-

1. Lettre à Bernoulli, 29 oct. 1738.
2. Lettre à James Jurin, 20 avril 1739. Souligné par nous.
3. Lettre de Voltaire au marquis d'Argens, 21 juin 1739.
4. Lettre à Maupertuis, 1er déc. 1738.

nera le plus, c'est qu'il y ajouta celui de Voltaire et de Madame du Châtelet. Il les peignit tous deux sous l'emblème de Thésée et d'Ariane [1] ». Méchamment il ajoute que cela est d'autant plus louable que le Thésée et l'Ariane de la fable ne brûlaient que d'un feu matériel qui n'en voulait qu'aux sens, alors que le couple du Nouveau Testament n'a qu'un amour spirituel ! Qu'importent les sarcasmes d'un Le Blanc, si les savants reconnaissent à Émilie une place parmi eux ! Dorénavant, elle pourra correspondre avec les meilleurs, qui ne dédaigneront jamais de lui répondre avec la plus grande considération.

### *La célébrité avec Leibniz*

Maupertuis et Bernoulli sont passés par Cirey avant qu'Émilie et Voltaire ne partent s'installer à Bruxelles pour accélérer le procès en héritage de la famille du Châtelet. Séduite par Bernoulli, elle aurait bien voulu de lui comme professeur. Il demande à réfléchir et, en attendant, Maupertuis lui propose les leçons d'un jeune mathématicien suisse, Kœnig. Celui-ci entre à son service en avril 1739 et la suit en Belgique pour l'aider à se perfectionner dans sa discipline. Mais cet élève scrupuleux de Wolff est moins bon professeur de mathématiques que métaphysicien et préfère entretenir la marquise de Leibniz plutôt que d'algorithme.

Il ne faut pas accorder le moindre crédit à Formey qui rapporta, cinquante ans après les faits, des dialogues [2] imaginaires tendant à accréditer la thèse qu'Émilie ne connaissait pas Leibniz. La correspondance de Voltaire nous apprend qu'elle lit avec lui

1. Lettre de Jean Bernard Le Blanc à Jean Bouhier, 26 déc. 1738.
2. *Souvenirs d'un citoyen*, Berlin, 1789, p. 174. Formey est un philosophe prussien d'origine française (1711-1797) qui fut secrétaire perpétuel de l'Académie de Berlin.

*La Métaphysique* de Wolff [1], le plus célèbre commentateur de Leibniz, dès le mois de mars 1737. Mais cela sans enthousiasme pour les idées et le style du philosophe prussien. En 1738, elle en parle à Maupertuis [2] et lui dit son hostilité aux monades et à la théorie du plein. Elle adhère cependant tout à fait à la découverte leibnizienne des forces vives.

Que s'est-il passé pour qu'un an plus tard Kœnig l'ait convertie au système leibnizien, en dépit de Voltaire, et compte tenu du fait que le doute l'a parfois menée au bord de l'athéisme ? Si elle est finalement séduite, c'est parce qu'aucune autre philosophie ne satisfait son besoin immodéré de logique et de rationalisme. « Je suis persuadée que la physique ne peut se passer de métaphysique sur laquelle elle est fondée, j'ai voulu donner une idée de la métaphysique de M. de Leibniz que j'avoue être la seule qui m'ait satisfaite, quoiqu'il me reste encore bien des doutes [3]. »

A en croire Formey, Kœnig, pour convertir son élève, aurait employé un curieux procédé d'intimidation. A chaque leçon, il « apportait sur un papier la thèse qu'il voulait démontrer, il l'expliquait et la prouvait, demandant à la Marquise si elle la comprenait et l'admettait. Sur sa réponse affirmative, il lui présentait le papier et lui disait : « Signez ! ». C'est, selon Formey, de cette suite de signatures que serait née l'œuvre majeure d'Émilie, les *Institutions de Physique.* Cette version des événements n'est pas conciliable avec l'esprit autoritaire de la marquise, qui n'a pas l'habitude de concéder quoi que ce soit dans le domaine de l'esprit. Pendant que Kœnig lui prépare les extraits de chapitres nécessaires pour bien comprendre la métaphysique de Leibniz, elle compose et rédige la nuit son grand ouvrage de physique. Kœnig la quittera en janvier 1740, l'année

1. Lettre de Voltaire à Frédéric, 30 mars 1737.
2. Lettre d'Émilie à Maupertuis, 10 fév. 1738.
3. Lettre à Frédéric, 25 avril 1740.

même de la publication des *Institutions* qui comportent quatre cent cinquante pages et une remarquable table des matières. S'il est vrai que Kœnig a insufflé la foi leibnizienne à Émilie, ce qu'elle n'a jamais nié, et qu'il lui a fourni des arguments métaphysiques pour certains chapitres, l'essentiel de l'ouvrage reste son œuvre personnelle.

### *Les* Institutions de Physique *(1740)*

La préface du livre adressée à son fils de treize ans est un texte superbe et émouvant, parce qu'elle s'y exprime en mère, en femme et en savante.

« J'ai toujours pensé que le devoir le plus sacré des hommes était de donner à leurs enfants une éducation qui les empêchât, dans un âge plus avancé, de regretter leur jeunesse, qui est le seul temps où l'on puisse véritablement s'instruire ; vous êtes, mon cher fils, dans cet âge heureux où l'esprit commence à penser, et dans lequel le cœur n'a pas encore des passions assez vives pour le troubler [...] bientôt les passions et les plaisirs de votre âge emporteront tous vos moments et lorsque cette fougue de la jeunesse sera passée et que vous aurez payé à l'ivresse du monde le tribut de votre âge et de votre état, l'ambition s'emparera de votre âme ; et quand même dans cet âge avancé et qui souvent n'en est pas plus mûr vous voudriez vous appliquer à l'étude des véritables sciences, votre esprit n'ayant plus alors cette flexibilité qui est le partage des beaux ans, il vous faudrait acheter par une étude pénible ce que vous pouvez apprendre aujourd'hui avec une extrême facilité. Je veux donc vous faire mettre à profit l'aurore de votre raison et tâcher de vous garantir de l'ignorance qui n'est que trop commune parmi les gens de votre rang, et un mérite de moins [1]. »

A travers cet avertissement maternel, c'est toute

1. *Institutions de Physique, op. cit.*, pp. 1. et 2.

son expérience personnelle qui est évoquée à titre de modèle et d'illustration. Un résumé de sa philosophie du bonheur, acquise au prix d'erreurs et de difficultés qu'elle voudrait tant épargner à son fils.

Si l'étude en général est source de bonheur, la physique dont nos besoins et plaisirs dépendent est la discipline privilégiée. Pour y réussir, elle rappelle à son enfant la règle fondamentale de l'objectivité bafouée à cette époque aux dépens de Newton : « Gardez-vous de l'entêtement dans lequel l'esprit de parti entraîne [...]. Quand il s'agit d'un livre de physique, il faut se demander s'il est bon et non si l'auteur est anglais, allemand ou français [1]. »

Avertissement tout cartésien contre les tenants de Descartes qui ne se privent pas de recourir à l'argument d'autorité. C'est également à Descartes qu'elle emprunte l'idée qu'un ouvrage de physique s'ouvre nécessairement sur une doctrine métaphysique. Cela contre l'avis de tous ses amis newtoniens qui adhèrent à la proposition célèbre *hypotheses non fingo.* Dès la préface, elle affirme sa complète liberté à l'égard de toute autorité. Non seulement elle refuse celle de Descartes ou de Newton, dont elle approuve par ailleurs certaines théories, mais en plus elle proclame son adhésion à la métaphysique de Leibniz qui fait l'unanimité des deux camps contre elle.

Malgré ses doutes, qui subsistent, elle expose et résume cette métaphysique avec une clarté remarquable. Elle confronte tous les arguments adverses au principe de la raison suffisante, « une boussole dans les sables mouvants de la science [2] », et conclut à l'existence nécessaire de Dieu, raison d'être du monde. C'est Dieu qui fait la pérennité des lois qui régissent les phénomènes. « C'est un être simple [3] » dont la création est composée de parties et animée de phénomènes successifs. Il a créé le

1. *Ibid.*, p. 7.
2. *Ibid.*, p. 13.
3. *Ibid.*, p. 42, 21.

monde une fois pour toutes et n'a nul besoin de réintervenir à chaque instant.

Cette dernière proposition distingue radicalement Leibniz de Newton et Émilie de ses amis. On imagine la surprise et l'irritation que Voltaire put éprouver en voyant son ancienne complice adopter la théorie d'un Dieu nécessaire et sage qui aurait choisi le meilleur monde, parmi tous les possibles. Il aura du mal à comprendre comment la marquise, si attachée à la liberté de l'homme, peut à présent admettre la prescience divine qui la supprime. Comment, elle, qui a tant pesté contre les monades, s'en retrouve le plus ardent défenseur. Au nom de la théorie des essences, elle conclut que ce ne peut être à la matière que Dieu a donné la pensée, mais à la monade, être simple et indivisible, dont la raison suffisante est en Dieu.

C'est encore au nom de ce premier principe leibnizien qu'elle bannit le vide ou l'espace absolu. « Le raisonnement de Leibniz contre l'espace absolu est sans réplique [1] », sans quoi il faudrait admettre une absurdité, à savoir que cet espace a tous les attributs de Dieu.

Quel désaveu de la philosophie de Newton qui soutenait que l'espace est aussi bien le vide que « l'immensité de Dieu » ! quel reniement de ses premières amours pour Locke qui croyait pouvoir expliquer la création de la matière par l'espace !

Pis encore, Émilie sauve partiellement la physique de Descartes. Bien qu'elle récuse l'existence des tourbillons, elle avoue qu'il ne « faut point charger l'hypothèse entière d'un défaut qui ne tombe que sur l'une de ses parties [2] ». Hérésie impardonnable pour les newtoniens militants comme Voltaire !

La marquise a-t-elle renoncé définitivement à la philosophie anglaise ? Il suffit de lire le chapitre VIII de ses *Institutions* pour être convaincu du

1. *Ibid.*, pp. 94-95.
2. *Ibid.*, p. 84.

contraire. Elle admet sans restriction la théorie de l'attraction, en tant que qualité physique, mais elle ne peut admettre que les newtoniens « détournent les philosophes [les savants] d'en chercher la cause mécanique. Car ceux qui ne veulent point admettre dans la philosophie [la science] des miracles perpétuels doivent rendre raison des effets par l'essence des choses et par le mouvement [1] ». Le chapitre XVI revient longuement sur l'attraction newtonienne, pour en montrer le bien-fondé et les limites. Tout en rendant hommage aux travaux de Newton, Maupertuis et Keill, elle conclut en sage leibnizienne que « le principe de raison suffisante [...] détruit ce palais enchanté fondé sur l'attraction [2] ». Celle-ci ne peut être une propriété inhérente, ni donnée par Dieu à la matière. Elle n'est qu'un phénomène dont il est urgent de rechercher la cause.

Dernier point de désaccord : Émilie adhère entièrement à la théorie des forces vives dont le calcul notoire, $mv^2$, est confirmé par l'expérience. Mais, ce faisant, elle ne s'oppose pas seulement aux cartésiens comme Dortous de Mairan ou Jurin [3], elle récuse aussi les newtoniens. Newton n'admettait pas les forces vives. Il pensait que « le mouvement va sans cesse en diminuant dans l'univers à cause de l'inertie de la matière, et que notre système aura besoin quelque jour d'être réformé par son auteur [4] ». A quoi elle répond que si l'on distingue la quantité de force et le mouvement, il est facile de prouver que la force vive demeure toujours la même, bien que la quantité de mouvement puisse varier à chaque instant dans l'univers. Et que cette égale conservation des forces vives est une raison très forte en leur faveur.

1. *Ibid.*, pp. 177-178.
2. *Ibid.*, p. 328.
3. *Ibid.*, p. 424 : « Leur force n'est que double en temps égal, c'est-à-dire en raison de la simple vitesse. »
4. *Ibid.*, p. 445.

Le premier tome du livre paraît à la Pentecôte 1740. Truffé de figures et d'expériences, c'est un chef-d'œuvre de clarté et de simplicité qui offre aux non-spécialistes toute la science de l'époque et permet à Émilie de faire connaître sa position originale.

Malheureusement, avant même que le livre fût publié, Mme du Châtelet s'est brouillée avec Kœnig de façon irréversible. Lassée par son caractère difficile, elle avait demandé secrètement à Maupertuis, dès septembre 1739, qu'il intervînt auprès de Bernoulli pour qu'il acceptât enfin d'être son professeur. En octobre, elle réitère directement son offre, puis, comme toujours lorsqu'elle désire quelque chose, l'accable de lettres successives. Entre-temps la dispute avec Kœnig a éclaté à Paris. Selon elle, Kœnig s'est conduit comme « un laquais mal élevé [1] », aux procédés infâmes. Aux dires de Kœnig, c'est elle qui l'a traité comme un laquais. Le prétexte de la querelle est une histoire d'argent mais le fond est bien une irréductible incompatibilité d'humeur.

L'affaire fait grand bruit dans Paris et aura des conséquences désagréables sur la publication de son ouvrage. En novembre, elle chasse Kœnig de sa maison, qui s'empresse de répandre les pires bruits sur son compte. Complice de Mme de Graffigny qui est repartie de Cirey pleine de haine pour Émilie, Kœnig laisse entendre qu'il n'était pas seulement le professeur de la marquise... et que la jalousie de Voltaire lui rendait la vie insupportable.

Plus grave de conséquences, il s'attribue la paternité des *Institutions* et proclame à qui veut l'enten-

1. Lettre à Bernoulli, 28 déc. 1739. « Les procédés de M. de Kœnig me feraient haïr tous les mathématiciens et tous les Suisses si je ne vous connaissais pas. »

dre qu'Émilie lui a volé son travail. La Graffigny propage avec délices les pires infamies :

« Le Suisse m'a conté une histoire de mégère [la marquise] [...]. Quoiqu'elle soit bien déshonorée, il y a de quoi la mettre en état de n'oser se montrer [...]. Pendant que je souffrais l'année passée de la part de cette personne [...] elle travaillait à un livre de physique. Bien secrètement elle l'a fait imprimer. Un jour Gaspar [Kœnig] a trouvé des épreuves qu'on lui avait envoyées. Il les lit et voit qu'il n'y a pas le sens commun et des ignorances à le faire siffler. Il contrefait son écriture et y met des notes qui détruisent entièrement le livre. L'auteur qui les trouve dissimule, quoiqu'il ne puisse douter que ce ne soit Gaspar, et se contente de mettre ses matières sur le tapis. Gaspar, qui était déjà mécontent des procédés, foudroye toutes les questions, et enfin réduit l'auteur à sentir qu'il n'a rien fait qui vaille, toujours sans s'expliquer. Un beau jour la bombe crève, et avec des larmes abondantes on avoue sa turpitude de vouloir faire ce que l'on ne sait pas. On prie Gaspar de raccommoder le livre pour lequel il y a déjà six mille francs de dépense. Il dit que cela est impossible parce qu'à chaque ligne il y a une absurdité. Enfin après plusieurs scènes on demande à genoux, mais à genoux physiquement, d'en faire un que l'on donnera à la place. Gaspar s'en défend tant et plus, en disant qu'il ne le ferait pas pour lui-même, qu'il faut des années pour cela. On prie, on fait tant de soumissions, on pleure tant qu'il se rend et broche des cahiers, que l'auteur copie de sa main pour mieux se parer de plumes de paon [...]. Le pauvre Gaspar avait mis dans son marché qu'on lui rendrait ses cahiers, parce qu'il dit que le livre n'est pas assez bon pour qu'il voulût avouer y avoir la moindre part. On lui donne des paroles d'honneur plus qu'il n'en tiendrait dans une chambre. Et la veille du départ, on lui dit légèrement qu'ils sont brûlés. Dans sa fureur il a traité l'auteur postiche comme il le mérite sur tous les points [...]. Admires-tu l'impudence, la fureur de vouloir avoir de la science, d'être auteur aux dépens des autres ! [...] Il serait possible de faire voir qu'elle ne sait rien [1]. »

De toute évidence, Mme de Graffigny se venge de la scène terrible qu'elle subit à Cirey. Aveuglée par la haine, elle n'a pas peur de se contredire. A Cirey, elle trouvait Émilie géniale, digne qu'on lui élevât des autels. A présent c'est une ignorante qui n'écrit que des absurdités ! Il est probable que Kœnig a quelque peu modifié sa version selon l'interlocuteur. Ce qui convenait à Mme de Graffigny ne pouvait convaincre Maupertuis ou Bernoulli, très avertis des connaissances de Mme du Châtelet. Devant le premier, Kœnig a préféré évoquer la mesquinerie d'Émilie et le peu de considération dont elle faisait preuve à son égard. Maupertuis n'avait nul besoin d'en être convaincu et c'est la raison pour laquelle il découragea son ami Bernoulli d'accepter l'offre de la marquise. Alors qu'en octobre 1738 il lui écrivit qu'elle « est la femme de France la plus aimable et du meilleur caractère [2] », en janvier 1740 il revient sur ce propos. « Elle l'a traité [Kœnig] fort mal et avec beaucoup d'ingratitude, comme un laquais. Kœnig a raconté son histoire à tout Paris [...] et la comble de ridicule [...]. Je me garde bien de vous conseiller d'y aller [3]. » A aucun moment, Maupertuis n'évoque le vol des cahiers et des idées de Kœnig. Pourtant celui-ci n'a pas manqué de faire une discrète allusion à la prétendue supercherie. Lors de la parution du manuscrit complet, début 1741, il écrit à Maupertuis : « On dit qu'on l'a déjà réfutée. Je me réjouis de voir comment elle fera

1. *Studies on Voltaire*, vol. 139, E. Showalter Jr. : Voltaire et ses amis d'après la *Correspondance de Madame de Graffigny*, 1738-1739, pp. 218-220.

2. Lettre de Maupertuis à Bernoulli, 29 oct. 1738, éd. Besterman.

3. Lettre de Maupertuis à Bernoulli, 12 janv. 1740. Le 27 mars, il ajoute : « Mme du Châtelet est une femme à qui il est dangereux d'avoir à faire. »

pour répondre sur des matières qu'elle n'entend point ...[1]. »

Propos absurdes pour Maupertuis qui connaît mieux que personne la valeur intellectuelle de son ancienne élève, mais qui font la joie des ennemis d'Émilie. Le Blanc [2] s'empresse de les répandre en jurant qu'il les tient directement de Kœnig. Mme du Deffand également. Dans le portrait posthume de sa cousine, elle ne manquera pas d'y faire allusion : « Certain ouvrage donné au public sous son nom, et revendiqué par un cuistre, a semé quelques soupçons ; on est venu à dire qu'elle étudiait la géométrie pour parvenir à entendre son livre [3]. »

La manœuvre de Kœnig a partiellement réussi dans les salons parisiens. Un doute plane sur l'identité réelle de l'auteur des *Institutions.* Mme du Châtelet, qui attendait de ce livre une gloire personnelle qui l'imposerait à côté de Voltaire, se doit de répondre et de se justifier. Il ne s'agit pas pour elle de se venger de Kœnig, mais de le confondre sous peine de déchéance et de ridicule. Elle le fit vaillamment.

J'ai acheté ma science ? dit-elle. Mais que trouve-t-on dans mes *Institutions,* si ce n'est strictement le développement des idées que j'ai déjà exposées il y a un an ? C'est d'abord à Bernoulli qu'elle rend compte minutieusement de l'histoire des *Institutions.*

« Je suis trop heureuse, Monsieur, que les indiscrétions de Kœnig m'aient laissé auprès de vous le mérite de la confiance [...]. J'avais composé dans mon loisir à Cirey [4] des Éléments de physique que je destinais pour mon fils et qu'une femme de mes amies [5] qui était à Cirey me persuada de faire imprimer, prétendant [...] qu'il n'y en avait point en français, et qu'étant assurée de l'incognito [...] je jouirais

1. Lettre de Kœnig à Maupertuis, 11 fév. 1741.
2. Lettre de Le Blanc à J. Bouhier, 13 janv. 1740.
3. *Correspondance littéraire,* mars 1777, p. 436.
4. Donc avant le départ pour la Belgique en 1739.
5. Madame de Champbonin.

du plaisir de me voir juger, sans courir aucun risque si le jugement n'était pas favorable [...]. Elle fit le voyage exprès à Paris pour le porter et il fut approuvé par Monsieur Pitot en 1738, c'est-à-dire [...] un an avant que je connusse Kœnig. Ce livre s'imprima très lentement parce que mon libraire qui ne me connaissait pas, me quittait pour tous les romans [...]. En vivant avec Kœnig [...] il me parla de la métaphysique de Leibniz. J'avais emporté celle de Wolff [...] je la lus avec attention, et j'y trouvais de très belles idées, très neuves et que l'on ne connaissait point du tout en France.

« J'avais commencé mon ouvrage par quelques chapitres de métaphysique, j'eus envie d'y donner une idée de celle de Leibniz qui je vous l'avoue me plut infiniment [...]. Sûre de sa probité [de Kœnig] et de son attachement, je lui confiai mon secret. J'y trouvais l'avantage de lire mon ouvrage à un habile homme [...] et celui d'être aidée de ses lumières [...] [pour] mettre à la tête de l'ouvrage quelques-unes des idées de Leibniz sur la métaphysique.

« Nous partîmes pour Paris. Le livre était plus qu'à moitié imprimé, j'engageai le libraire à recommencer les feuilles où je voulais mettre ma nouvelle métaphysique, et je me mis à travailler. Il fallait pour bien faire lire plusieurs chapitres des ouvrages de Wolff, comme Ontologie, Cosmologie, outre sa Métaphysique que j'avais lue. Je priai Kœnig de me faire des extraits des chapitres qui m'étaient nécessaires [...] et sur quoi je travaillais en partie [...]. Je me voyais à la veille de jouir de l'incognito mais [...] Kœnig le dit à tout le monde ajoutant que j'avais fait un livre qui ne valait rien, qu'il m'en avait fait un autre et que je ne l'avais pas suffisamment payé de sa peine. Jugez du bruit que cela fit, cela me revint de toutes parts, et je vous avoue que je fus outrée. Je balançai longtemps si je retirerais mon livre. Enfin je pris le parti de le laisser paraître parce que, après le bruit que cela avait fait, il y avait encore plus d'inconvénients à le retirer, et que de plus cela n'était guère possible, étant presque fini d'imprimer [1]. »

Son meilleur témoin est Maupertuis. Lui seul savait, par une lettre écrite à Saint-Malo en 1738, qu'elle avait fait depuis longtemps la critique du mémoire de Mairan [2]. Elle contenait « à peu près les mêmes choses qui sont sur cela dans mon livre [...] [mes] véritables sentiments sur les forces vives [3] », qui faisaient contraste avec une remarque figurant dans son *Mémoire... sur le Feu* et qu'elle voulait effacer, bien avant qu'elle ne rencontrât Kœnig.

De toute cette affaire, M. Showalter Jr. a donné l'interprétation la plus crédible : au mois de septembre 1739, Kœnig et Émilie se disputèrent sur un sujet qui n'avait sans doute rien à voir avec les mathématiques, mais peut-être avec les leçons que Pangloss donnait à la fille de chambre... Mme du Châtelet songea donc à remplacer Kœnig par Bernoulli. Kœnig se fâcha, et demanda qu'on lui rendît ses leçons, ce qu'elle refusa de faire. Il en conclut qu'elle lui volait ses idées, et il répandit l'histoire, quelque peu embellie [4].

Lorsque le livre fut publié, il était clair pour ceux qui la connaissaient bien que Mme du Châtelet avait profité des leçons de Kœnig, qu'elle avait subi son influence, mais qu'elle avait écrit le livre elle-même. Pour tous les autres, un doute planait.

### *L'accueil fait au livre*

En complet désaccord avec sa compagne, Voltaire fit preuve de la plus respectueuse et tolérante oppo-

1. Lettre à Bernoulli, 30 juin 1740.
2. « Dissertation sur l'estimation et la mesure des forces vives des corps », Mémoires de l'Académie des sciences, 1728.
3. Lettre à Maupertuis, 22 mars 1741.
4. Voir note 1, p. 312.

sition. Lorsque le livre parut, avec le scandale que l'on sait, il s'empressa d'en faire l'éloge à tous ses amis. Il écrit au président Hénault : « Pour le livre de Madame du Châtelet dont vous me parlez, je crois que c'est ce qu'on a jamais écrit de mieux sur la philosophie de Leibniz. Si les cœurs des philosophes allemands se prennent par la lecture, les Volfius, les Hanschius et les Tumingius seront tous amoureux d'elle sur son livre, et lui enverront du fond de la Germanie les lemmes et les théorèmes les plus galants [1]. »

Mais Voltaire laisse percer à Helvétius son désaccord sur le fond :

« Si Leibniz vivait encore, il mourrait de joie de se voir ainsi expliqué ou de honte de se voir surpassé en clarté, en méthode et en élégance. Je suis en peu de choses de l'avis de Leibniz. Je l'ai même abandonné sur les forces vives, mais après avoir lu presque tout ce qu'on a fait en Allemagne sur sa philosophie, je n'ai rien lu qui approche à beaucoup près du livre de Madame du Châtelet. C'est une chose très honorable pour son sexe et pour la France [2]. »

Aux intimes, Voltaire ne dissimule pas son agacement. Il se fait ironique avec Maupertuis : « Je ne désespère pas que Madame du Châtelet ne se trouve quelque part sur votre chemin [...]. Elle arrivera avec raison suffisante, entourée de monades. Elle ne vous aime pourtant pas moins, quoiqu'elle croie aujourd'hui le monde plein, et qu'elle ait abandonné si hautement le vide [3]. » Sa mauvaise humeur éclate avec Formont :

> « Elle aurait perdu ses beaux jours
> Avec son Leibniz qui m'ennuie [4]. »

1. Lettre du 20 août 1740.
2. Lettre à Helvétius, 7 janv. 1741.
3. Lettre à Maupertuis, 29 août 1740.
4. Lettre à Formont, 3 mars 1741.

En réalité, la nouvelle philosophie de la marquise est ressentie par Voltaire comme un reniement de leur entente passée. Son esprit « achoppe » sur la prescience de Dieu qui menace la liberté de l'homme, et sur l'être simple auquel, écrit-il à Frédéric, il « n'entend goutte ». Il voyait très bien vers quelles infidélités la conduisait cette doctrine. Elle se séparait de Newton et de Locke qu'ils avaient tant étudiés ensemble. De lui aussi par la même occasion.

Dans le chapitre de métaphysique qui devait conclure les *Éléments,* mais qui avait été supprimé en 1738 à la demande du chancelier d'Aguesseau, Voltaire avait montré son attachement aux théories de Locke et de Clarke. Il n'a jamais cessé d'être hostile à la philosophie religieuse de Leibniz dès qu'elle lui fut révélée en 1736 par une série de lettres de Frédéric. C'est autant pour son royal correspondant que pour Émilie devenue leibnizienne qu'il écrit *La Métaphysique de Newton,* reprise de l'ancien chapitre supprimé, et l'intègre en 1741 à la première édition correcte des *Éléments.*

C'est une pierre de taille dans le jardin d'Émilie au moment même de sa polémique publique avec Dortous de Mairan. Mais Voltaire ne peut admettre cette glorification du Dieu leibnizien, enchaîné par le principe de raison suffisante. Il lui oppose la liberté du Dieu de Newton « infiniment libre comme infiniment puissant, qui a fait beaucoup de choses qui n'ont d'autre raison de leur existence que la seule volonté [1] ».

Malgré tout son talent, Émilie ne pourra jamais le convaincre du contraire.

Frédéric II était leibnizien comme elle, mais elle ne l'avait pas convaincu non plus. Dès la sortie du livre, elle le lui avait envoyé avec un mot aimable [2]. Moins de trois semaines s'écoulent avant qu'il lui

1. *La Métaphysique de Newton*, Moland, tome XXII, p. 411.
2. Lettre à Frédéric, 25 avril 1740.

réponde une lettre mitigée où les galanteries habituelles cachent mal l'ironie.

« Les Rambouillet, les Deshoulières, les Sévigné ont brillé par la beauté de leur génie et la finesse de leurs pensées ; les Dacier étaient savantes mais rien de plus [...]. Les sciences que vous possédez et votre façon de penser et de vous exprimer sont autant supérieures à celles de ces dames que l'est le génie de Voltaire à celui de Boileau [...]. [Mais] s'il m'est permis de vous dire mon sentiment sans déguisement, je crois qu'il y a quelques chapitres où vous pourriez resserrer le raisonnement sans l'affaiblir et principalement celui de l'étendue, qui m'a paru tant soit peu diffus [1]. »

Avec Jordan, Frédéric est beaucoup plus brutal. Franchement méprisant : « La Minerve vient de faire sa physique. Il y a du bon, c'est Kœnig qui lui a dicté son thème. Elle l'a ajusté et orné par-ci par-là de quelques mots échappés à Voltaire à ses soupers. Le chapitre sur l'étendue est pitoyable. L'ordre de l'ouvrage ne vaut rien ; il y a même de très grosses fautes, car dans un endroit elle fait tourner les astres d'occident en orient... Ses amis devraient lui conseiller charitablement d'instruire son fils sans instruire l'univers [2]. »

Propos injustes qui ont fait bondir Besterman. Celui-ci rappela que les *Institutions* étaient pratiquement terminées avant que Mme du Châtelet prît Kœnig à son service, et que Voltaire n'avait pu la conseiller puisqu'il était antileibnizien. A cela on pourrait ajouter que le roi prussien était si peu physicien qu'Émilie s'était aimablement proposée pour lui donner des leçons. On voit mal en ce cas comment il osait s'ériger en juge d'un travail dont il ne pouvait mesurer toute la subtilité. Sa réaction s'explique largement par la jalousie féroce qu'il éprouvait pour celle qui le privait de son cher Voltaire.

1. Lettre de Frédéric à Mme du Châtelet, 19 mai 1740.
2. Lettre de Frédéric à Jordan, sept. 1740.

Dans l'ensemble, le public averti salua comme il convenait l'immense travail de la marquise. Comme à son habitude, Cideville se répand en éloges versifiés et conclut qu'« elle avait été un de nos plus grands hommes [1] ». Helvétius la félicite et lui transmet l'admiration de Buffon qui ne partage pas ses idées sur Leibniz [2]. Le philosophe anglais Ramsay joint sa voix aux éloges en affirmant que tout ce qu'il a lu dans Leibniz ne l'a jamais autant éclairé que les *Institutions* [3].

On peut légitimement objecter que ces divers applaudissements sont davantage l'effet de la courtoisie que de la sincérité. Après tout ils appartiennent à la correspondance privée de la marquise. Et la politesse veut qu'on félicite l'auteur qui a eu l'amabilité de vous envoyer son livre. Mais l'objection tombe lorsqu'il s'agit d'un Maupertuis. En juin 1741, elle lui écrit à Berlin pour savoir ce qu'il pense de l'ouvrage : « J'espère que vous serez content du morceau sur la figure de la terre, et du chapitre sur les forces vives. Je désire que vous le soyez de l'exposition du système de M. de Leibniz... [4]. »

Maupertuis a pris le livre très au sérieux [5] tout en regrettant son engagement dans le camp de la métaphysique allemande. Il donne la preuve de son estime pour cet immense travail en publiant un long article dans le *Mercure de France* [6]. En trente-six pages il résume le livre et rédige la critique la plus pertinente qui lui ait jamais été consacrée. Les premières lignes attestent sa réelle admiration : « Il a paru au commencement de l'année un ouvrage qui ferait honneur à notre siècle, s'il était d'un des principaux membres des Académies d'Europe. Cet

1. Lettre de Cideville à Voltaire, 20 mai 1740.
2. Lettre de Helvétius à Mme du Châtelet, déc. 1740.
3. Lettre de Ramsay à Mme du Châtelet, 1er janv. 1741.
4. Lettre à Maupertuis, 26 juin 1741.
5. Lettre à Maupertuis, 8 août 1741.
6. *Mercure de France*, juin 1741.

ouvrage est cependant d'une dame et, ce qui augmente encore le prodige, c'est que cette dame ayant été élevée dans les dissipations, attachées à la haute naissance, n'a eu de maître que son génie et son application à s'instruire [1]. »

Un homme du caractère et de la qualité de Maupertuis n'aurait jamais écrit ces lignes s'il avait risqué d'apparaître comme un ridicule flagorneur. Le compliment est donc sincère et permet toutes les critiques ultérieures.

Il est vrai que Maupertuis regrette l'exposé des idées de Leibniz dans les premiers chapitres. Non qu'il le trouve mal fait – au contraire il reconnaît que c'est un admirable travail, sans précédent en France –, mais il est trop newtonien pour admettre cette philosophie. Le principe de la raison suffisante lui semble dénué d'intérêt, celui des indiscernables peu probant puisque le principe contraire est aussi vraisemblable. Il discute âprement de l'hypothèse d'un Dieu créateur, du meilleur des mondes possibles, des monades, etc., mais son désaccord laisse souvent place à l'admiration pour cette adversaire de taille. Ainsi « la question de l'espace n'a peut-être jamais été traitée avec plus de profondeur [2] » ; ou bien, lorsqu'il évoque le chapitre XVI sur l'attraction newtonienne : « L'auteur s'élève ici fort au-dessus de ce qu'elle appelle modestement *Institutions* [3]. »

Émilie peut être heureuse. Après lui avoir donné accès au royaume fermé de la science, Maupertuis lui donne la consécration. Dès la fin de l'année 1740, le public éclairé semble déjà acquis. De Bruxelles, elle écrit à Richelieu : « On me mande de Paris que mon livre réussit, il ne me manque que de pouvoir sentir son succès [4]. »

1. *Ibid.*, p. 1274.
2. *Ibid.*, p. 1283.
3. *Ibid.*, p. 1293.
4. Lettre à Richelieu, 24 déc. 1740.

Mme du Deffand peut bien ricaner sur son compte, elle n'empêchera pas sa cousine d'être une authentique savante.

Les *Institutions* n'intéressent plus guère aujourd'hui que l'historien des sciences et des idées. Mais un chercheur aussi éminent que Jean Ehrard a tenu à marquer l'importance d'un tel livre dans le débat scientifique de la France du XVIII^e siècle. Mme du Châtelet soutenait l'idée de forces vives contre presque tous, cartésiens et newtoniens qui se retrouvaient côte à côte dans leur commune opposition à Leibniz. « Dans ce climat d'indifférence ou d'hostilité, les *Institutions de Physique* [...] sont une exception remarquable [...]. Sans doute Mme du Châtelet avait vu juste : Leibniz était bien le seul adversaire de Newton vraiment digne de se mesurer à lui [1]. »

Le dernier en date de ses biographes, René Vaillot, n'a pas caché son enthousiasme pour cette œuvre : « Elle dépasse considérablement un simple démarquage de Leibniz, n'étant pas d'ailleurs absolument leibnizienne, et l'on ne voit guère de femmes de l'époque qui eussent pu réunir une telle somme de connaissances scientifiques, les ordonner logiquement et les présenter dans une forme aussi dense et claire [...]. Quelle puissance de travail et quelle culture ! [...] C'est dans cet ouvrage qu'il faut chercher la femme savante [2]. »

Lorsqu'on a lu de près les *Institutions*, on ne peut que souscrire entièrement à ce jugement.

### *La polémique avec Dortous de Mairan*

En revenant dans les *Institutions* sur certains propos tenus dans son *Mémoire... sur le Feu*, Mme du

1. Jean Ehrard, *L'Idée de nature en France dans la première moitié du XVIII^e siècle*, 1963, rééd. 1981, Slatkine, p. 150.
2. R. Vaillot, *op. cit.*, p. 185.

Châtelet ne savait sûrement pas qu'elle allait susciter une telle polémique. Dans le *Mémoire,* elle faisait l'éloge de la thèse de Mairan contre les forces vives. Les *Institutions* en font une longue critique. Le premier livre paraît en 1738 et le second en 1740. Que s'est-il passé, demande ironiquement Dortous de Mairan, pour qu'elle ait ainsi changé radicalement d'avis ?

En 1740-1741, Dortous de Mairan [1] est un homme unanimement respecté par la communauté scientifique. Couronné trois fois par l'Académie de Bordeaux (1715 à 1717) pour différents mémoires de physique, l'Académie française l'avait reçu en 1718 comme associé géomètre, et en 1719 comme membre à part entière. Très assidu aux séances de l'Académie, publiant de nombreux mémoires sur la chaleur, la Lune, les forces motrices, etc., protégé du régent, fréquentant tous les salons à la mode, M. de Mairan était un homme prestigieux, apprécié et populaire dans son milieu, un peu à la façon de Fontenelle dont il possédait le caractère calme et courtois.

Lorsque les *Institutions* sont rendues publiques, Mairan venait d'être choisi par ses collègues pour remplacer le même Fontenelle dans la charge de secrétaire perpétuel. Également membre des Sociétés royales de Londres, d'Édimbourg et d'Upsal, de l'Institut de Bologne [2], Dortous de Mairan est alors au faîte de sa gloire. Il supporte mal la diatribe de la marquise et, abandonnant son habituelle sérénité, il entreprend de lui répondre, sans se douter qu'il achève de lui donner l'importance qu'elle mérite.

La polémique n'aurait jamais éclaté sans l'empressement de Mme du Châtelet à publier son essai sur le feu. Dans celui-ci, elle qualifie le mémoire de Mairan sur la mesure des forces [3] d'« admirable »

1. 1678-1771.

2. Plus tard, il sera également membre de l'Académie de Pétersbourg.

3. 1728.

et d'« excellent. » Elle reconnaissait qu'il avait « réfuté les forces vives sans ressources ». Malheureusement, à peine son essai est-il entre les mains des académiciens qu'elle s'aperçoit de son erreur. Le 2 février 1738, elle indique à Maupertuis qu'elle lit tout ce qu'elle trouve sur les forces vives et lui demande incidemment s'il opte pour le calcul de Mairan (mv) ou celui de Bernoulli ($mv^2$). Une semaine plus tard [1], après que Maupertuis lui eut signifié son accord avec Bernoulli, Émilie lui répond qu'elle est heureuse de partager son avis qu'elle avait communiqué six semaines plus tôt au physicien Henri Pitot. Cela signifie que, depuis décembre 1737, Mme du Châtelet est convaincue que la force d'un corps est le produit de sa masse par le carré de sa vitesse et que Dortous de Mairan a tort contre Leibniz.

On comprend mieux alors qu'elle se donne tant de mal pour obtenir l'autorisation de modifier les quelques lignes élogieuses qui concernent Mairan. Tout au long de 1738, elle approfondit ses connaissances sur les forces vives en vue de la rédaction des *Institutions* qu'elle garde encore secrète. Grâce aux nombreuses explications écrites de Maupertuis, elle a bien compris la raison de la préférence pour la loi du carré [2], alors que l'Académie n'a pas encore rendu son verdict sur son mémoire qui affirme le contraire.

C'est seulement en septembre 1738 qu'elle prend Maupertuis à témoin de l'erreur de Mairan. « J'ai relu avec grande attention le mémoire de M. de Mairan donné en 1728, car les lois du mouvement m'occupent toujours [...]. J'oserai vous confier que je crois avoir trouvé dans ce mémoire un grand paralogisme. Vous pensez bien que *ce n'est qu'en tremblant que j'ose penser qu'un homme de l'Académie a tort*, et sans l'abbé de Molières, *je vous croirais*

1. Lettre à Maupertuis, 10 fév. 1738.
2. Lettre à Maupertuis, 21 mai 1738.

*tous infaillibles*[1]. » Suit une démonstration impeccable du paralogisme de Mairan que l'on retrouvera inchangée dans les *Institutions*[2].

En même temps, elle correspond avec Mairan par l'intermédiaire de Du Fay. A ses questions il répond avec courtoisie. Comme il n'arrive pas à la convaincre, la marquise espère qu'il cédera à ses raisons : « Le système que j'espère qu'il abandonnera c'est le système des tourbillons en général, que je vois avec douleur qu'il protège encore. C'est une maison qui tombe en ruine[3]. »

Mais Mairan n'est pas près de concéder à Émilie ce qu'il refuse aux plus grands savants de l'époque.

En octobre, Mme de Champbonin est à Paris pour donner la première partie des *Institutions* à l'imprimeur. Mme du Châtelet a déjà écrit plusieurs lettres en vain à Réaumur pour l'engager à supprimer le passage sur Mairan. Elle s'adresse alors à Maupertuis. « Je dis une petite fadeur à M. de Mairan sur son mémoire des forces vives dans cette note, et je vous avoue que quand je composai mon mémoire sur le feu, j'avais lu son mémoire en l'air et seulement pour l'admirer, car je n'étais pas du tout en état de le juger [...]. Cependant je suis très fâchée de voir imprimer dans mon ouvrage *une chose contraire à mes sentiments présents*, et que je serai obligée de réformer dans l'errata qui est la seule ressource qui me reste[4]. »

Mais Maupertuis, peu décidé à la soutenir dans cette affaire, fait la sourde oreille. Lorsqu'il signifie sèchement qu'il n'est pas question de modifier son texte, elle se fâche[5] d'abord, puis en prend son

1. Lettre à Maupertuis, 1er sept. 1738. Souligné par nous. On mesure son évolution entre cette lettre et la préface des *Institutions* contre l'argument d'autorité.

2. Maupertuis lui donne entièrement raison contre Mairan.

3. Lettre à Du Fay, 18 sept. 1738. A cette date, le 1er tome des *Institutions* était prêt à être imprimé.

4. Lettre à Maupertuis, 24 oct. 1738. Souligné par nous.

5. Lettre à Maupertuis, 19 nov. 1738.

parti : « Cela me guérira de parler des choses que je ne sais point [1]. » Ce qui ne l'empêche pas d'écrire à Réaumur pour obtenir un « errata ».

Malheureusement, on distribue un exemplaire de son *Mémoire* avant que l'« errata » soit imprimé. Lorsqu'il l'est enfin, M. de Mairan se fâche [2]. En août 1739, elle confie à Bernoulli : « J'ai une querelle furieuse avec M. de Mairan et même avec M. de Réaumur pour le dernier article de mon errata [3]. »

Mais l'heure de la grande brouille n'est pas encore venue. Le galant Mairan accepte de la rencontrer : « J'ai vu M. de Mairan et je vous avoue que je craignais beaucoup sa première vue, cependant cela s'est passé à merveille. Nous avons dîné ensemble et il n'a été question d'aucune sorte de force [4]. »

La querelle semble terminée et les passions apaisées. Mais quelques mois plus tard paraissent les *Institutions de Physique* qui remettent le feu aux poudres. Il faut reconnaître que Mme du Châtelet se livre à une critique ironique des théories de Mairan.

Elle constate que les forces vives sont peut-être le seul point de physique sur lequel on dispute encore en convenant des expériences qui le prouvent. Comme le mémoire de Mairan sur la question lui semble bien fait, elle en expose les thèses pour mieux les réfuter, sans craindre de mettre en évidence « le vice de son raisonnement [5] ».

« *Quelque estime que j'aie pour ce philosophe, j'ose assurer* que lorsqu'il dit qu'un corps qui, par un mouvement retardé, ferme trois ressorts dans la première seconde et deux dans la deuxième par un mouvement uniforme, et une force constante, *il dit*, je ne crains point de l'avancer, *une chose entière-*

1. Lettre à Maupertuis, 1er déc. 1738.
2. Lettre à Bernoulli, 28 avril 1739.
3. Lettre à Bernoulli, 3 août 1739.
4. Lettre à Bernoulli, 15 sept. 1739.
5. *Institutions*, chap. XXI, p. 430.

*ment impossible* ; car il est aussi impossible qu'un corps avec la force nécessaire pour fermer quatre ressorts en ferme six, quelque supposition que l'on fasse [1]. »

Elle conclut, non sans insolence à l'égard du secrétaire perpétuel de l'Académie : « Je me flatte que M. de Mairan regardera les remarques que je viens de faire sur son mémoire, comme une preuve du cas que je fais de cet ouvrage ; j'avoue qu'il a dit tout ce que l'on pouvait dire en faveur d'une mauvaise cause. Ainsi, plus les raisonnements sont séduisants, plus je me crus obligée de vous faire sentir qu'ils ne portent aucune atteinte à la doctrine des forces vives [2]. »

Cette fois la coupe est pleine. M. de Mairan, humilié d'être ainsi ridiculisé, prend sa plume pour fustiger l'audacieuse marquise. Sa courtoisie légendaire cédait la place à la misogynie la plus flagrante.

Mairan se garde de mépriser un adversaire aussi en vue. Sa réponse ne se fait pas attendre, puisqu'elle paraît dès le 18 février 1741 sous la forme d'une lettre de trente-sept pages à la marquise du Châtelet [3].

Il l'accuse d'abord de l'avoir mal lu et l'engage à une relecture plus sérieuse. « Je crois ma cause jugée avec un peu de précipitation ; je pense même qu'il n'y avait qu'à bien lire la proposition dont il s'agit [...] pour se garantir du faux aspect sous lequel vous l'avez considérée [...]. J'ose préjuger que ce même ouvrage [...] vous fournira de quoi sentir le faible des preuves qui vous ont paru victorieuses en faveur des forces vives [4]. »

1. *Ibid.*, p. 431. Souligné par nous.
2. *Ibid.*, p. 433.
3. Pour être plus convaincant encore, il y joint une réimpression de son mémoire de 1728 qui est à la source de la réfutation d'Émilie.
4. *Lettre de M. de Mairan à Mme*** sur la question des forces vives*, 1741, p. 5.

Il met ensuite en lumière l'inconséquence de sa pensée :

« Madame a jugé mon mémoire excellent [...]. Lorsqu'elle a lu, pensé et modelé toute seule ; elle n'a modifié ce jugement et porté un jugement contraire, que depuis qu'elle a lu et pensé avec d'autres [...] serait-il impossible que Madame se livrant de nouveau à son excellent génie et à la seule évidence, relisant ma Dissertation dans cet esprit d'équilibre, s'y rappelât les traits de lumière qui l'avaient frappée [...]. Comment pourrais-je penser que ce soit dans une lecture attentive et désintéressée que vous ayez découvert cette prétendue faute de calcul, ou plutôt cette bévue grossière que vous m'attribuez [1]. »

Propos humiliants où perce la passion excessive de Monsieur le secrétaire perpétuel.

Piètre défense que d'accuser Mme du Châtelet de malhonnêteté intellectuelle ! Et puisqu'elle a attaqué James Jurin, Mairan s'abrite derrière son autorité pour essayer de la ridiculiser, et affirmer de façon autoritaire : « Souffrez que je vous dise que le temps est tout et que la vitesse n'est rien [2]. »

Sa conclusion ne le cède en rien à l'insolence d'Émilie : « Il y a certainement ici quelqu'un qui a tort, qui s'abuse par les préjugés de l'autorité ou de l'amour-propre [...]. Je me flatte, Madame, que vous regarderez toutes ces réflexions comme une preuve du cas que je fais de vos lumières et de ce bon esprit qui ne saurait vous permettre de résister au vrai [3]. »

### *Émilie réagit*

Dès qu'elle a vent d'une réponse publique de son

1. *Ibid.*, pp. 7-8.
2. *Ibid.*, p. 28.
3. *Ibid.*, p. 37.

célèbre adversaire, la marquise ne peut dissimuler sa joie. C'est à James Jurin, qu'elle a pourtant critiqué en même temps que Mairan, qu'elle confie sa première impression. « Je suis bien loin de me croire destinée à terminer une dispute si fameuse, mais je me suis senti une vocation toute particulière pour détruire le beau paradoxe sur lequel roule tout le mémoire de M. de Mairan [1]. »

Propos orgueilleux qui n'échappera à personne mais qui camoufle encore son véritable sentiment. Avec le comte d'Argental, confident de toujours, elle laisse éclater sa fierté : « M. de Mairan m'a fait l'honneur de m'écrire une lettre que vous aurez vue sans doute, je voudrais bien savoir un peu ce qu'on en dit dans le monde. *Je ne sais encore si je lui répondrai ;* mais je sais bien que *je suis très honorée d'avoir un tel adversaire.* Il est *beau même d'en tomber,* et cependant j'espère que je ne tomberai pas [2]. »

Tout Mme du Châtelet est dans ces quelques lignes. Elle affiche sans pudeur son désir de gloire mais éprouve le besoin de dissimuler sur un détail. Au moment même où elle écrit cela, la réplique à Mairan est déjà presque terminée...

La réponse de Mairan ne l'a pas affectée le moins du monde. Tant de passion contre elle et son argumentation lui paraît bien faible. Aussi se sent-elle obligée de justifier auprès des tiers sa propre réponse. C'est à Bernoulli fils qu'elle s'adresse : « Il m'est *glorieux* sans doute de combattre contre le secrétaire de l'Académie, mais il me l'est surtout de *défendre une vérité que Monsieur votre père semble avoir mise à l'abri de toute atteinte.* Son mémoire est comme un bouclier impénétrable à l'abri duquel je ne crains aucune attaque [...] pour moi, quelque aisé qu'il soit de faire voir la fausseté d'un raisonnement

1. Lettre à James Jurin, 17 fév. 1741.
2. Lettre à d'Argental, 22 mars 1741. Souligné par nous.

si pitoyable, j'ai cru qu'il était encore assez *glorieux* pour moi de le détruire [1]. »

La réponse de Mme du Châtelet est cinglante. Elle se paie la tête du secrétaire avec un bonheur évident : « J'avais pris la liberté, dit-elle, de prouver dans les *Institutions* que vous avez fait un mauvais raisonnement dans votre Mémoire de 1728 et vous me répondez que j'ai fait un errata [...]. Le conseil que vous voulez bien me donner de lire et de relire votre Mémoire me paraît clair, mais je puis vous assurer que plus je lis et relis et plus je me confirme dans l'idée où je suis, que quelque supposition que vous fassiez, une force capable de fermer quatre ressorts seulement n'en fermera jamais six [2]. »

Habilement Descartes lui est un atout contre ce cartésien de cœur et elle montre un souverain mépris contre ses allusions blessantes : « Quant à ce que vous appelez des *sources d'illusion plus délicates,* quand je saurai ce que vous entendez par là, je tâcherai d'y répondre [3]. »

Dans sa correspondance privée, elle fait à plusieurs reprises allusion à cette polémique qu'elle commente plus librement.

« Mairan est affligé et cela est tout simple, il doit l'être d'avoir tort et d'avoir mêlé du personnel dans une dispute purement littéraire. Ce n'est pas moi qui ai commencé à y mettre des choses piquantes. Il n'y a dans les *Institutions* que des politesses pour lui et des raisons contre son paralogisme. Mais dans sa lettre il n'y a que des choses très piquantes pour moi et aucune raison pour lui. Pouvais-je trop relever le reproche outrageant qu'il me fait de ne l'avoir ni lu, ni entendu, et d'avoir transcrit les simples résumés

1. Lettre à Bernoulli, 28 avril 1741. Souligné par nous. C'est en effet en lisant le mémoire de M. Bernoulli père, *Discours sur les lois de la communication du mouvement*, 1727, qu'elle avait eu la révélation du paralogisme de Mairan (lettre du 10 fév. 1738).

2. *Réponse de Mme*** à la lettre de M. de Mairan sur la question des forces vives*, 1741, p. 6.

3. *Ibid.*, p. 36. Souligné par nous.

d'un autre ? [...] J'ai senti toute sa malignité, les discours de Kœnig donnaient de la vraisemblance à ses reproches [...] *J'ai voulu le percer jusqu'au fond de l'âme, et je crois y avoir réussi.* Il a de la honte à avoir mis de la mauvaise foi dans le fait, de l'impolitesse dans la forme et des paralogismes dans le fond. Il est dans une situation cruelle, je l'avoue, car son silence est un aveu de tort et sa réponse ne ferait que montrer sa faiblesse [...]. Je ne suis pas secrétaire de l'Académie, mais *j'ai raison et cela vaut tous les titres* [...]. Je ne désire aucune grâce de M. de Mairan, ni aucun égard ; qu'il réponde avec précision au dilemme que je lui ai fait aux pages 17 et 21 de ma lettre, ou bien il se confesse convaincu d'avoir fait un paralogisme indigne d'un philosophe. Il n'y a pas un troisième parti [1]. »

Maupertuis est encore en Prusse, mais elle ne résiste pas au plaisir de lui conter toute l'affaire en détail. La lettre de Mairan a si mal réussi qu'elle n'a pas fait les trois quarts du succès de la sienne. Mais comme l'honneur de l'Académie est en jeu, on n'a pas voulu laisser Mairan continuer la dispute, à son plus grand regret car elle aurait aimé le confondre un peu plus.

Elle explique le ton de sa réplique : « Je suis honteuse d'avoir mêlé des plaisanteries dans une affaire si sérieuse, ce n'est assurément ni mon caractère ni mon style, mais il fallait répondre à des injures sans se fâcher et sans en dire, et cela n'était pas aisé. *D'ailleurs il fallait se faire lire par les gens du monde* et cela était encore plus difficile [2]. »

Le dernier propos est bien révélateur de l'ambition de Mme du Châtelet. Accéder au rang de savante patentée ne lui suffit pas. Elle veut prendre le public à témoin de son talent et de son triomphe.

Quant au fond de la question, elle sait bien que Maupertuis lui a donné raison depuis longtemps...

1. Lettre à d'Argental, 2 mai 1741. Souligné par nous.
2. Lettre à Maupertuis, 29 mai 1741. Souligné par nous.

Mais elle lui signale une nouvelle pièce à mettre dans le dossier. Le jour même où la lettre de Mairan parut, l'abbé Deidier, ami de celui-ci, donna une petite brochure intitulée : « *Nouvelle réfutation de l'hypothèse des forces vives.* » La moitié de cet ouvrage était employée à réfuter le mémoire de Jean Bernoulli sur lequel s'appuyait Émilie, et l'autre moitié à critiquer les *Institutions de Physique* et à louer l'ouvrage de Mairan qu'on y attaquait.

Mme du Châtelet interprète cette publication simultanée comme une nouvelle preuve de faiblesse de son adversaire qui défend « cette ridicule façon d'estimer la force d'un corps par ce qu'il ne fait point. Il ne s'est pas cru assez fort tout seul pour défendre cette jolie découverte. Il s'est aidé d'un Monsieur Deidier [1] ».

Mais le plus important pour elle n'est pas que Mairan se fasse appuyer par Deidier. L'essentiel est que sa réponse l'authentifie comme l'auteur des *Institutions* que les méchantes langues avaient attribuées à Kœnig. « On a été persuadé jusqu'à ma réponse à M. de Mairan qu'il n'y avait de moi que le style, mais comme j'ai eu fait, imprimé et envoyé, ma réponse à Mairan en trois semaines, on n'a pas pu me la disputer et on m'a rendu les *Institutions* [2]. »

### *La revanche*

La réplique de la marquise ne modifia nullement l'opinion des savants. Chacun resta sur ses positions en faisant mine de ne pas entendre les arguments de l'adversaire. Les tenants des forces vives approuvaient Émilie, l'autre camp la critiquait. Elle n'éprouve qu'une seule déception, de la part de Clairaut. Pour éviter de prendre parti contre Mairan, il a

1. *Ibid.*
2. *Ibid.*

renvoyé les deux adversaires dos à dos en déclarant que leur querelle n'était qu'un malentendu, une simple question de mots. S'il est vrai qu'ils ne donnent pas le même sens au concept de force, il y a de la mauvaise foi à clore le débat par cette seule remarque linguistique.

Madame du Châtelet s'est fâchée. Clairaut s'est justifié [1].

Pour le reste, Émilie a toutes raisons d'être satisfaite. Sa réponse est un succès littéraire et mondain considérable. Mme d'Aiguillon a répandu sa lettre à Mairan dans tout Paris [2]. A l'exception de Mme du Deffand, les dames de la haute société soutiennent la cause de la marquise comme si c'était la leur. Peu importe le fond du débat puisque pour la première fois, de mémoire de femme, une dame tient tête au secrétaire de l'Académie. *Le Journal de Trévoux,* qui n'entend rien de plus que les femmes du monde au débat scientifique, prend parti pour Mme du Châtelet, loue son style d'« honnête homme », « jamais contraire à aucune expression de bienséance ».

Malheureusement, la plupart des journaux scientifiques se taisent, évitant ainsi de prendre parti... « Je crois que les journaux ne parleront point de la lettre de Mairan et de la mienne. Il a trouvé apparemment qu'il était plus aisé de leur imposer silence, que de les faire parler à son gré. Je vous avoue que j'en suis fâchée, car cela me paraît une anecdote

1. Lettre de Clairaut à Mme du Châtelet, mai 1741 : « Vous semblez croire que la politique me retient sur la question des forces vives, je vous proteste le contraire. Si j'ai dit que c'était une question de mots, c'est que je pense que c'en est une pour tous les gens qui sont vraiment au fait. La différence que je fais entre les deux partis, c'est que la plupart de ceux qui sont pour les forces vives ont les principes suffisants pour ne point se tromper dans les questions de mécanique, au lieu que le plus grand nombre de ceux de l'autre parti commettent mille paralogismes... »

2. Lettre à Maupertuis, 26 juin 1741. Dès le mois de mai 1741, Voltaire écrit au même pour lui faire part du succès de son amie : « On n'a pas été trop content dans le monde de la lettre de M. de Mairan, on l'a été beaucoup de celle de Mme du Châtelet. »

plaisante que je ne veux pas qu'on oublie. Ce Mairan est bien une preuve combien les réputations sont trompeuses [1]. »

Mais les bouderies des gazettes scientifiques ne peuvent empêcher la gloire nouvelle d'Émilie de s'étendre hors des frontières. Dès le mois d'août 1741, elle annonce à Bernoulli que les Hollandais publient une nouvelle édition de ses *Institutions*. En septembre, elle demande à Wolff de traduire sa dispute avec Mairan pour pouvoir la joindre à la traduction allemande [2]. Plus tard, le père Jacquier en fera faire une édition italienne. En France, les *Institutions* et la *Réponse* connaissent plusieurs réimpressions [3] augmentées de nouvelles réflexions de la marquise.

Ce succès européen lui vaut l'estime des plus grands. L'Anglais James Jurin, à propos duquel elle n'a pas hésité à écrire : « Le raisonnement le plus spécieux que l'on ait fait contre les forces vives, est celui de M. Jurin rapporté dans les *Transactions philosophiques* [4] », lui écrit une longue lettre fort courtoise. « Jurin à qui j'ai envoyé cette dispute, m'a écrit une *lettre scientifique*, et qui assurément vaut mieux que celle de Mairan, mais aussi il me semble que c'est un autre homme [...]. Il n'y a guère de public dont je fasse autant de cas que lui [5]. »

Il conteste sa réfutation de l'expérience du corps transporté dans un bateau et prétend que la considération de la réaction ne peut point détruire son argument. Émilie demande à Maupertuis de l'aider à rédiger une réponse satisfaisante et ne peut s'empêcher de noter que Jurin serait un adversaire plus redoutable que Mairan. Maupertuis fit attendre ses

1. Lettre à Maupertuis, 8 août 1741.
2. Lettre à Wolff, 22 septembre 1741.
3. Lettre à Bernoulli, 7 décembre 1741.
4. *Institutions*, p. 442.
5. Lettre à Maupertuis, 8 août 1741. Souligné par nous.

lumières car la marquise ne répondit à Jurin [1] que trois ans plus tard...

Avec le mathématicien suisse Jean-Pierre Crousaz qui conteste également certains passages des *Institutions,* Mme du Châtelet prend moins de précautions oratoires. Elle écrit à Maupertuis : « Celui-là, il radote absolument, il a pourtant un livre sous presse, dans lequel il prouve que le leibnicisme renverse toute la morale. La lettre qu'il m'a écrite sur cela est à faire enfermer [2]. »

En effet, deux mois plus tôt, Crousaz lui écrit une lettre tout à fait étrange où il dit son désespoir d'être en désaccord avec elle, tout en lui faisant mille compliments. Au passage il remarque que « les dames, quand elles veulent bien prendre soin de cultiver des talents qui leur sont propres, parviennent à un point auquel nous ne pouvons atteindre [3]. »

Ces galanteries féministes n'émeuvent pas la marquise qui lui répond comme à un mauvais élève : « Il est bien triste pour Bayle et Leibniz que vous ayez cru ne pouvoir défendre le christianisme qu'en les attaquant [4]. » Après quelques remarques du même ordre, Émilie met poliment fin à une polémique qu'elle juge indigne de sa personne. Elle a bien trop à faire à soutenir ses idées à Paris pour ne pas perdre son temps avec un radoteur qu'elle n'estime pas...

### *Et Voltaire ?*

Depuis 1734, Voltaire entretenait des relations courtoises avec Dortous de Mairan. En 1736, il lui

1. Lettre à James Jurin, 30 mai 1744.
2. Lettre à Maupertuis, 8 août 1741.
3. Lettre de Crousaz à Mme du Châtelet, 6 juin 1741.
4. Lettre à Crousaz, 9 août 1741.

écrivait qu'il était tout à fait convaincu par son calcul de la force en raison de la simple vitesse [1]. Et depuis lors, il n'avait jamais changé d'avis.

Avant même de connaître la réaction de Mairan aux *Institutions* d'Émilie, il lui fait parvenir un petit opuscule [2] sur les forces, qui prouve une fois de plus son accord avec lui. Douze jours plus tard, il a enfin lu la *Réponse* que Mairan lui a fait parvenir. Il lui écrit immédiatement pour lui faire part de ses sentiments. Il défend énergiquement Mme du Châtelet de l'accusation de plagiat et d'incohérence : « Vous dites [...] qu'elle n'a commencé sa rébellion qu'après avoir hanté les malintentionnés leibniziens. Non, mon cher Maître, pas un mot de cela, croyez-moi. J'ai la preuve par écrit de ce que je vous dis. Elle commença à chanceler dans la foi un an avant de connaître l'apôtre des monades [Kœnig] qui l'a pervertie et avant d'avoir vu Jean Bernoulli fils [...]. La manière d'évaluer les forces par ce qu'elles ne font point la révolta. Un très célèbre géomètre [Maupertuis] fut entièrement de son avis. Je n'en fus point malgré toutes les raisons qui devaient me séduire [...]. Je vous déclare que je crois fermement à la simple vitesse multipliée par la masse... [3]. »

Au même moment, Voltaire décide de faire réimprimer son introduction métaphysique aux *Éléments* qui combat la pensée de Leibniz. Il dédie à Mme du Châtelet « cet ouvrage dans lequel je prends la liberté de la combattre [4] ». Bien sûr, il s'empresse de l'envoyer à Dortous de Mairan, accompagné d'une lettre sur les sentiments de son amie.

« Elle est un peu piquée que vous lui ayez reproché qu'elle n'a pas lu assez votre Mémoire [...]. Mme

1. Lettre de Voltaire à Dortous de Mairan, 9 nov. 1736.

2. Lettre à Mairan 12 mars 1741. L'ouvrage a pour titre : *Des doutes sur la mesure des forces et sur leur nature.*

3. Lettre de Voltaire à Dortous de Mairan, 24 mars 1741.

4. Lettre de Voltaire à Dortous de Mairan, 1er avril 1741.

du Châtelet ne veut point sacrifier les forces vives même à vous [...]. J'ai beau faire, nous disputons tout le jour, et nous n'avançons point, voilà pourquoi je veux savoir si son opiniâtreté ne vient pas en partie de ses lumières et en partie de ce que je soutiens mal votre cause [1]. »

Au passage Voltaire confirme le soutien des dames à Émilie. « Je ne sais par quelle fatalité les dames se sont déclarées pour Leibniz. Madame la Princesse de Columbrano a écrit aussi en faveur des forces vives. Je ne m'étonne plus que ce parti soit considérable. Nous ne sommes guère galants ni vous ni moi. Mais vous êtes comme Hercule qui combattait contre les Amazones sans ménagement [2]. »

L'opposition entre newtoniens et leibniziens voile une guerre des sexes. C'est la première fois que la solidarité féminine s'exprime à l'occasion d'une querelle scientifique. Même si le prétexte en est douteux, le phénomène mérite d'être relevé. Sans l'avoir prémédité, Mme du Châtelet a fait naître chez ses sœurs un réflexe féministe d'un genre tout à fait nouveau.

En réalité, Voltaire, qui respecte les femmes et en particulier la sienne, n'a guère apprécié le ton méprisant de Mairan. S'il a certainement raison sur le fond, « il a un peu tort dans la forme et Madame du Châtelet méritait mieux [3] ».

Mais comme d'une part il ne veut pas se fâcher avec le savant, dont il attend le suffrage en faveur de son mémoire contre les forces vives, et que d'autre part Émilie l'exaspère avec ses continuelles arguties leibniziennes, il se rattrape sur Kœnig, baudet de l'histoire. « Franchement Leibniz n'est venu que pour embrouiller les sciences [...]. Ce Kœnig [...] qui nous a apporté à Cirey la religion des monades, me fit trembler [...]. Je suis fâché que mes amis se soient

1. *Ibid.*
2. *Ibid.*
3. Lettre de Voltaire à Helvétius, 3 avril 1741.

laissé prendre à ce piège et encore plus de la querelle qui s'est élevée [1]. »

Malgré l'exaspération croissante de Voltaire et l'opposition intellectuelle radicale qui sépare le couple, cette affaire a le mérite de mettre en lumière certains aspects remarquables de leur personnalité.

D'abord leur mutuelle tolérance, qui prouve leur infini respect l'un pour l'autre. Au plus fort de leur querelle philosophique, Voltaire avoue à Dortous de Mairan : « Moi qui ne prêche que la tolérance, je ne peux pas damner les hérétiques. La paix vaut encore mieux que la vérité [2]. »

Lorsqu'il lui dédie son mémoire antileibnizien, il remarque à juste titre que « c'est là pour des gens de lettres un bel exemple qu'on peut être tendrement et respectueusement attaché à ceux que l'on contredit [3]. »

Mme du Châtelet prend elle-même les choses avec la plus grande sérénité. Elle admet fort bien que Voltaire se jette dans la mêlée et apporte son soutien à son adversaire au moment même où elle défend seule les thèses de Leibniz. Elle confie à d'Argental : « La façon dont je vis avec celui qui vous a adressé un mémoire contre moi doit rassurer mes adversaires. On ne peut pas [avoir] un plus grand contraste dans les sentiments philosophiques ni une plus grande uniformité dans tous les autres [4]. »

Le propos appelle plusieurs remarques. Il prouve que la période d'harmonie intellectuelle est définitivement close. Émilie ne sera plus jamais la collaboratrice de Voltaire. Mais cela n'altère nullement leur entente morale et affective. Chacun est si amoureux

1. Lettre de Voltaire à Dortous de Mairan, 5 mai 1741. Le 10 août suivant, il écrit à Maupertuis : « Vous êtes coupable, vous qui lui avez fourni cet enthousiaste de Kœnig. »

2. *Ibid.*

3. Lettre de Voltaire à Dortous de Mairan, 1er avril 1741.

4. Lettre de Mme du Châtelet à d'Argental, 22 mars 1741.

de sa liberté qu'ils respectent tous deux celle de l'autre sans la moindre difficulté.

La confidence de la marquise met en lumière un aspect essentiel de son caractère. C'est une personne libre que nul ne peut influencer contre sa raison. Ni l'amitié ni l'amour n'ont de prise sur ses opinions dès lors qu'elles sont fondées par le raisonnement. A Frédéric II qui s'étonnait malicieusement du désaccord métaphysique du couple, elle répondit avec sagesse : « Je ne sais si V.A.R. a lu un rabâcheur français qu'on appelle Montaigne qui en parlant de deux hommes qu'une véritable amitié unissait, dit : Ils avaient tout en commun, hors le secret des autres, et leurs opinions. Il me semble même que notre amitié en est plus respectable et plus sûre puisque même la diversité d'opinion ne l'a altérée. La liberté de philosopher est aussi nécessaire que la liberté de conscience [1]. »

Bien plus tard, lorsque la marquise affirmera qu'elle a « passé sa vie dans l'indépendance [2] », elle ne dira que la vérité. Vérité étonnante pour une femme du XVIIIe siècle qui montre que le pari de la liberté féminine pouvait être tenu par celles de sa classe. Le phénomène était d'autant plus remarquable que Mme du Châtelet partageait la vie d'un des hommes les plus brillants du siècle, qui aurait pu jeter l'ombre sur sa personne et le doute sur l'authenticité de son talent. Grâce à la personnalité d'Émilie et au féminisme tolérant de Voltaire, il n'en fut rien.

L'incident Kœnig a fourni à la marquise une occasion inespérée de s'affirmer aussi bien à elle-même que devant les autres, indépendante et différente de l'absorbant et entraînant Voltaire. Elle garde farouchement son quant-à-soi, elle tient à son originalité et la défend. Elle aime Voltaire en restant elle-même, sans être réduite à n'être que son reflet.

1. Lettre à Frédéric II, 25 avril 1740.
2. Lettre à Saint-Lambert, été 1748.

Lorsque, bientôt, elle ralliera la bannière de Newton, elle le fera en toute liberté sans qu'on puisse la suspecter un seul instant de ne pas être maîtresse de sa pensée. Là n'est pas le moindre triomphe de Mme du Châtelet, ni le moindre mérite de Voltaire d'avoir tout fait pour favoriser son indépendance.

## *La pérennité avec Newton*

Durant les années qui suivirent (1742-1745), Émilie semble absorbée par la vie mondaine, son procès dans le Brabant, le mariage de sa fille, les affaires de Voltaire et leurs problèmes de couple. Sa correspondance s'espace, comme si elle éprouvait le besoin du silence. Elle n'évoque même plus ses préoccupations savantes, et se contente seulement d'avertir Bernoulli qu'elle figure dans un recueil scientifique allemand [1], ou de lui faire parvenir une nouvelle réimpression de ses travaux [2] accompagnés de sa biographie pour servir à une édition suisse. Au commencement de 1745, elle est fière de lui apprendre qu'elle figure dans « la décade » de l'Académie des sciences [3], mais ne dit mot sur ses recherches du moment.

Ce n'est qu'en juillet qu'elle paraît retrouver de l'intérêt pour les sciences en demandant à Bernoulli de lui envoyer une édition assez rare de Newton [4]. A cette époque, la marquise se veut toujours aussi fervente avocate de Leibniz mais elle reprend la lecture de Newton, qu'elle n'a d'ailleurs jamais renié. Elle est l'un des rares savants français qui soit à la fois adepte de Newton et de Leibniz sans éprouver la moindre contradiction. Elle continue à se quereller gentiment avec Voltaire qui épanche son ressentiment dans une lettre à Maupertuis : « Avez-vous

1. Lettre à Bernoulli, 3 juin 1743.
2. Lettre à Bernoulli, 30 mai 1744.
3. Lettres à Bernoulli, 25 janv. et 9 mars 1745.
4. Lettre à Bernoulli, 3 juil. 1745.

détruit les monades, les harmonies pré-réunies et le grand art de dire des riens en trente-deux volumes [1] ? »

L'année précédente, Mme du Châtelet a pris secrètement la décision de traduire les *Principia* de Newton en français. Une lettre de Voltaire nous en avertit [2] ainsi que le fait qu'il recommence à l'appeler Mme Newton-pompon du Châtelet [3], ce qu'il ne faisait plus depuis longtemps.

Le premier étranger qu'elle mit dans la confidence fut sans doute le père Jacquier lors de son séjour à Cirey en juillet 1744. Peut-être parce que cet illustre hôte travaillait lui-même depuis longtemps à un commentaire de Newton. Elle lui écrit en novembre 1745 : « Je travaille quand j'ai du temps à une traduction de Newton. Si j'avais plus de temps, j'aurais entrepris celle de votre beau commentaire. Mais je me contenterai d'en donner quelques propositions parce que je crains infiniment d'être prévenue dans *mon travail qui est presque fini,* et qui est cependant encore un secret que je vous recommande [4]. »

Le 8 janvier 1746, elle est plus pessimiste avec Bernoulli. Tout en réaffirmant que les monades sont le fondement de la saine métaphysique, elle avoue qu'elle est actuellement bien loin de tout cela. « J'ai besoin d'une grande économie de temps pour ne point prendre sur les dissipations nécessaires du monde celui de mon travail actuel. Cela [le Newton] ne sera pas imprimé d'un an. » Pour la première fois, elle justifie son travail de traduction : « être utile aux Français car le latin de M. de Newton en est une des difficultés ». Peu de temps après, Clairaut confie à Jacquier [5] qu'elle a travaillé comme un

1. Lettre à Maupertuis, 26 mai 1746.
2. Lettre à Algarotti, 27 juin 1745 : « Émilie est plongée dans les profonds et sacrés abîmes de Newton. »
3. A d'Argenson, 6 nov. 1745.
4. 12 nov. 1745. Souligné par nous.
5. 21 mars 1746.

forçat toute l'année précédente et une partie de celle-ci, et qu'il est en train de revoir sa traduction.

Le 1er mai, Voltaire annonce en même temps à Maupertuis qu'il est élu à l'Académie française et que Mme du Châtelet fait imprimer sa traduction de Newton. Il oublie de dire qu'elle a été promue membre de l'Institut de Bologne, ce qui n'est pas une mince distinction. La marquise, folle de joie, en avertit sans tarder Bernoulli. Malheureusement, elle a tant de travail qu'il ne lui reste pas beaucoup de temps pour fêter l'événement. Tentée de concourir pour le prix de l'Académie de Berlin et de profiter de l'occasion pour défendre les monades, elle est obligée d'y renoncer car son Newton lui demande un travail continuel [1]. Bernoulli insiste encore pour qu'elle le délaisse quelque temps pour la gloire de Leibniz mais la marquise refuse [2].

C'est la dernière fois qu'Émilie mentionne dans une lettre le nom du philosophe allemand qui lui a valu une renommée européenne. Dorénavant, elle n'est plus préoccupée que du savant anglais comme si elle se doutait qu'elle lui devrait la survie après sa mort.

L'année 1747 est consacrée à la correction des épreuves de sa traduction et à la poursuite du *Commentaire.* Elle demande conseil à Jacquier sur le problème des maxima et des minima, dévore ses remarquables travaux sur Newton et décide que son commentaire ne portera que sur le système du monde et les propositions du premier livre des *Principia* [3]. Heureusement Clairaut est là qui l'aide et la soutient.

C'est de son remarquable mémoire sur le sujet qu'elle s'inspirera pour rédiger son commentaire, comme elle ne s'en est jamais cachée. Les mauvaises

1. Lettre à Bernoulli, 6 sept. 1746.
2. Lettre à Bernoulli, 20 nov. 1746.
3. Lettres à Jacquier, 13 avril et 1er juil. 1747.

langues auront vite fait d'attribuer à Clairaut la paternité de son travail, comme jadis les *Institutions* à Kœnig. De l'avis de tous les critiques contemporains, son commentaire a certainement été très influencé par Clairaut, mais il serait malhonnête de laisser croire qu'il en est l'auteur. L'œuvre, faite sous sa direction, n'en conserve pas moins la marque d'un travail personnel. Comme on l'a remarqué très justement [1], si Clairaut n'a pas fait figurer son nom sur cet ouvrage posthume dont il a revu les épreuves, ce n'est pas seulement dans le but d'accroître volontairement les mérites de la marquise aux yeux de ses contemporains, mais aussi parce qu'il se fit scrupule de les amoindrir en ne laissant pas subsister le doute sur l'ampleur de ses corrections ou de ses retouches.

Clairaut a mis la dernière main à l'ouvrage laissé inachevé par la mort d'Émilie. Il l'a inspiré et corrigé, mais en aucun cas il n'en est le père.

Mme du Châtelet a passé les deux dernières années de sa vie à accoucher difficilement de cette œuvre exceptionnelle. Même sa passion frénétique pour Saint-Lambert n'a pas su la distraire de cette affaire si essentielle pour elle. Comme si elle avait secrètement pressenti que toute son existence se jouait sur ce travail.

Contrairement à la majorité des femmes, ce ne sont pas ses enfants qui ont assuré la pérennité de son nom. Ce n'est même pas l'attachement de son célèbre amant. Elle dut sa gloire au philosophe anglais, qu'elle n'avait jamais vu. Grâce à elle, le public français, depuis plus de deux siècles, a un accès plus large à l'œuvre de Newton. Si les historiens des sciences reconnaissent que sa traduction n'est pas exempte d'erreurs, elle n'en est pas moins la seule qui existe à l'heure actuelle dans nos bibliothèques.

La dernière édition de la traduction des *Principia*

1. Brunet, *La Vie et l'Œuvre de Clairaut*, 1952, p. 16.

date de 1966 [1]. Elle porte toujours le nom de Mme du Châtelet. Pour sa plus grande gloire. Une fois encore, c'est Voltaire qui lui a le mieux rendu justice. Lorsque traduction et commentaires parurent enfin, dix ans après la mort d'Émilie, la préface qu'il écrivit commence ainsi :

« Cette traduction que les plus savants hommes de France devaient faire et que les autres doivent étudier, une femme l'a entreprise et achevée à l'étonnement et à la gloire de son pays. Gabrielle-Émilie [...] est l'auteur de cette traduction devenue nécessaire à tous ceux qui voudront acquérir ces profondes connaissances, dont le monde est redevable au grand Newton.

« C'eût été beaucoup pour une femme de savoir la géométrie ordinaire, qui n'est pas même une introduction aux vérités sublimes dans cet ouvrage immortel. On sent assez qu'il fallait que Mme la marquise du Châtelet fût entrée bien avant dans la carrière que Newton avait ouverte, et qu'elle possédât ce que ce grand homme avait enseigné. On a vu deux prodiges : l'un, que Newton ait fait cet ouvrage ; l'autre, qu'une dame l'ait traduit et éclairci. »

Voltaire disait la vérité. Le travail d'Émilie avait été prodigieux. Aucune autre femme ne pouvait se targuer d'une telle réussite. Elle avait gagné son pari. Le génie de Newton valait bien le sacrifice de tous les Saint-Lambert.

1. Blanchard, Paris, 2 vol.

## CHAPITRE VI

# L'ÉMANCIPATION DE LOUISE

TOUTE sa vie, Mme d'Épinay a rêvé d'être « une femme d'un grand mérite ». Cette expression si générale avait pour elle un sens très précis. Elle voulait être utile à ses semblables comme elle se plaisait à le répéter à sa petite-fille. Si Louise s'en était tenue à cette passion toute morale, elle n'aurait pas fait partie des sœurs de Mme du Châtelet. Elle a certes été une bonne mère, une amie dévouée, une femme raisonnablement charitable, mais sans qu'aucune de ces activités pût faire d'elle une personne hors du commun. Parce que son désir d'être reconnue utile et intéressante par les autres l'emporte de loin sur son esprit moral et philanthropique, Mme d'Épinay est bien une ambitieuse et non une sainte.

A la différence de Mme du Châtelet, dont la carrière est brillante et rapide, Louise a connu un itinéraire beaucoup plus tortueux et éprouvant. Handicapée par son éducation, elle rencontra d'abord des difficultés d'ordre psychologique et social. Partagée entre l'esprit de soumission et le désir d'autonomie, entre l'ambition et ses principes, Mme d'Épinay mit fort longtemps à satisfaire ses secrets désirs. Il lui fallut attendre d'être grand-mère pour devenir enfin une femme libre et imposer ses vues reconnues officiellement « d'utilité publique ».

## *Une femme sous influence*

On a vu à quel point la jeune Louise a subi le pouvoir aliénant de sa mère. A l'âge où les jeunes filles acquièrent l'autonomie psychologique et intellectuelle, elle est tout entière prisonnière d'une pédagogie de la soumission.

Ne sachant plus penser par elle-même, sans personnalité, elle s'est laissé subjuguer par le système de valeurs maternelles sans jamais réellement l'adopter. Accorder une telle importance à l'apparence et à la réputation répugne à la petite fille orgueilleuse qui sommeille en elle. Mais, pendant longtemps, Mme d'Épinay n'aura pas la force de se rebeller ouvertement, tant seront fortes l'angoisse de déplaire à sa mère et la culpabilité qui en résulte à chaque fois qu'elle désobéit.

Habituée à croire qu'elle a toujours tort et les autres raison, Louise passera sa jeunesse à se déprécier et à se méfier d'elle-même. De là découle l'emprise excessive de tous ceux qu'elle juge supérieurs. Jusqu'à l'âge de trente ans, elle se laisse tyranniser par les uns et les autres sous de multiples prétextes. Impressionnée par l'autorité de Duclos, le moralisme de Rousseau et les principes de Grimm, la jeune Louise fut longtemps prête à abandonner ses idées pour les leurs.

Finalement Mme d'Épinay cédera à la double influence de sa mère et de ses amis qui se rejoignent curieusement dans la même conception de la femme idéale. Même si la comparaison peut surprendre au premier abord, il est vrai que l'image de la femme transmise par sa mère ressemble fortement à celle que le milieu intellectuel et bourgeois du XVIII^e^ siècle adopte pour les siècles à venir. Bien qu'ils viennent d'horizons très différents, Rousseau, sur ce sujet, a davantage en commun avec Mme d'Esclavelles qu'avec sa fille.

Sans doute Mme d'Épinay fut-elle tout de suite

séduite par les idées de son milieu encyclopédiste. Elle fait siennes les nouvelles valeurs : mérite, justice, humanisme. Mais en même temps qu'elle adopte cette idéologie libératrice, elle embrasse le moralisme bourgeois dont elle est issue.

Matérialistes, républicains et athées pour la plupart, ces intellectuels ont certainement contribué à libérer les hommes de l'omnipotence divine et royale. Mais, s'ils ont participé à cet affranchissement, ils n'ont rien fait pour l'émancipation des femmes.

Rien d'étonnant si l'on pense que l'*Encyclopédie* est un mouvement exclusivement masculin et que ses adeptes n'ont pas brillé par leurs théories féministes !

Réformiste par ses idées sociales et politiques, le milieu encyclopédiste redécouvrait la traditionnelle morale bourgeoise. Les hommes furent d'abord sensibles aux premières, les femmes à la seconde. Heureuses de se voir attribuer une fonction plus importante dans la famille, les femmes des classes favorisées adoptèrent sans réticence un système de valeurs encore plus contraignant que le précédent. Sans le savoir, elles mettaient fin à une période d'exceptionnelle liberté.

Les valeurs morales de la bourgeoisie montante étaient à peu près celles de la mère de Mme d'Épinay. La différenciation des rôles sexuels était affirmée avec force [1]. La femme n'était plus que mère et épouse. En échange de sa modestie silencieuse à l'extérieur du foyer, elle se voyait accorder tout pouvoir sur l'intérieur et les âmes. Ce n'était pas un mince privilège.

Mme d'Épinay acquiesçait volontiers au renouveau de ce modèle féminin et familial. Elle admettait la distinction des rôles comme une nécessité, même si au fond de son cœur elle la regrettait parfois. Elle approuvait totalement l'idée du pouvoir et de la res-

1. Rousseau, l'*Émile*, *op. cit.*, pp. 692-693.

ponsabilité maternels qui vont de pair avec un dévouement sans borne pour l'enfant, puisqu'elle en faisait le centre de sa théorie pédagogique. Mais son ambition s'accommodait mal de la modestie et de la discrétion qu'on exigeait à présent de la femme idéale, dont elle approuvait les nouveaux critères.

Louise se trouvait donc dans une situation contradictoire et paralysante. A l'avant-garde du modèle féminin qui allait triompher jusque dans la première partie du XXe siècle, elle était douloureusement partagée entre deux désirs inconciliables. Se conformer au modèle qu'elle prônait interdisait aux femmes ambition et gloire personnelles. Mais être reconnue comme une mère admirable et une pédagogue moderne lui assurerait un prestige enviable.

Longtemps, Mme d'Épinay sacrifiera le second au premier, et fuira la renommée pour l'idéal moral. A part quelques exemplaires des lettres pédagogiques qu'elle imprima elle-même à Genève, aucun de ses écrits n'a été publié sous son nom avant *Les Conversations d'Émilie,* qui paraîtront à la fin de sa vie. Durant presque vingt ans, elle résista à la tentation de la célébrité.

Selon toute probabilité, elle commença d'écrire son roman, *Madame de Montbrillant,* [1] qui n'était autre que son histoire, dans les années 1756-1757, et elle le continua à Genève en 1758. Dès 1764, Louise, Grimm et Diderot sont avertis que Rousseau rédige ses *Confessions,* où il évoque leur conflit, qu'elle a elle-même longuement décrit. Durant l'hiver 1770-1771, Rousseau fait des lectures privées des *Confessions* chez le marquis de Pezay, le poète Dorat et devant le prince royal de Suède. Les trois amis y sont si malmenés que Mme d'Épinay demande à Sartine, lieutenant de police, d'interdire à Rousseau toute nouvelle lecture. Il est presque certain qu'à la même époque le trio révise « l'ébauche » des *Pseudo-Mémoires,* du moins toute la partie qui concerne

1. C'est-à-dire les *Pseudo-Mémoires.*

Rousseau. Il s'agit de mettre au point une version qui contrecarre ses dires et le fasse apparaître comme un menteur invétéré.

Mais à quoi bon tant d'efforts si Mme d'Épinay ne voulait pas publier ses écrits ? Les partisans de Rousseau suggèrent qu'il y avait tant de mensonges et d'omissions dans la version de Louise qu'elle avait finalement renoncé à les rendre publics de peur que les témoins de l'époque ne la démentent. Les autres, moins malveillants, pensent qu'elle avait préféré se taire de crainte de remuer la boue du passé et d'ajouter au scandale des *Confessions.*

Quoi qu'il en soit du méchant règlement de compte entre anciens amis, ce seul contentieux ne pouvait suffire à interdire la publication de la totalité de l'œuvre. L'affaire de l'Ermitage occupe moins de trois cents pages d'une œuvre qui en compte plus de mille huit cents [1]. De plus, les deux premiers tiers forment une totalité qu'il aurait été facile de détacher de la fin et de publier tels quels. Sans aucun doute, Mme d'Épinay a entrepris cet immense travail avec l'espoir de le voir éditer un jour. La préface du livre est tout à fait claire sur ce point : « Mon but, en *publiant* l'histoire de ses malheurs, est de la [me] justifier aux yeux du public du soupçon de légèreté, de coquetterie et de manque de caractère [2]. »

Ce plaidoyer *pro domo* ne devait donc pas rester secret. Ce n'était pas là simple divertissement d'une femme qui s'ennuie, mais une œuvre de réhabilitation à l'usage du monde.

Si Mme d'Épinay a finalement abandonné un projet aussi important à ses yeux, c'est moins, nous semble-t-il, par peur d'une polémique avec Rousseau, qu'elle pouvait éviter en ôtant la partie le concernant, que parce qu'elle répugnait à se mettre

1. L'édition des *Pseudo-Mémoires*, publiés par Georges Roth chez Gallimard, se présente sous la forme de trois volumes.
2. *Pseudo-Mémoires*, tome I, p. 4. Souligné par nous.

au-devant de la scène. Au fil des ans elle s'était progressivement laissé influencer par les nouvelles valeurs féminines.

Elle était de plus en plus convaincue qu'une femme digne de ce nom ne doit pas faire parler d'elle. Sans crainte du paradoxe, elle enseigne à sa petite-fille qu'« une femme parfaite est celle dont on n'entend jamais parler [1]... ». Propos qu'elle répète à plusieurs reprises dans un ouvrage qui lui vaudra la célébrité !

Comme sa cadette, l'illustre Mme de Genlis [2], Mme d'Épinay n'est pas loin d'admettre que la femme idéale se rend inestimable par ses vertus paisibles, sa prudence et une réputation sans tache. Elle ne saurait jouer un rôle éclatant dans les affaires publiques qu'en se livrant à l'intrigue.

Mme de Genlis en concluait que l'éducation d'une femme devrait s'attacher à détruire en elle l'ambition personnelle afin de mieux développer « une noble ambition pour son mari et ses enfants [...] et cultiver sa sensibilité de telle sorte qu'elle ne trouve les jouissances de l'orgueil que dans les succès de ceux qu'elle aime [3] ».

Mme d'Épinay approuva ce nouvel idéal jusqu'au moment de ses cruelles déceptions maternelles. Vivant au milieu des encyclopédistes, ambitieux et brillants, elle participe à leurs œuvres sans jamais en tirer la moindre gloire. Elle refuse de se faire connaître en signant ses nombreux articles dans la *Correspondance littéraire*. A de multiples reprises, elle déclare à ses amis : « L'envie de subjuguer est bien loin de moi, je n'ambitionne pas la gloire [4]. »

Si elle a apporté la preuve du contraire à Genève,

1. *Les Conversations d'Émilie*, *op. cit.*, 1774, 12e conversation, pp. 209-210.

2. Gouvernante des enfants d'Orléans et auteur à succès d'ouvrages de pédagogie.

3. Mme de Genlis, *Discours sur la suppression des couvents et l'éducation publique des femmes*, 1790, p. 26.

4. *Pseudo-Mémoires*, tome III, p. 85.

en imprimant ses lettres et en les distribuant à quelques amis, elle fait mine de le regretter bien vite. On ne la reprendra plus, dit-elle à Voltaire, en flagrant délit de vanité. Cet exhibitionnisme ne sied pas à la femme qu'elle se propose d'être. Elle tiendra parole pour son roman. Un jour qu'elle l'avait donné à lire à Sedaine et que celui-ci s'était répandu en éloges et applaudissements, elle lui déclara : « Aucun suffrage ne pouvait me flatter plus que le vôtre [...]. Mais je suis très forte dans mes principes et jamais cet ouvrage ne verra le jour. *Je redoute toute célébrité. Mais quand je serais sûre d'un grand succès, je ne l'imprimerais pas davantage* [1]. »

Dans une lettre à Galiani consacrée à la condition féminine – sur laquelle nous reviendrons plus longuement – Mme d'Épinay insiste sur l'interdiction faite aux femmes d'afficher leur ambition : « Une femme qui, avec de l'esprit, du caractère, n'aurait même qu'une légère teinture des choses [...] serait encore un objet très rare, très aimable, très considéré, *pourvu qu'elle n'y prétendît pas* [2]. » Et elle ajoute comme pour elle-même : « Je ne veux pas avoir de rôle à jouer. Est-ce orgueil ou modestie [...] peut-être l'un et l'autre. »

Deux ans plus tard, elle pense déjà à rédiger ses conversations avec sa petite-fille. Mais quand Galiani la somme de lui donner des nouvelles piquantes, parce que, dit-il – en plaisantant à demi –, leur correspondance risque de passer à la postérité, elle lui répond par ce cri du cœur : « L'immortalité me fait peur [3]. » On est alors loin des prétextes habituels de convenance. Alors même que la première partie des *Conversations* a été publiée avec grand succès, elle confie à nouveau à

1. Cité par Auguste Rey, *Le Château de la Chevrette*, 1904, p. 188. Souligné par nous.

2. Lettre du 20 janvier 1771, éd. Perey-Maugras, tome I, p. 349. Souligné par nous.

3. Lettre à Galiani, 26 juin 1773.

Galiani qu'elle ne court pas après la gloire. Ce que l'abbé admet sans difficulté.

Son confident italien est bien crédule. Les propos répétés de son amie sur son absence d'ambition auraient dû l'alerter. A vouloir tant convaincre ses proches, Mme d'Épinay cherchait à lutter contre la tentation. L'ambition lui faisait éprouver des sentiments tout à fait ambivalents. Elle redoutait l'immortalité autant qu'elle la désirait. Mais ce désir interdit, elle devait le tenir bien refoulé au fond de son inconscient. Tous ses propos n'étaient en réalité que des dénégations qui ne satisfaisaient que sa raison.

Il fallut la conjonction de plusieurs événements pénibles pour qu'elle se décidât à quitter la réserve qu'elle jugeait seule convenable. Puisqu'elle avait échoué dans son ambition maternelle, et qu'elle n'était pas cette femme et cette mère admirables qu'elle avait toujours rêvé d'incarner, il ne lui restait plus qu'à tenter de satisfaire son ambition personnelle sans trop démentir l'idéal si longtemps affiché.

C'est lorsqu'elle fut grand-mère, à l'âge où d'autres renoncent, que notre « Émilie » s'émancipe de toutes les influences pour dire enfin sa vérité. Seule, avec sa petite-fille, c'en était bien fini du respect pour la modestie maternelle, et du modèle féminin que Rousseau et d'autres voulaient imposer aux femmes. Se sachant bientôt perdue, il lui restait juste le temps de jeter le masque.

### *L'ambition maternelle*

Il fallut du temps avant cette dernière émancipation. Enfant soumise, épouse sans pouvoir, mère empêchée de jouir pleinement de ses prérogatives, Louise livra sa première bataille pour l'autonomie sur le terrain de la maternité.

Jeune épouse, elle a continué plusieurs années à se

comporter comme l'enfant de sa mère et non comme la mère de ses propres enfants. Elle n'est devenue femme à part entière qu'en prenant ses distances à l'égard de sa propre mère. Elle opéra cette déchirure nécessaire grâce à ses amants et surtout grâce à l'écriture.

En devenant la maîtresse de Francueil, pour la première fois elle tourne délibérément le dos à la morale maternelle, provoquant ainsi un désaccord latent et persistant. Cet acte d'indépendance en entraînera bien d'autres. Elle a pris conscience que les principes qu'on lui a inculqués sont discutables et même critiquables. Louise n'échappera au sentiment de culpabilité qu'en se persuadant de la désuétude des valeurs maternelles et de l'échec de son éducation.

Elle se sent si peu préparée à faire face aux aléas de la vie féminine, si désarmée devant le malheur qu'elle n'a plus d'autre ambition que de donner à ses enfants une éducation qui les rende heureux. Ce faisant, elle fait une fois de plus un pas vers l'autonomie. Faute de trouver ses premières armes en elle-même ou dans l'entourage familial, Louise se tourne vers l'extérieur. C'est à Rousseau, à Duclos puis à Grimm qu'elle demandera son information et les moyens de sa formation pédagogique.

Le moment venu, c'est avec la plume qu'elle consacrera son indépendance. Rien de tel, en effet, que l'écriture pour apprendre à réfléchir. En écrivant sur elle-même et l'éducation de ses enfants, elle parvient à prendre ses distances par rapport au monde de son enfance, et à dessiner les contours de sa nouvelle personnalité. Louise meurt pour mieux renaître en Émilie.

Assurément, elle a d'abord écrit pour voir plus clair en elle, et son roman remplit la fonction salutaire d'une sorte d'auto-analyse, mais nous ne pouvons oublier que l'écriture est l'instrument le plus sûr de l'ambition féminine. En même temps qu'Émilie se dédouble pour mieux se regarder, elle se donne à voir aux autres. De là naît la tentation d'embellir parfois la vérité et l'étrange impression que donne le mélange de l'absolue sincérité propre à la confession et de la dissimulation du coupable qui veut être reconnu innocent.

Émilie a écrit pour reprendre la maîtrise de sa vie, se faire plaisir, et parce qu'elle juge son histoire exemplaire, donc intéressante pour nombre de ses contemporaines. En montrant tous les avatars issus d'une éducation ratée, elle procède, sans le dire, à une critique radicale de sa mère. Et quand elle rédige ses lettres sur l'éducation de ses enfants, elle se présente comme son opposée, la mère idéale, créatrice du bonheur des siens, le modèle que les autres femmes doivent imiter pour bien remplir leur plus noble fonction.

### *La critique pédagogique*

La même année, en 1756, Émilie entreprend la rédaction de ses *Pseudo-Mémoires* et ses réflexions sur l'éducation. Elle mène donc de front le récit de l'aliénation et de la pédagogie du bonheur.

Bien que tout le début de son roman traite de la première, deux pages lui suffisent pour en résumer les points principaux. Dans une lettre à sa cousine Maupeou, elle dénonce d'abord l'esprit de défiance que les parents engendrent chez leurs enfants.

« J'ai remarqué que nous nous instruisons plus par l'exemple que par toutes les leçons que nous recevons [...] la conduite de nos supérieurs est souvent fautive. Cela ne nous échappe pas, et cette découverte nous humiliant moins que l'austère sagesse qu'ils nous prêchent et dont ils se parent, nous les imitons avec plaisir et nous les écoutons avec peine [1]. »

Le refus des parents de reconnaître leurs défauts

1. *Pseudo-Mémoires*, tome I, p. 49.

et leurs torts engendre la méfiance de leurs enfants et crée chez eux une tendance à la dissimulation. Toutes choses fort nocives, qui sapent les fondements d'une bonne éducation.

Émilie accuse aussi l'éducation traditionnelle d'entretenir des contradictions perpétuelles entre les préceptes inculqués et la conduite qu'on fait tenir aux enfants.

Pour illustrer son propos, Émilie fait appel à ses souvenirs de jeune fille : « On nous fait un crime de donner notre cœur et l'on n'est occupé qu'à nous inspirer l'art de plaire. Allons-nous dans le monde ? Trois heures entières sont employées à notre toilette [...]. Un jeune homme dans l'assemblée nous marque-t-il des préférences et nous tiendrait des propos galants ? Aussitôt le visage de nos mères s'épanouit de joie, et, de l'air le plus satisfait, elles nous disent à l'oreille de ne le croire ni de l'écouter. Le lendemain, si l'on reste au logis, lorsqu'on n'attend personne, un vêtement négligé et quelques fois fort sale vous repose des parures de la veille et semble un habit d'étiquette pour recevoir les conseils, les leçons et toute la sévérité et la sécheresse des sermons que nous ne manquons pas d'essuyer à la suite d'une fête [...]. S'il arrive quelques visites dans ce jour de négligé, si ce sont des hommes surtout, on renvoie la jeune personne, on dit qu'elle n'est pas *montrable,* et l'on oublie qu'une heure avant on vient de lui bien recommander de ne faire nul cas de la parure [1]. »

On ne saurait mieux dire l'incohérence qui préside à l'éducation des filles et l'importance attachée à l'apparence. Émilie condamne tout en bloc : l'hypocrisie, la légèreté, la femme-objet. A ses yeux, « les préjugés tenaient lieu de principes et le mal sévissait dans toute la société [2]. »

1. *Ibid.*, pp. 149-150. Souligné par nous.

2. *Ibid.*, p. 150 : « Au moins dans tout le monde connu de moi. »

L'éducation des garçons qui prévalait en 1756 ne lui paraissait guère plus satisfaisante. Après avoir été confié à une nourrice, puis à un précepteur, l'enfant de dix ou douze ans allait parfaire ses études dans un collège. Fidèle à la tradition, le grand-père exigea que le jeune Louis-Joseph devînt à son tour interne au collège du Plessis. Déchirée à l'idée de cette séparation, Mme d'Épinay, qui n'avait pas le pouvoir de l'empêcher, tenta de convaincre l'ancienne génération de son erreur.

Elle compare les collèges où l'on enferme les enfants par troupeaux pour les instruire et les former à des hôpitaux, « ces maisons publiques établies par nécessité pour soigner les malades que l'excès de besoin et de misère a laissés sans ressource au milieu de la société [...]. Que les pauvres orphelins [...] aillent dans des collèges chercher leur éducation ; voilà pourquoi ils doivent être destinés [1]. »

Poussant plus loin la comparaison des hôpitaux et des collèges, elle pense que les malades abandonnés dans les premiers ont même un avantage sur les enfants oubliés dans les seconds : la spécificité des soins.

« Là le médecin prend connaissance du tempérament du malade et le traite conformément à ses remarques pour le garantir du mal dont il est menacé. Au collège, au contraire, on ne peut se conduire que par un certain nombre de maximes générales, quelques fois vraies, souvent fausses, qu'on applique à tous les enfants indifféremment, sans avoir égard ni à leurs inclinations, ni à leur caractère [2]. »

Convaincue par l'auteur de l'*Émile* que chaque enfant est naturellement différent des autres, et que l'éducation doit s'attacher à développer ses talents

1. *Ibid.*, tome II, p. 53.
2. *Ibid.*, pp. 53-54.

particuliers en tenant compte de son tempérament, Mme d'Épinay adressait à l'éducation publique trois critiques importantes. La plus grave à ses yeux était l'impossibilité pour les professeurs d'acquérir la connaissance intime du caractère de chaque enfant qui lui était confié, sans laquelle le succès de l'éducation est menacé.

« Ne serait-on pas exposé à donner du pain à celui qui a soif ? [...] ou parce qu'un seul aura soif, on donnera à boire à cinquante qui n'en auraient pas besoin [1] ? »

Il faudrait donc auprès de chaque enfant un homme exprès. Mais alors l'éducation publique deviendrait particulière avec « la différence qui subsistera toujours entre les soins inspirés par les sentiments naturels [les parents] et ceux dictés par le devoir d'un état qu'on a embrassé [le professeur] [2]. »

Un autre inconvénient tout aussi grave de cette uniformité de l'éducation publique est le manque d'égard pour l'état auquel l'enfant est appelé. « Celui qu'on destine à la robe se trouve élevé comme le militaire. Le militaire comme l'ecclésiastique... [3]. » Si l'on ajoute à cela que nombre de parents, qui ont plusieurs enfants à pourvoir, font un mystère de leur établissement futur, on perçoit mieux à quel point l'incohérence et la confusion président à l'éducation des garçons.

Les parents refusent de confier leurs projets à des étrangers « qui, en général, aiment à dominer et à intriguer », mais pourquoi « se reposent-ils sur eux du soin de leurs enfants, qui sont ce qu'ils ont de plus cher et du bonheur desquels dépendront leur repos et leur consolation [4] » ?

Les partisans des collèges mettaient en avant

1. *Ibid.*, p. 54.
2. *Ibid.*, p. 54.
3. *Ibid.*, p. 54.
4. *Ibid.*, p. 54.

l'émulation entre les enfants que seuls des établissements publics pouvaient offrir aux familles. Mais Mme d'Épinay réplique que cet unique avantage est la source des inconvénients les plus graves : l'amour-propre et une jalousie immodérée. Bien informée, elle ajoute : « J'ai ouï dire que, dans les collèges, l'émulation n'existe d'ailleurs qu'entre trois ou quatre écoliers. Les autres, forcés par leur infériorité à renoncer à ces premières places, restent dans l'oubli, se négligent, et sont négligés [1]. »

Remarque judicieuse que ne démentiraient pas aujourd'hui nos éducateurs !

Émilie plaida avec conviction tous ses arguments devant sa mère, son mari et son beau-père, mais personne ne voulut l'entendre. Davantage qu'adeptes irréductibles de la tradition, ils étaient surtout hostiles à l'idée nouvelle qu'une mère pût assurer l'éducation de son fils. De ce point de vue, Mme d'Épinay était très en avance sur son temps, puisque Rousseau lui-même avait confié son Émile aux soins d'un précepteur modèle. A cette époque encore, les femmes apparaissaient aux yeux de tous comme des êtres trop légers, inconsistants, mal instruits pour leur confier la charge d'âmes masculines.

Mme d'Épinay eut beau se mettre en colère, dénoncer le danger de ces préjugés, supplier qu'on lui laissât son enfant, rien n'y fit. Malgré son désespoir, le petit Louis partit au collège accompagné de son précepteur Linant.

### *L'irremplaçable amour maternel*

Après la mort de son beau-père, et grâce à l'indifférence de son mari pour ses enfants, Mme d'Épinay, qui avait acquis de l'autorité, fit rentrer son fils à la maison.

1. *Ibid.*, p. 54.

Il n'avait pas encore dix ans lorsqu'elle s'amusa à lui envoyer une première lettre [1] que Rousseau trouvait à juste titre mal adaptée à la compréhension d'un enfant si jeune. En dépit de cet inconvénient, cette lettre présente à nos yeux le premier manifeste de l'éducation maternelle. Jamais auparavant une mère n'avait exprimé aussi bien les sentiments, les préoccupations et les désirs qui sont toujours les nôtres. Même si son style nous semble parfois désuet, Mme d'Épinay aborde tous les thèmes qui nous sont familiers avec un état d'esprit similaire. Ce qui nous semble presque banal aujourd'hui était d'une grande audace en son temps, et dans son milieu. Alors que Rousseau n'a pas encore écrit l'*Émile,* que l'industrie des nourrices n'a jamais été aussi florissante, que les collèges sont pleins, que les enfants de la haute société appellent respectueusement leurs parents « Monsieur » et « Madame », Émilie prône avec ardeur l'allaitement, l'éducation et la tendresse maternels.

Ses premiers mots sont pour regretter de ne pas être aussi bonne mère qu'elle le voudrait. Comme le ferait une mère contemporaine, elle s'excuse de ne pas consacrer tout son temps à son enfant et trouve de mauvaises raisons pour justifier une attitude contraire à ses principes.

« Quelque envie que j'aie, mon cher fils, de *me sacrifier entièrement* au soin de votre éducation, je ne puis me livrer à tout ce que me dicte *ma tendresse* pour vous. Un enchaînement d'affaires, une santé faible et délicate, vos propres occupations, m'empêchent souvent de vous avoir auprès de moi [2]. »

Si elle ne partage pas tous ses loisirs, et ne suit pas avec exactitude ses études, la majeure partie de son temps est consacrée à réfléchir sur son éducation.

1. 1er janv. 1756. Lettre publiée dans *Mes moments heureux, op. cit.* Elle prend place aussi dans les *Pseudo-Mémoires*, tome II, pp. 518 à 524.

2. *Mes moments heureux*, p. 1. Souligné par nous.

Puisque sa première préoccupation est de faire de son fils un homme heureux, elle lui propose de chercher de concert les moyens du bonheur. « La vérité, la raison, l'amitié et la confiance nous guideront [1]. »

Mme d'Épinay développe le thème de la prévoyance maternelle qui sera constamment repris et développé au XIXe siècle par tous les moralistes et pédagogues. La bonne mère ne doit pas s'en tenir au présent, « elle doit prévoir l'avenir, combiner de loin ce qui doit résulter des inclinations, des talents, du caractère d'un jeune homme [...] elle en forme dès lors le plan général de l'éducation la plus convenable [2] ».

D'après ce plan, elle détermine son consentement ou son refus aux volontés de l'enfant. Et c'est la raison pour laquelle la vigilance maternelle ne doit jamais être prise en défaut. Au contraire, elle se doit de porter une attention sévère et continuelle sur toutes ses actions, même les plus indifférentes. On comprend qu'avec de telles exigences la maternité redevienne pour les femmes une occupation à temps complet...

En mère moderne, Mme d'Épinay ressent tous les signes d'un amour symbiotique :

« Dans les moments où mes décisions paraissent le plus opposées à vos désirs, je ne partage pas moins tous vos sentiments. Vous n'en éprouvez aucun qui ne devienne aussitôt le mien ; je suis heureuse de votre satisfaction et de vos plaisirs, je souffre de vos peines, je souffre même des contrariétés qu'il est de mon devoir de vous faire essuyer [3]. »

Dans *Les Conversations d'Émilie,* elle reviendra à plusieurs reprises sur l'importance de l'identification de la mère avec son enfant. Pour être une bonne éducatrice, il faut qu'elle puisse retrouver sa propre enfance : « J'entre dans votre position et me mets

1. *Ibid.*, p. 3.
2. *Ibid.*, p. 4.
3. *Ibid.*, p. 6.

toujours à votre place [1]. » Mais cette condition nécessaire doit être contrebalancée par la réflexion de l'adulte. La bonne mère est à la fois femme et enfant. Elle opère l'équilibre subtil entre la raison et les sentiments pour le plus grand bonheur de son petit.

A ses yeux, aucun étranger n'est capable d'éprouver cette osmose ni de trouver le rapport harmonieux entre l'amour et la prévision qui sont les deux fondements essentiels d'une éducation réussie. C'est pourquoi, contre « l'usage mondain », elle a gardé ses enfants près d'elle.

« Je n'ai pas cru devoir vous abandonner à des mains étrangères, ni me priver du plaisir de voir votre âme se développer, se former par mes soins et sous mes yeux ; et en cela j'ai moins consulté ma tendresse que vos véritables intérêts, et plus la droite raison que *l'exemple presque général de tous les chefs de famille.* Quelque bornée que je fusse du côté des lumières, j'ai pensé que sur les intérêts de ce que j'ai de plus cher au monde, je ne devais pas déférer aveuglément aux lumières d'un autre [2]. »

Mme d'Épinay est l'ancêtre de ces mères qui regardent leur tendresse et leur sentiment comme supérieurs à tout ce que la réflexion et la sagesse peuvent suggérer.

Aucun éducateur étranger ne peut accoutumer l'enfant « aux sentiments délicieux de tendresse et de confiance, inspirés par la nature, cimentés par la douce habitude d'un commerce journalier dans lequel le ciel a placé le bonheur réciproque des enfants et des *pères* [3] ».

Le zèle d'un mercenaire ne peut se comparer au sentiment d'une mère. « Il n'est pas possible qu'à la

1. *Ibid.*, p. 7, et 6e conversation, *in : Les Conversations d'Émilie* tome I, p. 156.

2. *Mes moments heureux*, p. 8. Souligné par nous.

3. *Ibid.*, p. 10. « Pères » est pris ici au sens plus général de « parents ». Souligné par nous.

longue les soins de détails ne fatiguent les étrangers. Ils font le bonheur d'une mère ; plus ils sont multipliés, plus elle est heureuse [1]. »

Puisque son fils a connu précepteur et collège, elle le prend à témoin et lui demande de juger entre « les étrangers et sa mère ». A-t-il trouvé en ces différents maîtres la même douceur, la même patience, la même tendresse, la même chaleur que dans ses avis ?

Tout en faisant l'éloge de son précepteur et de l'amitié qu'il porte à l'enfant, Mme d'Épinay s'emploie à lui en faire sentir les limites : « Supposez un instant qu'il eût un fils qui lui fût aussi cher que vous me l'êtes ; que ce fils se trouvât en même temps que vous dans un danger imminent, lequel de vous deux croyez-vous qu'il courût sauver ? [...] Il courrait sauver son enfant, et vous n'auriez de sa part que de vains et inutiles regrets [2]. »

Vraiment, rien ne vaut jamais l'amour d'une mère !

Que l'enfant ne regrette pas son collège qui lui donnait l'occasion de lutter contre ses semblables et la gloire frivole de les surpasser car il jouit à présent d'un avantage infiniment plus précieux. En venant dans sa société, son fils se trouve tous les jours avec des gens de mérite et à portée de profiter de leur conversation. Les amusements du collège sont souvent peu convenables pour la jeunesse, tandis que dans la maison familiale tous les plaisirs sont de son âge et à son choix.

Enfin, Mme d'Épinay s'attache à montrer pourquoi l'éducation morale ne peut être donnée que par les parents. Au collège, on corrige avec humeur l'enfant qui se dégoûte du travail et de ses devoirs. L'obéissance qu'on exige lui paraît un esclavage dont il n'aspire qu'à se délivrer. L'endurcissement s'empare de son cœur et bientôt tout conseil lui

1. *Pseudo-Mémoires*, tome II, p. 54.
2. *Mes moments heureux*, p. 14.

devient insupportable. Émilie remarque judicieusement : « Comment arrêter les progrès du vice dans un enfant gouverné par la crainte ? *Des parents qu'il connaît à peine n'ont nul crédit sur lui.* Leurs remontrances sont sans fruit, et les marques passagères de leur bonté ne servent ordinairement qu'à augmenter le mal [1]. »

L'amour parental est donc élevé au rang de premier principe pédagogique. C'est la mère, mieux que tout autre, qui peut s'appliquer à aplanir les obstacles rencontrés par l'enfant et susciter sa confiance. Mme d'Épinay peut se targuer de n'avoir jamais abusé de son autorité parentale. Elle ne s'oppose à la volonté de son fils qu'après lui en avoir fait sentir les raisons ; elle respecte scrupuleusement ses secrets et s'emploie à lui donner des avis qui sont « moins les préceptes d'une mère que les conseils d'une amie occupée du soin de [son] bonheur [2] ».

Cette mère attentive et ô combien moderne s'attendait à cueillir les doux fruits de son éducation. Elle se flattait que la conduite de son fils contribuerait plus que toute autre chose au bonheur de sa vie. C'est l'inverse qui se produisit : il lui fit pleurer des larmes de sang.

### *Les plans d'éducation*

Après avoir établi que l'amour maternel est le principe de toute éducation, Mme d'Épinay élabora deux plans sensiblement différents pour son fils et sa fille.

De 1756 à 1758, elle rédige une douzaine de lettres qui font le point sur l'éducation morale d'un jeune garçon. En principe, elles sont adressées à son fils mais, en réalité, Louise veut se faire entendre des autres mères. Dans ces missives, il n'est jamais ques-

1. *Ibid.*, p. 19. Souligné par nous.
2. *Ibid.*, p. 22.

tion d'instruction proprement dite, mais plutôt des conditions de la formation de l'honnête homme futur.

Si les femmes ne sont pas à même d'enseigner à leurs fils les disciplines purement intellectuelles, elles sont du moins les mieux placées pour transmettre les valeurs morales. Celles prônées par Mme d'Épinay sont en tous points conformes au nouvel idéal défini par son milieu bourgeois. Après lui avoir recommandé de préférer la franchise à la flatterie, la fermeté à l'entêtement, la vérité au mensonge, Émilie développe plusieurs thèmes alors à la mode. La *Sixième lettre* est consacrée à l'importance morale du spectacle de la nature. En bonne rousseauiste, elle exalte la pureté et l'innocence des divertissements champêtres [1]. Bien avant Diderot, elle insiste sur la ressemblance entre l'homme et l'animal et le respect dû à l'un et à l'autre. « N'est-ce pas la meilleure préparation aux devoirs sociaux que d'apprendre à respecter la nature jusqu'à ses plus petits ouvrages, à la révérer jusque dans l'organisation du plus vil insecte ? Songez que, doué comme vous de la faculté de sentir, il est comme vous susceptible de souffrance et de peine [2]. »

L'honnête homme de la seconde partie du siècle trouvera moins son bonheur dans ses plaisirs que dans la satisfaction des autres : telle est la nouvelle sensibilité que Mme d'Épinay s'emploie à développer chez son fils. « Je voudrais que, sensible aux attentions de tous vos amis, *depuis moi jusqu'à votre laquais* [...] vous ne fussiez occupé que des moyens de leur prouver [...] votre reconnaissance [3]. »

Mme du Châtelet croyait avec Mandeville que l'égoïsme est le fondement premier de la société.

1. *Ibid., Sixième lettre*, p. 94.
2. *Ibid.*, p. 100.
3. *Ibid., Septième lettre*, p. 107. Souligné par nous.

Louise pense au contraire que ce sont les sacrifices faits pour les autres et les soins réciproques qui en constituent le lien le plus fort. En outre, le plaisir éprouvé à faire du bien est l'incomparable récompense de l'altruisme. Il faut donc faire naître chez les jeunes enfants l'esprit de charité et les habituer très tôt à se mettre à la place des autres.

« Élevé, peut-être pour votre malheur, dans une maison opulente [...] vous vous imaginez que personne au monde ne manque du nécessaire [...] vous n'avez point appris à vous intéresser aux besoins et à l'infortune des autres [...] mais si vous regardez ces infortunés comme une espèce d'hommes à part, nés pour le travail, destinés à souffrir, pendant que vous et vos pareils vous jouissez du fruit de leurs peines et de tous les biens de la vie, votre opinion, pour vous être commune avec beaucoup de monde, n'en est pas moins insensée et impardonnable [1]. »

Ce texte écrit en septembre 1757 est un superbe condensé du nouvel état d'esprit qui engendrera 1789. Mme d'Épinay ne se contente pas seulement de transmettre l'idéal philanthropique, dont raffolent les dames de charité, elle se livre aussi à unc critique de la société qui est plutôt l'apanage des intellectuels bourgeois de son entourage. La méfiance pour l'argent s'accompagne d'une dénonciation des injustices sociales, de l'égoïsme des classes dominantes, et d'une remise en cause du pouvoir de la classe des frelons sur celle des abeilles.

Les propos de Mme d'Épinay ne pouvaient guère être entendus des mères de son milieu. Si l'on reconnaissait de plus en plus la supériorité du bonheur vertueux, on n'allait pas jusqu'à avoir honte d'être riche ! Mais surtout son discours était peu compatible avec celui de M. d'Épinay et l'exemple quotidien qu'il offrait à son fils.

L'enfant fut donc soumis à des influences contra-

1. *Ibid.*, *Dixième lettre*, pp. 130-131.

dictoires qui expliquent peut-être une partie de ses déboires et l'échec de Mme d'Épinay.

Jusqu'à l'arrivée du précepteur, Mme d'Épinay s'est occupée autant de lui que de sa cadette Angélique. Elle lui a donné les premières leçons de lecture, appris les notes de musique, a tâché d'exciter sa curiosité par le jeu, au cours des longues matinées passées avec lui et sa sœur. Mais l'après-midi, confiés aux grands-parents, les enfants reçoivent une éducation toute différente. Pendant que leur mère s'emploie à obtenir leur confiance, à leur laisser le maximum de liberté, et à ouvrir leur esprit sur le monde, l'ancienne génération « leur fait des contes à dormir debout et si son fils joue seul et fait du bruit, on le gronde et on le fait taire [1] ».

Cette éducation contradictoire se poursuit après la sortie du collège. Mme d'Épinay fait tout ce qui est en son pouvoir pour contrecarrer l'influence débilitante du précepteur. Mais le père de l'enfant œuvre en sens contraire. Il lui donne l'exemple de la vanité, de la facilité et du mépris des autres. L'enfant léger et peu doué prendra rapidement le parti et le caractère de son père en dépit des efforts désespérés de sa mère. Alors qu'elle était la première à s'attendrir des qualités qu'elle croyait déceler chez son petit garçon, elle prend très vite conscience de la paresse et de la faiblesse qu'il manifeste un peu plus tard.

Tout au long de ses *Pseudo-Mémoires,* elle épanche ses inquiétudes et sa déception tout en s'accrochant à l'espoir de rétablir la situation. A la lire, on a le sentiment qu'elle ressent l'échec moral et intellectuel de son fils comme une terrible atteinte à son narcissisme. Ayant mis toute sa gloire à bien élever ses enfants, Louise mesure la réussite de sa vie aux satisfactions qu'ils lui donnent.

La période genevoise achèvera de la convaincre de la faillite de son entreprise. Elle avait décidé

1. *Pseudo-Mémoires,* tome II, p. 78.

d'emmener son fils avec elle pour l'arracher à l'emprise de son père et à l'attrait de la dissipation parisienne. Elle pensait que la vertueuse ville de Genève serait un meilleur exemple pour le jeune homme, « puisqu'on y louait davantage la personne que l'habit [1] ». Louise déchantera vite en constatant qu'il était insensible à l'influence de son nouvel entourage. Elle sera plus malheureuse encore en remarquant l'indifférence complète de son fils lorsqu'elle faillit mourir [2]...

Ce jeune homme était si contraire à ses vœux qu'elle ne trouva d'autre solution, pour atténuer sa déception, que de s'en détacher progressivement. Grimm fut le premier à lui conseiller cette voie : « Votre bonheur doit être très indépendant de tout cela ; c'est en vous [et non en votre fils] qu'il faut le chercher [3]. »

Heureusement, Louise avait une petite fille qui faisait toute sa fierté. Depuis son retour de chez la nourrice jusqu'au voyage à Genève, l'enfant ne quitta jamais sa mère.

Mme d'Épinay rédige en 1756 le projet de son éducation sous la forme d'une *Lettre à la gouvernante de ma fille* [4]. Ayant l'entière responsabilité de cette enfant, Louise ne se contenta pas de recommandations morales, elle traça le plan minutieux de son instruction quotidienne. Lorsqu'elle lui écrit, la petite Angélique est à peine âgée de sept ans. Elle demande qu'on la lève à huit heures et qu'elle fasse ses prières avant le petit déjeuner et la toilette. La matinée se partage entre la lecture de « quelque morceau de la morale chrétienne [5] », des questions et des observations relatives au texte, l'écriture d'une ou deux pages, une promenade qui suscite son inté-

1. *Seconde lettre*, p. 144.
2. *Pseudo-Mémoires*, tome III, p. 267.
3. *Ibid.*, p. 289.
4. Publié dans *Mes moments heureux*, pp. 35-49.
5. *Ibid.*, p. 36.

rêt pour la nature et quelques ouvrages propres à son sexe, comme la broderie [1]... Mais Mme d'Épinay recommande instamment à la gouvernante que toutes ces activités échappent à l'ennui et qu'on sache éveiller la curiosité constante de la petite fille.

De midi à seize heures, l'enfant sera confiée à sa mère pour des jeux et des conversations. Ensuite, la gouvernante lui contera un chapitre de son catéchisme en prenant soin que la petite fille n'apprenne rien par cœur. Pour exercer sa mémoire, Angélique apprendra quelques scènes de comédie ou des fables qu'elle récitera à sa mère comme un jeu. La fin de la journée sera consacrée à l'histoire et à la géographie, à de nouvelles promenades, des jeux et un examen moral de sa journée.

Dans une lettre à Saint-Lambert, écrite à la même époque, Mme d'Épinay précise son système d'éducation. « J'ai ma fille avec moi toute la journée ; elle prend toutes ses leçons en ma présence [...]. On doit s'attacher à l'étude de la morale qui se prête à tous les âges, à celle des lettres et, en son temps, de la philosophie, peut-être même de quelques langues, comme le latin, l'italien et l'anglais ; ne fût-ce que pour pouvoir lire des ouvrages de génie, toujours défigurés dans les traductions [2]. »

Programme d'étude audacieux pour l'époque ! Penser enseigner la philosophie et les langues étrangères à une jeune fille est une initiative révélatrice du modèle féminin qu'elle développera plus avant dans *Les Conversations d'Émilie.* Mais retenons déjà que les études des filles ont d'autres finalités qu'une simple préparation à la vie de famille...

Angélique n'a pas déçu sa mère. Très tôt, elle montre une « intelligence singulière [3] », et « un caractère décidé [4] ». A cinq ans elle « écrit et lit fort

1. *Ibid.*, p. 41.
2. Lettre à Saint-Lambert, 1756.
3. *Pseudo-Mémoires*, tome II, p. 78.
4. *Ibid.*, p. 421.

joliment [1] », et apprend la géographie. Louise, qui l'observe attentivement, constate qu'elle est l'opposé de son frère : « Elle est fière et haute, mais elle est sensible ; elle conçoit lentement, et ne se rend jamais que lorsqu'on peut lui démontrer qu'elle a tort [2]. »

Lorsque M. d'Épinay organisera cette séance ridicule de l'examen des connaissances de ses enfants devant tous leurs amis, c'est la petite Angélique qui sera la plus brillante. Bien que sa mère ne lui eût enseigné qu'un peu de géographie, elle a profité des leçons dispensées à son frère. Lorsqu'il hésite à répondre aux questions de son précepteur, elle donne la bonne réponse en histoire romaine, ou en syntaxe latine.

Mme d'Épinay est transportée de joie et de fierté. Sa fille est la plus belle expression de sa réussite personnelle. Même si elle s'inquiète un peu de son orgueil et de l'air important qu'elle aime à prendre devant les grandes personnes, Angélique satisfait entièrement son ambition maternelle. Louise confie avec émotion au marquis de Croismare : « Je veux en faire un ange [3] ! »

Plus sensible que son frère, la raison singulièrement mieux faite, la fille de Mme d'Épinay avait tous les atouts pour être la créature idéale que sa mère rêvait de former. Hélas ! les aléas de la vie en décidèrent autrement...

### *Déceptions et chagrins*

Le 1er janvier 1762, M. La Live d'Épinay est destitué de sa charge de fermier général. En termes pompeux, un chroniqueur de l'époque rapporte l'événement qui ruinait complètement Mme d'Épinay :

1. *Ibid.*, p. 438.
2. *Ibid.*, p. 459.
3. *Ibid.*, tome III, p. 188.

« Les muses et les arts pleurent la disgrâce de deux de leurs illustres protecteurs : M. le Riche de la Popelinière et M. La Live d'Épinay viennent d'être rayés de la liste des Plutus de France [...]. Le premier encourageait les artistes [...] le second tient sa maison ouverte à toute l'Encyclopédie [...] sa digne épouse a vu longtemps enchaîné à ses pieds le sauvage citoyen de Genève [1]. »

A la fin, le contrôleur général avait dû céder devant l'opinion publique qui s'indignait des scandaleuses dilapidations de M. d'Épinay. Il avait près de 700 000 livres de dettes. Sa famille lui imposa d'abandonner ses revenus à ses créanciers et de se contenter d'une simple pension de 10 000 F par an. Mme d'Épinay s'est vantée de ne pas avoir été le moins du monde troublée par cette catastrophe. Elle négocia avec le contrôleur général une croupe de 90 000 livres, loua la Chevrette et abandonna le somptueux hôtel pour s'installer dans une modeste maison de la plaine Monceau. Elle renvoya le précepteur Linant et ne garda que la gouvernante et quatre domestiques. Avec une rente de 8 000 F, abandonnée par son mari et ses relations sociales, elle vécut entre sa fille, sa mère et Grimm une vie bourgeoise selon son cœur. Elle ira même jusqu'à confier qu'elle n'a jamais été aussi heureuse de sa vie.

Malgré ses dénégations, la ruine de son mari lui causait de grands soucis. Non pas que le changement de son train de vie l'eût chagrinée, mais l'établissement de ses enfants devenait un problème difficile à résoudre. Leur avenir était sérieusement compromis. Louise n'eut plus dès lors qu'une seule idée : marier sa jeune fille à un parti avantageux qui ne fût pas trop exigeant sur le chapitre de la dot.

Angélique n'a que quatorze ans et demi lorsqu'elle

1. Cité par Perey et Maugras, *Les Dernières Années de Mme d'Épinay*, 1883, pp. 226-227.

épouse, le 10 mars 1764, le vicomte Dominique de Belzunce, seigneur de Méharin en Navarre. Il était riche, mais plus très jeune. Né en 1727, il avait environ trente-sept ans. En se mariant, il quitta son service d'aide-major au régiment de Flandre – infanterie où il laissa la réputation d'un « bon soldat, officier fort ordinaire [1] ». Malheureusement, à la suite d'une blessure, il avait été trépané, et en avait conservé, avec de violentes douleurs de tête, quelques faiblesses cérébrales.

Angélique alla s'enterrer, avec lui, dans un pays sauvage. Les premiers temps passés à Méharin furent très sévères pour la jeune vicomtesse qui vivait dans un vieux château féodal, entouré de fossés profonds, isolé au fond de la Navarre. Il était difficile de trouver un épouseur plus lointain que ce gentilhomme très dépourvu de lettres. On lui compta une dot de 180 000 livres, fournie par Mme d'Épinay jusqu'à concurrence de 30 000 livres.

En s'empressant de marier Angélique dans de telles conditions, Louise avait cédé à la panique qui s'empare des mères à l'idée de ne pas établir leur fille. Mais en exilant cette enfant en compagnie d'un vieux mari imbécile, elle lui retirait tous les atouts qu'elle avait tant souhaité lui donner. Enfermée dans son château à ponts-levis, la jeune vicomtesse devait abandonner l'espérance de culture, de progrès intellectuels et d'autonomie qui avaient aidé sa mère à ne pas rater sa vie. Mme d'Épinay avait oublié – pour le malheur de sa fille – la boutade de son oncle, lors du mariage d'une nièce trop jeune, qu'elle avait citée complaisamment en son temps : « Sottise que de marier une fille de quinze ans à un homme de quarante ! »

Elle avait réussi à faire de son Angélique une jeune fille charmante et pleine d'esprit mais, en

1. Archives du ministère de la Guerre citées par A. Rey, *op. cit.*, p. 101.

l'établissant trop jeune, elle n'avait pas achevé son travail d'éducatrice et mit fin brutalement à une expérience pédagogique qui se révélait positive.

Mme de Belzunce aura un destin médiocre et malheureux. Son fils aîné, major du régiment de Bourbon en garnison à Caen, fut lapidé en août 1789 par les révolutionnaires. Des mégères lui arrachèrent le cœur, le firent cuire et le mangèrent. Sa fille lui fut retirée par Grimm qui la garda près de lui. Elle-même émigra en Espagne pendant que son mari se rendait à Coblence. Éloignée de tous, sans argent, elle vécut dans la misère et dut travailler pour survivre. Ses malheurs l'avaient jetée dans la dévotion la plus extrême qui rendit son esprit plus étroit. Elle était devenue une femme tout à fait contraire au modèle émancipé que se proposait de réaliser Mme d'Épinay [1]. Au demeurant, elle a toujours fait honneur aux valeurs morales de sa mère, sans lui causer le moindre chagrin de son vivant.

Tel ne fut pas le cas de son fils qui accumula sottises et déshonneurs. Lorsque Louise se vit ruinée par la destitution de son mari en 1762, Louis-Joseph avait à peine seize ans. Elle voyait avec effroi se développer en lui toutes les tares paternelles et déjà sa conduite lui inspirait les plus vives inquiétudes. Elle résolut de l'enlever au « pavé de Paris » et l'envoya chez un riche négociant de Bordeaux, ami de Grimm, pour y prendre l'habitude du travail et acquérir des connaissances financières.

Malgré les lettres moralisatrices de sa mère, le jeune Louis ne put s'adapter aux habitudes austères que son patron lui imposait. Il n'aimait que le luxe, l'élégance et la musique, et, au lieu d'apaiser ses goûts de paresse, de frivolité, de dissipation, sa nouvelle situation les exaspéra. Il sort sans permission, hante la comédie et emprunte de l'argent sans se soucier des menaces maternelles de le « faire

1. Elle mourut en 1813 auprès de sa fille qui l'avait recueillie dans son château de Varennes près de Château-Thierry.

embarquer aux îles [1] »... Tout à fait inconsciemment, Mme d'Épinay lui faisait ce qu'elle reprochait à sa propre mère : elle le sermonnait sans cesse en lui faisant à tout propos une interminable morale.

En dépit des instances maternelles, la mauvaise conduite de Louis ne fit que s'aggraver et le négociant bordelais, M. Bethmann, le renvoya à sa mère. On décida de lui faire faire des études de droit pour entrer dans la magistrature. Dans la lettre qui lui annonce ces projets et son prochain retour à Paris, Mme d'Épinay a une phrase surprenante de la part de la mère aimante qu'elle fut. Alors qu'elle n'a pas vu son fils depuis seize mois, elle lui écrit sèchement :

« Vous descendrez chez moi où vous resterez vingt-quatre heures... [2]. »

En août 1767, nous retrouvons Louis d'Épinay à Pau où il remplit les fonctions d'avocat au Parlement. Quelques mois plus tard, sa mère éponge une première fois ses dettes de jeu, sans en avertir son père. Mais le jeune homme recommence de plus belle, se fait berner par un usurier et se trouve obligé de démissionner de sa nouvelle charge de conseiller sous peine d'un scandale public. M. et Mme d'Épinay, lassés de payer sans cesse de nouvelles dettes et de ne voir aucune amélioration chez leur fils, employèrent un moyen violent, fort usité du reste à cette époque : ils sollicitèrent une lettre de cachet qui leur fut accordée sur-le-champ.

Ce fut la seule fois où Louise et son mari prirent une décision commune concernant l'éducation de leur enfant. A cette occasion, Mme d'Épinay se rangeait du côté de la tradition, doutant pour la première fois peut-être du bien-fondé de ses théories. Abandonnant ses idées généreuses, elle cédait aux

1. Lettre du 9 octobre 1762, publiée *in : Les Dernières Années...*, *op. cit.*, p. 277. En novembre de la même année, Mme d'Épinay perdit sa mère.

2. Lettre du 31 janvier 1764.

anciennes habitudes de la répression parentale. C'était l'échec dûment constaté des principes qu'elle avait si longtemps proclamés. L'amour, la raison et la compréhension d'une mère ne pouvaient donc pas toujours suffire à opérer le miracle d'une éducation réussie.

Lorsqu'en 1769 elle fait jeter son fils en prison – il y restera deux ans –, Mme d'Épinay éprouva la plus cruelle déception jamais ressentie de sa vie. Elle, qui avait tout misé sur l'éducation maternelle, voyait son ambition bafouée et ses idées démenties, mais elle éprouvait aussi un terrible sentiment de culpabilité. Elle avait tant cru qu'une bonne mère fait un bon fils qu'elle ne pouvait s'empêcher de ressentir les fautes de son enfant comme une honte personnelle. Comment tant de bonne volonté avait-elle pu aboutir à un si grand échec ? Elle se revoyait jeune mariée rêvant d'une union vertueuse et jeune mère si fière de ses petits enfants, s'imaginant former des êtres d'une qualité exceptionnelle ! Mais elle s'était séparée de son époux, avait introduit des amants chez elle, marié sa petite fille trop tôt pour en faire une femme épanouie et finalement engendré un fils qui n'était qu'un voyou. Aucun des projets qui lui tenaient le plus au cœur ne s'était donc réalisé.

En cette année 1769, alors qu'elle avait déjà quarante-trois ans – âge auquel était morte Mme du Châtelet –, Mme d'Épinay dut se résoudre à une révision déchirante de ses principes et de ses sentiments. Seul moyen de survivre à ses malheurs et de reconstituer ses forces pour satisfaire son irréductible ambition.

A la suite des premières déceptions sérieuses causées par son fils, Louise prit ses distances avec lui. Ses lettres se firent progressivement plus sèches et impératives. Comprenant, sans doute, que la tendresse et la morale sont inopérantes sur Louis-Joseph, les reproches cèdent le pas aux ordres et à l'indignation. L'amour de Mme d'Épinay pour son fils semble décroître au fur et à mesure de ses incartades. Pour sauver sa tranquillité, elle tâche de se convaincre qu'elle n'a jamais eu l'entière responsabilité de Louis-Joseph...

En opposition complète avec les théories pédagogiques de Galiani – foncièrement antirousseauiste –, Mme d'Épinay lit pourtant ses lettres sur le sujet comme autant de consolations. Cet abbé qui l'aimait ne pouvait toucher plus juste lorsqu'il lui écrivait non sans humour : « Quelle folie vous prit d'aller faire des enfants avec Monsieur d'Épinay ! Ne savez-vous pas que les enfants ressemblent à leur père ? Vous voyiez que Monsieur d'Épinay était prodigue : il fallait donc faire des enfants avec mon ambassadeur [...] qui était à Paris au moment de la conception de votre fils, et il aurait rétabli les affaires de la famille. Avez-vous jamais eu le délire de croire à Rousseau et à son Émile ? Avez-vous cru que l'éducation, les maximes, les discours puissent rien à l'organisation des têtes ? Si vous y croyez, prenez-moi un loup et faites-en un chien si vous pouvez... [1]. »

Même si Louise n'approuve pas toutes ces idées, elle les reçoit comme un baume au moment où elle ne sait plus que faire pour son fils. Elle consulte davantage le conseil de famille pour que les décisions le concernant soient prises collectivement et ne l'évoque que très rarement dans sa correspondance, pourtant hebdomadaire, avec Galiani. Celui-ci s'étonne parfois d'un tel silence car il n'a pas deviné à quel point la blessure de son amie est profonde. Mme d'Épinay tâche d'oublier son fils, mais elle n'y parvient pas. Elle a le cœur brisé lorsque la famille veut le faire interdire [2], mais elle est la première à reprendre espoir lorsqu'il est nommé lieutenant des dragons de M. de Schomberg, en 1772, avant que ne reprenne le cycle infernal des dettes et de la prison...

1. Lettre de Galiani à Mme d'Épinay, 19 janv. 1771. *In : Correspondance* éditée par Perey et Maugras en 1881.
2. Lettre de Mme d'Épinay à Galiani, 23 déc. 1770.

Pour lui, elle vendra ses derniers bijoux sans la moindre illusion de le changer jamais [1].

Un jour de 1772, elle laissera échapper un cri de désespoir dans une lettre adressée à Diderot. « Montaigne, La Rochefoucauld et La Bruyère ont vu l'homme méchant, personnel et faux. Ce n'est pas par politique qu'ils croient devoir montrer le mal préférablement au bien ; c'est pour dire la vérité ; et cette vérité, ils l'ont puisée dans la connaissance de la nature humaine et de sa faiblesse [...]. Perfectionner l'Éducation ! Cette prétention me rappelle une conversation que j'eus il y a quinze ans avec Jean-Jacques et dont je vous ai déjà parlé ; il y soutenait que les pères et mères ne sont point faits par la nature pour élever [...]. Je manquais d'expérience alors ; j'avais encore toute l'illusion et l'enthousiasme [...]. Cette opinion me révolta. Mais maintenant le voile est déchiré ; j'en suis fâchée ; Jean-Jacques a raison... [2]. »

Mais Mme d'Épinay n'était pas femme à renoncer et à s'avouer vaincue. Après l'échec de son mariage, elle avait atténué son désarroi en trouvant un substitut de mari en la personne de Grimm. Maintenant c'étaient tous ses espoirs pédagogiques qui s'effondraient, mais sa volonté ne la quittait pas et une chance de tout rattraper se faisait jour en la personne d'une petite-fille de dix-neuf mois qui se prénommait Émilie...

## *La revanche « grand-maternelle »*

Le 10 janvier 1765, dix mois après son mariage, Angélique de Belzunce mit au monde, à Méharin, un fils prénommé Armand. En mars 1768, elle accouchait d'une petite Émilie. Deux fois grand-

1. Louis s'établira en Suisse, où il se mariera avec une jeune fille de la bourgeoisie de Fribourg.

2. Lettre de Mme d'Épinay à Diderot, janv. 1772.

mère, Mme d'Épinay n'a, semble-t-il, fait la connaissance de ses petits-enfants qu'au cours de l'année 1769, lors d'un voyage de sa fille à Paris. De façon étrange, elle ne fait nulle mention de son petit-fils et réserve ses enthousiasmes et sa curiosité pour la petite Émilie. Comme si elle avait définitivement renoncé à s'intéresser à l'éducation des garçons.

En revanche, plus elle regardait ce bébé encore dans les langes et plus elle était convaincue qu'il représentait l'ultime chance de sa vie. Elle décida de l'adopter.

### *Et puis elle s'appelle Émilie !*

Plusieurs raisons ont déterminé Mme d'Épinay à prendre cette décision. En 1769, elle se sent flouée sur tous les fronts. Non seulement elle a été obligée de faire incarcérer son fils, mais, pressée par les ennuis d'argent, elle se retrouve seule pour faire face à toutes ses difficultés. Grimm, son compagnon, gagné par l'ambition diplomatique, s'est mis à parcourir l'Europe, sans soucis des chagrins de Louise. Accrédité depuis 1759 par la ville de Francfort aux appointements de 24 000 livres par an, Grimm fait aussi sa cour à Catherine II et à tous les princes allemands dans l'espoir d'agrandir la clientèle de la *Correspondance* et par goût du courtisanat. Le 18 mai 1769, il quitte Paris pour se rendre en Allemagne afin d'y « réchauffer l'intérêt qu'il était sûr d'avoir eu le bonheur d'inspirer aux amis puissants que lui avaient donnés tout à la fois sa correspondance avec différents princes d'Europe, et les rapports plus particuliers qu'il avait été à portée d'établir avec plusieurs d'entre eux durant leur séjour à Paris [1]. »

1. Meister, « Le baron de Grimm », *Correspondance littéraire*, tome I, p. 10.

Il s'absentera pendant cinq mois pour parcourir l'Allemagne. En septembre, Frédéric l'accueille à Berlin en déclamant les premiers vers de *Banise* [1]. Mais « le philosophe couronné » trouve que Monsieur Grimm manque de mesure et de tact dans ses éloges. Il le retient pourtant trois jours à Postdam et cause avec lui deux heures et demie chaque jour. Grimm, tout à sa vanité, est bien loin de songer à sa compagne. Il multiplie les louanges avec une flagornerie écœurante et, tandis que le roi se moque de lui et le traite de M. de la Grimmalière, le critique oublie toute dignité et se réjouit d'être le souffre-douleur d'une Majesté [2].

A Vienne, M. de Kaunitz lui « fait un accueil le plus distingué [3] ». Au mois d'octobre, il retrouve à Darmstadt son amie, « la grande Landgrave », Caroline de Hesse dont il s'occupe de marier les filles. Il s'arrête encore à Carlsruhe, chez la margrave Caroline de Bade, et à Gotha, chez le duc. Courant les mondanités, enivré par toutes les princesses d'Allemagne, Grimm n'a d'autres contacts avec Louise que les deux lettres hebdomadaires qu'elle ne manque jamais de lui envoyer.

Revenu en France à la fin du mois d'octobre 1769, Grimm ne parle que de son voyage triomphal. Le jour de l'an 1770, il en fit un récit burlesque lors d'un souper chez le baron d'Holbach. Avec quelle emphase il parle de l'Allemagne, « le centre de l'Europe policée [4] » ! Mme d'Épinay a déjà compris qu'elle ne compte plus guère face aux têtes couron-

1. *Correspondance littéraire,* tome XVI, p. 467.

2. Sayous, *Le XVIIIe siècle à l'étranger,* 1861, tome II, pp. 248 et 455.

3. *Correspondance littéraire,* tome VIII, p. 426. Lettre à la Landgrave de Hesse, 20 juil. 1771.

4. *Correspondance littéraire,* tome VIII, pp. 414-426. Sermon philosophique prononcée dans la Grande Synagogue de la rue Royale.

nées. Dorénavant, Grimm passera davantage de temps dans les chaises de poste [1] qu'auprès d'elle.

Durant l'été 1769, Louise connaît un autre chagrin. A celui d'être délaissée par son amant s'ajoute le départ brutal et inattendu de son meilleur ami, l'abbé Galiani [2], secrétaire de l'ambassade de Naples à Paris depuis 1759. Dès 1760, il était devenu un habitué de la Chevrette, égayant l'assemblée par ses drôles de contes, son intelligence aiguë et ses gesticulations de petit homme comique. Grimm le décrivait comme un « Platon avec la verve et les gestes d'Arlequin [3] ». De Mme Geoffrin à Mme Necker, dont il fréquentait assidûment les salons, tout Paris l'adorait. Dans une lettre célèbre à Sophie Volland, Diderot en a donné les raisons : « Nous étions dans ce triste et magnifique salon de la Chevrette [...]. L'abbé Galiani entra et avec le gentil abbé la gaîté, l'imagination, l'esprit, la folie, la plaisanterie, tout ce qui fait oublier les peines de la vie [...]. L'abbé est inépuisable de mots et de traits plaisants [...]. C'est un trésor dans les jours pluvieux. Je disais à Madame d'Épinay que, si l'on en faisait chez les tabletiers, tout le monde en voudrait avoir un à sa campagne [4]. »

Les femmes se l'arrachaient, Mme d'Épinay eut sa préférence. Plus libre que Mme Geoffrin, moins prude que Mme Necker, Louise sut établir avec lui un continuel échange intellectuel qui prenait appui sur une profonde affection réciproque. Complices comme frère et sœur, elle dédia ce petit poème à leur amitié :

« Et nous établissons une espèce d'amour

1. Ses amis prirent l'habitude de l'appeler « chaise de poste », et Galiani, dans sa *Correspondance* avec Mme d'Épinay, ne l'appelle que « chaise de paille ».

2. 1728-1783.

3. Marmontel disait que « sur les épaules de cet Arlequin, était la tête de Machiavel ».

4. Lettre du 30 sept. 1760.

Qui doit être épuré comme l'astre du jour :
La substance qui pense y peut être reçue
Mais nous en bannissons la substance étendue[1]. »

Malheureusement, Choiseul n'aimait pas l'abbé. Il protégeait les économistes ; Galiani les détestait et écrivit contre eux ses fameux *Dialogues sur le Commerce des Blés*, lorsqu'en mai 1769 lui arriva la nouvelle foudroyante de son rappel. Choiseul s'était procuré le double d'une dépêche secrète de l'abbé, contraire à sa politique, et il exigeait le départ sous quatre jours du secrétaire d'ambassade. Galiani, désespéré de quitter Paris et ses amis, obéit aux ordres. De Gênes, il écrit à Mme d'Épinay : « Oui, Paris est ma patrie. On aura beau m'en exiler, j'y retomberai [2]. » « Dites mille choses de ma part à tous mes amis ; mais je n'ai pas le cœur de vous les nommer et de les passer en revue dans ma tête, car je me jetterais par les fenêtres [3]. »

Mme d'Épinay est aussi triste que son ami. Bien qu'il lui ait laissé, ainsi qu'à Diderot, la charge de corriger et de faire éditer ses *Dialogues* [4], elle se sent tout à fait seule et inutile.

En octobre de la même année, elle écrit à Galiani une lettre qui fait le point sur sa situation et ses sentiments. Presque ruinée, elle est obligée de louer sa maison de campagne, La Briche, qu'elle avait amoureusement installée après la destitution de son mari et la vente de la Chevrette. Elle avait, disait-elle, passé là avec tous ses amis les plus belles années de sa vie. En s'en séparant, elle se sentait plus seule encore et plus vieille aussi. Mais à l'heure où elle écrit, elle avait sa fille près d'elle avec son

1. Lettre de Mme d'Épinay à Galiani, 9 sept. 1769.
2. Lettre du 17 juil. 1769.
3. Lettre du 14 août 1769.
4. Lettre de Mme d'Épinay à Galiani, 26 juil. 1769 : Louise et Diderot y travaillent de onze heures à minuit.

gendre, toujours souffrant, et ses petits-enfants. Il fallait faire face à de multiples dépenses.

« J'ai des enfants, des dettes, d'anciens domestiques qu'il faut pouvoir récompenser. L'équité veut que je me réduise au nécessaire, mais je ne vous cache pas que cette réforme me coûte infiniment [...]. Il n'y a que mes amis, par leur amitié, qui puissent arrêter les progrès du noir qui me gagne journellement [1]. »

Comment chasser la solitude et annuler son échec ? Une seule solution pour cette âme tendre : s'emparer de sa petite-fille et tenter à nouveau l'expérience de la maternité. Elle s'en explique très clairement à Galiani. « Pour me dédommager de mes désastres, je vais me faire maîtresse d'école, ou, pour parler plus correctement, tout bonnement sevreuse. Il m'est arrivé, du fond des Pyrénées, une mienne petite-fille de deux ans, qui est une originale petite créature. Elle est noire comme une taupe, elle est d'une gravité espagnole, d'une sauvagerie vraiment huronne : avec cela les plus beaux yeux du monde, et certaines grâces naturelles, un mélange de bonté, de sévérité dans toute sa personne très marqué et bien singulier pour son âge. Je parie qu'elle aura du caractère, oui je le parie. Et pour qu'elle le conserve, il me prend envie de m'emparer de cette petite créature. Je me connais, cela mérite réflexion, ou plutôt il n'en faut pas faire et donner tête baissée dans ce nouveau piège que me tend mon étoile ; la sienne n'en sera pas plus mauvaise. Eh bien, voilà un motif déterminant : allons, voilà qui est dit, demain je l'enlève à sa mère, je m'en empare et *nous verrons une fois ce que devient un enfant qui n'est ni contraint ni gêné. Ce sera le premier exemple dans Paris* [...]. *Et puis elle s'appelle Émilie. Le charmant nom, et le moyen d'y résister* [2] ? »

Bien décidée, Louise se jette à elle-même l'ultime

1. Lettre à Galiani, 4 oct. 1769.
2. *Ibid.* Souligné par nous.

défi de son existence. De la petite Émilie, elle fera la jeune femme qu'elle a toujours voulu être : un être heureux, intelligent, indépendant.

### *Émilie contre Émile*

L'ambition de Mme d'Épinay ne s'arrêtait pas là. Il ne lui suffisait pas de réussir l'éducation d'Émilie. Il fallait aussi que ses principes, sa méthode et ses buts devinssent un modèle pédagogique pour les autres mères. En élevant Émilie et en notant leurs conversations en vue d'un livre, Louise poursuit un double objectif. Tracer le portrait de la bonne mère et celui du modèle féminin qu'elle souhaite voir se développer. En ce sens, Mme d'Épinay se présente comme une rivale de Rousseau sur le terrain de la pédagogie.

Elle ne se fait, certes, aucune illusion, sur l'immense supériorité intellectuelle de Jean-Jacques. Mais elle sait aussi qu'elle possède un avantage qu'il n'a pas : éducatrice de ses enfants, elle bénéficie d'une expérience considérable qui échappe totalement à son ancien ami. Rousseau a écrit un traité de pédagogie idéale, pour un enfant idéal, dans un milieu social qui n'existe pas. A partir de cette utopie, il a tracé le portrait de Sophie qui convenait le mieux au modèle masculin de ses rêves.

L'itinéraire de Mme d'Épinay est tout différent. Mère et grand-mère, elle allie constamment théorie et pratique. Confrontée à une petite fille en chair et en os, elle est obligée de tenir compte des contraintes du réel. Elle sait bien que les mères qui la liront se retrouveront mieux en elle qu'en Rousseau. Enfin, et c'est là l'essentiel, Mme d'Épinay n'élève pas une Sophie. Son Émilie n'est pas faite pour plaire à un Émile, mais pour vivre heureuse et épanouie, peut-être en dépit d'Émile...

Cela ne signifie pas que Louise ait complètement tourné le dos à la pédagogie de Rousseau. Comme lui, elle prône les conversations avec l'enfant, le développement de sa curiosité et l'enseignement par le jeu. Elle reste convaincue qu'il ne faut pas instruire trop tôt les enfants, ni les forcer à l'immobilité alors que leur corps a tant besoin d'exercices pour se développer. Mais, là encore, Mme d'Épinay n'a pas cédé aux mirages de la théorie. Elle a refusé d'appliquer le système de l'éducation négative de l'*Émile* et de laisser jusqu'à l'âge de dix ans les facultés d'Émilie inactives. Pourquoi condamner l'intelligence à cette espèce d'inertie ?

« La crainte de me singulariser, et plus encore de faire un essai malheureux, vous a sauvée de ce danger [...]. Il faut être bien confiante, pour croire à ses opinions qu'aucun succès n'a encore justifiées [voilà pour Rousseau !] de préférence aux institutions que la sagesse publique a consacrées [1]. »

Elle condamne aussi la méthode qui consistait à faire remonter « Émile » à l'origine de toutes sciences. Il est bien inutile d'inventer, confie-t-elle à Galiani, quand il suffit d'apprendre ! Elle fait son mea culpa sur sa croyance passée en l'efficacité des jeux pour apprendre les sciences aux enfants :

« Je m'en étais doutée, que les méthodes agréables d'enseigner les sciences ne valaient rien pour les enfants ; mais comme j'ai la sotte habitude de me défier de mes idées [...]. Actuellement [...] que votre lettre est venue mettre le sceau à mes opinions, l'univers et tous ces messieurs infaillibles viendraient me dire le contraire que je n'en démordrais plus. *L'expérience même a achevé la démonstration.* J'ai déjà fait cinq éducations, tant de mes enfants que de pauvres enfants dont je me suis chargée [ ?] ; aucun n'a réussi que ceux que j'ai forcés par l'application et l'assiduité à vaincre les difficultés [2]. »

Enfin, elle se sépare surtout de Rousseau sur le

1. *Les Conversations d'Émilie*, *op. cit.*, 12e conversation, 1822, p. 209.
2. Lettre à Galiani, 2 sept. 1770. Souligné par nous.

rôle essentiel qu'elle accorde à la mère. Jadis, elle avait bien pris soin de garder ses enfants à la maison et de passer de longues heures auprès d'eux. Mais, à cette époque, Mme d'Épinay était largement secondée par un précepteur et une gouvernante qui, eux, passaient tout leur temps avec l'enfant dont ils avaient la charge. Louise était certes une mère exceptionnelle dans son milieu, mais elle était trop occupée par son amant, ses amis et elle-même pour pouvoir être mère à temps complet.

Malade, abandonnée de ceux qu'elle aime, Mme d'Épinay sera pour sa petite-fille cette mère admirable qu'elle voulait être pour ses enfants, et que les mères du futur auront à cœur d'imiter. Sevreuse, éducatrice, institutrice, elle ne laissera à personne le soin d'élever Émilie. La vraie bonne mère ne quitte jamais son enfant. Elle l'accompagne dans ses promenades, joue et parle avec lui, lui donne ses premières leçons. Lorsque Louise a des lettres à écrire, la petite fille est auprès d'elle « qui joue avec sa poupée et lui fait tourner la tête [1] ». Mme d'Épinay pousse si loin le souci maternel qu'elle partage même sa chambre avec l'enfant. Avant de s'endormir, elle lui raconte des histoires drôles et des contes édifiants.

Comme Louise est souvent malade et forcée de s'aliter plusieurs jours de suite, elle se fait seconder par une « bonne » qui la remplace auprès d'Émilie lorsqu'elle ne peut se lever. Mais cette bonne n'a plus rien à voir avec la gouvernante d'antan. C'est une domestique qui s'occupe des détails de l'intendance et non plus une éducatrice professionnelle comme celle qu'elle avait embauchée pour sa fille. Car les mères dignes de ce nom ne s'en remettent pas à d'autres pour cette tâche essentielle. D'ailleurs, constate Mme d'Épinay, « nos bonnes n'ont pas toujours reçu elles-mêmes des principes assez sûrs, une instruction et une éducation assez soignées pour

1. Lettre à Galiani, 15 déc. 1771.

venir à bout d'une besogne si difficile, et pour être en état de servir de modèle parfait et irréprochable aux jeunes personnes qu'on leur confie [...]. Elles peuvent être honnêtes et fidèles ; mais on n'en doit pas attendre ni exiger des services plus essentiels et plus élevés [1] ».

Elle conclut qu'en France les mères ont l'obligation de se former elles-mêmes pour être en état de veiller sur l'éducation de leurs enfants.

L'éducation maternelle (ou « grand-maternelle ») est nécessaire parce que la mère est le seul être capable de consacrer toute son énergie à son enfant, de parfaire son instruction pour être meilleure institutrice et surtout de trouver son plaisir [2] là où un étranger n'accomplit que son devoir. La tendresse et l'intimité avec l'enfant restent la clef de voûte et le secret de toute éducation réussie. Et sur ce chapitre, la grand-mère d'Épinay était irremplaçable. Le cérémonial du coucher d'Émilie en était l'illustration quotidienne : « Dormez sans inquiétude [...]. Bonsoir, bonsoir, ma chère Émilie [...]. Ah ! revenez que je vous embrasse encore une fois [3]. »

Pourtant, à la fin des *Conversations,* ouvrage à la gloire de l'éducation maternelle, Louise réserve une surprise à son lecteur. Elle évoque les dangers de l'éducation privée et fait l'éloge de l'éducation « républicaine » qu'elle appelle de ses vœux. L'amour et la morale font place à la politique.

« Un des plus grands avantages de la forme républicaine, c'est d'influencer directement sur les caractères, d'animer la masse générale dans toutes ses parties [...] de faire connaître à chaque individu sa valeur propre, dont il ne se serait pas douté sous un autre gouvernement ; de former en même temps un esprit public [...] qui réunit toutes ces forces diverses

1. *Les Conversations d'Émilie*, 19e conversation, pp. 93-94.
2. *Ibid.*, 8e conversation, p. 5 : « La tendresse maternelle est le plus indomptable de tous les sentiments. »
3. *Ibid.*, 17e conversation, p. 44.

et mises en valeur, dans un centre commun, pour le bien général [...]. Le mérite et le talent, ou plutôt l'espérance qui les devance et les annonce, y assigne à chacun sa place ; la justice y décide seule et uniformément [...] l'exemple, l'expérience, la nécessité sont les précepteurs qui enseignent... [1]. »

Bien sûr, ce long passage sur les bienfaits de l'éducation publique s'adresse à ses futurs lecteurs masculins plus qu'aux mères ou à Émilie elle-même. Détail qui montre bien l'ambition de Mme d'Épinay de se faire entendre de tous les pédagogues patentés. Si elle a finalement opté pour l'éducation maternelle et privée, en dépit de toutes ses faiblesses, c'est que l'éducation républicaine n'était encore qu'un lointain idéal !

Ce que Louise n'avouait pas à sa petite-fille chérie, c'est qu'en choisissant de l'élever personnellement elle n'avait d'abord songé qu'à elle-même.

### *L'anti-Sophie*

De Fénelon à Mme de Genlis, en passant par Mme de Maintenon, la marquise de Lambert et Rousseau, les pédagogues ont poursuivi un même but : former les filles à leur destination future d'épouse, de mère et de maîtresse de maison. Les siècles précédents visaient à faire des jeunes filles de futures femmes agréables, à l'aise dans leur milieu social, la fin du XVIIIe siècle veut former au contraire des femmes utiles dans leur foyer. Aux arts d'agrément, comme la danse, la musique ou la broderie, on préfère maintenant les règles d'arithmétique, le raccommodage ou la cuisine.

Malgré des nuances intéressantes et des postulats philosophiques parfois très différents d'un auteur à l'autre, tous ces pédagogues du siècle des Lumières ont largement participé à l'« enfermement » des

1. 20e conversation, pp. 171-172.

femmes. Rousseau fut le plus radical et le plus écouté [1].

Sa Sophie est élevée pour plaire à Émile, et être « subjuguée [2] » par lui. Formée pour être agréable, elle sera timide, modeste et coquette. Dès sa plus tendre enfance, on la prépare à sa double tâche d'épouse soumise et de mère dévouée. On lui fait faire des exercices physiques pour être une mère robuste ; on lui donne une poupée pour se préparer à sa fonction. Avant de lui apprendre à lire et à écrire, on lui enseigne à tenir l'aiguille et à dessiner. La règle de l'utilité bannit « toutes les études oisives qui n'aboutissent à rien de bon [...]. Où est la nécessité qu'une fille sache lire et écrire de si bonne heure ? Aura-t-elle sitôt un ménage à gouverner ? Il y en a bien peu qui ne fassent plus d'abus que d'usage de cette fatale science [...]. Peut-être devraient-elles apprendre à chiffrer avant tout, car rien n'offre une utilité plus sensible [...] que les comptes [3] ».

Comme l'oisiveté et l'indocilité sont les deux défauts les plus dangereux pour elles, Rousseau conseille de les exercer à « être gênées de bonne heure [4] ». Il faut les exercer à la contrainte afin qu'elle ne leur coûte jamais rien et à dompter toutes leurs fantaisies pour les soumettre aux volontés d'autrui, c'est-à-dire à leur mari et leurs enfants. Faites pour obéir, elles doivent avoir peu de liberté et « apprendre de bonne heure à souffrir l'injustice [5] ».

Pour distraire son mari, Sophie saura chanter, danser et parler agréablement. Mais on prendra soin qu'elle ne puisse l'ennuyer avec des questions oiseu-

1. Élisabeth Badinter, *op. cit.*, Livre III, chap. I.
2. L'*Émile*, p. 693.
3. *Ibid.*, p. 708.
4. *Ibid.*, p. 709.
5. *Ibid.*, p. 710.

ses de métaphysique ou de théologie : « Ne faites point de vos filles des théologiennes et des raisonneuses, ne leur apprenez [...] qu'à souffrir le mal sans murmure...[1]. »

Véritable pédagogie de la soumission féminine, le traité de Rousseau, qui a pour titre le prénom d'un homme, ne constitue pas seulement un arrêt dans le long processus d'émancipation des femmes, il symbolise une authentique régression. En comparaison, les travaux de Fénelon ou de Mme de Maintenon sont plus stimulants. Ils ne laissent pas cette impression désespérante d'abêtissement et d'asservissement légitimes.

La femme idéale de Mme de Maintenon n'est pas très éloignée de celle de Rousseau : « Bonne chrétienne [...] mais apte à entrer sans gaucherie ni insuffisance dans la société de son temps, équilibrée, souriante, bonne épouse, bonne mère, pleine d'aisance, à sa place, contribuant dans sa modestie et sa discrétion à la conservation d'un état qu'on peut améliorer mais non conserver [2] ». Mais les jeunes filles de Saint-Cyr n'ont pas la fadeur presque stupide de la pauvre Sophie. Cela même après que Mme de Maintenon eut mis fin aux habitudes mondaines de Saint-Cyr [3], et qu'elle eut modifié le contenu éducatif de l'enseignement, en réduisant la part noble de l'apprentissage (lectures, rédactions, considérées comme des encouragements à l'autosatisfaction ou à l'autocontemplation) au profit de la part ingrate conçue comme plus formatrice moralement : les soins du ménage, les ouvrages manuels, tout ce qui rappelait aux jeunes filles les devoirs de leur état.

Néanmoins le contenu des études de Saint-Cyr était nettement supérieur à celui que proposait à

1. *Ibid.*, p. 729.
2. J. Prévot, *La Première Institutrice de France, Madame de Maintenon*, éd. Belin, 1981, p. 25.
3. En 1692.

l'époque tout autre établissement scolaire pour jeunes filles. Piété, édification morale, courage, santé physique sont des préoccupations éducatives primordiales, mais il règne à Saint-Cyr une sorte de gaieté. Mme de Maintenon avait exclu les poupées jugées abêtissantes au profit de jeux éducatifs. Si elle craignait de réveiller chez ses pensionnaires le désir du savoir, et refusait de donner des livres qui pussent exciter leur curiosité et leur imagination, elle stimulait leur intelligence par des conversations. Elle ouvrait la discussion par une question simple, enchaînait la réponse sur une question nouvelle et peu à peu élargissait le champ du débat. Les Dames de Saint-Louis ont conservé les *Entretiens*, mais *Les Conversations*, arrangées en forme de petites scènes que les élèves jouaient entre elles, sont de la main de Mme de Maintenon. Le caractère commun à toutes ces compositions, c'est qu'elles avaient pour objet de développer le jugement des demoiselles, de les exercer à bien penser et à bien dire. Mme de Maintenon ouvrait ainsi ses élèves à toutes sortes de vues sur le monde. S'attendrait-on à trouver dans un manuel d'éducation une profession de foi en faveur du libre échange, une déclaration de principes sur l'égalité de l'impôt ou des réflexions sur le service militaire ?

La compagne du roi voulait former une femme utile, exacte, industrieuse, réfléchie, contente de son sort et désireuse de faire plaisir, mais point une prude et une bégueule. Instruite sans être savante, elle fera toujours figure honorable dans le milieu qu'elle sera amenée à fréquenter aussi bien que dans son foyer.

A la fin du siècle, une autre adepte du « divin Fénelon » produira une œuvre pédagogique considérable. L'intrigante Mme de Genlis, « gouverneur » dès 1782 des fils du duc de Chartres [1], écrivit

1. L'aîné des trois jeunes princes était le futur Louis-Philippe d'Orléans.

un nombre impressionnant de traités sur l'éducation, dont beaucoup connurent un succès inouï [1]. Alliant, elle aussi, la théorie à la pratique, elle proposa des modèles d'éducation très différents pour les filles et les garçons, en insistant comme tous les éducateurs de l'époque sur la distinction des rôles et des fonctions. Pas question d'élever une fille comme un garçon, ni un enfant d'une classe sociale comme celui d'une autre condition.

Se réclamant ouvertement de Fénelon et de Mme de Maintenon, Mme de Genlis ne cache pas non plus son admiration pour l'auteur de l'*Émile*. Même si elle conteste farouchement que l'homme naisse bon, puisque à ses yeux il ne le devient que par l'éducation, elle reconnaît qu'« on doit à Rousseau une foule de préceptes relatifs à l'éducation [2] ». Plus de cent ans après la création de l'école de Saint-Cyr, et à la suite de la suppression des couvents, Mme de Genlis propose en 1790 des écoles de filles où les élèves pensionnaires seraient éduquées en fonction du modèle féminin qu'elle voulait instituer pour les décennies futures.

Dans son *Discours... sur l'éducation publique des femmes,* qui se veut le manifeste de la nouvelle éducation féminine, Mme de Genlis insiste sur l'importance du rôle de la femme, non seulement pour l'éducation des enfants, mais aussi de manière non négligeable dans l'économie du foyer et celle du pays. Elle s'inquiète du manque de préparation des femmes lorsqu'il s'agit de gérer leurs affaires. Ayant eu elle-même à souffrir de son ignorance en matière juridique, elle sent la nécessité de se familiariser avec les lois et la procédure. « Un cours de droit

1. *Adèle et Théodore* (1782) eut un grand nombre de rééditions jusqu'au début du XIX^e siècle.

2. *Discours sur la suppression des couvents et l'éducation publique des femmes, op. cit.*, p. XX. Voir aussi l'avertissement à l'édition de 1822 d'*Adèle et Théodore, op. cit.*, pp. VIII à XII.

simplifié doit nécessairement entrer dans l'éducation des femmes [1]. »

Le rôle de la femme dans l'économie générale du pays est une préoccupation tout à fait nouvelle pour l'époque. Mme de Genlis ne s'intéresse pas seulement à la jeune femme noble et à la riche bourgeoise, elle se préoccupe aussi de la fermière. Elle veut donner aux futures paysannes des connaissances précises sur l'élevage de la volaille et des bestiaux, sur les maladies les plus répandues et la manière de les traiter.

« Savoir faire une lessive, repasser, faire la cuisine avec économie, connaître les propriétés des plantes médicinales pour pouvoir soigner ses enfants ou son mari, faire soi-même son pain, décider avec propos du choix des arbres que l'on plantera dans son verger, connaître assez de jardinage pour faire pousser les pommes de terre, les haricots, les salades et les tomates nécessaires à la consommation du ménage, apprendre à conserver la viande, savoir coudre... voilà quelques-unes des connaissances que Madame de Genlis juge essentielles [2]. »

Alice Laborde remarque, à juste titre, que cette éducation pratique rappelle celle qui est offerte dans les écoles ménagères modernes et que son aspect utilitaire et pratique est une authentique innovation pour l'époque.

Reste l'état d'esprit inchangé qui préside à cette nouvelle pédagogie. « Faites pour conduire une maison, élever des enfants, pour dépendre d'un maître qui demandera tour à tour des conseils et de l'obéissance, il faut donc que les femmes aient de l'ordre, de la patience, de la prudence, un esprit juste et sain ; qu'elles ne soient étrangères à aucun genre de connaissances, afin qu'elles puissent se mêler avec agrément à toute espèce de conversation

1. *Discours...*, *op. cit.*, p. 158.
2. Alice Laborde, *L'Œuvre de Madame de Genlis*, 1966, p. 83.

[...] qu'elles réfléchissent sans disserter et sachent aimer sans emportement [1]. »

En définissant toujours la femme idéale par ses caractères distinctifs et sa finalité maternelle et ménagère, Mme de Genlis est beaucoup plus proche de Rousseau qu'il n'y paraît au premier abord. A lire *Adèle et Théodore,* qui concerne l'éducation des enfants les plus privilégiés, on ne voit pas grande nouveauté par rapport à celle de Sophie. Il est vrai que les résultats espérés sont sensiblement les mêmes.

« Adèle, à douze ans, ne sera pas en état ni de bien faire un extrait, ni d'écrire une jolie lettre, ni de m'aider à faire les honneurs de la maison. Elle aura peu d'idées, mais elle n'en aura pas une fausse. Elle déchiffrera bien la musique, jouera de plusieurs instruments et dessinera d'une manière surprenante pour son âge [...]. Elle ne saura d'histoire, de mythologie et de géographie que ce qu'elle en aura pu apprendre par nos tapisseries...[2] »

En revanche, l'éducation morale sera traitée avec beaucoup plus d'attention. On évitera soigneusement d'enflammer l'imagination des filles et d'exalter leur tête. « *Elles sont nées pour une vie monotone et dépendante.* Il leur faut de la raison, de la douceur, de la sensibilité, des ressources contre le désœuvrement et l'ennui, des goûts modérés et point de passion [3]. »

La jeune Louise d'Épinay a été élevée, à peu de chose près, comme la Sophie de Rousseau ou l'Adèle de Mme de Genlis. Elle a détesté cette éducation qui engendre l'esprit de dépendance et de soumission. Ayant fait la dure expérience de l'indignité de son mari et de la trahison de ses compagnons, elle savait, mieux que quiconque, la fragilité d'une vie féminine fondée exclusivement sur le

1. *Adèle et Théodore, op. cit.*, vol. I, p. 80.
2. *Ibid.*, vol. I, p. 114.
3. *Ibid.*, p. 123. Souligné par nous.

dévouement. Elle ne voulut pas que son Émilie pût endurer ce qu'elle avait souffert, connaître son désarroi, ses vapeurs et ses larmes inutiles. Mais plutôt que de lutter contre une société aussi fermée aux femmes, pour les faire accéder aux domaines réservés des hommes, Mme d'Épinay préféra donner à Émilie les armes de l'indépendance intérieure.

Elle lui apprend à s'insérer le mieux possible dans le monde tel qu'il est. Prenant acte de la distinction traditionnelle des rôles, elle enseigne à sa petite-fille les règles du jeu imposé. Modestie, maintien et réserve [1] sont les vertus qu'on attend d'une femme. Émilie aura tout cela.

Pour contrebalancer cet assujettissement, Mme d'Épinay enseigne à Émilie les principes de la morale stoïcienne, « la première de toutes les sciences[2] ». Comme les stoïciens sous l'Empire romain, elle définit le bonheur des opprimés. La première tâche est d'accomplir son devoir et d'être content de soi, car personne ne peut jamais vous ôter ce sentiment de satisfaction. Louise conclut à l'adresse de sa petite-fille : « On peut jouir de tous les avantages extérieurs, de grandes richesses, d'une bonne santé et cependant n'être point heureux. Mais sans biens, avec une santé faible, on peut se trouver heureux : car le vrai bonheur dépend de nous-mêmes [3]. »

Mais la pédagogie libératrice de Mme d'Épinay ne s'arrête pas à quelques préceptes stoïciens qu'auraient aussi bien pu dispenser Rousseau ou Mme de Genlis. La véritable innovation des *Conversations d'Émilie* est l'affirmation de l'égalité intellectuelle des sexes et l'importance fondamentale des études pour le bonheur féminin.

Contrairement à ses célèbres prédécesseurs, la réputation de bel esprit ne lui fait pas peur. Le mot

1. *Les Conversations d'Émilie, op. cit.*, 5e et 8e conversations, tome I, p. 114 et tome II, p. 25.
2. 5e conversation, tome I, p. 121.
3. *Ibid.*, p. 123.

n'est « qu'un persiflage inventé par les hommes pour se venger de ce que les femmes ont communément plus d'esprit qu'eux ».

A la différence de Sophie, Émilie apprendra à lire et à écrire avant sa cinquième année. Seule concession à Rousseau, elle n'aura d'autre maître que sa grand-mère jusqu'à l'âge de dix ou douze ans. Mais, durant cette première période, Louise n'entend pas perdre son temps ni interdire à sa petite-fille quelque connaissance que ce soit.

« *Je ne me permets point de fixer les bornes du savoir aux personnes de notre sexe* [...]. Du temps de notre enfance ce n'était pas l'usage de rien apprendre aux filles : on leur enseignait les devoirs de la religion [...] on leur donnait un fort bon maître à danser, un fort mauvais maître de musique et tout au plus un médiocre maître de dessin. Avec cela un peu d'histoire et de géographie [...]. Voilà à quoi se réduisaient les éducations soignées. *Surtout on ne vous parlait jamais raison ;* et quant à la science, on la trouvait très déplacée dans les personnes de notre sexe [1]. »

Mme d'Épinay n'aura pas peur de transformer Émilie en « raisonneuse », ou en femme savante, du moment qu'elle n'étale pas sa science avec pédanterie, « car ce n'est pas de la science elle-même qu'on se moque, mais de la manière dont on se vante de la science [2]. »

Le programme des études qu'elle lui réserve, lorsqu'elle aura grandi, est d'une rare ambition pour l'époque. Louise ouvre largement aux femmes le domaine de la littérature française, anglaise, italienne. Un peu de métaphysique, la morale, la géographie, l'histoire et les sciences sociales [3]. Mme d'Épinay trouvait même ce programme encore bien insuffisant, puisque à ses yeux les femmes pouvaient

1. 12e conversation, tome II, pp. 200-201. Souligné par nous.
2. *Ibid.*, p. 218.
3. Lettre à Galiani, 20 janv. 1771.

prétendre à toutes les sortes de connaissances. Mais comme la société d'alors ne leur permettait pas d'en savoir plus, il fallait déjà se contenter de ce minimum.

En opposition avec tous, voici l'éloge des études pour les femmes que Mme d'Épinay développe longuement :

« Lorsque vous portez vos soins à cultiver votre raison, dit-elle à Émilie, à l'orner de connaissances utiles et solides, vous vous ouvrez autant de sources nouvelles de plaisir et de satisfaction, vous vous préparez autant de moyens d'embellir votre vie, autant de ressources contre l'ennui, autant de consolations dans l'adversité, que vous acquérez de talents et de connaissances. Ce sont des biens que personne ne peut vous enlever, qui vous affranchissent de la dépendance des autres [...] qui mettent au contraire les autres dans votre dépendance ; car plus on a de talents et de lumières, plus on devient utile et nécessaire dans la société [...] voilà du profit tout clair : liberté et force [1]. »

Rousseau peut bien enfermer les femmes dans leur foyer, Mme d'Épinay leur donne la grande recette pour s'en évader. Elle renverse le principe de dépendance établi par Jean-Jacques. C'est là la critique la plus évidente jamais faite en ce temps à la doctrine de Rousseau. C'est également l'incomparable grandeur de Mme d'Épinay d'avoir compris deux siècles avant beaucoup d'autres que les femmes devaient œuvrer elles-mêmes pour leur bonheur et ne pas s'en remettre uniquement aux hommes.

Notre grand-mère prenait sa plus belle revanche, par l'intermédiaire d'Émilie, contre Rousseau et tous les siens.

1. *Les Conversations d'Émilie,* 12e conversation, tome II pp. 222-223.

Parvenue à la fin de sa vie, Mme d'Épinay pouvait éprouver une grande satisfaction : elle avait réussi une complète émancipation intellectuelle. C'en était bien fini de la fascination pour les systèmes de pensée ou de l'admiration béate pour les esprits brillants de son entourage. Non que Louise eût jamais la prétention de les égaler, elle garda jusqu'au bout le complexe de l'autodidacte [1]. Mais elle avait acquis la conviction que son expérience personnelle valait bien les théories de ces messieurs. En matière d'éducation, par exemple, elle ne laissait plus à personne le soin de la conseiller.

« Tous ces faiseurs de plans et de phrases sont si loin de la vérité et du véritable but auquel les pratiques qu'ils indiquent veulent mener, qu'en vérité je reléguerais volontiers leurs livres dans la classe...[2]. »

Elle n'a jamais nommé Rousseau parmi ces faiseurs de plans, mais certaines allusions, dans *Les Conversations*, laissent supposer qu'il en faisait partie. Notamment lorsqu'elle évoque les dangers de son éducation négative, une « opinion qu'aucun succès n'a encore justifié [3] ». En revanche, elle ne prend aucune précaution rhétorique pour critiquer les ouvrages pédagogiques publiés après 1770. Dans une lettre à Galiani, elle passe au crible un livre de l'abbé Coyer intitulé *Plan d'éducation publique.*

« C'est encore un de ces ouvrages séduisants dans la théorie, mais dont la pratique est irréalisable. Pour que celui-ci pût être utile, il faudrait trois ou quatre petites conditions sans lesquelles tout son édifice tombe et se réduit à rien [4] . » Suivent l'analyse impitoyable des contradictions du livre et sa

1. *Ibid.*, p. 202.
2. Lettre à Galiani, 2 sept. 1770.
3. 12e conversation, tome II, p. 209.
4. Lettre à Galiani, 15 juil. 1770.

conclusion désabusée : « Il ne faut assurément pas prétendre suivre le *Plan d'éducation* de l'abbé Coyer ; mais il faut le lire. C'est le rêve d'un homme bienfaisant, d'un citoyen zélé ; mais c'est le livre d'un homme qui n'a jamais eu d'enfants à élever ni à lui ni aux autres [...]. Malgré tout cela, il fera des enthousiastes. Qui n'en fait pas ? »

Lorsque paraît, anonymement, le livre de d'Holbach, *Système social...* [1], qui traite, entre autres choses, du pouvoir de l'éducation, Louise en fait le compte rendu pour son ami [2]. Il ne semble pas qu'elle ait su dès cette époque que l'ouvrage était d'une de ses meilleures relations, à moins qu'elle n'ait prétendu ne pas le savoir, mais son commentaire est d'une grande sévérité. Ne trouvant pas dans le livre une seule idée neuve, elle en critique sévèrement les propositions idéalistes, comme celle-ci : « On fait de l'homme tout ce que l'on veut. Le plus grand scélérat aurait pu devenir un homme de bien, si le sort l'eût fait naître sous des parents vertueux, sous un gouvernement sage et éclairé. »

Après la douloureuse expérience d'un fils dévoyé, Mme d'Épinay trouvait imbécile ce genre de propositions et répliquait : « Cela n'est pas vrai ; l'homme se modifie sans doute ; mais il reste toujours ce que la nature l'a fait [...]. Sans doute on fait très bien de prêcher aux hommes de se défaire de leurs préjugés et de leurs erreurs, et de perfectionner l'éducation ; mais de croire que les hommes éclairés en deviendront meilleurs ou parfaits, que les passions de chaque individu se plieront aux spéculations de la philosophie par le seul pouvoir de la raison, c'est une belle chimère... [3]. » Elle se moque de ces propos qui font « tomber les profonds rai-

1. *Système social ou principes naturels de la morale et de la politique, avec un examen de l'influence du gouvernement sur les mœurs*, 1772.

2. Lettre à Galiani, 12 janv. 1773.

3. *Ibid.*

sonnements de ces messieurs dans la classe des amplifications de rhétorique, et des déclarations de nos jeunes garçons philosophes [1] ».

Même Galiani, en qui elle a mis toute sa confiance, ne peut plus l'influencer. Résolument opposé à Rousseau, Galiani s'est exprimé dans ses lettres à Louise et un petit *Dialogue sur les femmes.* Selon lui, l'éducation est la même pour l'homme et les bêtes. C'est un dressage qui accoutume l'enfant à souffrir l'ennui et à se plier à la volonté d'autrui. Elle élague les talents naturels pour donner place aux devoirs sociaux. Galiani condamne la méthode qui fait de l'étude un jeu et insiste, à la différence de Rousseau et de son amie, sur l'éducation dans les toutes premières années. « J'en conclus qu'à deux ans la chose est faite ; les plis des vices et des vertus sont donnés. Nous n'aurons donc jamais de grands hommes si nous n'avons de grandes nourrices [2]. »

En désaccord avec sa correspondante, l'abbé n'attachait pas une grande importance à l'éducation des femmes. Il se contentait de suggérer qu'on leur apprît leur langue pour qu'elles puissent « parler et écrire correctement la poésie [3] » et qu'elles cultivent leur imagination... Peu de chose en regard des exigences de Louise.

C'est dans une lettre du 13 septembre 1773 que celle-ci mentionne pour la première fois *Les Conversations d'Émilie.* Elle confie à Galiani qu'elle y travaille huit heures par jour. Gênée d'avouer qu'elle écrit et qu'elle souhaite publier, elle anticipe les commentaires de l'abbé en se moquant d'elle-même : « Je ne vous en parle pas parce que j'attends quelques bonnes plaisanteries de votre part ; et comme j'ai encore quelque chose à y faire, cela me dégoûterait peut-être de l'achever. Quand il sera

1. *Ibid.*
2. Lettre à Mme d'Épinay, 3 avril 1773.
3. Lettre à Mme d'Épinay, 2 fév. 1771.

fini, je vous donne carrière, et je serai la première à en rire avec vous [1]. »

Pour justifier une entreprise qui peut apparaître comme un exercice de vanité, elle ajoute : « Je n'ai cherché que l'avantage de mes petits-enfants et mon amusement. Je suis très certainement parvenue au dernier point de ma prétention ; je fais des vœux pour être aussi satisfaite du premier [2]. »

En réalité, tout ceci n'est que prétexte ! Mme d'Épinay ne travaille pas avec cet acharnement pour se distraire uniquement, alors qu'elle est très malade. Il lui faut une volonté exceptionnelle pour écrire si longtemps tous les jours. La décision d'entreprendre un tel ouvrage est autrement motivée. En janvier 1773, son fils est de nouveau en prison pour dettes. Désespérée, elle emprunte pour pouvoir rembourser, demande son élargissement en mai et prend la pénible décision de le faire interdire. Dans ces moments difficiles, elle est seule, abandonnée par Grimm qui a repris la chaise de poste dès avril 1773 pour aller porter ses hommages aux pieds de Catherine de Russie. Louise sait bien cette fois-ci qu'elle perd son compagnon pour longtemps [3]. Triste à mourir [4], affreusement enflée [5], elle souffre le martyre du ventre. Elle est d'ailleurs si mal en point que Diderot, venu lui faire ses adieux en juin, avant de partir à son tour pour la Russie, a l'impression qu'il ne la reverra plus vivante...

C'est pourtant à cette époque qu'elle décide de rédiger *Les Conversations d'Émilie.* Cet ultime espoir de donner un sens à sa vie est à ses yeux le plus sûr moyen de lutter contre l'amertume, une infinie tristesse et le sentiment de l'échec.

1. Lettre à Galiani, 13 sept. 1773.
2. *Ibid.*
3. Grimm, enivré par les bontés de l'impératrice, ne rentrera en France qu'en septembre 1774, après dix-huit mois d'absence.
4. Lettre à Galiani, 29 mars 1773.
5. Lettre à Galiani, 13 juin 1773. Elle lui dit qu'elle souffre d'une « hydropisie enkystée ».

Dans l'Avertissement à la seconde édition, elle s'explique sur cette publication. Elle commence par affirmer la modestie de son projet : « Également éloignée de la prétention de fixer les regards du public sur ses productions, et dépourvue des talents nécessaires pour se le faire pardonner [1]. » Elle explique ensuite que cette œuvre l'a aidée à surmonter « les terreurs de la mort » et que peut-être son expérience ne sera pas inutile à ceux qui ont la charge d'élever des enfants. Elle sait « combien il y a loin de ce que la tendresse imagine à ce que l'expérience apprend ». Or ces *Conversations* ne font état que des problèmes qui se posent journellement à une mère. En fait, Mme d'Épinay a décidé de publier ses entretiens avec sa petite-fille, car elle a tout à fait conscience de faire œuvre de nouveauté. Elle connaît l'intérêt pour la pédagogie d'un nouveau public, lassé des élucubrations inapplicables de théoriciens utopistes. Elle est la première mère à vouloir faire profiter d'autres femmes de son expérience, en s'adressant directement à elles avec un ton et un langage qui leur soient familiers.

« Ces entretiens doivent, mieux que toutes les maximes générales, guider une mère dans cette entreprise douce et pénible, dont sa tendresse lui exagère tour à tour les difficultés et les succès. Il serait sans doute à désirer que toute mère attentive voulût confier au public le fruit de son expérience, surtout *dans un moment où l'amour maternel semble pénétrer tous les cœurs avec plus d'énergie et de force, et où, dans la plupart des jeunes mères, tous les goûts, tous les intérêts ont cédé la place à cette passion impérieuse et touchante* [2]. »

Parce que Mme d'Épinay a pu donner à l'éducation d'Émilie « une suite que peu de mères pourront concilier avec leurs devoirs et les circonstances de

1. Avertissement à la seconde édition des *Conversations d'Émilie.*

2. *Ibid.* Souligné par nous.

leurs positions [...] et qu'il en est résulté une intimité exceptionnelle avec l'enfant », elles ont concentré entre elles deux « le secret de l'éducation ». Louise s'est donc sentie porteuse d'un message privilégié qui valait bien la peine d'être rendu public. Pour la première fois elle ose publier sous son nom. Elle a définitivement rompu avec l'idéal féminin transmis par sa mère. Elle ne craint plus de faire parler d'elle. Quoi qu'il en soit de ses protestations de modestie, elle espère que le message sera entendu et qu'on lui reconnaîtra enfin le titre de « femme d'un grand mérite ».

En juin 1774, la *Correspondance littéraire* annonçait la prochaine publication du livre avec des compliments pour l'auteur et... un contresens de taille sur l'application des théories rousseauistes : « Une femme de beaucoup d'esprit et d'une raison très supérieure [...] vient de composer [un bon livre] à l'usage de sa fille, dans lequel nous avons cru trouver *l'exécution la plus heureuse du catéchisme moral dont Jean-Jacques* a tracé le projet dans son *Émile*[1]. »

Les premiers jours de 1775 apportèrent à Mme d'Épinay une des plus vives jouissances qu'elle pût goûter. Le 9 janvier, elle écrit à Galiani : « Vous n'avez pas encore reçu mes *Dialogues*. Ils sont publics ici, malgré les précautions que je croyais avoir prises pour rester ignorée [l'hypocrite !]. Ils ont un succès fou, réellement à mourir de rire, parce que cela n'était pas fait pour tourner les têtes qui n'ont ni enfants ni petits-enfants. Il n'y a pas jusqu'à la mère Geoffrin qui est obligée à en dire du bien. Elle en est bien fâchée, je crois. J'apprends tout cela de dessus mon grabat, et cela me fait rire [...]. Mais cependant, si vous alliez ne pas les trouver bons ?... »

Louise sera vite rassurée. Dès le 14 janvier,

1. *Correspondance littéraire*, tome X, p. 441, juin 1774. Souligné par nous.

Galiani lui répond : « J'ai lu par bouts et morceaux. Tout ce que je vous dirai ce soir, c'est qu'il m'a paru très original et nouveau, à cause du genre [...] vous le prenez au bégaiement, pour ainsi dire, ce qui n'avait été encore fait par personne [...] vous prenez la base fondamentale du savoir humain. » Le 28 janvier suivant, il a enfin tout lu et rend son verdict : « Vous avez pensé me faire étouffer de rire. Si j'en étais mort, votre livre en aurait été la cause. Cette dixième conversation est chose incroyable (car le mot chef-d'œuvre est trop avili) [...]. Je m'en servirai comme d'une pierre de touche pour connaître les hommes. »

Le même jour, Louise reçoit une lettre exquise de Voltaire. Il ne l'a pas encore lue, mais traduit les impressions de la descendante du grand Corneille à laquelle il l'a donnée à lire. « Elle s'interrompt à chaque instant pour s'écrier : « Ah, la bonne maman ! la digne maman. »

L'accueil fut enthousiaste de la part de Catherine de Russie qui fera traduire le livre en russe. L'impératrice avait trouvé, écrit Grimm, « un grand fond de naturel et de bon sens, pas une phrase entortillée ni alambiquée [...]. Ce que sa Majesté aimait particulièrement, c'était l'emploi de la méthode socratique, qui, à la place des lieux communs dont on a coutume de remplir les jeunes têtes, apprenait comment il fallait développer dans chacune le germe de ses propres idées...[1] ».

Le 19 août, Galiani revient à la charge pour complimenter son amie, alors que le sujet était sorti de l'actualité : « J'ai repris ces jours passés la lecture de vos *Dialogues ;* et je suis tombé sur ce petit catéchisme du douzième dialogue : c'est un chef-d'œuvre. Il est au-dessus de tous les éloges : très peu de personnes sont en état d'en mesurer l'effet progressif. »

Au succès d'estime de ses amis s'ajoute l'accueil

1. Grimm, *Mémoire historique...*, tome I, p. 33 (éd. Tourneux).

très favorable de la critique. En mai 1775, La Harpe lui consacre un article élogieux dans le *Mercure de France.* Le livre se vend très bien et, après l'Allemagne et la France, c'est l'Italie qui en offre une nouvelle édition. Très encouragée par cette tardive réussite, Mme d'Épinay décide de poursuivre son entreprise en continuant de noter ses conversations avec sa petite-fille grandissante. En 1781, elle est tout aux soins de la seconde édition des *Conversations d'Émilie,* corrigée et largement complétée et qui comprend à présent deux volumes.

Cette fois c'est Garat qui rédige un compte rendu enthousiaste pour le *Mercure de France.* Désireux de souligner le talent exceptionnel de Mme d'Épinay, il ne s'épargne pas quelques propos misogynes qui n'ont pas dû lui plaire : « L'auteur de cet ouvrage est distinguée surtout par un talent qui, au premier coup d'œil, ne paraîtrait pas devoir appartenir à son sexe, c'est celui de définir et les mots et les choses avec une justesse et une précision que peu de philosophes ont connues [...] [les femmes] ont l'esprit fatigué promptement des idées abstraites...[1]. »

L'impératrice a accepté la dédicace de cette seconde édition, donnant ainsi un prestige important au livre de Louise, mais celle-ci rêve d'une consécration plus éclatante encore. Elle décide de concourir pour la première attribution du prix Montyon fondé en 1782 pour récompenser l'ouvrage de l'année « dont il pourrait résulter le plus grand bien pour la société [2]. »

Différents ouvrages avaient partagé l'attention des juges de l'Académie française : un livre de Daubenton sur les moutons, un ouvrage de Parmentier sur les pommes de terre, et *Adèle et Théodore* de Mme de Genlis. Les deux premiers furent renvoyés à l'Académie des sciences ; ne restèrent en lice que les deux ouvrages de pédagogie. Comme Mme de Gen-

1. *Mercure de France,* 19 mai 1781, p. 122.
2. Le prix était rendu par l'Académie française.

lis avait sévèrement attaqué les encyclopédistes dans le sien et que d'Alembert n'avait pas pu la convaincre de cesser ses attaques contre la promesse d'être la première femme élue à l'Académie (oui ! on parlait beaucoup de l'entrée des femmes dans l'honorable enceinte), celle-ci faisait mine en public de concourir pour la gloire, sans se faire d'illusion sur ses chances de l'emporter. En réalité, elle ne doutait pas que l'Académie ne se crût obligée de lui décerner le prix. Une lettre à son cousin le comte de Tressan, élu depuis peu, montre comment elle s'y prenait pour forcer les résistances.

« Il n'y a qu'une seule médaille qui puisse me flatter : c'est celle qu'on va donner. Si je ne l'ai pas, ils feront bien de ne pas m'en offrir d'autres par la suite. Je sais qu'il y a une petite cabale pour la faire donner aux *Conversations d'Émilie, petit ouvrage qui n'est connu que parce que je l'ai loué* et que je n'ai loué que parce qu'il est d'une femme. D'ailleurs, *cet ouvrage plein de fautes de langage, sans intérêt,* rempli d'expressions du plus mauvais ton, n'est pas dans le cas de concourir. Le premier volume, le seul qu'on pût lire et le seul dont j'ai parlé, a paru il y a quatre ans. Cette deuxième édition n'offre rien de nouveau que le deuxième volume, et de l'aveu de tout le monde, ce deuxième volume est détestable [...]. Voilà ce que vous pouvez dire comme de vous-même : et d'ailleurs proposez-leur de lire, s'ils le peuvent, ces *insipides conversations,* et engagez-vous à leur présenter au moins *vingt pages de phrases qui ne sont pas françaises et de mots dont les seules femmes de chambre se servent* [...] je m'engage, moi, à vous fournir cet extrait quand vous voudrez [...]. Au reste je m'en rapporte bien à vous pour faire valoir *Adèle et Théodore* [...]. A vous dire vrai, cette médaille me fera plaisir [1]. »

Joli témoignage de jalousie féminine qui n'est pas

1. *Souvenirs du comte de Tressan* (1897), p. 285. Souligné par nous.

sans faire penser aux propos de Mme du Deffand sur sa cousine du Châtelet ! Propos d'autant plus mal venus que Mme de Genlis avait été reçue chaleureusement par Louise deux ans auparavant.

Le comte de Tressan paya de sa personne pour servir au mieux les intérêts de sa cousine. Mme de Genlis, de son côté, se déployait « en des visites et des démarches qui ne sont point d'usage [1] ». L'Académie, dominée par les encyclopédistes, dédaigna les intrigues et les menaces ridicules de Mme de Genlis. Quelques immortels la défendirent par amitié : Buffon, Chastellux (vieil ami de Louise !) et La Harpe votèrent pour elle. Mais les philosophes, menés par d'Alembert et Saint-Lambert, l'emportèrent, et le prix fut décerné à Mme d'Épinay le 13 janvier 1783.

La *Correspondance littéraire* commenta ainsi le succès de son ancienne rédactrice : « L'ouvrage de Mme d'Épinay [...] méritait de l'emporter sans doute et comme plus utile et comme plus original [...]. Le jugement de l'Académie n'a étonné que Madame de Genlis [...]. Elle se console aujourd'hui de cette petite disgrâce, en ne l'attribuant qu'à l'indiscrétion qu'elle a eue de parler trop bien de la religion et trop légèrement des philosophes. Il y a lieu de croire, en effet, que la philosophie n'a pas été fâchée de rabattre un peu l'orgueil de Madame de Genlis [...]. Au plaisir d'être juste [pour Mme d'Épinay], il est doux de pouvoir joindre encore celui de se venger [de Mme de Genlis]. Mais comment cette vengeance philosophique pourrait-elle atteindre la haute piété de notre illustre gouvernante [2] ? »

Mme d'Épinay remporta le prix Montyon avec trois fois plus de voix que sa concurrente. Tout Paris parla de l'affrontement entre les deux femmes qui incarnaient deux écoles de pensée différentes. On prit parti contre celle qu'on détestait. Mme la

1. La Harpe, *Correspondance littéraire*, lettre CCVIII.
2. *Correspondance littéraire*, tome XIII, janv. 1783.

duchesse de Grammont dit avec sa franchise accoutumée « qu'elle est ravie que Madame d'Épinay ait eu le prix, d'abord parce qu'elle espère que Madame de Genlis en mourra de dépit, ce qui serait une excellente affaire, ou qu'elle se vengera par une bonne satire contre les philosophes, ce qui serait encore assez gai ; ensuite parce qu'elle est bien aise que tout le monde voie ce qu'elle soupçonnait depuis longtemps, que l'Académie tombe en enfance [1] ».

Mme d'Épinay était heureuse. L'Académie avait eu la délicatesse de lui faire annoncer la nouvelle par Saint-Lambert, son ami de trente ans. Elle écrivit une lettre de remerciements à d'Alembert, secrétaire perpétuel, qui lui répondit : « La compagnie désire beaucoup, Madame, que vous lui fournissiez, par de nouveaux succès, l'occasion de rendre justice à vos talents et à votre zèle pour les rendre utiles [2] »

Mme d'Épinay n'aura pas l'occasion de réaliser ce vœu. Trois mois plus tard, le 15 avril 1783, elle s'éteignait des suites de sa longue maladie. Elle avait cinquante-sept ans. Les douleurs insupportables, que l'opium ne pouvait plus calmer, lui faisaient paraître plus que son âge. Mais les succès de ses dernières années l'avaient apaisée. Sous le masque de cette dame prématurément vieillie, perçait enfin le visage de l'ambitieuse petite fille de neuf ans qui s'était juré d'être « un grand sujet [3] ».

1. Rapporté par la *Correspondance littéraire*, tome XIII, janv. 1783.

2. Lettre du 18 janvier citée par la *Correspondance littéraire*, *ibid.*

3. *Pseudo-Mémoires*, tome I, p. 10.

## CHAPITRE VII

# LES LIMITES DE L'AMBITION FÉMININE

LES Émilie appartiennent, par leur milieu, leur caractère et leur intelligence, à la caste des plus privilégiées. Elles ont ignoré la plupart des interdits qui pesèrent si lourd sur les femmes du siècle suivant. Elles ont vécu comme elles l'entendaient, ayant eu apparemment accès à tous les domaines qui les intéressaient. Elles ont même eu la joie insigne de voir leur talent reconnu publiquement.

Quels pouvaient être leurs griefs ? Si elles n'ont pas eu le rang d'un Maupertuis ou d'un Rousseau, probablement n'avaient-elles pas leur génie. Mais aucune femme de cette époque, pourtant riche en intelligence et en talents, n'a pu prétendre les égaler. Rien ne nous permet d'affirmer que les Émilie soient des Voltaire ou des Rousseau avortés ; que leur éducation et leur milieu soient les seules causes de leurs limites. On ne saurait laisser entendre que les contraintes qui ont pesé sur elles – comme sur la plupart des femmes – aient eu raison du génie qui était le leur. Peut-être ont-elles fait preuve de toutes leurs capacités intellectuelles et sans doute n'auraient-elles pas fait mieux si les dieux les avaient fait naître de sexe masculin.

Le génie est toujours exceptionnel. Mais n'est-il réservé qu'aux hommes ?

Les Émilie, qui n'ont jamais douté de l'égalité des sexes, se sont, chacune à leur tour, posé la question. Dépendantes de leurs sentiments, leurs facultés entravées par l'éducation et les mœurs de l'époque, prisonnières du statut fait aux femmes, les Émilie ont eu conscience de ne pas posséder toutes les cartes du jeu de l'ambition. Elles ont elles-mêmes recensé leurs maux et suggéré quelques remèdes.

## *La priorité au bonheur*

Nos héroïnes ont davantage sacrifié à l'ambition que la majorité de leurs contemporaines. Cela ne signifie pas qu'elles s'y soient consacrées entièrement, comme ont pu le faire la plupart des vrais ambitieux du sexe masculin, depuis toujours.

La grande ambition ne va pas sans un égoïsme forcené. Elle exige temps, pensées, énergie, sous peine de n'être que médiocre. Or comment ne pas remarquer le refus millénaire des femmes de faire passer leur ambition personnelle avant toute autre considération ? Bien sûr, le conditionnement social explique largement cette attitude, mais ne renoncent-elles pas plus difficilement que les hommes à être heureuses ? En témoigne le mot célèbre de Mme de Staël qui évoque la gloire comme le « deuil éclatant du bonheur ».

Les femmes savent que l'ambition n'est guère propice au bonheur et elles font presque toujours le même choix. Le véritable ambitieux, lui, est continuellement projeté sur le futur auquel il sacrifie sans cesse le présent. Sa principale satisfaction est la représentation de ses succès.

Les Émilie ne furent certes pas dénuées d'égoïsme ni d'une telle faculté d'anticiper leur avenir. Mais elles n'ont *jamais* pu faire abstraction de ce qui constituait leur bonheur, l'amour de l'être qu'elles avaient choisi d'aimer. En cela, elles ressemblent à l'immense majorité de leurs sœurs pour lesquelles l'amour maternel ou conjugal reste l'objectif premier de la vie.

Accorder une telle importance à ce sentiment met nécessairement dans un état de dépendance et de soumission, souvent incompatible avec la réalisation d'une grande ambition. Ce n'est pas un hasard si Mme du Châtelet s'est arrêtée de travailler et d'écrire pendant plus de quatre ans alors qu'elle souffre mille morts des infidélités de Voltaire. Ce n'est pas plus fortuitement que Mme d'Épinay s'est enfin décidée à se consacrer à la pédagogie et à l'écriture lorsqu'elle a renoncé à garder Grimm auprès d'elle et à voir son amour maternel payé de retour par son fils. L'ambition n'a pris la première place chez elles deux que lorsqu'elles ont perdu tout espoir de bonheur.

On ne pourrait en dire autant de Voltaire ou de Grimm. Pendant que Mme du Châtelet le trompe avec Maupertuis, Voltaire continue imperturbablement son œuvre : en 1734, il complète les *Lettres philosophiques,* des *Remarques sur Pascal,* il travaille au *Siècle de Louis XIV*, écrit *Alzire,* deux opéras, *Tanis* et *Zélide, Samson, La Mort de Jules César* et commence *La Pucelle* !... Qu'il soit heureux ou malheureux, la production de Voltaire reste inchangée. Il en est de même pour Grimm ou Rousseau. Au plus fort de sa passion déçue pour Mme d'Houdetot, Jean-Jacques pense à l'*Émile,* prépare *Le Contrat social,* rédige *La Nouvelle Héloïse,* et publie la *Lettre à d'Alembert sur les spectacles.*

Aucune de nos Émilie n'a fait mystère de l'importance primordiale qu'elles attachaient au bonheur à deux. Alors que Tronchin conseillait à Mme d'Épinay de ne pas aimer pour ne pas souffrir, elle lui répondait que, sans amour, il n'y avait pas de bonheur et que la vie ne valait pas d'être vécue [1]. Elle ne dit pas autre chose à Grimm lorsque, isolée à

1. *Mes moments heureux, op. cit.*, p. 305.

Genève, elle lui écrivait : « Le bonheur est aussi essentiel que la santé [...] et il est bien inutile [de rester à Genève] pour rétablir la mienne, si j'y suis sans vous [1]. »

Le *Discours sur le bonheur* de Mme du Châtelet montre l'importance qu'elle accorde aux passions, « ce qu'il faudrait demander à Dieu si on osait lui demander quelque chose [2] ». Celle qui peut nous rendre le plus heureux « met entièrement notre bonheur dans la dépendance des autres : on voit bien que je veux parler d'amour ». Et elle ajoutait, se dévoilant tout à fait : « Cette passion est peut-être la seule qui puisse nous faire désirer de vivre. »

De tels propos ne se trouvent pas chez les grands ambitieux. Ils sont impensables dans la bouche d'un Napoléon, d'un Rastignac et même d'un Voltaire. Diderot lui-même, qui a montré une passion constante pour Sophie Volland, n'a pas hésité à la quitter un an pour aller faire sa cour à Catherine II, en même temps que Grimm. Peut-on imaginer un seul instant nos deux Émilie délaissant leurs amants pour courir fortune au loin ? Si les mœurs ne le permettaient pas, c'est surtout leurs sentiments qui les auraient retenues auprès d'eux.

### *Dépendantes et soumises*

Si autoritaire que fût Mme du Châtelet, elle fit la cruelle expérience de la dépendance et du sacrifice. Elle l'éprouva pour la première fois durant l'hiver 1736-1737. Alors qu'elle vivait les plus belles années de ses amours avec Voltaire, il fut obligé de quitter précipitamment la France, sous la menace d'une lettre de cachet. Parti en Hollande pour faire imprimer son Newton, Voltaire paraît très heureux loin

1. *Pseudo-Mémoires*, tome III, p. 372.
2. *Op. cit.*, p. 5.

d'Émilie, peu pressé de lui donner des nouvelles et encore moins de rentrer chez elle.

En revanche, chaque jour qu'elle passe séparée de lui accuse la tristesse d'Émilie. Elle confie à d'Argental, presque quotidiennement, la montée de ses angoisses. Elle ne s'inquiète d'abord que de la santé de son amant et refuse absolument qu'il aille en Prusse, parce que le climat est froid, qu'il se passerait des mois entiers avant qu'elle pût avoir de ses nouvelles et qu'elle en mourrait d'inquiétude... [1]. Un peu plus tard, elle se plaint de ne pas recevoir de lettres et avoue qu'elle est « trop malheureuse [2] ». En dépit de ses recommandations, Voltaire s'apprête à rencontrer Frédéric. Elle écrit : « Cirey n'est plus que des montagnes, et moi une personne fort malheureuse [...]. *Quand M. de Voltaire nous a quittés, tout bonheur, tout agrément et toute imagination nous a aussi abandonnés.* Il y a un mois qu'il a sacrifié Cirey à sa reconnaissance pour les bontés dont le Prince Royal de Prusse l'honore [...]. *J'ai sacrifié mon bonheur à son devoir* [3]. »

L'inquiétude d'Émilie laisse bientôt place à la jalousie et au désespoir le plus sombre. Elle craint d'être trompée et ne voit plus d'autre issue pour le faire rentrer qu'un chantage à la maladie et à la mort : « Je crains fort qu'il ne soit bien plus coupable envers moi [4] qu'envers le ministère [...]. Je vous jure bien que je ne me sens pas la force de résister au chagrin que j'en ressentirais [...]. Je ne suis pas née pour être heureuse [...]. Si je l'osais, je vous prierais de faire encore un dernier effort sur son cœur. Mandez-lui que je suis bien malade [...] et qu'il me

1. Lettre à d'Argental, 21 déc. 1736.
2. Lettre à d'Argental, 31 déc. 1736.
3. Lettre à Algarotti, 11 janv. 1737. Souligné par nous.
4. Dans sa dernière lettre, Voltaire l'appelle « Madame » et signe de son nom. Cette froideur lui « en a tourné la tête de douleur » (lettre à d'Argental, 30 janv. 1737).

doit au moins de revenir m'empêcher de mourir. Je vous assure que je ne mens pas trop, car j'ai de la fièvre depuis deux jours : la violence de mon imagination est capable de me faire mourir en quatre jours [1]. »

Mme du Châtelet sait bien qu'elle exagère, mais il est vrai qu'elle est malade de l'absence de Voltaire. Une profonde mélancolie s'empare d'elle, qui l'empêche d'être à elle-même. Séparée de son amant, Émilie est totalement aliénée.

Sensible aux cris de désespoir de sa compagne, Voltaire se décide, sans enthousiasme, à rentrer enfin en France : « Je pars incessamment de Hollande malgré moi ; l'amitié me rappelle à Cirey : on est venu me réclamer ici [2]. »

Fin février 1737, Voltaire est de retour à Cirey. Émilie apaisée a retrouvé sa santé sur l'heure !

Le même scénario se reproduira en 1743 lorsque Voltaire, en froid avec elle, part pour la Hollande et la Prusse jouer les apprentis diplomates-espions. Enchanté par l'accueil qu'il reçoit dans les cours allemandes, il se montre bien peu désireux de retrouver Émilie et tait obstinément la date d'un éventuel retour. Des semaines entières se passent sans une lettre de lui. Absolument désespérée, elle confie à d'Argental : « Mon cœur est ulcéré et je suis pénétrée de la plus vive douleur. Avoir à me plaindre de lui est une sorte de supplice que je ne connaissais pas [...]. J'ai pensé réellement mourir [3]. »

Un mois plus tard : « Il est ivre absolument [...]. Il a fait durer cinq mois une absence qui devait être au plus de six semaines [...] vous sentirez aisément combien je suis à plaindre [...] et, malgré tout ce que

1. Lettre à d'Argental, 30 janv. 1737.

2. Lettre de Voltaire au prince Frédéric de Prusse, 20 fév. 1737. A Mme de Champbonin, il écrit, le 10 février 1737 : « Je me tue pour aller vivre dans le sein de l'amitié. »

3. Lettre à d'Argental, 15 oct. 1743.

je souffre, je suis bien persuadée que celui qui aime le mieux est encore plus heureux [1]. »

Une fois encore, elle lui demande d'expliquer à Voltaire que sa santé est fort dérangée, qu'elle tousse, qu'elle a une fièvre affreuse et qu'elle risque de mourir... Au lieu d'accourir à Bruxelles où elle suit son éternel procès, Voltaire prend le chemin des écoliers. Il rentre fâché contre Émilie à laquelle il ne pardonne pas d'avoir envoyé une estafette en Allemagne pour le ramener. D'Argental est cette fois le confident de Voltaire : « Voilà horriblement du bruit pour une omelette [ ?]. On ne peut être ni moins coupable ni plus vexé [...]. Je vous avoue que je suis très fâché des démarches qu'on a faites, elles ont fait plus de tort que vous ne pensez [2]. »

Voltaire fait mine d'ignorer l'état lamentable dans lequel se trouve la marquise. Perdant toute prudence et toute retenue, elle s'est pourtant confiée à la cynique Mme de Tencin. Les soirs où elle ne supporte plus d'être seule, elle court chez Mme de Tencin qui va coucher dans sa maison de Passy et l'emmène en larmes, « plus perdue d'amour que tous les romans ensemble ». Singulière créature, dit Mme de Tencin à Richelieu qui la connaît, « elle est folle, mais elle n'est pas méchante [3] ». Il n'y a pas de meilleur témoignage du désarroi d'Émilie qui perd, dans son chagrin d'amour, tout orgueil et toute dignité. On comprend mieux à présent le silence obstiné sur ses préoccupations scientifiques, que l'on constate dans sa correspondance de l'époque. Elle a le cœur trop lourd pour être maîtresse de son esprit.

Mme d'Épinay a souffert les mêmes expériences déchirantes car elle aussi a mis son bonheur au-dessus de tout. Lorsque Grimm retarde son voyage à

1. Lettre à d'Argental, 22 nov. 1743.
2. Lettre à d'Argental, 4 nov. 1743.
3. René Vaillot, *op. cit.*, pp. 225-226, qui cite des extraits de la correspondance du cardinal de Tencin et de sa sœur, Mme de Tencin. Paris, 1790.

Genève parce qu'il redoute les mauvaises langues, elle lui réplique qu'on ne sacrifie pas le bonheur d'une vie à une chimère et elle ajoute, comme Émilie avec Voltaire : « A l'égard de raisons personnelles à vous et de l'espèce de tort que cette démarche peut vous faire, j'ignore en quoi il consiste [...] [mais] *vous me verrez toujours prête à faire céder mon bonheur au moindre avantage réel que vous en pourrez retirer* [1]. »

Vingt ans plus tard, alors que Grimm est dans la plus complète ivresse des réceptions et distinctions dont Catherine II le comble, Mme d'Épinay fait part d'une réflexion à Galiani, que la marquise n'aurait pas démentie : « S'il résulte du bien-être et du repos pour Grimm de tant de sacrifices [de ma part], amen ; mais depuis que je me connais, je vis d'effort et de résignation. *J'ai toujours subordonné mon sort et mes volontés à celles des autres. Personne n'a subordonné son sort au mien* [...]. *Voilà le sort des femmes* [2]. »

Comme Émilie, Louise perd la santé quand on la quitte et la retrouve presque miraculeusement lorsque Grimm lui revient. A la différence de son aînée, Mme d'Épinay est réellement malade depuis fort longtemps. Pendant les dix-huit mois que son amant s'absente en Russie, elle est restée la plupart du temps alitée, avec des gonflements du ventre extrêmement douloureux. Durant l'été 1775, elle est couchée six semaines sur le dos avec « une hydropisie enkystée [3] ». Elle écrit à Galiani qu'il lui faut cinq oreillers pour dormir. Totalement « obstruée, le croupion écorché [4] » dans la plus complète solitude (sa fille est aux eaux), elle essaie de donner le

1. *Pseudo-Mémoires*, tome III, p. 369. Souligné par nous. Mme du Châtelet disait aussi : « Je suis accoutumée à sacrifier mon bonheur à ses goûts. »
2. Lettre à Galiani, 1er nov. 1773. Souligné par nous.
3. Lettres à Galiani, 7 et 13 juin 1773.
4. Lettre à Galiani, 26 juin 1773.

change à l'abbé qui n'est pas dupe. Mais elle prend ses malheurs avec humour et trouve le moyen de faire rire de ses éructations ! Lorsque Grimm est enfin de retour, folle de joie et d'excitation, elle avoue à son ami : « Je n'aurai plus d'occasion d'être malade [1]. »

## *La trahison*

Louise et Émilie sont les amoureuses exclusives de deux hommes peu passionnés et vaniteux. Quel que fût l'amour qu'ils ont porté à leur compagne – ils en ont donné de multiples preuves –, leur ambition a toujours eu le dernier mot. Nos deux héroïnes, elles, ont constamment mis l'amour au-dessus de tout.

Mme du Châtelet a sans cesse plus aimé qu'elle ne l'a été. Guébriant, Maupertuis, Richelieu ne furent pas aussi passionnés qu'elle. Saint-Lambert non plus. Elle l'aime avec une sorte de frénésie qui frôle la démence, et ne reçoit en échange de ce jeune homme que quelques bribes d'un amour fort tiède ; Émilie n'est pas toujours dupe de cette relation unilatérale, elle en souffre réellement, mais pas au point d'abandonner son travail à Paris pour le rejoindre en Lorraine.

Le grand choc de sa vie ne fut pas la déception que lui donna Saint-Lambert, mais le détachement amoureux de Voltaire, progressivement apparu dès les années 1740. Le plus grand rival d'Émilie fut le roi Frédéric II, en possession d'un atout contre lequel elle se sentait désarmée. Il pouvait dispenser à Voltaire des satisfactions de vanité que nul autre ne pouvait lui offrir. L'adoration qu'il porte à Voltaire donne à ce dernier l'irrésistible envie d'aller en Prusse recevoir les hommages qu'on lui promet depuis longtemps et qui compenseraient le rejet constant de la cour de France. Depuis 1737, date de

1. Lettre à Galiani, 26 oct. 1774.

la première lettre de Frédéric, le prince et l'écrivain échangent une correspondance où chacun se livre à une surenchère de flagorneries. Frédéric supplie Voltaire de venir à sa cour pour y recevoir les honneurs qu'on réserve aux plus grands génies du monde, et Voltaire est obligé de décliner l'invitation pour ne pas abandonner Émilie qu'on ne veut pas inviter...

A partir d'octobre 1740, on perçoit très bien dans les lettres de Voltaire au prince qu'Émilie est une charge de plus en plus pesante. C'est sans grande délicatesse qu'il écrit à Frédéric : « Vous-même n'avez-vous pas un fardeau immense à porter qui vous empêche souvent de satisfaire vos goûts en remplissant vos devoirs sacrés [1] ? »

Après l'avoir rencontré brièvement à Clèves en septembre 1740, il n'hésite pas à dire au roi :

> « Je vous quitte, il est vrai ; mais mon cœur [déchiré
> Vers vous revolera sans cesse ;
> Depuis quatre ans vous êtes ma maîtresse,
> Un amour de dix ans doit être préféré ;
> Je remplis un devoir sacré,
> Adieu, je pars désespéré.
> Oui, je vais aux genoux d'un objet adoré,
> Mais j'abandonne ce que j'aime [2]. »

Quelques jours plus tard, il fait sentir à nouveau au roi qu'il ne part que contraint et forcé rejoindre Émilie qui apparemment n'a plus pour lui les charmes d'antan : « J'abandonne un grand monarque qui cultive et honore un art que j'idolâtre, et je vais trouver quelqu'un qui ne lit que Christianus Wolfius. Je m'arrache à la plus aimable cour d'Europe, pour un procès [3]. »

1. Lettre à Frédéric II, 25 oct. 1740.
2. Lettre à Frédéric, 1er déc. 1740.
3. Lettre à Frédéric, 31 déc. 1740.

Puis il ajoute cet aveu, ô combien révélateur de ses sentiments actuels :

« Un ridicule amour n'embrase point mon âme,
Cythère n'est point mon séjour :
Et je n'ai pas quitté votre adorable cour
Pour soupirer en sot aux genoux d'une femme. »

Voltaire n'est plus amoureux de sa divine Émilie et la passion laisse place à l'amitié. Les flatteries de Frédéric l'attirent davantage que les conversations métaphysiques de la marquise qui se rend compte qu'elle n'exerce plus la même séduction. Lorsque son compagnon la quitte pour Frédéric en 1743, elle soupire, dans une lettre à Aldonce de Sade, que le roi « est un rival dangereux [1] ». Elle ne se doute pas encore qu'elle en aura bien d'autres.

Au début de l'année 1744, une crise sentimentale éclate, qui menace gravement la stabilité du couple. Voltaire semble exaspéré. Sa maîtresse perd tant d'argent au jeu qu'il décide une séparation de leurs intérêts et exige le remboursement des sommes qu'il lui prête. Mais le pire n'est pas là. Ce qui fait souffrir Émilie est l'incroyable muflerie de Voltaire qui la trompe ouvertement dans sa propre maison avec l'actrice Mlle Gaussin. Une lettre de Poussot au comte de Marville nous donne les détails de cette première trahison officielle :

« Tout est rumeur chez la marquise du Châtelet. Son mari est arrivé à Cirey, qui écrit lettres sur lettres pour qu'elle vienne lui tenir compagnie. Il a fallu des peines infinies pour déterminer Voltaire à ce voyage. Depuis qu'il est résolu, il est d'une humeur épouvantable, traite avec la dernière dureté la marquise et la fait pleurer toute la journée ; Voltaire comptant souper tout seul avait fait mettre son couvert sur une table étroite ; Madame du Châtelet étant revenue pour souper avec lui souhaita qu'on

1. Lettre à Sade, 23 juin 1743.

mît une table plus raisonnable, Voltaire s'obstina à la garder, et, sur des instances nouvelles, dit qu'il était maître chez lui, et qu'il y avait trop longtemps qu'il faisait le métier de dupe, et lui dit plusieurs autres duretés. Ces contestations qui sont fréquentes sont l'objet des railleries de toute la maison. Le motif secret de ces mauvaises humeurs respectives sont occasionnées par la passion de Voltaire pour la Gaussin. Cette comédienne vient voir le poète lorsqu'il ne peut aller chez elle, le commerce est réglé, la marquise en est furieuse et n'ose pousser les choses trop loin dans la crainte que son amant prenne son parti... [1]. »

Lorsque le couple arrive à Cirey vers la mi-avril, le bonheur n'est plus au rendez-vous. Voltaire est furieux d'avoir dû laisser sa maîtresse à Paris, Émilie ne décolère pas d'avoir été ainsi trahie. De retour à Bruxelles, toujours pour son procès, elle se venge avec M. Charlier, qui appartient au souverain conseil de Brabant et s'occupe de ses affaires. C'est sans passion excessive qu'elle lui écrit en décembre 1744 : « Cher ange, aimez-moi et ne vous ennuyez point de m'obliger comme je ne me lasserai jamais de vous marquer ma reconnaissance [2]. » Aucune des cinq lettres que nous connaissons ne marque plus d'empressement. Charlier ne fut qu'une commodité dans la vie de Mme du Châtelet...

Si la Gaussin a été une passade voluptueuse dans la vie de Voltaire, une autre femme s'est emparée de son cœur, contre laquelle la marquise ne pourra rien. Dès avril 1744, alors qu'il se divertit ouvertement avec la belle actrice, sa correspondance révèle de tendres sentiments pour sa nièce, Mme Denis. Son mari est en train de mourir et Voltaire lui écrit : « Je pars pour Cirey, ma chère nièce, avec la douleur d'être encore plus loin de vous [3]. » En réalité,

1. Lettre du 30 mars 1744 (éd. définitive de Besterman).
2. Lettre du 9 décembre 1744.
3. Lettre du 7 avril 1744.

Voltaire l'aime depuis longtemps, même s'il a attendu qu'elle fût veuve pour se l'avouer à lui-même. Elle n'a alors que trente-trois ans et lui cinquante. Chacun s'accorde à la trouver fraîche, pulpeuse et dénuée de scrupules. En devenant la maîtresse de son oncle, génial et riche, elle sait bien qu'elle œuvre pour sa sécurité et pense en tirer quelque célébrité car elle aussi a des ambitions...

Quatre ans plus tôt, Voltaire confiait à Cideville les affres de sa décadence physique et la pauvreté de ses désirs ; il sent maintenant la volupté renaître dans les bras de Mme Denis. Jusqu'à la mort de la marquise, il éprouve pour sa nièce « un amour vrai, sensuel et tendre, souvent douloureux [...] qui explique l'indépendance prise en 1745 vis-à-vis de Mme du Châtelet [1]. »

Avec Mme Denis, commence une correspondance enflammée truffée d'allusions paillardes : « Baccio il vostro gentil culo e tutta la vostra vezzosa persona [2]. » Il préfère parfois le français et les points de suspension : « Mon cœur et mon ... vous font les plus tendres compliments. » Propos souvent par trop optimistes car Voltaire rencontre les mêmes difficultés que jadis : « Je vous demande la permission d'apporter ma mollesse. Il serait mieux de bander, mais que je bande ou non, je vous aimerai toujours [3]. »

Depuis l'escapade prussienne de 1743, Émilie est désenchantée et franchement malheureuse. Bien que le couple continue d'afficher son entente, elle n'est bientôt plus dupe des prétextes de Voltaire pour ne plus la fêter comme sa maîtresse. Peut-être se seraitelle contentée de son amitié, mais elle ne pouvait supporter qu'il ne l'aimât plus et portât ses hommages ailleurs. De longues années, le souvenir de leurs amours passées provoquera ses larmes. L'abbé Voi-

1. René Vaillot, *op. cit.*, p. 256.
2. Décembre 1745.
3. Lettre citée par R. Vaillot, *op. cit.*, p. 257.

senon, dernier confident d'Émilie, raconte : « Elle me disait quelquefois qu'elle était entièrement détachée de Voltaire. Je ne répondais rien, je tirais un des huit volumes [de la correspondance du couple], et je lisais quelques lettres : je remarquais des yeux humides de larmes ; je refermais le livre promptement, en lui disant : « Vous n'êtes pas guérie. » La dernière année de sa vie, je fis la même épreuve ; elle les critiquait. Je fus convaincu que la cure était faite [1]. »

Dès le retour de Prusse, Voltaire et Émilie, de passage à Paris, donnent l'illusion d'une harmonie parfaite devant les tiers. En réalité, l'atmosphère est si lourde qu'ils s'échappent le plus souvent possible de leur demeure commune pour ne pas rester en tête-à-tête. L'apaisement et l'amitié ne reprennent le dessus que lorsqu'ils se retrouvent seuls à Cirey. Là, le travail de chacun reprend ses droits. Dans la capitale, la marquise, exaspérée des escapades de Voltaire, trompe sa jalousie douloureuse par sa folle passion pour le jeu. Elle joue au cavagnole à Versailles [2], jusqu'au petit matin, et perd des sommes dont elle ne possède pas un denier.

Le jeu lui est une drogue où elle oublie ses malheurs, mais aussi toute prudence. Un jour qu'elle joue chez la reine, elle perd les quatre cents louis qui font toute sa fortune. Le lendemain, elle revient avec deux cents louis que son intendant a empruntés à gros intérêts, et qu'elle perd en quelques instants. Voltaire lui en prête autant pour tenter de regagner. Elle les perd. Avec une sorte de désespoir rageur, et malgré les conseils de Voltaire, elle joue sur parole des sommes de plus en plus importantes, sans réaliser qu'elle a affaire à des tricheurs. Elle perd quatre-vingt mille livres « avec une intrépidité incroyable ».

Voltaire, effrayé par une perte aussi considérable

1. Voisenon, *Anecdotes littéraires*, tome I, 1880, p. 174.
2. Lettre de Voltaire à d'Argental, 5 avril 1745.

et en colère contre une conduite aussi stupide, lui dit, en anglais, perdant toute retenue : « Ne voyez-vous pas, Madame, que vous jouez contre des fripons [1] ? » Ces paroles prononcées à voix basse furent entendues et traduites. Voltaire et Émilie comprirent les suites fâcheuses de l'incident, se retirèrent sans bruit et quittèrent Fontainebleau sur l'heure. Voltaire se cacha six semaines chez la duchesse du Maine et la marquise se mit en quête de ressources... L'anecdote montre à quel point Émilie pouvait facilement perdre la tête lorsqu'elle se livrait à une de ses passions favorites. Seul le jeu a le pouvoir de lui faire tout oublier. Elle est capable, comme en ce jour de décembre 1748, lors d'un arrêt sur la route de Cirey, de jouer treize heures de suite à la comète sans se soucier des postillons qui attendent sous une pluie glaciale, ni de Voltaire, qui ronge difficilement son frein.

Il faut bien constater qu'Émilie ne s'est abandonnée à cette détestable passion qu'après que Voltaire eut cessé de l'aimer.

Malheureuse durant plusieurs années, elle fut incapable de retrouver la sérénité nécessaire à l'étude. Au contraire, toutes ses démarches tendaient à oublier la triste réalité. Le jeu lui donnait les émotions fortes que l'amour lui refusait. Pour ne pas ressasser son échec, elle avait repris la vie dissipée qu'elle menait auparavant. Elle ne se remettra à la tâche que lentement, au fur et à mesure que les blessures se cicatriseront. En novembre 1745, le travail de deuil n'est pas complètement achevé, même si elle a déjà commencé sa grande œuvre. Elle écrit au père Jacquier : « Vous ne serez pas étonné que je ne vous aie rien envoyé de ma façon depuis votre départ quand vous saurez que je mène la vie du monde la plus désordonnée, que je passe ma vie dans l'antichambre du ministre de la Guerre pour

1. Tout cela est rapporté par Longchamp, *Mémoires*, *op. cit.*, pp. 137-138.

obtenir un régiment pour mon fils, que je me couche à 4 et 5 heures du matin et que je travaille quand j'ai du temps à une traduction de Newton [1]. »

Où est donc passée l'ambitieuse Émilie ? Et combien d'années perdues pour n'avoir pas pu faire passer ses sentiments après son ambition !

Elle se révèle tout entière dans le *Discours sur le bonheur*, vraisemblablement rédigé, selon R. Mauzi [2], au cours de l'année 1747. Émilie est alors détachée de Voltaire. Elle n'a pas encore rencontré Saint-Lambert. En dépit d'une profonde insatisfaction, elle connaît un relatif apaisement et a recommencé de travailler sérieusement. Dans ce *Discours* qui n'est destiné qu'à elle-même, elle fait le bilan le plus sincère de son existence. C'est pourquoi, note R. Mauzi, il est le seul, de tous ceux écrits au XVIIIe siècle, qui reste émouvant « par ce qu'il contient de révélation de soi, par ce qu'il laisse deviner de souffrance maîtrisée et convertie [3] ».

L'amour partagé est une chance divine, pense Émilie, qui constate que ce que l'on peut faire de mieux « est de se persuader que ce bonheur n'est pas impossible ». Mais sa triste expérience lui fait aussitôt ajouter : « Je ne sais cependant si l'amour a jamais rassemblé deux personnes faites à tel point l'une pour l'autre qu'elles ne connurent jamais la satiété de la jouissance, ni le refroidissement qu'entraîne la sécurité, ni l'indolence et la tiédeur qui naissent de la facilité et de la continuité d'un commerce dont l'illusion ne se détruit jamais, et dont l'ardeur, enfin, fût égale dans la jouissance et dans la privation... [4] ? »

Créer un cœur capable d'un tel amour !... Mais « une âme si tendre et si ferme paraît avoir épuisé le pouvoir de la divinité ; il en naît une en un siècle ;

1. Lettre au père Jacquier, 12 nov. 1745.
2. *Op. cit.*, introduction, p. LXXXIII.
3. *L'Idée du bonheur au XVIIIe siècle, op. cit.*, p. 9.
4. *Discours sur le bonheur, op. cit.*, p. 29.

il semble qu'en produire deux soit au-dessus de ses forces, ou que, si elle les a produites, elle serait jalouse de leurs plaisirs [1] ».

C'est ainsi qu'Émilie explique l'échec amoureux en général avant d'en venir à la confession la plus intime et poignante qu'on puisse lire : « J'ai reçu de Dieu, il est vrai, une de ces âmes tendres et immuables qui ne savent ni déguiser, ni modérer leurs passions, qui ne connaissent ni l'affaiblissement, ni le dégoût et dont la ténacité sait résister à tout, même à la certitude de n'être plus aimée ; mais j'ai été heureuse pendant dix ans par l'amour de celui qui avait subjugué mon âme ; et ces dix ans, je les ai passés tête à tête avec lui sans aucun moment de dégoût et de langueur. Quand l'âge, les maladies, peut-être aussi un peu la facilité de la jouissance ont diminué son goût, j'ai été longtemps sans m'en apercevoir ; j'aimais pour deux, je passais ma vie entière avec lui, et mon cœur, exempt de soupçon, jouissait du plaisir d'aimer et de l'illusion de se croire aimé. Il est vrai que j'ai perdu cet état si heureux, et que ce n'a pas été sans qu'il m'en ait coûté bien des larmes. Il faut de terribles secousses pour briser de telles chaînes : la plaie de mon cœur a saigné longtemps ; j'ai eu lieu de me plaindre et j'ai tout pardonné. J'ai été assez juste pour sentir qu'il n'y avait peut-être au monde que mon cœur qui eût cette immutabilité qui anéantit le pouvoir des temps [...]. La certitude de l'impossibilité du retour de son goût et de sa passion, que je sais bien n'être pas dans la nature, a amené mon cœur au sentiment possible de l'amitié ; et ce sentiment, joint à la passion de l'étude, me rendait assez heureuse [2]. »

Admirable texte qui montre clairement quel est l'ordre des priorités ! C'est bien l'amour partagé qui vient en premier, suivi en second par l'amitié et l'étude. L'ambition n'est donc pas tout pour elle

1. *Ibid.*
2. *Ibid.*, pp. 31-33.

comme pour ceux qui s'y consacrent entièrement. Elle n'est qu'une passion parmi d'autres.

Émilie ne se contentera bientôt plus de l'amitié, même indéfectible, de Voltaire. Comme sa passion scientifique ne peut suffire à elle seule à lui emplir le cœur, elle tombe amoureuse du premier séducteur venu, Saint-Lambert, dont elle devient secrètement la maîtresse en 1748. Longchamp a raconté dans ses mémoires la réaction de Voltaire lorsqu'il surprit un soir les deux amants sur un sofa... « Frappé de surprise et d'indignation, ne pouvant contenir sa vivacité, il les apostrophe, éclate en reproches violents. Monsieur de Saint-Lambert lui dit [...] qu'on allait s'expliquer en lieu opportun. Monsieur de Voltaire se retire furieux, remonte chez lui, et m'ordonne d'aller chercher une chaise de poste ... [1]. » Un peu plus tard, Émilie s'inquiète auprès du valet de l'état de Voltaire et décide de lui parler. Elle s'adresse d'abord en anglais, répétant un nom d'amitié qu'elle lui donnait ordinairement en cette langue, puis en français pour l'adoucir et s'excuser. Longchamp, qui écoute aux portes, rapporte leur dialogue :

« *Voltaire :* Quoi ! Vous voulez que je vous croie après ce que j'ai vu ! J'ai épuisé ma santé, ma fortune ; j'ai tout sacrifié pour vous, et vous me trompez !

« *Émilie :* Non, je vous aime toujours, mais depuis longtemps vous vous plaignez que vous êtes malade, que les forces vous abandonnent, que vous n'en pouvez plus [...]. Je suis bien loin de vouloir votre mort, votre santé m'est très chère [...]. De votre côté, vous avez toujours montré beaucoup d'intérêt pour la mienne. Vous avez connu, et approuvé le régime qui lui convient, vous l'avez même favorisé et partagé aussi longtemps qu'il a été en vous de le faire. Puisque vous convenez que vous ne pourriez continuer à en prendre soin qu'à votre grand dom-

1. *Op. cit.*, pp. 200-201.

mage, devez-vous être fâché que ce soit un de vos amis qui vous supplée ?

« *Voltaire :* Ah ! Madame, vous aurez toujours raison ; mais puisqu'il faut que les choses soient ainsi, du moins qu'elles ne se passent pas devant mes yeux [1] ! »

Voltaire était peut-être vexé de ne plus être l'unique, mais il n'éprouva pas une grande jalousie. Saint-Lambert vint s'excuser des paroles un peu vives qu'il avait prononcées. A peine avait-il achevé sa phrase que Voltaire le serra des deux mains et l'embrassa avec ces mots : « Mon enfant, j'ai tout oublié, et c'est moi qui ai eu tort. Vous êtes dans l'âge heureux où l'on aime, où l'on plaît ; jouissez de ces instants trop courts : un vieillard, un malade comme je suis, n'est plus fait pour les plaisirs [2]. »

Le vieillard malade était tout de même l'amant de Mme Denis... Voltaire prit son parti très philosophiquement de l'infidélité d'Émilie, resta son ami et devint celui de Saint-Lambert avec lequel il correspondra jusqu'à sa mort en 1778.

Quelque temps après cette scène tragi-comique, il rédigea cette galante épître à Saint-Lambert, qui n'est pas dénuée de complaisance :

« Saint-Lambert, ce n'est que pour toi
Que ces belles fleurs sont écloses.
C'est ta main qui cueille les roses
Et les épines sont pour moi...
Elle a laissé là son compas
Et ses calculs et sa lunette.
Elle reprend tous ses appas ;
Porte-lui vite à sa toilette
Ces fleurs qui naissent sous tes pas
Et chante-lui sur ta musette
Ces beaux airs que l'amour répète
Et que Newton ne connut pas... »

1. *Ibid.*, p. 203.
2. *Ibid.*, p. 204.

Mais on n'oublie pas que c'est Voltaire qui s'est d'abord détaché d'elle pour la Gaussin et sa nièce. Quand Émilie s'est donnée à Saint-Lambert, elle n'a nullement trahi celui avec lequel elle n'entretenait plus que des liens d'amitié. Pourtant, si Saint-Lambert n'a représenté pour elle au début qu'un plaisir physique, il est vite devenu une passion à part entière. Aussi impétueuse et dévorante que les précédentes. La marquise s'exaspère de la différence d'âge et de la froide insouciance du jeune homme, dont elle attend bientôt un enfant. Mais cette ultime passion, devant l'angoisse de mort, a cédé le pas au désir de survie. La dernière année de son existence, Mme du Châtelet fit passer l'ambition avant tout.

Comme la marquise, Louise d'Épinay a toujours éprouvé des sentiments plus profonds et plus passionnés que ses amants. Trahie toute jeune par un mari qu'elle adorait, elle laisse échapper cette plainte : « N'y a-t-il donc que moi dans le monde qui sache aimer [1] ? » Trompée par Francueil, trop souvent abandonnée par Grimm, elle a confié à plusieurs reprises à ses proches que « les hommes ne savent pas aimer ». Prête à tout donner à ceux qu'elle aime, Mme d'Épinay n'a jamais été à l'origine d'une rupture. En amour comme en amitié, la fidélité est un trait essentiel de son caractère dont elle n'a pas été assez payée de retour.

Pendant les trente ans de son compagnonnage avec Grimm, elle n'a cessé de lui porter les sentiments les plus tendres et de lui prouver son amour par de constantes attentions. Le faisant passer avant tout, elle n'eut d'autres préoccupations que de régler sa vie sur la sienne. La réciproque n'était malheureusement pas vraie. Mais par pudeur, dignité et amour, elle ne s'en plaignait pas à l'intéressé, de crainte, sans doute, de paraître peser sur lui et de l'ennuyer. C'est par l'ami le plus intime du moment

1. *Pseudo-Mémoires*, tome I, p. 260.

que nous connaissons ses déceptions et ses chagrins. Dès les années 1760, nous savons grâce à Diderot que Mme d'Épinay n'est pas aussi heureuse qu'elle pouvait l'espérer jadis à Genève. Au détour d'une lettre à Sophie Volland (31 août 1760), nous apprenons que Grimm ne vient à la Chevrette qu'en coup de vent : « Il y dort et puis c'est tout. » Un mois plus tard, Diderot rapporte une anecdote révélatrice sur les sentiments réciproques des deux amants. Alors qu'ils étaient tous trois à la campagne un dimanche soir, Louise dit à Grimm : « Vous allez à Versailles. Nous allons au Granval [chez les d'Holbach]. Nous reviendrons tous les deux mercredi, et si vous vouliez, je vous donnerais rendez-vous chez moi à cinq heures. Très volontiers, dit-il [...]. Le mercredi, nous arrivons à cinq heures. Mais lui n'était pas encore venu à onze heures. Il avait oublié le rendez-vous [...]. On avait la larme à l'œil ; et tout en pleurant, on disait : « C'est que ses affaires l'occupent si fort qu'il ne peut penser à rien ; c'est qu'il est bien à plaindre et moi aussi. » Et on l'excusait avec une bonté qui me touchait infiniment. Pour moi, je me taisais, et elle me disait : « Mais vous ne dites rien, Philosophe ? Est-ce que vous croyez qu'il ne m'aime pas ? » Que diable voulez-vous qu'on réponde à cela ? Dire la vérité, cela ne se peut. Mentir, il le faut bien. Laissons-la du moins dans son erreur. Le moment qui la détromperait serait peut-être le dernier de sa vie [1]. »

En ce temps-là, Grimm abandonne à Diderot le soin de Mme d'Épinay. C'est ce dernier qui lui tient compagnie en l'absence de son amant. « Il arrange si bien ses voyages qu'il sort de la Chevrette au moment où j'y arrive. En vérité, quand il aurait dessein de me rendre amoureux de sa maîtresse, il ne s'y prendrait pas autrement. Vous concevez bien que je plaisante [...]. Il est si enfoncé dans la négociation et les mémoires qu'on ne lui voit pas le bout du nez.

1. Lettre à Sophie Volland, 27 sept. 1760.

Il ne lui reste pas un instant pour l'amitié, et je ne sais quand l'amour trouve le sien [1]. »

Rien ne nous laisse supposer que Grimm trompait Louise. Mais il était si préoccupé de lui-même qu'il lui restait à peine quelques miettes à donner à sa compagne. Chaque fois que son intérêt le commandait, il laissait Louise à sa solitude, même lorsque son état de santé semblait le plus compromis. S'il l'avait aimée comme elle l'aimait, l'aurait-il laissée seule aux pires moments de son existence, quand elle dut faire incarcérer son fils et se sentait malade à mourir ?

A notre connaissance, elle n'a pas utilisé les ruses de la marquise du Châtelet. Ni gémissements ni chantage à la mort n'ont entravé l'égoïsme de Grimm. Abandonnant tout espoir de passer avant son ambition, elle a accepté la cruelle situation presque sans broncher. Simplement, elle s'est sentie vieillir plus tôt [2] que d'autres, parce qu'elle ne suscitait plus le désir de celui qu'elle chérissait. Le désarroi des quinze dernières années éclate dans les confidences humoristiques mais aussi désabusées qu'elle fit à Galiani. A peine revenu d'un séjour de sept mois en Angleterre et sur le point de repartir, Grimm apparaît à Mme d'Épinay plus « gras et gai, plus ridicule et aimable que jamais [3] ». Trois semaines plus tard, elle se plaint de sa désertion : « Le travail, la musique et le spectacle me distraient parfois, et je tire le plus de parti de ma situation qui est passablement amère. Je travaille pour cette chaise de paille tant que je puis, et cela me fait du bien, tandis qu'elle court comme une folle en Allemagne sans rime ni raison et sans savoir pourquoi. Je ne sais s'il y a un détraquement général dans toutes les têtes, peut-être à commencer par la mienne [4]. »

1. Lettre à Sophie Volland, 30 sept. 1760.
2. Lettre de Mme d'Épinay à Galiani, 9 août 1771.
3. Lettre à Galiani, 30 nov. 1771.
4. Lettre à Galiani, 19 déc. 1771.

L'ironie le cède parfois au ton désabusé : « C'est un mal nécessaire que s'attacher fortement à un ami que dans toute occasion on a reconnu digne de notre estime [...]. Mais aussi, quand on s'en éloigne pour des temps aussi longs, on tombe des nues et l'on se croit seule dans l'univers [1]. » Et elle ajoute, sans comprendre l'accusation qu'elle porte indirectement contre Grimm : « Il n'y a pas d'âme aimante qui ne l'ait éprouvé. »

Lorsqu'il est présent, Grimm ne songe guère à se faire pardonner ses absences par un surcroît d'attention. A son retour d'Allemagne en février 1772, Louise écrit : « La chaise de paille est plus maussadement aimable que jamais. On ne la voit guère qu'un quart d'heure par jour, et il passe ce quart d'heure à jérémiader sur les entraves que lui apporte sa bonté [...]. J'enrage [2]. » En septembre de la même année, Grimm songe à repartir pour l'Italie. Louise, désespérée, redoute de le perdre à nouveau. Elle écrit encore à Galiani : « Il faut que je vous ouvre mon âme tout entière une bonne fois, car il n'y a pas une âme ici à qui je puisse le dire. D'ailleurs cela pourrait lui être mal rendu ; et c'est ce que je ne veux point [3]. » Elle réprouve le voyage en Italie, qui l'afflige au-delà de tout et ne procurera aucun avantage à Grimm. Il gênera sa fortune puisqu'une absence de plusieurs mois lui fera perdre indubitablement une partie de ses correspondances. Plus grave, elle a le sentiment d'avoir perdu sa confiance.

« Il peut me rendre la justice au moins que, lorsque je l'avais tout entière, je n'y ai jamais manqué. Depuis six mois je le vois triste, obsédé, tourmenté de quelques idées fâcheuses. Je l'ai tourmenté à mon tour pour savoir la cause ; il m'a toujours nié qu'il

1. Lettre à Galiani, 14 sept. 1771.
2. Lettre à Galiani, 28 fév. 1772.
3. Lettre à Galiani, 20 sept. 1772.

eût rien à dire. Je l'ai cru parce qu'il n'est pas à moi de douter de ce qu'il me dit [1]. »

Une indiscrétion de Diderot lui apprend la cause des soucis de son ami. Il hésite à accepter l'engagement que lui propose la cour de Gotha moyennant dix mille livres de rente pendant toute sa vie, renoncer à ses correspondances, quitter ses amis, sa vie privée et libre. Réaliste, elle ajoute : « Comment refuser un poste où on lui démontre qu'il est nécessaire, quand on court comme un fou pour le premier venu [2] ? » Mais, ravagée, elle conclut : « Mon ami, j'en mourrai. Je renferme en moi-même ce ver rongeur, et je vis dans l'incertitude la plus affreuse. *J'ai mis toute mon existence en lui, il ne m'est pas plus possible de m'en passer que de l'air.* Ce qui me blesse est le mystère qu'il m'en fait. Croit-il que je n'ai pas assez de courage et de générosité pour lui donner en toute occasion le conseil le plus désintéressé et tout son avantage ? Si ce parti était avantageux pour lui, s'il l'acceptait, il ne saurait jamais le désespoir où je serais de le perdre. Mais ce n'est pas le seul mystère qu'il m'ait fait depuis six ou huit mois des choses qui le regardent [...]. Ne lui parlez jamais de ceci. Je vous ouvre mon âme parce que j'étouffe et que vous êtes le seul à qui je puisse me permettre de parler [3]. »

Galiani se moque cruellement de la légèreté et de la vanité de la chaise de paille [4]. Mais plus le temps passe et moins Louise peut supporter les absences de Grimm et surtout son manque de chaleur lorsqu'il est par hasard sous leur toit parisien. En 1775, Mme d'Épinay fait le compte de ses amis perdus. Elle y inclut Grimm avec un humour si grinçant qu'il en devient pathétique. « Sa fureur des voyages et tous

1. *Ibid.*
2. *Ibid.*
3. *Ibid.* Souligné par nous.
4. Lettre de Galiani à Mme d'Épinay, 1er déc. 1772.

les grands qui le tiraillent font ou qu'il est absent ou qu'il est à Paris pour tout le monde, excepté pour ses amis. Je ne le vois point. Nous logeons dans la même maison ; mais il dîne en ville tous les jours, y soupe très souvent. Il ne nous resterait que de coucher ensemble pour nous voir ; mais je suis trop vieille pour en risquer la proposition. Elle lui ferait peut-être multiplier encore ses voyages [1]. »

Plus que jamais, Louise pensait que les hommes ne savaient pas aimer. Le propos s'appliquait fort bien à l'ambitieux que son cœur avait choisi. Malheureusement, elle n'était pas de la même trempe. Sensible, affectueuse, généreuse, l'ambition n'occupait que la seconde place dans l'ordre de ses valeurs. Il est probable que si son compagnon avait partagé ses sentiments, elle se serait plus facilement satisfaite d'un bonheur bourgeois pour lequel elle était douée. Elle se serait contentée d'être « une femme d'un grand mérite » pour lui seul. L'ambition d'être reconnue comme telle a d'abord été un dérivatif à ses frustrations affectives. Une sorte de substitut au bonheur à deux qu'elle n'avait pu réaliser.

A la différence de leurs compagnes, et avec des nuances, Voltaire et Grimm avaient inversé les facteurs. La gloire leur importait avant tout. Elle était le pivot de leur vie autour duquel tout s'organisait. Grimm, plus que Voltaire, a montré ouvertement l'ordre des préséances. Louise ne venait qu'en second dans la hiérarchie de ses biens, loin derrière les honneurs et la renommée. Voltaire n'a pas montré le même égoïsme. Il a souvent sacrifié son plaisir à celui d'Émilie. Jamais ses ambitions. Elle ne l'aurait d'ailleurs pas souhaité, tant qu'elle pouvait le garder auprès d'elle. Mais quand Frédéric II lui promit les honneurs que Louis XV lui refusait, le grand homme ne put résister, malgré les larmes d'Émilie.

Lorsqu'elle mourut subitement le 9 septembre

1. Lettre à Galiani, 28 août 1775.

1749, il éprouva, pendant quelques mois, le chagrin le plus intense. Au point de se relever la nuit, hagard, pour la chercher dans la maison parisienne qu'ils avaient jadis partagée [1]. Mais six mois ne s'étaient pas écoulés qu'il rachetait l'étage occupé par Mme du Châtelet pour y installer sa nièce à laquelle il écrivait : « Ma vraie demeure est où vous êtes. Tout m'est étranger. Vous êtes ma famille entière, ma cour, mon Versailles, mon Parnasse, et la seule ressource de mon cœur [2]. »

N'avait-il pas tenu ces mêmes propos à Émilie ?

Voltaire vécut jusqu'au bout avec Mme Denis dont il n'ignorait pas la rapacité, les trahisons, ou l'esprit bas et intéressé. Pas plus qu'il n'avait cherché à quitter la marquise lorsqu'il ne l'avait plus aimée, il ne voulut se débarrasser de cette femme qui n'avait pas les grandes vertus de son amour passé. Cette passivité s'explique partiellement par l'intérêt second que Voltaire portait aux affaires de cœur. Il avait une œuvre à faire, et cela primait tout le reste. Pour avoir la paix et mener à bien son ambition, il supporta sans trop de mal la médiocrité de Mme Denis comme il avait souffert le difficile caractère de la marquise...

## *La conscience de leurs limites*

Les Émilie ont posé sur elles-mêmes un regard dénué de complaisance. Douées d'une extrême lucidité – peut-être parce que leur ambition était immense – elles ont fort bien mesuré la cruelle distance qui séparait leur rêve de la réalité.

Lorsque Mme du Châtelet soupire : « Dieu m'a

1. Longchamp, *op. cit.*, p. 262 : « Pendant les nuits, il se relevait plein d'agitation. Son esprit croyait voir cette dame, il l'appelait et se traînait avec peine de chambre en chambre comme pour la chercher. »

2. Lettre de Voltaire à Mme Denis, 28 fév. 1750.

refusé toute espèce de génie [1] », elle pense sincèrement ce qu'elle dit. Le propos est plus intéressant par ce qu'il révèle de ses secrets désirs que par sa vérité propre. La marquise n'égale pas les plus grands esprits scientifiques, et sa contribution à la physique ne peut se comparer avec celle d'une Marie Curie cent cinquante ans plus tard. Elle n'en est pas moins une femme de science tout à fait remarquable. L'exception la plus brillante de son siècle. Il y avait là de quoi satisfaire les plus ambitieuses. Elle n'y trouvait pas son compte, elle qui souhaitait posséder le génie que Dieu distribue si parcimonieusement aux hommes et presque jamais aux femmes.

Durant l'année 1739, en peinant aux leçons de Kœnig, elle prend conscience des limites à mettre à son ambition. Elle vivait, jusque-là, la délicieuse période de l'accumulation des connaissances et de l'enrichissement intellectuel qui donnent des ailes. Mais vint le moment de créer et de prendre position. Émilie ne percevait plus alors que ses lacunes. Autant de preuves, à ses yeux, de son absence de génie. Elle se sentait prête parfois à tout abandonner : « Si je ne dois pas réussir du moins à être médiocre, je voudrais n'avoir rien entrepris [2]. »

Cette année-là, Mme du Châtelet fit le scrupuleux bilan de ses capacités intellectuelles. Elle n'était pas de la trempe des grands créateurs. Comme elle le confia à Cideville, elle ne pouvait que « démêler les vérités que les autres ont découvertes [3] ». Le *Mémoire ... sur le Feu,* qui exposait ses idées sur un problème non résolu, devait rester une exception dans son œuvre. Émilie a consacré sa vie à faire un travail de traductrice. Dans sa jeunesse, elle a traduit, pour elle-même, l'*Énéide,* et plus tard *La Fable des Abeilles.* Puis la philosophie de Leibniz à l'usage

1. Lettre à Cideville, 15 mars 1739, et Préface de *La Fable des Abeilles, op. cit.,* p. 135.
2. Lettre à Maupertuis, 20 juin 1739.
3. Lettre à Cideville, 15 mars 1739.

de son fils, et, enfin, les *Principia* de Newton pour « être utile aux Français [1] ». Si elle avait eu le temps nécessaire, elle aurait même traduit le travail du père Jacquier sur le physicien anglais [2]. En 1735, lorsqu'elle rédigeait la préface de *La Fable des Abeilles,* elle se définissait déjà comme « traductrice des idées des autres [3] ». Mais à cette époque le projet de vulgariser des vérités importantes lui paraissait plus glorieux et exaltant qu'en 1739. Peut-être pensait-elle encore secrètement pouvoir faire mieux. Quatre ans plus tard, elle comprend qu'elle ne sera jamais qu'un pédagogue, capable de mettre à la portée d'un plus grand nombre les idées essentielles des génies. Un professeur remarquable, certes, mais pas un créateur qui marque son époque.

Mme d'Épinay n'a cessé de mettre en avant ses « déficiences » intellectuelles. Lucidité, modestie ou masochisme, ses *Pseudo-Mémoires,* son œuvre et sa correspondance reprennent inlassablement le thème de son insuffisance. « Je suis très ignorante, voilà le fait [4] », a-t-elle coutume de répéter. Elle va même plus loin, quand elle écrit à Galiani : « Pour revenir à ma nullité, j'admire réellement votre vertu amicale, qui vous fait désirer l'exactitude dans un commerce aussi insipide que le mien. Je ne vois personne, on ne renouvelle point mes idées, je tire tout de mon propre fond, et je m'aperçois tous les jours qu'il est très borné [5]. »

Il n'y a là nulle coquetterie. Louise a toujours pensé que son esprit était trop longtemps resté en friche pour risquer la comparaison avec les plus talentueux de son entourage. Seul, le domaine de la maternité lui paraissait à sa mesure. C'était un sujet neuf sur lequel les autres femmes n'avaient guère de

1. Lettre à Bernoulli, 8 janv. 1746.
2. Lettre au père Jacquier, 13 avril 1747.
3. *In : Studies on Voltaire,* 1947, *op. cit.,* pp. 132-133.
4. Lettre à Galiani, 20 janv. 1771.
5. Lettre à Galiani, 12 août 1775.

lumières. Et elle ne prétendait que livrer les fruits de son expérience à d'autres mères, aussi démunies qu'elle. Pour ses œuvres littéraires ou critiques, elle préféra garder l'anonymat, de crainte d'être inférieure à ses espérances.

Chez l'une et l'autre, cette lucidité presque désespérée est la marque la plus sensible d'une profonde ambition. N'ayant jamais pu accorder entièrement leurs désirs et la réalité, elles ont accueilli leurs succès avec la modestie qui convenait. Leur rêve était plus éclatant. Elles n'eurent pas la vanité de le croire réalisé, et n'en concevaient pas trop d'amertume.

### « *Si j'étais un homme...* [1] »

Insatisfaites, toutes deux ont cherché les causes de leur demi-échec. Apparemment, elles ne se contentaient pas de la raison brutale qu'elles avaient elles-mêmes énoncée : l'absence d'un talent exceptionnel. Celui-ci ne leur semblait pas tout à fait une grâce divine. Pour qu'il pût se manifester, il fallait que fussent réunies un certain nombre de conditions auxquelles les femmes – contrairement aux hommes – n'avaient pas accès : une plus grande liberté intellectuelle et une totale disponibilité.

L'une et l'autre ont déploré, presque dans les mêmes termes, les entraves à cette double exigence.

Dans une lettre à son cher Galiani, la tendre et modeste Louise montre une clairvoyance et une audace presque agressives. Elle dresse un réquisitoire sans concession de l'éducation des femmes. On ne lui a enseigné que « les talents agréables » dont elle a presque perdu l'usage. Comment vouloir, après cela, jouir pleinement de ces capacités ?

« Il ne me reste que quelques légères connaissances de ces arts et le sens commun, chose rare de nos jours, j'en conviens, mais cela ne vaut pourtant

1. Lettre à Maupertuis, 24 oct. 1738.

pas la peine d'en faire étalage. La réputation d'une femme bel esprit ne me paraît qu'un persiflage inventé par les hommes, pour se venger, de ce qu'elles ont communément plus d'agrément qu'eux dans l'esprit, d'autant qu'on joint à cette épithète l'idée d'une femme savante [1]. »

Or Louise constate qu'il n'y a pas de femmes savantes parce que la société et les mœurs les en empêchent. « La femme la plus savante n'a et ne peut avoir que des connaissances très superficielles [...]. Elle n'est pas à portée, par la raison qu'elle est une femme, d'en acquérir d'assez étendues pour être utile à ses semblables, et il me semble qu'il n'y a que de celles-là qu'on puisse raisonnablement tirer vanité. Pour pouvoir faire un usage utile de ses connaissances, en quelque genre que ce soit, il faut pouvoir joindre la théorie à la pratique [2]. »

En recensant méthodiquement tous les domaines auxquels les femmes ne peuvent accéder, elle a tracé le bilan le plus efficace de l'injuste condition féminine.

« Tout ce qui tient à la science de l'administration, de la politique, du commerce, leur est étranger et leur est interdit ; elles ne peuvent ni ne doivent s'en mêler, et voilà presque les seules grandes causes par lesquelles les hommes instruits ou savants peuvent vraiment être utiles à leurs semblables, à l'État, à leur patrie. Il leur reste donc les belles-lettres, la philosophie et les arts. »

Même dans ces trois domaines, les restrictions sont nombreuses. Si les belles-lettres leur sont en principe permises, « leurs occupations, leurs devoirs leur interdisent encore l'étude profonde et suivie des langues anciennes, comme le grec et le latin [3] ». C'est donc la littérature française, anglaise, italienne, qui sera leur partage. En philosophie, étant

1. Lettre à Galiani, 20 janv. 1771.
2. *Ibid.*
3. *Ibid.*

privées de la lecture des Anciens, ou ne les connaissant que par des traductions presque toujours faibles ou infidèles, les femmes ne peuvent posséder que des connaissances limitées.

« Mais voyons donc si elles s'empareront de l'empire des arts, et jusqu'à quel point elles pourront s'y livrer. Les arts mécaniques ne peuvent être de leur ressort. Dans les arts agréables, je les vois encore forcées de renoncer à la sculpture, même à la peinture. L'impossibilité de voyager et de contempler les chefs-d'œuvre des écoles étrangères, la décence qui leur interdit l'école de la nature, tout dans nos mœurs s'oppose à leurs progrès. Je crois qu'il est inutile de parler d'architecture. Les voilà donc réduites à la musique, à la danse et aux vers innocents : chétive ressource, et qui n'a qu'un temps limité [1]. »

Mme du Châtelet, pourtant infiniment plus favorisée, a souvent évoqué les manques de sa première éducation. Malgré son courage et sa ténacité, la marquise a durement ressenti ce handicap et, comme Louise, elle en attribue la cause à la condition faite aux femmes [2].

« Je sens tout le poids du préjugé qui nous exclut si universellement des sciences, et c'est une des contradictions de ce monde, qui m'a toujours le plus étonnée, car il y a de grands pays, dont la loi nous permet de régler la destinée, mais il n'y en a point où nous soyons élevées à penser. Une réflexion sur ce préjugé [...] c'est que la comédie est la seule profession qui exige quelque étude, et quelque culture d'esprit, dans laquelle les femmes soient admises, et c'est en même temps la seule qui soit déclarée infâme [3]. »

Quelques rares femmes pouvaient diriger leur pays, d'autres triompher sur les scènes, mais à ce

1. *Ibid.*
2. Lettre à Maupertuis, 24 oct. 1738.
3. Préface à la traduction de *La Fable des Abeilles, op. cit.*, p. 135.

jour, constate Émilie, elles n'ont jamais pu participer aux grandes créations de l'esprit.

« Qu'on fasse un peu réflexion pourquoi depuis tant de siècles jamais une bonne tragédie, un bon poème, une histoire estimée, un beau tableau, un bon livre de physique, n'est sorti de la main des femmes ? Pourquoi ces créatures, dont l'entendement paraît en tout si semblable à celui des hommes, semblent pourtant arrêtées par une force invincible en deçà de la barrière, et qu'on m'en donne la raison, si l'on peut. Je laisse aux naturalistes à en chercher une physique, mais jusqu'à ce qu'ils l'aient trouvée, les femmes seraient en droit de réclamer contre leur éducation. »

Émilie propose alors une nouvelle éducation des femmes, en tout point semblable à celle des hommes, dont elle voit les avantages incalculables... pour ces derniers ! En faisant participer le deuxième sexe à tous les droits de l'humanité et de l'esprit, on « ferait un grand bien à l'espèce humaine. Les femmes en vaudraient mieux et les hommes y gagneraient un nouveau sujet d'émulation et notre commerce, qui en polissant leur esprit l'affaiblit et le rétrécit trop souvent, ne servirait alors qu'à étendre leurs connaissances [1] ».

Réfléchissant sur son expérience personnelle, la marquise s'arrête enfin à l'explication psychologique la plus convaincante de l'absence de génie chez les femmes :

« Je suis persuadée que bien des femmes ou *ignorent leurs talents,* par le vice de leur éducation, *ou les enfouissent* par préjugé et faute de courage dans l'esprit. Ce que j'ai éprouvé en moi me confirme dans cette opinion. Le hasard me fit connaître des gens de lettres, qui prirent de l'amitié pour moi, et je vis avec un étonnement extrême qu'ils en faisaient quelque cas. *Je commençais à croire que j'étais une créature pensante.* Mais je ne fis que l'entrevoir, et le

1. *Ibid.*, p. 136.

monde, la dissipation, pour lesquels seuls je me croyais née, emportant tout mon temps et toute mon âme, je ne l'ai cru bien sérieusement que dans un âge où il est encore temps de devenir raisonnable, mais où il ne l'est plus d'acquérir des talents [1]. »

Philosophe, Émilie ne s'est pas laissé décourager : « encore bien heureuse d'avoir renoncé au milieu de ma course aux choses frivoles, qui occupent la plupart des femmes toute leur vie, voulant employer ce qui m'en reste à cultiver mon âme [2] ».

Malheureusement le temps des femmes de la classe d'Émilie ne se gaspille pas seulement en frivolités mondaines. Leur disponibilité intellectuelle et leur énergie sont encore amputées par les devoirs sociaux et familiaux. Si elles pouvaient faire l'économie des premiers, il était bien difficile de paraître se détourner des seconds.

Mme du Châtelet n'a pas caché le peu d'intérêt qu'elle portait aux relations familiales. Ses « devoirs » d'épouse et de mère de la haute aristocratie lui ont souvent semblé trop lourds à assumer. C'est au nom de son mari et pour défendre les intérêts de la famille du Châtelet qu'elle s'expatrie dans le Brabant de longues années. La chicane grignote son temps et ses forces, à son plus grand désespoir. Elle s'en plaint à tous ses amis. Plaidoyers et visites font tort à ses études [3]. Elle a beau réduire encore son temps de sommeil, « les horreurs de la procédure empêchent son travail d'avancer [4] ». Dans chacune de ses lettres, Émilie gémit sur son sort. Comment devenir un grand savant, lorsqu'on « partage son temps si inégalement entre Leibniz et son procureur [5] » ?

1. *Ibid.* Souligné par nous.
2. *Ibid.*
3. Lettre à Bernoulli, 3 août 1739.
4. Lettre à d'Argental, 10 sept. 1742.
5. Lettres à Algarotti, 10 mars 1740. Mais aussi à Thieriot, 9 déc. 1738 ; à Maupertuis, 20 juin 1739 et 24 fév. 1741 ; à Cideville, 2 août 1739.

Lorsqu'on est marquise du Châtelet, on n'échappe pas à certaines obligations sociales. Même si Émilie en a parfois profité pour oublier ses chagrins, elle était tenue – du moins lorsqu'elle résidait à Paris – à un certain nombre de démarches et de visites. Ce qu'elle appelait « les dissipations nécessaires du monde [1] ».

Quand ses enfants furent en âge d'avoir un état, elle se dépensa sans compter pour leur avenir. A ses yeux, c'est là le principal devoir d'une mère. Après avoir négocié le mariage de sa fille avec un duc napolitain [2], elle n'eut de cesse de trouver une future bru digne de son fils [3]. Mais avant de le marier [4], Émilie passera un temps considérable à quémander pour lui un établissement honorable. Ses démarches portèrent leurs fruits puisque le jeune homme fut nommé colonel à seize ans !

La marquise entendit même promouvoir son mari. Comme elle souhaite s'établir près de Saint-Lambert, elle n'hésite pas à faire une cour pressante au ministre d'Argenson afin qu'il accorde au marquis le commandement de Lorraine [5]. Mais la décision appartient d'abord au roi Stanislas qui préfère pour ce poste le Hongrois Bercseny. Émilie, folle de rage, presque malade [6] de cet échec, ne se décourage pas. Elle prie son amant d'intervenir auprès de Stanislas ! Prétextant que l'humiliation serait trop forte pour qu'elle puisse jamais revenir à Lunéville, elle somme Saint-Lambert de faire pression sur le roi, par amour pour elle...

Au lieu d'être consacré aux équations de Newton, le mois de juin 1748 se passe en démarches multiples. Émilie n'hésite pas à dire sa santé menacée...

1. Lettre à Bernoulli, 8 janv. 1746.
2. En 1742.
3. Lettres à Cideville, 21 janv. 1743 ; à Saint-Lambert, 14 avril 1749.
4. Ce qui n'aura pas lieu de son vivant.
5. Lettre à d'Argenson, avril 1748.
6. Lettres à Saint-Lambert, 1er juin et 5 juin 1748.

« Je sais tout supporter hors la honte, mais il y en a tant pour moi à avoir tiré Monsieur du Châtelet de Phalsbourg, où il était content, pour le faire venir en Lorraine essuyer le plus mortel dégoût, et le faire retourner chez lui, non seulement sans récompense, mais encore avec la honte d'avoir cédé sa place à un Hongrois, son cadet. Je sens de si justes reproches de sa part et de celle de sa famille [...] que je ne puis soutenir tant de chagrins à la fois ; la fièvre m'a prise... [1]. »

Pour ne pas se brouiller avec la marquise qu'il apprécie infiniment, Stanislas finit par accorder à son époux le poste de Grand Maréchal des Logis ! Émilie dissimulera la blessure de sa vanité et feindra de croire qu'elle a obtenu satisfaction. Mais toutes ces affaires avaient beaucoup ralenti son rythme de travail, sans compter la sérénité perdue, si nécessaire à son activité.

Depuis longtemps, Émilie pensait que la vie féminine – même celle d'une grande aristocrate – était entamée par des charges et des responsabilités dérisoires que les hommes ignoraient. Elle écrivit un jour à Maupertuis : « *La vie est si courte et si remplie de devoirs et de détails inutiles, quand on a une famille et une maison* [...]. Je suis au désespoir de mon ignorance et de toutes les choses qui m'empêchent d'en sortir. *Si j'étais un homme,* je serais au mont Valérien avec vous, et *je planterais là toutes les inutilités de la vie*[2]. »

Le propos s'appliquait bien davantage aux femmes moins privilégiées. Également à celles, comme Mme d'Épinay, qui s'occupaient au jour le jour de leur famille. Louise connut les mêmes difficultés qu'Émilie, aggravées par les ennuis d'argent. Lorsque son mari était riche, il ne lui distribuait que parcimonieusement et irrégulièrement les ressources du ménage. Plusieurs fois elle dut demander aux

1. Lettre à Saint-Lambert, 8 juin 1748.
2. Lettre du 24 octobre 1738. Souligné par nous.

domestiques de lui avancer les sommes nécessaires pour nourrir la maisonnée. Quand M. d'Épinay fut ruiné, c'est elle qui se chargea des affaires de la famille. Elle n'acquitte les lourdes dettes de son fils qu'au prix de démarches et d'acrobaties diverses. Bien qu'elle évoque tous ces ennuis avec humour, sa correspondance avec Galiani laisse souvent percer, à tort ou à raison, l'angoisse des lendemains. Pour ne pas dépenser, elle n'hésite pas à faire elle-même ses draps et ses rideaux [1]. Lors du mariage de son fils, elle se charge personnellement de toutes les courses nécessaires. Comme elle a grande réputation pour son goût et ses économies, sa belle-sœur, Mme d'Houdetot, qui marie également son fils et sa fille, n'hésite pas à la charger de faire le trousseau de ses enfants [2]...

Louise se sent souvent submergée par les problèmes d'intendance et les ennuis domestiques. Sa famille lui est parfois si pesante qu'elle ne peut retenir un jour ce cri du cœur : « *On n'est pas mère de famille impunément, rien ne rend si bête. Croyez-moi, l'abbé, ne vous faites jamais mère de famille* [3]. »

Venant d'une femme aussi attirée par la maternité, la confidence est révélatrice ! En réalité, comme Émilie jadis, Louise a sûrement regretté plus d'une fois d'être née femme. Il lui suffisait de regarder autour d'elle pour constater que les grands hommes de son entourage n'avaient jamais connu ses difficultés. A l'exception de Diderot, père d'une fille, dont il s'est beaucoup occupé, ni Rousseau, ni Grimm, ni Voltaire, ni Galiani n'ont jamais été confrontés à l'éducation et à la responsabilité d'enfants. Quant à ceux qui connaissent les joies de la paternité, ils furent peu nombreux à en assumer aussi les charges.

1. Lettre du 11 avril 1772.
2. Lettre à Galiani, 8 mars 1775.
3. Lettre à Galiani, 15 juil. 1770.

Les Émilie n'ont jamais accepté l'idée que les inégalités constatées entre hommes et femmes pussent avoir leur origine dans la nature. Selon elles, l'ordre hiérarchique qui soumettait un sexe à l'autre, et les moindres capacités féminines n'avaient d'autres raisons que pédagogiques et sociales. Sans le savoir, elles étaient les héritières directes de Poullain de la Barre, convaincues, comme lui, que les femmes partageaient la faculté rationnelle à égalité avec les hommes. Mais cette vérité n'allait pas de soi pour leurs contemporains !

A part Voltaire, Montesquieu, Condorcet ou d'Holbach, les hommes du XVIIIe siècle eurent trop souvent tendance à définir la spécificité féminine par la sensibilité ou l'imagination. Diderot ne fut pas le dernier à les enfermer dans l'irrationnel. Dans un court essai, *Sur les femmes*[1], il distingue « le beau sexe » par l'ardeur de ses sentiments : « C'est surtout dans la passion de l'amour, dans les transports de la jalousie, dans les accès de la tendresse maternelle, dans la superstition, dans la manière dont elles éprouvent les émotions épidémiques et populaires que les femmes étonnent. J'ai vu l'amour, la jalousie, la superstition, la colère portés par les femmes à un excès que l'homme n'éprouve point[2]. »

La raison de transports aussi violents est que « la femme porte au-dedans d'elle-même un organe susceptible de spasmes terribles ; disposant d'elle et suscitant dans son imagination des fantômes de toute espèce[3] ». C'est pourquoi il n'y a rien de plus proche chez elle que l'hystérie, l'extase, la révélation

1. Publié d'abord dans la *Correspondance littéraire*, 1er avril 1772. Et tome X des œuvres complètes de Diderot, Club français du livre, 1971.
2. *Ibid.*, p. 32.
3. *Ibid.*, p. 32.

ou la prophétie. Esclaves de leur utérus et de leur imagination fougueuse, elles sont « des enfants bien extraordinaires [1] », qui inspirent l'attendrissement et la pitié de Diderot. Elles sont « plus contraintes et plus négligées dans leur éducation, [...] réduites au silence dans l'âge adulte. Sujettes à un malaise qui les dispose à devenir mères. Alors tristes, inquiètes, mélancoliques [...]. C'est dans des douleurs, c'est au péril de leur vie, au détriment de leurs charmes qu'elles donnent naissance à leurs enfants [...]. L'âge avance. La beauté passe. Arrivent les années de l'humeur, de l'ennui et de l'abandon. C'est par le malaise qu'elles sont devenues propres à être mères ; c'est par une maladie longue et dangereuse qu'elles perdent le pouvoir de l'être [2] ».

Et il conclut : « Femmes, que je vous plains ! » Malgré la tendresse toute paternelle de Diderot à leur égard, on comprend que Mme d'Épinay ne se soit guère retrouvée dans ce tableau partiel de la femme. Le portrait ne manquait pas non plus de galanterie : « il faut tremper sa plume dans l'arc-en-ciel » lorsqu'on veut écrire sur elle, mais « la légèreté, la délicatesse et la grâce » étaient loin d'être aux yeux de Louise les seules vertus féminines.

C'est après avoir lu l'essai de Thomas sur les femmes [3], écho fidèle des idées du temps, que Mme d'Épinay se décida enfin à dire ce qu'elle avait sur le cœur.

Entre autres lieux communs d'un pompeux bavardage, Thomas prétend que les femmes ne peuvent faire preuve d'un grand courage que lorsqu'une passion les remue fortement et « les enlève à elles-mêmes ». Mais, répond Louise, le courage est-il autre chose chez les hommes ? « Attachez, dans

1. *Ibid.*, p. 33.
2. *Ibid.*, pp. 33-34.
3. Antoine-Léonard Thomas, *Essai sur le caractère, les mœurs et l'esprit des femmes*, 1772.

l'institution et l'éducation des femmes, le même préjugé de valeur, il se trouvera autant de femmes courageuses que d'hommes, puisqu'il se trouve des poltrons parmi eux, malgré l'opinion, et que le nombre de femmes courageuses est aussi grand que le nombre des hommes poltrons [1]. »

Elle va même plus loin en remarquant que les douleurs physiques sont davantage le partage des femmes et « qu'elles les supportent avec infiniment plus de constance et de courage que les hommes [...]. *La constitution physique est même devenue par l'éducation plus faible que celle des hommes.* On peut donc conclure que le courage est un don de la nature chez elles, tout comme chez les hommes [...]. On pourrait, avec bien plus d'avantages, faire le même calcul sur les peines morales [2]. »

Elle poursuit sa diatribe contre Thomas et ses pairs en développant l'idée audacieuse pour l'époque de l'égalité physique et morale entre les deux sexes :

« Il est bien constant que les hommes et les femmes sont de même constitution. La preuve en est que les femmes sauvages sont aussi robustes, aussi agiles que les hommes sauvages. Ainsi la faiblesse de notre constitution et de nos organes appartient certainement à notre éducation, et est une suite de la condition qu'on nous a assignée dans la société. *Les hommes et les femmes, étant de même nature et de même constitution, sont susceptibles des mêmes défauts, des mêmes vertus et des mêmes vices.* Les vertus que l'on a voulu donner aux femmes en général sont presque toutes des vertus contre nature, qui ne produisent que de petites vertus factices et des vices très réels [3]. »

Mme d'Épinay conclut lucidement par une remarque désabusée sur l'oppression masculine et l'enjeu

1. Lettre à Galiani, 14 mars 1772.
2. *Ibid.* Souligné par nous.
3. *Ibid.* Souligné par nous.

qui en est la cause. On notera qu'elle n'évoque pas la libération des femmes comme un futur proche mais qu'elle se contente du conditionnel :

« Il faudrait sans doute plusieurs générations pour nous remettre telles que la nature nous fit. Nous pourrions peut-être y gagner ; mais les hommes y perdraient trop. Ils sont bien heureux que nous ne soyons pas pires que nous ne sommes, après tout ce qu'ils ont fait pour nous dénaturer par leurs belles institutions [1]. »

On aurait tort de prendre cette critique de la condition féminine pour l'expression de l'amertume d'une vieille dame. Louise a manifesté, dès sa jeunesse, son profond agacement à l'égard de la misogynie ambiante. Dans les *Pseudo-Mémoires,* elle rapporte qu'elle eut, à peine mariée, quelques altercations avec son époux à ce sujet. « Croyez-vous que je puisse passer sous silence la petite critique que vous faites des femmes en les accusant d'intrigue ? [...] Apprenez donc à nous connaître, et qu'une estime méritée et réciproque nous mette pour jamais à l'abri de toutes fausses interprétations [2]. » Elle n'admettait pas qu'on les crût « naturellement légères [3] » et protestait avec véhémence contre tous les stéréotypes qui prétendaient définir les femmes.

Nos Émilie eurent beau proclamer avec force l'égalité de droit entre hommes et femmes, leur révolte était par trop anachronique pour avoir la moindre chance d'être entendue. Elles s'en rendaient bien compte, et se contentèrent le plus souvent de remarques épisodiques et désabusées. « Est-il possible que les femmes n'aient d'autres secours ni d'autres consolations que les larmes ? Pourquoi donc avoir mis l'autorité et la puissance entre les mains de ceux qui ont le moins besoin de secours [4] ? »

1. *Ibid.*
2. *Pseudo-Mémoires,* tome I, p. 320.
3. *Ibid.,* tome II, p. 253.
4. *Ibid.,* tome I, pp. 342, 367.

Le métier de femme est bien dur, soulignait Louise. Il est même sans contrepartie, se plaignait la marquise. En principe, la passion intellectuelle était la seule manière pour les femmes d'accéder à la gloire, mais l'éducation qu'on leur réservait en ôtait les moyens et rendait le goût impossible [1].

## *Des solutions communes*

Frustrations, découragements... Nos Émilie n'ont pas rendu les armes. Elles ont tout tenté pour se rendre autonomes et se protéger du malheur. Elles avaient essentiellement deux atouts : le goût de l'étude et une certaine résignation stoïcienne.

C'est le testament le plus sage qu'elles pouvaient transmettre à leurs descendantes. Le seul qui leur fût de quelque utilité pour les deux siècles à venir.

Le salut des femmes par l'étude fut une idée très chère à la marquise. Elle y voyait la source de l'indépendance et du bonheur. Cette conviction était depuis longtemps partagée par son ami Helvétius qui consacra son premier ouvrage à ce sujet. Adressée à Mme du Châtelet, l'*Épître sur l'amour de l'étude* [2] développe l'idée que le désir passionné du savoir et les joies de la science peuvent apporter autant de bonheur que l'amour tout court. Sinon davantage, en ce qu'il est plus sûr, protège de l'ennui et de la sujétion : c'est par l'étude que l'homme est libre dans les fers, selon la vieille formule. Par elle, il est heureux au milieu des revers.

Aux yeux d'Émilie, la philosophie d'Helvétius s'appliquait mieux encore à la situation particulière des femmes :

« Il est certain que l'amour de l'étude est bien

1. *Discours sur le bonheur, op. cit.*, p. 20.

2. Rédigée en 1738, elle fut publiée dans le *Magasin encyclopédique* de 1814 et dans les œuvres complètes d'Helvétius, V^ve^ Lepetit, 1818.

moins nécessaire au bonheur des hommes qu'à celui des femmes. Les hommes ont une infinité de ressources pour être heureux, qui manquent entièrement aux femmes. Ils ont bien d'autres moyens d'arriver à la gloire, et il est sûr que l'ambition de rendre ses talents utiles à son pays et de servir à ses concitoyens, soit par son habileté dans l'art de la guerre, ou par ses talents pour le gouvernement, ou les négociations, est fort au-dessus de celle qu'on peut se proposer pour l'étude ; mais les femmes sont exclues, par leur état, de toute espèce de gloire, et quand, par hasard, il s'en trouve quelqu'une avec une âme assez élevée, il ne lui reste que l'étude pour la consoler de toutes les exclusions et de toutes les dépendances auxquelles elle se trouve condamnée par état [...]. C'est une ressource sûre contre les malheurs, c'est une source de plaisirs inépuisable... [1]. »

Émilie convient que les plaisirs des sens et du cœur sont, sans doute, au-dessus de ceux de l'étude. Mais nous ne sommes pas maîtres des premiers alors qu'on est toujours sûrs de la possession des seconds, comme en témoigne sa propre vie. Il faut reconnaître qu'elle a toujours aimé l'étude à la folie. En 1738, alors que le bonheur de vivre avec Voltaire n'est pas altéré, elle écrit à Maupertuis : « J'aime l'étude avec plus de fureur que je n'ai aimé le monde, mais je m'en suis avisée trop tard [2]. »

Dix ans plus tard, elle se défend contre la tiédeur de Saint-Lambert avec la même arme : « Je tâche de trouver des ressources dans mon courage, ma philosophie et surtout dans mon goût de l'étude, si vous m'abandonnez [3]. »

A la fin de son existence, le travail intellectuel est une véritable drogue dont elle ne saurait se passer. Elle y trouve même un plaisir presque voluptueux [4].

1. *Discours sur le bonheur, op. cit.*, pp. 21, 23.
2. Lettre du 24 octobre 1738.
3. Lettre du 16 juin 1748.
4. Lettre à Saint-Lambert, 19 juin 1748.

Lorsqu'elle accompagne Mme de Boufflers aux eaux de Plombières, elle est prise d'une soudaine angoisse à l'idée d'en manquer. En août 1748, pour ne pas s'ennuyer, il lui faut étudier dix heures par jour...[1]

Mme d'Épinay partage la passion de son aînée. Elle en expose les raisons dans *Les Conversations d'Émilie*, car elle veut faire profiter sa petite-fille de son expérience et lui donner les clefs du bonheur féminin.

Elle fait d'abord appel à l'orgueil de l'enfant.

« Faites le sacrifice d'un plaisir présent, pour vous en procurer un plus grand, plus éloigné, mais plus réel et plus solide [...] celui de pouvoir aspirer un jour à être comptée parmi les personnes de votre sexe les plus estimées et les plus aimables [2]. »

Mais, pour ne pas laisser à la jeune Émilie le sentiment d'un plaisir vaniteux, Mme d'Épinay poursuit :

*Elle :* « L'instruction a un but bien plus grand et plus noble que celui d'une vaine ostentation de science.

*Émilie :* « Lequel donc ?

*Elle* : « Lorsque vous portez vos soins à cultiver votre raison, à l'orner de connaissances utiles et solides, vous vous ouvrez autant de sources nouvelles de plaisir et de satisfaction ; vous vous préparez autant de moyens d'embellir votre vie, autant de ressources contre l'ennui, autant de consolations dans l'adversité, que vous acquérez de talents et de connaissances : ce sont des biens que personne ne peut vous enlever ; qui vous affranchissent de la dépendance des autres, puisque vous n'en n'avez pas besoin pour vous occuper et être heureuse ; qui mettent au contraire les autres dans votre dépendance ; car plus on a de talents et de lumières, plus on devient utile et nécessaire dans la société. Sans compter que c'est le remède le plus efficace et le plus sûr contre le

1. Lettre à Saint-Lambert, 31 août 1748.
2. 8e conversation, *in : Les Conversations d'Émilie*, *op. cit.*, p. 6.

désœuvrement, qui est l'ennemi le plus redoutable du bonheur et de la vertu [1]. »

Mais, aux yeux de Louise, si le travail intellectuel est la consolation de la femme [2], c'est aussi un plaisir qu'elle ne peut satisfaire qu'après avoir rempli tous ses devoirs, « de mère, de fille, d'épouse [3] ». Obligations autrement plus lourdes qu'au temps de Mme du Châtelet, puisqu'elles furent augmentées par Mme d'Épinay et ses semblables des charges du maternage quotidien.

L'étude est un luxe, mais un luxe nécessaire. Il ne suffit pourtant pas pour protéger les femmes contre les malheurs inhérents à leur condition. Les Émilie ont toutes deux compris qu'une solide dose de stoïcisme n'était pas superflue. « Je crois, disait la marquise, qu'une des choses qui contribue le plus au bonheur, c'est de se contenter de son état, et de songer plutôt à le rendre heureux qu'à en changer [4]. »

A cette réflexion tardive de la marquise, en 1747, faisait écho la philosophie résignée de Mme d'Épinay. Très jeune, elle avait été attirée par les idées stoïciennes de Tronchin. Et quand Grimm l'abandonna à la maladie et la solitude, Louise fut plus que jamais convaincue que « le vrai bonheur dépend de soi-même [5] ». Elle enseigna à sa petite-fille les grands principes de la philosophie de Zénon : « Le sage apprend de bonne heure à ne pas compter sur les événements et se soumet sans peine aux contrariétés de la vie [6]. »

1. 12e conversation, pp. 121-122.

2. Lettre à Galiani, 20 janv. 1771 : « Un moyen de se suffire à soi-même, d'être libre et indépendant, de se consoler des injustices du sort et des hommes [...]. On n'est jamais plus chérie et considérée par eux que lorsqu'on n'en a pas besoin. »

3. *Ibid.*

4. *Discours sur le bonheur, op. cit.*, p. 7.

5. 5e conversation, *in : Les Conversations d'Émilie, op. cit.*, pp. 123.

6. 12e conversation, p. 166.

Se soumettre à la nécessité pour ne pas se laisser entamer par elle était l'ultime défense des femmes de ce siècle. Elle le restera longtemps encore.

Ce fatalisme solitaire explique certainement l'absence de solidarité féminine dont elles firent preuve l'une et l'autre. Mme du Châtelet n'est pas tendre pour les femmes qui ont essayé – comme elle – de sortir de l'impasse. Parlant d'une œuvre de la marquise de Lambert, *La Métaphysique de l'Amour* [1], elle dit méchamment : « Ce petit ouvrage m'a paru un assemblage de mots vides de sens et assurément il m'a fait conclure que si toutes les femmes écrivaient comme cela, on ferait très bien de leur défendre d'écrire [2]. »

Lorsque Cideville [3] lui apprend que Mme du Boccage a remporté le prix de l'Académie de Rouen pour un ouvrage sur les spectacles [4] et qu'il ajoute que cette académie devrait bien faire pour cette dame ce que l'Institut de Bologne avait fait pour elle, Émilie ne montre aucun enthousiasme excessif à voir une femme accéder aux mêmes honneurs qu'elle. Elle se contente de répondre : « Je m'intéresse trop à la gloire de mon sexe pour n'avoir pas pris beaucoup de part à la sienne [5]. »

En revanche, Cideville et Voltaire manifesteront une joie non feinte de ce succès féminin. Mais peut-être aimaient-ils mieux les femmes qu'Émilie... Et que Louise aussi qui n'a pas brillé par ses amitiés féminines. Lubière a raconté que son entourage genevois était presque essentiellement masculin et, jusqu'à la fin de sa vie, on rencontra peu de femmes dans son salon parisien.

Il est vrai que les autres femmes n'ont pas été

1. Datée de 1729.
2. Lettre à Thieriot, 1er mars 1736.
3. Lettre à Cideville, 25 juil. 1746.
4. *Lettre de Mme X à une de ses amies sur les spectacles et principalement sur l'opéra comique*, 1745.
5. Lettre à Cideville, 19 août 1746.

tendres pour elles. Tout au long de ce livre, on a perçu la haine et la jalousie pour Mme du Châtelet, le mépris pour Mme d'Épinay.

Certaines femmes, qui n'avaient pas les mêmes motifs que Mme de Genlis, n'ont pas caché leur hostilité. La bonne Mme Geoffrin, qui avait admis Julie de Lespinasse dans son salon essentiellement masculin, n'a jamais voulu que Louise y mît les pieds. Elle acceptait d'aller à la Chevrette, mais refusait de rendre l'invitation. Il en est de même de Mme Necker qui conviait chez elle tous les proches de Louise, sauf elle... Situation d'autant plus étrange que M. Necker ne répugnait pas à se rendre chez Mme d'Épinay !

Le moment d'une authentique solidarité féminine n'était pas encore venu. Et avec elle, une volonté militante. Mmes d'Épinay et du Châtelet avaient très bien analysé les causes de l'oppression féminine mais elles n'avaient pas voulu engager la guerre [1].

Résultat de leur stoïcisme ? Découragement devant un combat perdu d'avance ? Elles se sont résignées à l'inévitable. Presque deux siècles s'écouleront avant que les femmes en jugent autrement. Mais lorsqu'elles décideront d'inverser le cours des choses, elles reprendront tels quels les arguments de leurs lointaines ancêtres.

Sans en avoir eu l'explicite volonté, les Émilie nous ont transmis « l'arme de la critique ». Et, plus important encore, elles nous ont légué chacune leur ambition.

1. Mme d'Épinay avait même refusé de rendre publique sa lettre du 14 mars 1772 contre le livre de Thomas dans laquelle elle plaidait si intelligemment la cause des femmes. Cf. Lettre à Galiani, 30 nov. 1772.

## CONCLUSION

# HIER ET AUJOURD'HUI

LES deux femmes s'éteignirent entourées de ceux qu'elles aimaient. Au chevet d'Émilie, récemment accouchée, le marquis, Voltaire et Saint-Lambert s'empressaient pour la distraire.

Nul ne se doutait que la fièvre de lait apparue au sixième jour des couches allait bientôt lui être fatale. La marquise, seule, sentait la mort venir. Au lieu de demander un prêtre, elle voulut qu'on lui apportât le manuscrit de son *Commentaire.* Elle y écrivit d'une plume tremblante la date du « 10 septembre 1749 ». Quelques heures plus tard, elle était morte.

Trois mois après son succès à l'Académie, épuisée par la souffrance et le cancer qui la dévorait, Louise d'Épinay succombait le 15 avril en présence de Grimm, de sa fille et de sa petite-fille.

La nouvelle de leur décès suscita fort peu de commentaires. Seule la *Correspondance littéraire* se fit un devoir de publier leur notice nécrologique. L'une et l'autre fort médiocres. Celle de Mme du Châtelet était l'œuvre de Raynal et sacrifiait davantage aux ragots qu'à la vérité. Après avoir dit que « cette dame, si célèbre dans les pays étrangers, avait ici beaucoup plus de censeurs que de partisans [1] », l'abbé se fait une joie de rappeler l'incident du suicide manqué pour Guébriant, auquel il consacre

1. *Correspondance littéraire*, tome I, 1749, p. 365.

l'essentiel de son article. Il cite deux épitaphes [1] de Voltaire assez peu sobres, et se fait complaisamment l'écho des moqueries qui courent sur la défunte, dont celle-ci :

> Ici-gît qui perdit la vie
> Dans le double accouchement
> D'un traité de philosophie
> Et d'un malheureux enfant.
> On ne sait précisément,
> Lequel des deux nous l'a ravie.
> Sur ce funeste événement,
> Quelle opinion doit-on suivre ?
> Saint-Lambert s'en prend au livre,
> Voltaire dit que c'est l'enfant.

Vingt-huit ans plus tard, la *Correspondance* évoquera à nouveau Émilie, sans que l'on en saisisse l'opportunité, en publiant le portrait de Mme du Châtelet par Mme du Deffand [2] dont Sainte-Beuve dira : « Je ne crois pas qu'il existe en français de page plus sanglante, plus amèrement et plus cruellement satirique [...]. Ce portrait semble avoir été tracé par une furie à froid, qui sait écrire, et qui grave chaque trait en trempant sa plume dans du fiel ou dans du vitriol [3]. »

Mme d'Épinay n'eut pas droit à cet excès de haine ou de sarcasmes. Meister attendit six mois pour lui consacrer un *Portrait* [4], largement inspiré par Grimm. Le temps que les « pleurs cessent de couler [...] pour ne pas que l'expression d'une sensibilité

1. « L'univers a perdu la sublime Émilie,
Elle aima les plaisirs, les arts, la vérité.
Les Dieux, en lui donnant leur âme et leur génie,
Ne s'étaient réservé que l'immortalité. »
2. *Correspondance littéraire*, tome XI, mars 1777, pp. 436-437. Voir Annexe, p. 479.
3. Les *Causeries du Lundi*, 8 juil. 1850, p. 269.
4. *Correspondance littéraire*, tome XIII, pp. 394-399.

trop vive eût laissé aux plus justes louanges une apparence d'exagération qui les aurait rendues suspectes aux yeux de ceux *du moins qui ne l'ont pu connaître que par ses écrits* [1]. »

Après ce joli compliment introductif qui montre le peu de cas que Grimm faisait des œuvres de son amie, le rédacteur fait le portrait et l'histoire de la défunte sans omettre défauts et péchés de jeunesse... A son travail proprement dit, il ne consacre que quelques lignes fort condescendantes :

« Elle n'a point laissé d'autre ouvrage qu'une suite encore imparfaite des *Conversations d'Émilie*, beaucoup de lettres, et l'ébauche d'un long roman [2]. » Les deux petits volumes intitulés, l'un *Lettres à mon fils* (...] l'autre, *Mes moments heureux* [...] quoïque imprimés, n'ont jamais été publiés et ne paraissent pas faits pour l'être ; on y trouverait cependant beaucoup de choses aimables, de la finesse et de la sensibilité ; mais ce sont des ouvrages de société et les premiers essais d'une plume qui n'avait pas encore acquis toute sa force et toute sa maturité [3]. »

Verdict sévère que le siècle suivant démentira de façon éclatante.

Parmi les proches des deux femmes, rares furent ceux qui prirent la plume pour dire leur admiration ou leur chagrin. A l'exception de Voltaire qui ne s'en cacha pas, Maupertuis fut le seul à rendre un véritable hommage à la marquise : « La société perd une femme d'une figure noble et agréable, et qui mérite d'autant plus d'être regrettée, que, avec beaucoup d'esprit, elle n'en faisait aucun mauvais usage [...]. Quelle merveille, d'ailleurs, d'avoir su allier les qualités aimables de son sexe avec les connaissances sublimes que nous ne croyons faites que pour le

1. *Ibid.*, p. 394. Souligné par nous.
2. Les *Pseudo-Mémoires* ou l'*Histoire de Madame de Montbrillant.*
3. *Correspondance littéraire*, tome XIII, p. 398.

nôtre ! Ce phénomène surprenant rendra sa mémoire éternellement respectable. »

Les amis de Louise furent encore plus discrets. Très malade, Diderot[1] avait abandonné toute correspondance et nous ignorons quels furent ses sentiments en apprenant la mort de sa vieille amie. Le seul témoignage de chagrin nous vient d'Italie. Lorsque Galiani apprit la nouvelle par une lettre de Mme du Boccage, il lui répondit : « Mme d'Épinay n'est plus ! J'ai donc aussi cessé d'être [...]. Mon cœur n'est plus parmi les vivants, il est tout entier dans un tombeau [2] », et il refusa son offre de continuer une correspondance avec elle.

## *La postérité littéraire*

Leurs contemporains ne surent pas leur rendre justice. Que Mme d'Épinay eût été l'ancêtre des mères éducatrices et institutrices des siècles suivants échappa presque totalement aux critiques. Si le XIXe siècle porta Mme d'Épinay aux nues, ce n'est pas par enthousiasme pour son œuvre pédagogique, même si *Les Conversations d'Émilie* furent encore rééditées en 1822. Elle fut célébrée et discutée pour le roman autobiographique qu'elle n'avait pas osé publier de son vivant et que Grimm appelait dédaigneusement une « ébauche ». C'est parce qu'il tomba par hasard aux mains du libraire Brunet, qui en comprit vite tout l'intérêt, que ce manuscrit, retouché et tronqué [3], fut publié pour la première fois en 1818. Le titre original, *Histoire de Madame de Montbrillant,* avait été remplacé par un autre plus alléchant : *Mémoires et correspondance de*

1. Il meurt le 31 juillet 1784.
2. Lettre de Galiani à Mme du Boccage, 19 juin 1783.
3. *Histoire de Madame de Montbrillant,* préface de G. Roth, p. XXVIII. Parison avait coupé certains passages jugés trop longs et rajouté des lettres et des documents d'authenticité reconnue.

*Madame d'Épinay.* Pour mieux attirer le lecteur, on avait pris soin de remplacer les noms d'emprunt par ceux des personnes ayant réellement existé.

Le succès fut immédiat et général. Le scandale aussi. Malgré les efforts des héritiers de Louise et de Diderot pour empêcher que la presse en parlât, l'ouvrage se vendit si bien qu'il s'en écoula trois éditions en six mois et fut réédité jusqu'en 1865.

La raison de cet immense succès est double. La première, qui n'est pas la plus noble, fut la polémique *post mortem* que ce livre souleva à l'égard de Rousseau. Les *Confessions* de ce dernier étaient brutalement remises en cause par les *Mémoires* de Mme d'Épinay. Leur version des mêmes événements était si contradictoire que le public prenait plaisir à prendre parti. Et comme les hommes de la Restauration n'aimaient guère Rousseau, une majorité de lecteurs prit fait et cause pour Louise. La critique distinguée aussi [1]. Sainte-Beuve lui donna raison contre le « cynique » Duclos et l'« injuste » Rousseau.

Mais le succès de l'ouvrage ne tenait pas seulement à cette polémique douteuse. Il était dû aussi à ses remarquables qualités littéraires, psychologiques et même sociologiques. Sainte-Beuve lui-même s'en est émerveillé : « Il n'est pas de livre qui nous peigne mieux le XVIIIe siècle, la société d'alors et les mœurs [...]. Rien ne paraît plus vrai, ni plus vivant. Les *Mémoires* de Mme d'Épinay ne sont pas un ouvrage, ils sont une époque... [2]. »

Sainte-Beuve considère même que le livre de Louise supporte la comparaison avec les plus grands.

Il le « place entre celui de Duclos, les *Confessions du comte de****, et le livre de Laclos, *Les Liaisons dangereuses,* mais il est dans le milieu du siècle [...] et nous en offre un tableau plus naturel et plus

1. Exception faite de Musset-Pathay qui mit sévèrement en doute l'authenticité du récit de Mme d'Épinay.

2. Les *Causeries du Lundi,* 10 juin 1850, pp. 187-189.

complet, et qui en exprime mieux, si je puis dire, la corruption moyenne [1] ».

Les frères Goncourt, fins connaisseurs du XVIIIe siècle, furent encore plus enthousiastes :

« Expérience de la société, peinture des portraits d'après les modèles, étude des physionomies démêlées sous les visages, ce que cette femme indique fera dans ce siècle le *génie d'écrivain d'une femme. Un chef-d'œuvre sortira en son temps d'une main féminine ;* et ce n'est point l'imagination qui inspirera ce chef-d'œuvre : c'est l'observation qui le dictera [...] l'observation psychologique qui y descendra jusqu'au fond de la passion et l'interrogera jusqu'au bout [...]. Elle-même croira écrire un roman ; et ce sera sa vie qu'elle ouvrira, son temps qu'elle mettra à nu. Elle aura voulu s'approcher de *La Nouvelle Héloïse :* elle atteindra aux *Confessions* [2]. »

Quelle revanche posthume pour Mme d'Épinay, puisque les Goncourt vont même jusqu'à lui donner la préférence sur Rousseau !

« Il y a un homme dans les *Confessions* de Rousseau ; il y a une société dans les *Mémoires* de Mme d'Épinay [...]. *La connaissance de soi-même, la connaissance des autres, n'ont peut-être jamais été si loin sous la plume d'un homme : elles n'iront pas plus loin sous la plume d'une femme* [3]. »

Le XIXe siècle ne rendit pas un tel hommage à Mme du Châtelet. N'ayant publié – à part le petit traité du bonheur [4] – aucune œuvre purement littéraire, les critiques ne se souciaient plus guère d'elle. Les Goncourt saluèrent son intelligence et sa philosophie [5], mais le siècle ne s'intéressait pas à la physique du passé, ni aux commentaires érudits de la

1. *Ibid.*, p. 196.

2. Les frères Goncourt, *La femme au XVIIIe siècle*, op. *cit.*, p. 303. Souligné par nous.

3. *Ibid.*, p. 304. Souligné par nous.

4. Il ne compte que trente-neuf pages dans l'édition des Belles-Lettres, 1961.

5. Les Goncourt, *op. cit.*, p. 384.

Bible. Puisqu'elle n'était plus lue, la réflexion cruelle de Mme du Deffand, affirmant qu'elle ne survivrait que par sa liaison avec Voltaire [1], semblait se vérifier. Sainte-Beuve, pourtant grand expert du XVIII$^{e}$ siècle, lui consacra une *Causerie* qui avait pour titre : *Madame du Châtelet, suite de Voltaire à Cirey* [2]. On ne pourrait mieux dire qui était l'astre et qui le satellite !

Sainte-Beuve s'était intéressé à elle parce qu'elle avait vécu quinze ans avec Voltaire, et qu'un tel homme « n'était jamais assez amoureux pour que l'esprit chez lui puisse être longtemps dupe du cœur [3] ». Il admettait volontiers que la marquise occupait « dans la haute littérature et dans la philosophie, un rang dont il était plus aisé aux femmes de son temps de sourire que de lui disputer [4] », mais il était plus friand des moqueries qu'elle avait suscitées et des détails de sa liaison avec le grand homme que de son œuvre proprement dite. Il avait lu le *Discours sur le bonheur* et reconnaissait qu'elle avait parlé avec vérité et justesse de l'amour. Mais il lui reprochait de manquer de tact, de pudeur et de délicatesse [5], autant de qualités que le siècle exigeait des femmes.

Une seule personne rendit un hommage public à Émilie du Châtelet : Louise Colet [6], femme de lettres, salua le talent et l'intelligence d'une exceptionnelle ancêtre. Dans l'article qu'elle lui a consacré, elle s'indigne que les historiens traitent les femmes

1. Voir Annexe, p. 479 : « Il faut pour être célèbre être célébré ; c'est à quoi elle est parvenue en devenant maîtresse de M. de Voltaire. C'est lui qui la rend objet de l'attention du public [...]. C'est à lui qu'elle devra de vivre dans les siècles à venir... »

2. Les *Causeries du Lundi*, 8 juil. 1850.

3. *Ibid.*, pp. 267-268.

4. *Ibid.*, p. 267.

5. *Ibid.*, pp. 279-280.

6. 1810-1876. Elle composa de nombreux ouvrages en vers et en prose. Son salon fut fréquenté par de nombreuses personnalités du monde littéraire : V. Cousin, Musset, Vigny, Flaubert.

en « nations vaincues, c'est-à-dire que leur personnalité s'efface [...] ou se confonde avec celle de l'homme qu'elles ont aimé [1] ». Pour remédier à cette injustice, Louise Colet appelait les femmes écrivains à « revendiquer » les grandes figures féminines du passé, méconnues par la postérité, et à leur rendre vie par leur plume.

Louise Colet ne s'intéressa pas seulement aux amours d'Émilie – elle publia des lettres inédites de la marquise à Saint-Lambert –, mais elle s'attacha surtout à montrer l'ampleur de son œuvre. Elle termina son article par des propos qui auraient fait rougir Émilie de plaisir : « On ne saurait nier que Madame du Châtelet n'ait eu sa part glorieuse dans l'influence que les sciences exercèrent en France au XVIIIe siècle [...]. Par sa traduction du livre des *Éléments,* elle popularisa le système de Newton ; par ses *Institutions de Physique,* elle initia la France aux débuts de la philosophie allemande [2]. »

Malgré cela, les historiens de la première partie du XXe siècle continuèrent d'ignorer la femme de science au profit de la maîtresse de Voltaire. Même la découverte décisive des documents de Leningrad par l'Américain Ira O. Wade [3] ne suscita guère plus d'intérêt pour cette grande savante. Il fallut attendre 1978 pour pouvoir lire une biographie complète et sérieuse sur elle [4].

Deux raisons peuvent expliquer cet oubli tenace qui dura presque deux siècles. La plus évidente est la caducité de ses travaux qui ne peuvent plus intéresser que les historiens des sciences ou de la philosophie. Mais il en est une autre moins avouable qui tient à sa personnalité. Mme du Châtelet ne pouvait

1. *In : Romans populaires illustrés,* n° 28, 1863, p. 1.
2. *Ibid.*, p. 19.
3. Publiés par Princeton University Press en 1947. Ira O. Wade fit un remarquable travail d'analyse de la pensée de Mme du Châtelet en 1941 et 1947.
4. R. Vaillot, *Madame du Châtelet,* Paris, Albin Michel, 1978.

être offerte en modèle aux autres femmes. Elle était trop libre, trop intelligente, trop ambitieuse pour ressembler à l'idéal féminin qui l'a emporté jusqu'à ces dernières décennies. Aussi longtemps qu'on s'est représenté la femme sous les traits de la mère de famille, gardienne du foyer, et qu'on s'est moqué de ses prétentions intellectuelles, il était impossible de réconcilier Émilie avec ce stéréotype. De faire passer la maîtresse tapageuse de Voltaire pour une épouse fidèle, la femme de science pour une mère attentive et dévouée. Il faudra attendre la formation d'un autre couple de philosophes, Simone de Beauvoir et Jean-Paul Sartre, pour que le public, et les femmes en particulier, admettent qu'une autre femme consacre sa vie à l'amour, à l'étude et à la liberté.

En toute logique, Mme d'Épinay aurait dû connaître une plus grande célébrité au XXe siècle. Sa personnalité et ses goûts étaient plus proches de notre sensibilité récente. Certes, on lui connaissait des amants, mais qui ne lui aurait pardonné de s'être séparée d'un tel mari ? Sa maternité exemplaire nous la rendait si familière qu'on s'étonne du peu de cas qui en a été fait. Les biographes du XXe siècle imitèrent leurs aînés du siècle précédent. Ne se souvenant que de ses *Mémoires,* ils occultèrent la mère-pédagogue et dissertèrent avec plus ou moins de sympathie sur son esprit et son salon. L'un d'eux alla même jusqu'à douter de l'authenticité de ses sentiments maternels [1] !

L'attention des historiens a été détournée par les rebondissements, au début du siècle, de sa polémique avec Rousseau. En 1909, parut en France la traduction d'un livre anglais de Mme F. Macdonald, *La Légende de Jean-Jacques Rousseau* [2]. L'auteur

1. A. Rey, *Rôle des enfants à la Chevrette*, 1904, p. 33 : « Le sentiment maternel y semble faussé [...]. L'amour pour ses amants l'empêche d'être une mère véritable. »

2. Traduction par G. Roth de *J.-J. R., a New Criticism*, 2 vol., Londres, 1906.

avait eu l'idée de consulter les manuscrits originaux de Mme d'Épinay. D'une observation minutieuse, elle concluait que l'ouvrage était de plumes différentes et en particulier que des passages concernant Rousseau avaient été récrits dans le but de le noircir. Cette adepte de Jean-Jacques prit avec fougue et efficacité la défense de son idole. Elle éreinta Mme d'Épinay. Les dix-huitiémistes les plus brillants et les amateurs de « grandes affaires » s'intéressèrent de plus près à cet imbroglio. Plus proches de Rousseau que leurs prédécesseurs, les historiens contemporains [1] accablèrent presque unanimement Mme d'Épinay, Grimm et Diderot. Malgré les nuances apportées par les uns et les autres [2], le public concerné retint l'idée que Louise avait menti et qu'elle n'était peut-être pas l'auteur de ses *Mémoires.* De l'admiration que lui portaient les plus grands critiques du XIXe siècle, il ne restait rien, pas même le goût de s'intéresser à elle.

Apparemment, Mmes du Châtelet et d'Épinay sont mortes à notre mémoire. Sauf pour les spécialistes du siècle des Lumières, leur œuvre est à présent tombée dans l'oubli. Pour les évoquer, on est obligé de rappeler leurs liaisons et leurs amitiés. N'est-ce pas là le signe le plus ironique de leur échec ? Leur rêve n'était pas de laisser le pâle souvenir de la maîtresse de Voltaire et de la protectrice de Rousseau. Quelle amertume pour elles de ne plus exister que dans la chronique amoureuse et mondaine du XVIIIe siècle !

Et cependant, tout n'est pas si simple. A y regarder de près, elles n'ont pas perdu la partie... tant s'en faut.

1. Voir notamment Henri Guillemin et Georges Roth.

2. Voir le travail remarquable de H. Guillemin, « Les affaires de l'Ermitage », *in : Annales de la société J.-J. Rousseau,* tome XXIX, 1941-1942, ainsi que l'article de Y. Belaval, « Les Mémoires de Mme d'Épinay », *in : Critique,* n° 62, 1952.

Sans doute, du point de vue scientifique et pédagogique – le leur à l'époque –, les Émilie n'ont plus grand-chose à nous apprendre. Pourvues d'un talent trop léger pour entrer dans l'histoire de la pensée, elles furent, comme tant d'autres, trahies par leurs propres moyens. Pourtant, à la différence de nombre de leurs contemporains qui connurent parfois une gloire plus éclatante, Mme du Châtelet et Mme d'Épinay conservent à nos yeux un intérêt majeur. Si les ouvrages dont elles espéraient la renommée n'ont guère laissé de traces, leur ambition et leur parcours humain sont, particulièrement aujourd'hui, d'une rare présence. C'est la raison pour laquelle leurs écrits intimes – restés secrets de leur vivant – nous sont proches et qu'on les lit avec sympathie, sinon émotion.

La *Correspondance* et le *Discours sur le bonheur* de Mme du Châtelet, les *Pseudo-Mémoires* [1] de Mme d'Épinay survivent à leur auteur non seulement parce qu'elles y parlent d'elles avec bonheur et sincérité – et font découvrir un aspect important de la condition féminine la plus privilégiée du XVIII^e^ siècle –, mais surtout parce qu'elles renvoient aux lectrices actuelles une image très véridique de leurs préoccupations. Peu importe à présent que Mme du Châtelet ait manqué du génie d'un Maupertuis ou que Mme d'Épinay n'ait pu s'imposer comme la rivale de Rousseau, car pour nous l'essentiel est ailleurs. Si elles ont échoué à inscrire leur nom dans l'histoire universelle de la pensée, elles sont de précieux repères pour l'histoire des femmes. A elles deux, elles ont totalement incarné les deux types d'ambition féminine qui s'offrent aujourd'hui ; les Émilie sont des ancêtres exemplaires.

Mme d'Épinay personnifie au plus haut point la passion maternelle jusqu'à vouloir en faire à la fois

1. Trois œuvres régulièrement rééditées depuis le XIX^e^ siècle.

une éthique et une esthétique. Mme du Châtelet représente l'ambition personnelle et le désir de survie qui va de pair. Deux aspirations que l'on s'est toujours plu à opposer et que les femmes de notre époque ne veulent plus dissocier. L'une est l'incarnation de la féminité éternelle, l'autre celle de la virilité si longtemps étouffée dans l'inconscient féminin.

Mme du Châtelet put donner libre cours à des ambitions singulièrement viriles parce que l'idéal de la femme-mère n'avait pas encore triomphé et que l'égoïsme féminin pouvait se manifester au grand jour sans trop de risque de réprobation. Lorsque Mme d'Épinay inaugura, avec quelques autres, le règne de la mère toute-puissante et dévouée, elle surprit... agréablement. Non seulement elle officialisait un pouvoir féminin que les hommes lui ont rarement disputé, mais en faisant du maternage le pôle essentiel de la vie féminine, elle répondait à une double préoccupation masculine. L'une très ancienne, l'autre tout à fait nouvelle. Elle redonnait force à la distinction des rôles si apaisante pour tous, et elle apportait une solution au problème de la survie et de l'éducation des enfants qui inquiétait tant les hommes responsables du siècle des Lumières.

Le modèle féminin incarné par Louise connut le succès que l'on sait...

En revanche, la personnalité et les aspirations de Mme du Châtelet ne pouvaient que choquer ceux qui se ralliaient à l'image de la femme-mère promue par sa cadette. En montrant si librement ses ambitions personnelles, sa volonté de rivaliser avec les meilleurs esprits masculins et le peu de cas qu'elle faisait des soins maternels, Émilie apparaîtra pendant longtemps comme une sorte d'amazone qui a négligé les attributs de son sexe. C'était une femme trop exceptionnelle pour plaire aux héritières de Louise, trop virile pour séduire les hommes.

Presque deux siècles seront nécessaires pour que des femmes puissent se reconnaître en elle. Il aura fallu, pour cela, que l'image de la mère véhiculée par Mme d'Épinay, toute amour et dévouement, cesse de dominer l'inconscient collectif, et qu'une chance soit donnée de s'exprimer à la virilité qui sommeille en chacune.

Plus ouvertement androgynes que par le passé, les femmes de notre temps peuvent davantage que jadis s'identifier aux deux Émilie à la fois. Et cela, d'autant mieux qu'elles n'ont pas seulement assumé les deux faces contraires de l'ambition féminine, mais qu'elles connurent aussi la double aspiration qui est aujourd'hui la nôtre. Mme d'Épinay a compensé son échec maternel en donnant libre cours à son ambition personnelle. Mme du Châtelet a montré sa capacité d'amour et d'oubli de soi dans sa relation avec Voltaire.

Aujourd'hui, parce que le temps de maternité active est de plus en plus court, les femmes acceptent mal de se définir simplement comme mères. Les strictes adeptes de l'éthique maternelle chère à Mme d'Épinay ont beaucoup diminué depuis vingt ans. Mais cela ne signifie pas que les filles de Mme du Châtelet soient destinées à l'emporter. Il semble plutôt que les femmes se sentent aujourd'hui les héritières des deux Émilie ensemble. Le propre de ces nouvelles Èves est de ne vouloir renoncer en rien à satisfaire leur double désir. Elles se veulent féminines et viriles à la fois, et n'acceptent plus d'étouffer les aspirations d'Émilie pour être une meilleure Louise, ni de sacrifier celle-ci à celle-là. Elles s'emploient donc à rendre complémentaires des désirs qu'on s'est longtemps plu à définir comme contraires.

Entre les Émilie, les femmes répugnent à choisir. Pour grand nombre d'entre elles, il est tout aussi difficile de renoncer à l'espoir du bonheur, avec son cortège d'obligations et de sacrifices quotidiens, qu'au désir fou de survie qui s'accompagne d'un égocentrisme, sinon d'un égoïsme souverain.

Les Émilie ont ouvert des voies largement explorées aujourd'hui. C'est à ce titre que, échecs et succès mêlés, douceurs et douleurs confondues, elles nous sont si proches et si précieuses. Leur postérité est nombreuse et parfois blessée comme elles-mêmes.

Chères conquérantes de terres inconnues – et non encore complètement conquises –, reposez en paix. Vos filles ne vous oublieront pas, Émilie, Émilie...

## ANNEXE

# CORRESPONDANCE LITTÉRAIRE
## Mars 1777

### PORTRAIT DE FEU MADAME LA MARQUISE DU CHÂTELET PAR Mme LA MARQUISE DU DEFFAND

« REPRÉSENTEZ-VOUS une femme grande et sèche, sans cul, sans hanches, la poitrine étroite, deux petits tétons arrivant de fort loin, de gros bras, de grosses jambes, des pieds énormes, une très-petite tête, le visage aigu, le nez pointu, deux petits yeux vert-de-mer, le teint noir, rouge, échauffé, la bouche plate, les dents clair-semées et extrêmement gâtées. Voilà la figure de la belle Émilie, figure dont elle est si contente qu'elle n'épargne rien pour la faire valoir : frisure, pompons, pierreries, verreries, tout est à profusion ; mais, comme elle veut être belle en dépit de la nature, et qu'elle veut être magnifique en dépit de la fortune, elle est souvent obligée de se passer de bas, de chemises, de mouchoirs et autres bagatelles.

« Née sans talents, sans mémoire, sans goût, sans imagination, elle s'est faite géomètre pour paraître au-dessus des autres femmes, ne doutant point que la singularité ne donne la supériorité. Le trop d'ardeur pour la représentation lui a cependant un peu nui. Certain ouvrage donné au public sous son nom, et revendiqué par un cuistre, a semé quelques soupçons ; on est venu à dire qu'elle étudiait la géométrie pour parvenir à entendre son livre. Sa science est un problème difficile à résoudre. Elle n'en parle que comme Sganarelle parlait latin, devant ceux qui ne le savaient pas. Belle, magnifique, savante, il ne lui manquait plus que d'être princesse ; elle l'est devenue, non par la grâce de Dieu, non par la grâce du roi, mais par la sienne. Ce ridicule a passé comme les autres. On la regarde comme une princesse de théâtre, et l'on a presque oublié qu'elle est femme de condition. On dirait que l'existence de la divine Émilie n'est qu'un prestige : elle a tant travaillé à paraître ce qu'elle n'était pas qu'on ne sait plus ce qu'elle est en effet. Ses défauts mêmes ne lui sont peut-être pas naturels, ils pourraient tenir à ses prétentions ; son impolitesse et son inconsidération, à l'état de princesse ; sa sécheresse et ses distractions, à celui de savante ; son rire glapissant, ses grimaces et ses contorsions, à celui de jolie femme. Tant de prétentions satisfaites n'auraient cependant pas suffi pour la rendre aussi fameuse qu'elle voulait l'être : il faut, pour être célèbre, être célébrée ; c'est à quoi elle est parvenue en devenant maîtresse déclarée de M. de Voltaire. C'est lui qui la rend l'objet de l'attention du public et le sujet des conversations particulières ; c'est à lui qu'elle devra de vivre dans les siècles à venir, et en attendant elle lui doit ce qui fait vivre dans le siècle présent. »

# TABLE

## DU MÊME AUTEUR

*Chez le même éditeur :*

L'AMOUR EN PLUS. HISTOIRE DE L'AMOUR MATERNEL (XVII$^e$ siècle-XX$^e$ siècle).

LES GONCOURT, ROMANCIERS ET HISTORIENS DES FEMMES. Préface à LA FEMME AU XVIII$^e$ SIÈCLE d'Edmond et Jules de Goncourt, coll. Champs, n° 95.

*Aux Éditions 10/18 :*

LES « REMONTRANCES » DE MALESHERBES (1771-1775).

# Nouvelles éditions des « classiques »

*La critique évolue, les connaissances s'accroissent.* Le Livre de Poche Classique *renouvelle, sous des couvertures prestigieuses, la présentation et l'étude des grands auteurs français et étrangers. Les préfaces sont rédigées par les plus grands écrivains ; l'appareil critique, les notes tiennent compte des plus récents travaux des spécialistes.*

*Texte intégral*

---

# Extrait du catalogue*

**ALAIN-FOURNIER**

Le Grand Meaulnes 1000

*Préface et commentaires de Daniel Leuwers.*

**BALZAC**

La Rabouilleuse 543

*Préface, commentaires et notes de Roger Pierrot.*

Les Chouans 705

*Préface, commentaires et notes de René Guise.*

Le Père Goriot 757

*Préface de F. van Rossum-Guyon et Michel Butor. Commentaires et notes de Nicole Mozet.*

Illusions perdues 862

*Préface, commentaires et notes de Maurice Ménard.*

La Cousine Bette 952

*Préface, commentaires et notes de Roger Pierrot.*

Le Cousin Pons 989

*Préface, commentaires et notes de Maurice Ménard.*

Eugénie Grandet 1414

*Préface et commentaires de Maurice Bardèche. Notes de Jean-Jacques Robrieux.*

La Peau de chagrin 1701

*Préface, commentaires et notes de Pierre Barbéris.*

**LA FAYETTE (Madame de)**

La Princesse de Clèves 374

*Préface de Michel Butor. Commentaires de Béatrice Didier.*

**MACHIAVEL**

Le Prince 879

*Préface de Raymond Aron. Édition traduite, commentée et annotée par Jean Anglade.*

**MAUPASSANT**

Une vie 478

*Préface de Henri Mitterand. Commentaires et notes d'Alain Buisine.*

Mademoiselle Fifi 583

*Édition présentée, commentée et annotée par Louis Forestier.*

La Maison Tellier 760

*Édition présentée, commentée et annotée par Patrick Wald Lasowski.*

Bel-Ami

*Préface de Jacques Laurent. Commentaires et notes de Philippe Bonnefis.*

**MÉRIMÉE**

Colomba et autres nouvelles 1217

*Édition établie par Jean Mistler.*

Carmen et autres nouvelles 1480

*Édition établie par Jean Mistler.*

**NIETZSCHE**

Ainsi parlait Zarathoustra 987

*Édition traduite, présentée et annotée par G.-A. Goldschmidt.*

**POE**

Histoires extraordinaires 604

*Édition présentée par Michel Zéraffa.*

Nouvelles histoires extraordinaires 1055

*Édition présentée par Michel Zéraffa.*

**RABELAIS**

Pantagruel 1240

*Édition établie et annotée par Pierre Michel.*

Gargantua 1589

*Édition établie et annotée par Pierre Michel.*

**SADE**

Justine 3714

*Édition préfacée, commentée et annotée par Béatrice Didier.*

**SAND**

La Petite Fadette 3350

*Édition préfacée, commentée et annotée par Maurice Toesca.*

François le Champi 4771

*Édition préfacée, commentée et annotée par Maurice Toesca.*

La Mare au diable 3551

*Édition préfacée, commentée et annotée par Pierre de Boisdeffre.*

**SHAKESPEARE**

Roméo et Juliette, Le Songe d'une nuit d'été 1066

*Édition préfacée, commentée et annotée par Yves Florenne.*

**STENDHAL**

Le Rouge et le Noir 357

*Édition préfacée, commentée et annotée par Victor Del Litto.*

La Chartreuse de Parme 851

*Édition préfacée, commentée et annotée par Victor Del Litto.*

**TOURGUENIEV**

Premier amour 497

*Préface de François Nourissier. Commentaires d'Edith Scherrer.*

**VERLAINE**

Poèmes saturniens, Fêtes galantes 747

*Préface de Léo Ferré. Commentaires et notes de Claude Cuénot.*

La Bonne Chanson, Romances sans paroles, Sagesse 1116

*Préface d'Antoine Blondin. Commentaires et notes de Claude Cuénot.*

---

** Disponible chez votre libraire.*

*Le sigle ☛, placé au dos du volume, indique une nouvelle présentation.*

**VILLON**

Poésies complètes 1216

*Préfaces de Clément Marot et de Théophile Gautier. Édition présentée, établie et annotée par Pierre Michel.*

**VOLTAIRE**

Candide et autres contes 657

*Édition présentée, commentée et annotée par J. Van den Heuvel.*

Zadig et autres contes 658

*Édition présentée, commentée et annotée par J. Van den Heuvel.*

**ZOLA**

Les Rougon-Macquart

*Édition établie par Auguste Dezalay.*

L'Assommoir 97

*Préface de François Cavanna. Commentaires et notes d'Auguste Dezalay.*

Germinal 145

*Préface de Jacques Duquesne. Commentaires et notes d'Auguste Dezalay.*

La Conquête de Plassans 384

*Préface de Henri Mitterand. Commentaires et notes de Pierre Marotte.*

**XXX**

Tristan et Iseult 1306

*Renouvelé en français moderne, commenté et annoté par René Louis.*

IMPRIMÉ EN FRANCE PAR BRODARD ET TAUPIN
58, rue Jean Bleuzen - Vanves - Usine de La Flèche.
LIBRAIRIE GÉNÉRALE FRANÇAISE - 14, rue de l'Ancienne-Comédie - Paris.
ISBN : 2 - 253 - 03484 - 3

30/5952/4